U0217178

「十三五」国家重点出版物出版规划项目

中国中药资源大典

1

黄璐琦 / 总主编
王英华　余建强　梁文裕 / 主　编

北京科学技术出版社

图书在版编目（CIP）数据

中国中药资源大典．宁夏卷．1 / 王英华，余建强，梁文裕主编．— 北京：北京科学技术出版社，2022.1

ISBN 978-7-5714-1966-0

Ⅰ．①中… Ⅱ．①王… ②余… ③梁… Ⅲ．①中药资源—资源调查—宁夏 Ⅳ．①R281.4

中国版本图书馆 CIP 数据核字（2021）第 254320 号

责任编辑： 侍 伟 李兆弟 王治华
责任校对： 贾 荣
图文制作： 樊润琴
责任印制： 李 茗
出 版 人： 曾庆宇
出版发行： 北京科学技术出版社
社 址： 北京西直门南大街16号
邮政编码： 100035
电 话： 0086-10-66135495（总编室） 0086-10-66113227（发行部）
网 址： www.bkydw.cn
印 刷： 北京捷迅佳彩印刷有限公司
开 本： 889 mm × 1 194 mm 1/16
字 数： 1 003千字
印 张： 45.25
版 次： 2022年1月第1版
印 次： 2022年1月第1次印刷
审 图 号： GS（2021）8727号
ISBN 978-7-5714-1966-0

定 价：490.00元

《中国中药资源大典·宁夏卷》

项目工作委员会名单

主 任 委 员 马秀珍（中国人民政治协商会议宁夏回族自治区委员会）

吕金捍（宁夏回族自治区卫生健康委员会）

副主任委员 宋晨阳（宁夏回族自治区卫生健康委员会）

黄　涌（宁夏回族自治区卫生健康委员会）

牛　阳（宁夏医科大学）

王忠静（宁夏大学）

王生礼（宁夏回族自治区药品监督管理局）

哈　赟（宁夏回族自治区科学技术厅）

王自新（宁夏回族自治区林业和草原局）

刘常青（宁夏农林科学院）

委　　　员 张　涛（宁夏回族自治区卫生健康委员会）

王英华（宁夏回族自治区药品检验研究院）

余建强（宁夏医科大学）

梁文裕（宁夏大学）

刘　峰（宁夏回族自治区药品监督管理局）

马宗卫（宁夏回族自治区药品检验研究院）

蒋　齐（宁夏农林科学院）

王龙成（宁夏回族自治区中医医院暨中医研究院）

徐小涛（宁夏回族自治区科学技术厅）

张文霞（宁夏回族自治区卫生健康委员会）

《中国中药资源大典·宁夏卷》

编写委员会名单

王全超（宁夏回族自治区林业和草原局）

王英华（宁夏回族自治区药品检验研究院）

王建寰（宁夏医科大学）

王艳平（宁夏回族自治区中医医院暨中医研究院）

牛东玲（宁夏大学）

卢有媛（宁夏医科大学）

田　杰（宁夏回族自治区中医医院暨中医研究院）

邢世瑞（宁夏回族自治区药品检验研究院）

朱　强（种苗生物工程国家重点实验室）

刘　华（宁夏农林科学院）

刘王锁（宁夏葡萄酒与防沙治沙职业技术学院）

安　巍（宁夏农林科学院）

祁　伟（宁夏枸杞产业发展中心）

李　明（宁夏农林科学院）

李小伟（宁夏大学）

李吉宁（宁夏大学）

李艳萍（宁夏五行科技有限公司）

杨　晋（北方民族大学）

陈　华（宁夏医科大学）

陈　君（中国医学科学院药用植物研究所）

陈宏灏（宁夏农林科学院）

吴秀丽（宁夏医科大学）

何　婷（宁夏回族自治区中医医院暨中医研究院）

何　嘉（宁夏农林科学院）

余建强（宁夏医科大学）

张清云（宁夏农林科学院）

张新慧（宁夏医科大学）

赵云生（宁夏医科大学）

赵建军（宁夏医科大学）

袁　玲（宁夏医科大学）

袁彩霞（固原市林业草原发展服务中心）

徐　荣（中国医学科学院药用植物研究所）

徐小涛（宁夏回族自治区科学技术厅）

高如宏（宁夏回族自治区中医医院暨中医研究院）

高晓娟（宁夏医科大学）

曹有龙（宁夏农林科学院）

梁文裕（宁夏大学）

彭　励（宁夏大学）

蒋　齐（宁夏农林科学院）

董　琳（宁夏医科大学）

童安荣（宁夏回族自治区中医医院暨中医研究院）

雍婧姣（宁夏医科大学）

编写委员会秘书（按姓氏笔画排序）

王　勇（宁夏卷编写委员会秘书组）

石悄然（宁夏卷编写委员会秘书组）

薛佳慧（宁夏卷编写委员会秘书组）

参加部分编写和审核的人员（按姓氏笔画排序）

马　玲（宁夏回族自治区药品检验研究院）

马　琳（宁夏医科大学）

王　猛（宁夏大学）

王立刚（自治区自然资源信息中心）

兰小兵（宁夏医科大学）

曲　卓（宁夏医科大学）

刘　宁（宁夏医科大学）

刘　悦（宁夏医科大学）

杜　娟（宁夏医科大学）

李振凯（宁夏大学）

杨丽娟（宁夏回族自治区中医医院暨中医研究院）

杨佳美（宁夏医科大学）

杨森林（宁夏阳光季节文化传媒有限公司）

沈　亮（北京自然博物馆）

张文晋（宁夏医科大学）

郑　萍（宁夏医科大学）

莫　婷（宁夏回族自治区中医医院暨中医研究院）

郭海燕（宁夏回族自治区药品检验研究院）

梁旺利（宁夏大学）

梁晓婕（宁夏农林科学院）

摄　　影（按姓氏笔画排序）

丁　锐　丁建宝　王　庆　王玉富　王汉卿　牛东玲　朱　强　朱仁斌
刘　华　刘　冰　刘　翔　刘王锁　安　巍　祁　伟　李　明　李小伟
李吉宁　杨　晋　杨森林　何　婷　张　磊　张清云　张新慧　林秦文
赵云生　袁彩霞　徐　荣　高晓娟　海长梅　黄　丽　梁文裕　彭　励
董　琳

第四次宁夏回族自治区中药资源普查工作人员

（按姓氏笔画排序）

丁　锐　丁远刚　丁苗苗　丁晓莉　马　力　马　萍　马　强　马小燕
马玉星　马礼堂　马志龙　马晓芳　马晓国　马钰彧　马雪鹏　马鹏生
王　庆　王　坤　王　荣　王　亮　王　勇　王　健　王　猛　王　巍
王小博　王玉玉　王占军　王汉卿　王全超　王英华　王金录　王炎杰
王建寰　王玲霞　王荣洲　王艳平　牛　阳　牛东玲　火明才　火金鹏
巴一帆　左　忠　卢海瑞　田　龙　田　杰　田　琪　田　鹏　田苗苗
白玉婷　白永辉　白明生　冯　军　朱　强　刘　华　刘　峰　刘王锁
刘甲跃　刘宝生　齐长宝　齐喜红　安文科　许　兴　苏　浩　苏亚文
李　华　李　明　李小伟　李玉花　李吉宁　李林燕　李虎成　李树林
李振凯　李晓旭　杨　涓　杨　森　杨天寿　杨丽娟　杨佳丽　杨佳美
杨保勤　杨淑琴　杨遂群　肖文娟　时银英　吴国涛　岑娜娜　何　婷
何建龙　余建强　余德菊　狄天云　张　勇　张　罡　张　磊　张　霞
张文晋　张文懿　张兴宏　张芦燕　张清云　张鹏强　张新慧　张福宝
张慧元　张燕娣　陈　潭　陈庭卓　陈海涛　纳小凡　苟军丽　虎玲花
罗　燕　郑　翔　孟玉荣　赵云生　赵文君　赵启鹏　赵泽军　赵建军
赵钱来　赵锦涛　赵德华　胡进红　柳亚兵　哈小东　侯晓文　饶占广
施学平　姚云鹤　贺　凯　袁彩霞　莫　婷　贾明怀　党文瑞　党维霞
晏民生　徐　静　徐婷婷　殷玉洁　高天飞　高如宏　高芳红　高晓娟
郭秋军　黄　丽　常晟奇　康菊英　梁文裕　梁茎华　梁旺利　梁俊玉
彭　励　董　琳　蒋　齐　韩文学　韩文海　童安荣　温奎申　靳　萱
雷　燕　雍婧姣　穆　静　魏　博

主编简介

>> 王英华

宁夏回族自治区药品检验研究院主任药师、宁夏医科大学药学院特聘教授、国家科学技术奖励审评专家、第四次全国中药资源普查技术指导专家、第四次全国中药资源普查宁夏专家委员会主任。曾任第八届、第九届国家药典委员会委员，国家食品药品监督管理局（现国家市场监督管理总局）药品审评专家，中国药学会中药和天然药物专业委员会委员，中国药学会中药资源专业委员会委员，中国人民政治协商会议宁夏回族自治区第九届委员会委员。1998 年被评为国家“百千万人才工程”第三层次学术和技术带头人，1999 年获国务院政府特殊津贴，2008 年被宁夏回族自治区党委、自治区人民政府授予“自治区有突出贡献专业技术优秀人才奖”，并荣获首届“全区优秀科技工作者”称号，2017 年荣获“中国药学发展奖食品药品质量检测技术奖”，2021 年荣获“自治区中医药突出贡献奖”。

她主要从事药品质量监督检验及宁夏道

地中药材研究工作，主持或参加科研课题 23 项（其中国际合作项目 5 项），获省部级科技进步奖 12 项，拥有国家发明专利 4 项，发表论文 70 余篇，参编或主编《宁夏中药志》《甘草研究》《银柴胡栽培技术及质量研究》《常用中药化学鉴定》《宁夏中药材标准》等，参与宁夏中药材生产基地建设和规范化种植技术研究指导工作，对宁夏中药材产业的发展和进步起到了积极的作用。

主编简介

>> 余建强

二级教授，现任宁夏医科大学药学院执行院长、宁夏特色中医药省部共建教育部协同创新中心负责人、宁夏药物创制与仿制药研究重点实验室主任、宁夏道地中药材资源开发利用创新团队带头人、宁夏特色中医药协同创新中心常务副主任、宁夏回族自治区药理学教学团队带头人。兼任教育部高等学校药学类专业教学指导委员会委员，中药材产业扶贫行动技术指导专家组六盘山区副组长，中国药学会应用药理专业委员会委员，中国药理学会生殖药理专业委员会副主任委员，宁夏药学会副理事长，第四次全国中药资源普查宁夏动物药、矿物药普查队大队长，第四次全国中药资源普查宁夏技术依托单位负责人等。

他从事教学、科学研究工作30余年，主要研究方向为宁夏特色药用植物及其活性成分的药效学评价和应用。先后承担国家自然科学基金项目、宁夏回族自治区重点研发计划重大（重点）项目等项目16项，发表学术论文120余篇，主编或参编教材及专著13部，申报国家发明专利40余项，开发健康产品11个；荣获宁夏回族自治区科学技术进步奖6项，自治区级教学成果一等奖1项，宁夏医学科技奖一等奖2项，银川市科学技术进步奖一等奖1项。

主编简介

>> 梁文裕

教授，历任宁夏大学生命科学学院副院长、副书记，中国植物学会第十五、十六届理事会理事，宁夏生物学会第七届理事会副理事长，宁夏生物学会植物学专业委员会主任，第四次全国中药资源普查技术指导专家，宁夏中药材产业技术服务专家，宁夏特色药用植物资源保护与开发利用科技创新团队带头人，“植物学”自治区级教学团队带头人，第四次全国中药资源普查宁夏“三区一镇”普查队大队长。

他主要从事西北地区特色药用植物资源的保护、开发与利用等领域的教学和研究工作。先后主持国家自然科学基金项目 5 项，宁夏回族自治区科技支撑计划项目 2 项，宁夏回族自治区重点研发计划项目 2 项，宁夏自然科学基金项目 3 项，宁夏回族自治区环境保护科学技术研究项目 2 项，宁夏回族自治区研究生教育教学改革研究与实践项目 2 项，宁夏回族自治区高等教育本科教学工程建设项目 2 项。作为主要研究人员参加国家级科研项目 10 项，省部级科研项目 12 项。在国内外高水平学术期刊发表学术论文 70 余篇，主编学术专著 4 部，参编教材 2 部。荣获宁夏回族自治区科学技术进步奖 2 项，福建省科学技术奖 1 项，宁夏自然科学优秀学术论文奖 5 项。

黄　序

中药资源是我国中医药事业和中药产业赖以生存和发展的重要物质基础，是国家重要的战略资源。中华人民共和国成立以来，我国曾进行了3次全国性中药资源普查，取得了丰硕的成果。第四次全国中药资源普查是由新时代诸多领域专家学者共同参与的全国性系统工程，旨在解决中药资源家底不清、信息不对称等问题。

宁夏回族自治区地处黄土高原、蒙古高原和青藏高原的交汇地带，具有独特的地理和气候条件，孕育了丰富的中药资源。宁夏回族自治区通过第四次中药资源普查工作，获得了大量的第一手资料。系统、科学地整理和总结这些珍贵的资料，既有利于推广、应用中药资源普查成果，也有利于中药资源保护、开发利用及可持续发展。

由王英华、余建强、梁文裕主编的《中国中药资源大典·宁夏卷》是一部全面反映宁夏回族自治区中药资源现状的大型学术专著，可作为了解宁夏回族自治区中药资源的重要工具书。希望该书的出版对推进宁夏回族自治区中医药事业的发展能起到积极的作用，并能产生广泛的社会效益。

中国工程院院士

中国中医科学院院长

第四次全国中药资源普查技术指导专家组组长

黄璐琦

2021年11月

邢 序

中医药是中华民族优秀文化的灿烂结晶，是我国在自然科学领域具有优势和特色的学科。积极推动中医药的创新发展，不断提高中医药的科技创新能力和产业化水平，不仅有利于保障人民的健康，而且能为世界医药学的发展做出积极贡献。

宁夏处于黄土高原、蒙古高原和青藏高原的交汇地带，其独特的地理位置使宁夏的自然环境表现出明显的过渡性。宁夏地势南高北低，气候南寒北暖，降水量南多北少，蒸发量南低北高，再加上区系地理成分的复杂性等特点，使宁夏拥有丰富的动植物种质资源。宁夏分布着枸杞子、甘草、麻黄、银柴胡、小茴香、黄芪、党参、秦艽、锁阳、肉苁蓉、麝香、鹿茸、全蝎等重要的药材资源，药材种类虽多，但大部分资源储量有限，缺乏提供商品药材的能力，这对发展人工种植生产提出了要求。

宁夏曾进行过3次中药资源普查，第一次全国中药资源普查期间，宁夏没有开展系统的普查工作，只做过零星调查，没有形成系统的文字记载；第二次、第三次全国中药资源普查期间，宁夏均进行了系统的普查。第四次全国中药资源普查期间，宁夏中药资源普查工作自2013年启动实施，至2020年1月通过国家中医药管理局组织的中药资源普查验收。在宁夏回族自治区中医药管理局和自治区普查办的统一部署下，在宁夏医科大学和宁夏回族自治区药品检验研究院2个技术依托单位的指导和支持下，各普查大队都付出了诸多艰辛的努力，积极工作，不断完善，取得了重要的普查成果和经验，为宁夏培养了一批中药资源方面的技术人才，为国家中药资源普查数据库等提供了宁夏翔实的普查数据。

中药资源普查是一项艰巨而神圣的工作，不仅肩负着摸清中药资源家底的重大任务，更肩负着新时代国家的战略使命。参与第四次宁夏中药资源普查工作的全体同志，克服重重困难，经过7年的艰苦努力，圆满完成了普查任务，取得了重要的普查成果。依据普查成果，以王英华、余建强、梁文裕为主编的编者们编著了《中国中药资源大典·宁夏卷》。值此书出版之际，谨向全体编者、普查工作人员和为普查工作付出辛勤汗水的全体人员表示衷心的祝贺。希望从事中药材事业的科技工作者再接再厉、潜精研思，取得更多的科研成就，为宁夏中药材事业的持续、健康发展和中药资源的保护、开发利用做出新的贡献。

全国名中医
第二次、第三次宁夏中药资源普查主持者 邢世瑞
第四次宁夏中药资源普查总顾问

2021年11月

前 言

宁夏位于我国西北地区东部、黄河中上游，黄河自西部的中卫南长滩入境，蜿蜒于卫宁平原和银川平原，流经北部 11 个县（市、区），形成了“塞上江南”的壮美景观。宁夏处于黄土高原、蒙古高原和青藏高原的交汇地带，与甘肃、陕西和内蒙古毗邻，土地面积达 6.64 万 km^2。宁夏全域海拔在 1 000 m 以上；年平均气温为 5.3 ~ 9.9 ℃，北高南低；年平均降水量为 166.9 ~ 647.3 mm，北少南多，差异明显。宁夏境内有 14 个自然保护区，其中，国家级自然保护区 9 个，自治区级自然保护区 5 个，自然保护区总面积为 5 340 km^2。宁夏独特的地理环境和多变的气候条件，以及区系地理成分的复杂性和过渡性，孕育了丰富的药用生物资源，使宁夏成为具有显著特色的“天然药库”。

宁夏进行过 3 次中药资源普查。由于历史原因，在第一次全国中药资源普查（1960—1962）中，宁夏只做了零星调查，没有形成系统的文字记载。在第二次全国中药资源普查（1969—1973）和第三次全国中药资源普查（1983—1987）中，宁夏都进行了系统的调查。1971 年，《宁夏中草药手册》编写组根据宁夏中草药展览会的展出资料和宁夏回族自治区药品检验所（现宁夏回族自治区药品检验研究院）、宁夏农学院（现宁夏大学）等单位的动植物标本，编写出版了《宁夏中草药手册》，该书首次记载了宁夏的中药资源，但它是在未对全区中药资源进行全面、系统调查的情况下编写的，收载内容有一定的局限性。根据第二次全国中药资源普查要求，宁夏回族自治区卫生厅组织卫生部门、商业部门、林业部门的科技人员，组成了宁夏中药资源普查队，开展了较为系统的普查工作。宁夏回族自治区药品检验所（现宁夏回族自治区药品检验研究院）邢世瑞先生总结整理了《宁夏药用植物标本名录》和《六盘山区药用植物名录》。第三次全国中药资源普查期间，宁夏医药总公司、宁夏回族自治区卫生厅、宁夏回族自治区科学技术委员会等 7 个单位组成了宁夏中药资源普查领导小组，于 1983—1987 年对宁夏的中药资源进行了系统的调查，基本查清了全区中药资源的种类和分布情况，并提出了中药资源区划和中药生产开发长远规划。

时隔近 30 年，根据《国家中医药管理局办公室关于印发 2012 年中医药部门公共卫生专项资金项目工作任务方案的通知》（国中医药办规财发〔2012〕27 号）及《自治区人民政府办公厅关于印发国家基本药物宁夏所需中药原料资源调查和监测项目工作实施管理方案的通知》（宁政发〔2012〕197 号）文件精神，宁夏回族自治区人民政府部署了第四次全国中药资源普查宁夏（试点）工作。在宁夏回族自治区党委、人民政府的领导下，在宁夏回族自治区卫生健康委员会（原宁夏回族自治区卫生和计划生育委员会）的组织下，共组建了宁夏大学普查大队、宁夏医科大学普查大队、宁夏农林科学院普查大队、宁夏回族自治区药品检验所（现宁夏回族自治区药品检验研究院）普查大队、宁夏中医医院暨中医研究院普查大队 5 支普查大队。宁夏回族自治区药品检验所（现宁夏回族自治区药品检验研究院）为普查试点工作技术牵头单位，并负责编写相关培训教材，承担全区的相关培训任务；宁夏医科大学为正式普查技术牵头单位。宁夏中药资源普查工作历时 7 年（2013—2020），完成了对 22 个县（市、区）及宁东镇的普查任务，实现了宁夏中药资源普查全覆盖。

第四次全国中药资源普查期间，宁夏各普查大队在 22 个县（市、区）及宁东镇共调查样地 909 个、样方套 4 215 个、样方 25 290 个，对样方套内 64 种重点中药材的蕴藏量进行了统计，共采集、制作并鉴定腊叶标本 31 859 份、药材样品 554 份、种质资源 412 份，拍摄照片 16 万余张；整理、鉴定中药资源 1 397 种（以来源计），涉及植物药资源 1 215 种、动物药资源 175 种、矿物药资源 7 种，其中野生药用资源 118 科 449 属 993 种；发现宁夏新记录种12种（含3个新记录属）；调查栽培中药材41种，栽培面积共计168.2万亩[①]；对227人进行了传统知识调查，实地访谈94人，收集民间验方113个；调查中药材市场相关企业259家，包括中药材种植企业172家；调查中药材专业合作社199家、家庭农场22家、中药材种植大户41家，并对5家中药材饮片生产企业生产的品种进行了详细的调查。按照国家中药资源动态监测信息和技术服务体系建设要求，宁夏完成了宁夏中药原料质量监测技术服务中心（简称“服务中心”）及2个监测站（中宁监测站、隆德监测站）的建设工作，服务中心下设32个监测点；建立了1个重点物种保存圃。

第四次全国中药资源普查期间，宁夏中药资源普查团队基于宁夏中药资源普查成果出版了《贺兰山植物资源图志》《宁夏中医药传统知识调查保护名录》《银柴胡生产加工适宜技术》《宁夏罗山苔藓与真菌图谱》《宁夏湿地植物资源》《宁夏栽培中药材》《发菜蛋白质组学研究基础》《500种中草药识别图鉴》及《500种中草药图鉴》9部著作；起草了《道地药材 第53部分：宁夏枸杞》《道地药材 第54部分：西甘草》《中药材商品规格等级 甘草》及《中药材商品规格等级 枸杞子》4个中华中医药学会团体标准；修订了《宁夏中药饮片炮制规范》（2017年版）和《宁夏中药材标准》（2018年版）2部地方标准；制定了柴胡等5个药材的栽培技术规程；申报了4项发明专利；发表40篇研究论文。通过此次普查，宁夏培养了50余名中药资源方面的技术骨干，其中15名硕士研究生、30名本科生已毕业。此外，5人参加了由国家中医药管理局举办、中国中医科学院承办的中药资源管理人才研修班。

第四次宁夏中药资源普查工作于2013年启动实施，至2020年1月通过国家中医药管理局组织的中药资源普查验收。在宁夏回族自治区中医药管理局和自治区普查办的统一领导和部署下，在宁夏回族自治区药品检验所（现宁夏回族自治区药品检验研究院）和宁夏医科大学2个技术牵头单位的支持、配合下，宁夏各普查大队付出了诸多努力，圆满完成了各项普查任务。全覆盖的野外调查、完好的实物标本及翔实的调查数据，为国家中药资源普查数据库的建设提供了基础资料。为了总结和记载本次普查工作取得的重要成果和经验，我们对普查中获得的大量、珍贵的第一手资料进行了认真细致的整理，并广泛听取了相关专家的意见和建议，逐步形成、完善了《中国中药资源大典·宁夏卷》的编纂方案。

---

①亩为中国传统土地面积单位，1亩约等于667 m^2。在中药材生产实践中，亩为常用面积单位，本书未做换算。

《中国中药资源大典·宁夏卷》的编纂工作由宁夏回族自治区中医药管理局统一领导和部署，王英华、余建强、梁文裕担任主编。本书共分为上篇、中篇、下篇、附篇，上篇主要介绍了宁夏的自然环境、中药资源概况、珍稀濒危药用植物资源等内容，其中包括12种宁夏植物新记录种；中篇详细记载了宁夏24种道地、大宗中药材；下篇记载了宁夏的普通中药资源物种，包括药材名、形态特征、生境分布、资源情况、采收加工、药材性状、功能主治、用法用量、附注等内容，同时附以基原彩色图片，共计1 116种；附篇主要介绍了14种动物药、矿物药资源，其中动物药资源收录7种，矿物药资源收录7种。本书还在附录中收录了168种附篇未收录的宁夏药用动物资源。

全书的审核工作由王英华负责指导，其中，下篇和附篇的审核工作同时由余建强、梁文裕负责指导。由梁文裕、朱强、李小伟完成全书条目名、形态特征、生境分布、新记录种、濒危物种的审核；朱强、李小伟完成全书图片的鉴定、筛选和整理；丁锐、李吉宁完成重点药用资源及蕴藏量的审核；李明、陈宏灏、何嘉完成中篇道地、大宗中药材的栽培技术要点及病虫害防治技术的审核；余建强、陈华等完成中篇化学成分和药理作用的审核；丁建宝、杨晋、丁锐、王汉卿、赵建军、王庆完成全书的药材名（包括药材别名）、采收加工、药材性状、功能主治、用法用量及附注的审核；杨晋、王汉卿完成药用动物、药用矿物的审核。全书的审核统稿由王英华、余建强、梁文裕完成。

在本书的编写过程中，宁夏医科大学、宁夏大学、宁夏回族自治区药品检验所（现宁夏回族自治区药品检验研究院）、宁夏农林科学院、宁夏中医医院暨中医研究院、宁夏药品监督管理局、宁夏回族自治区科学技术厅、宁夏回族自治区林业和草原局、六盘山国家级自然保护区管理局、宁夏枸杞产业发展中心、宁夏回族自治区自然资源信息中心及宁夏中药材产业协会等单位给予了大力支持，在此致以衷心的感谢。本书的编写借鉴了相关专家的成果，谨在此对原作者表示诚挚的谢意。同时，感谢每位普查队员在第四次宁夏中药资源普查工作中的辛勤付出，是你们的默默工作和无私奉献为本书提供了丰富、科学、珍贵的第一手资料。

中国工程院院士、第四次全国中药资源普查技术指导专家组组长、中国中医科学院院长黄璐琦研究员和主持第二次、第三次宁夏中药资源普查工作的邢世瑞先生为本书撰写了序言，这是对我们工作的鼓励，谨致以最诚挚的感谢。本次普查工作和本书的撰写还得到了南京中医药大学原副校长、国际欧亚科学院院士段金廒教授，北京大学药学院、北京大学医学部·富山大学药用资源研究国际合作中心主任蔡少青教授，中国中医科学院中药资源中心郭兰萍研究员、张小波研究员、李军德研究员，重庆市中药研究院瞿显友研究员，甘肃中医药大学晋玲教授的指导和支持。感谢国家中医药管理局对宁夏中药资源普查工作给予的指导和经费支持，感谢国家出版基金对本书的资助。

本书仅对第四次宁夏中药资源普查工作成果进行了一定的整理和总结，宁夏独特而丰富的中药资源仍有待进一步发掘。由于编者水平有限，难免存在差错与疏漏之处，敬请不吝指正，以便编者在今后的工作中不断改进和完善。

编　者

2021 年 12 月

凡例

（1）本书共收录宁夏地区中药资源 1 322 种，撰写过程中主要参考了《中华人民共和国药典》《中国植物志》《中华本草》《宁夏中药志》等。

（2）本书分为上篇、中篇、下篇、附篇，共 4 册。上篇为“宁夏回族自治区中药资源概论”，是第四次宁夏中药资源普查成果的集中体现；中篇为“宁夏回族自治区道地、大宗中药资源”，详细介绍了 24 种宁夏道地、大宗中药资源；下篇为“宁夏回族自治区中药资源各论”，依次介绍了藻类植物、真菌、地衣植物、苔藓植物、蕨类植物、裸子植物和被子植物等中药资源；附篇为“宁夏回族自治区动物药、矿物药资源”，简要介绍了 14 种宁夏地产的动物药、矿物药资源。为检索方便，本书在第 1 册正文前收录 1 ~ 4 册总目录，本书目录在页码前均标注了其所在册数（如“[1]”），同时，本书还于第 4 册正文后附有 1 ~ 4 册所录中药资源的中文拼音索引、拉丁学名索引。

（3）本书下篇“宁夏回族自治区中药资源各论”在介绍每种中药资源时，以中药资源名为条目名，下设药材名、形态特征、生境分布、资源情况、采收加工、药材性状、功能主治、用法用量、附注项。每种中药资源各项的编写原则简述如下。

1）药材名。记述物种的药材名、药用部位、药材别名。同一物种作为多种药材的来源时，分别列出药材名、药用部位、药材别名。未查到药材别名的物种，该内容从略。

2)形态特征。记述物种的形态，突出其鉴别特征，并附以反映其形态特征的原色照片。其中，药用植物资源形态特征的描述顺序为习性、营养器官、繁殖器官。

3)生境分布。记述物种分布区域的海拔高度、地形地貌、周围植被、土壤等生境信息，同时记述其在宁夏的主要分布区域（具体到市级或县级行政区域）。

4）资源情况。记述物种的野生、栽培情况和其药材来源情况。若该物种在宁夏无野生资源，则其野生资源情况从略。同样，若该物种在宁夏无栽培资源，则其栽培资源情况从略。资源情况用“丰富”“较丰富”“一般”“较少”“稀少”描述，如“野生资源丰富，栽培资源较少”。

5）采收加工、药材性状、功能主治、用法用量。记述药材的采收时间、采收方式、加工方法、性状特征、性味、归经、毒性、功能、主治病证、用法、用量。当相应内容在文献记载中缺失时，其内容从略。

6）附注。记述物种的拉丁学名在《中国植物志》英文版（*Flora of China*，FOC）中的修订情况，或该物种在宁夏民间的药用情况等。

目录 Contents

第1册

宁夏回族自治区中药资源概论

宁夏回族自治区道地、大宗中药资源

宁夏回族自治区中药资源各论

第 2 册

第3册

第4册

宁夏回族自治区动物药、矿物药资源

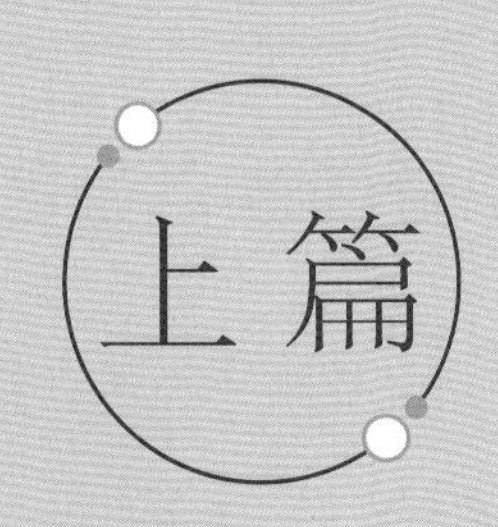

宁夏回族自治区中药资源概论

第一章　宁夏回族自治区自然环境

一、地理位置

宁夏[①]位于北纬 35° 14′ ~ 39° 23′，东经 104° 17′ ~ 107° 39′，处在中国西部的黄河上游地区，东邻陕西，西、北接内蒙古，南与甘肃相连。宁夏地域轮廓南北长、东西短，南北相距约 456 km，东西相距约 250 km，总面积为 6.64 万 km^2。

二、生态资源、地形地貌

（一）生态资源

宁夏的植被面积达 403.67 万 hm^2[②]，其中，自然植被面积为 306.39 万 hm^2，占 75.9%；栽培植被面积为 97.28 万 hm^2，占 24.1%。自然植被有草原、森林、灌丛、草甸、荒漠、沼泽等基本类型。草原植被（荒漠草原、干草原、草甸草原）是宁夏自然植被的主体，其面积为 243.75 万 hm^2，占自然植被面积的 79.5%。荒漠草原和干草原是宁夏草原植被的代表，其面积共 238.32 万 hm^2，占草原面积的 97.8%。

（二）地形地貌

宁夏按地形大体分为黄土高原丘陵，鄂尔多斯台地，洪积冲积平原和六盘山、罗山、贺兰山山地。按地表特征分为南部暖温带平原地带，中部中温带半荒漠地带和北部中温带荒漠地带。全区从南向北表现出由流水地貌向风蚀地貌过渡的特征，地表形态复杂多样。据 2004 年年初的有关统计，宁夏地形中丘陵占 38%，平原占 26.8%，山地占 15.8%，台地占 17.6%，沙漠占 1.8%。

宁夏著名的山地有贺兰山和六盘山：贺兰山位于宁夏北部，南北长约 180 km，东西宽 20 ~ 40 km，海拔不低于 1 500 m，主峰达 3 556 m；六盘山位于宁夏南部，耸立于黄土高原之上，是一座近似南北走向的狭长山脉，山脊海拔超过 2 500 m，最高峰米缸山高达 2 942 m，山腰地带降雨较多，气候湿润，适于林木生长，有较繁茂的天然次生阔叶林，使得六盘山成为黄土高原上的一个“绿色岛屿”。

---

① 本书正文除篇、章等标题外，“宁夏回族自治区”通常简称“宁夏”。

② 1 hm^2=0.01 km^2。

宁夏平原的地势从西南向东北逐渐降低，海拔 1 100 ～ 1 200 m，土层深厚，地势平坦，因方便引用黄河水灌溉，带来农牧业的发达，湖泊众多，湿地连片，风景优美，被誉为“塞上江南”。

三、气候特征

宁夏深居内陆，位于我国西北部，处于黄土高原、蒙古高原和青藏高原的交汇地带，大陆性气候特征十分典型。在我国的气候区划中，固原市南部属中温带半湿润区，固原市原州区以北至吴忠市盐池县、同心县一带属中温带半干旱区，引黄灌区属中温带干旱区。宁夏的基本气候特点为干旱少雨、风大沙多、日照充足、蒸发强烈，冬寒长、春暖快、夏热短、秋凉早，气温年较差、日较差大，无霜期短而多变。

（一）气温

宁夏年平均气温为 5.3 ～ 9.9 ℃，呈北高南低的趋势。中卫市沙坡头区兴仁镇、吴忠市盐池县麻黄山乡及固原市在 7 ℃以下，其他地区在 7 ℃以上。宁夏冬季严寒、夏季炎热：各地气温 7 月最高，平均为 16.9 ～ 24.7 ℃；1 月最低，平均为 −9.3 ～ −6.5 ℃。气温年较差大，达 25.2 ～ 31.2 ℃。

（二）降水

宁夏年平均降水量为 166.9 ～ 647.3 mm，北少南多，差异明显。北部银川平原约为 200 mm，中部吴忠市盐池县、同心县一带约为 300 mm，南部固原市大部分地区为 400 mm 以上，六盘山区可达 647.3 mm。

（三）太阳辐射及日照

宁夏海拔较高，阴雨天气少，大气透明度好，辐射强度高，日照时间长，是全国日照资源丰富的地区之一。年平均太阳总辐射量 4 950 ～ 6 100 MJ/m^2，年平均日照时数 2 250 ～ 3 100 小时，日照百分率 50% ～ 69%。

四、土地资源

宁夏现有耕地 1 821.69 万亩，种植园用地 141.68 万亩，林地 1 447.04 万亩，草地 3 081.49 万亩，湿地 37.59 万亩，商业服务业用地 19.68 万亩，工矿用地 91.79 万亩，住宅用地 154.80 万亩，公共管理与公共服务用地 33.07 万亩，特殊用地 19.77 万亩，交通运输用地 172.16 万亩，水域及水利设施用地 257.04 万亩。宁夏是全国 12 个商品粮生产基地之一和全国十大牧区之一。

五、自然保护区

宁夏现有 14 个自然保护区，总面积 53.40 万 hm^2，保护着全区最典型的生态资源，蕴藏着全区最丰富的生物资源。其中，国家级自然保护区 9 个，自治区级自然保护区 5 个。按类型分，宁夏自然保护区包含森林生态系统类型自然保护区 5 个，分别为贺兰山、罗山、南华山、六盘山国家级自然保护区和六盘山自治区级自然保护区；湿地生态系统类型自然保护区 4 个，分别为哈巴湖国家级自然保护区和沙湖、青铜峡库区、党家岔自治区级湿地自然保护区；荒漠生态系统类型自然保护区 2 个，分别为灵武白芨滩、沙坡头国家级自然保护区；地质遗迹类型自然保护区 2 个，分别为火石寨丹霞地貌国家级自然保护区和石峡沟自治区级自然保护区；草原草甸生态系统类型自然保护区 1 个，为云雾山国家级自然保护区。各自然保护区现状如下。

（一）国家级自然保护区

1. 宁夏贺兰山国家级自然保护区

宁夏贺兰山国家级自然保护区位于贺兰山山脉东坡的北段和中段，地跨银川市永宁县、西夏区、贺兰县，石嘴山市平罗县、大武口区、惠农区，北起麻黄沟，南至三关口，西到分水岭，东至沿山脚下。地理坐标为东经 105°49′ ~ 106°41′，北纬 38°19′ ~ 39°22′。该保护区南北长约 170 km，东西宽 20 ~ 40 km，总面积为 19.35 万 hm^2。该保护区有脊椎动物 5 纲 24 目 56 科 139 属 218 种，属于国家重点保护的动物有 40 种，其中一级保护动物有黑鹳，二级保护动物有马鹿、马麝、盘羊、岩羊等 16 种。目前该保护区的野生维管植物有 84 科 329 属 647 种 17 个变种。其中，蕨类植物 10 科 10 属 16 种，裸子植物 3 科 5 属 7 种，被子植物 71 科 314 属 624 种 17 个变种。被子植物中有双子叶植物 61 科 248 属 476 种 17 个变种，单子叶植物 10 科 66 属 148 种。此外，该保护区还分布有苔藓植物 26 科 65 属 142 种，大型真菌 32 科 81 属 259 种。

2. 宁夏灵武白芨滩国家级自然保护区

宁夏灵武白芨滩国家级自然保护区地处毛乌素沙漠西南边缘、宁夏银川市灵武市境内引黄灌区东部的荒漠区域，属荒漠生态系统类型自然保护区。该保护区总面积为 7.09 万 hm^2，承担着保护我国面积最大的天然柠条林（1.73 万 hm^2）和西北地区面积最大的猫头刺植物群落（2 万 hm^2）以及珍稀濒危植物沙冬青等 314 种沙旱生植物、115 种动物的重任。该保护区集中分布有干旱沙地、干草原和流动沙丘等独特的荒漠地貌景观。

3. 宁夏罗山国家级自然保护区

宁夏罗山国家级自然保护区位于吴忠市同心县、红寺堡区交界处，距同心县县城 50 km，距红寺堡区城区 25 km，该保护区南北长 36 km，东西宽 18 km，总面积 3.37 万 hm^2。行政区划分属吴忠市同心县和红寺堡区，其中，位于同心县境内的面积为 1.97 万 hm^2，占 58.5%；位于红寺堡区境内的面积为 1.40 万 hm^2，占 41.5%。该保护区属森林生态系统类型自然保护区，其主要保护

对象是以青海云杉、油松为代表的荒漠区域典型森林生态系统。

4. 宁夏哈巴湖国家级自然保护区

宁夏哈巴湖国家级自然保护区位于宁夏吴忠市盐池县。该保护区东西长70 km，南北宽45 km，总面积8.40万hm^2。该保护区属荒漠－湿地生态系统类型自然保护区，共有湿地1.07万hm^2，占保护区总面积的12.76%。

5. 宁夏云雾山国家级自然保护区

宁夏云雾山国家级自然保护区位于宁夏固原市原州区，地理坐标为东经106°21′～106°27′，北纬36°10′～36°17′，总面积6 660 hm^2。该保护区的主要保护对象是以本氏针茅为建群种的典型黄土高原草原生态系统。该保护区是目前黄土高原保留最完整、原生性最强、面积最大的集中连片分布的典型代表区域，代表着黄土高原特有的自然特征和原有的自然风貌，是研究黄土高原半干旱区典型草原生态系统演变过程及其规律的天然宝库。该保护区的植被主要有草原和灌丛2个植被类型，有典型草原、草甸草原、荒漠草原、中生落叶灌丛和耐旱落叶灌丛5个植被亚型，11个群系，42个群丛。其共有种子植物64科201属313种，其中，处于近危（NT）等级的植物有3种；有脊椎动物113种，其中，国家重点保护动物有30种，国家一级保护动物有玉带海雕、金雕、大鸨、猎隼4种，国家二级保护动物有兔狲、猞猁、灰鹤、草原雕、长耳鸮、雕鸮、红隼等9种。

6. 宁夏火石寨丹霞地貌国家级自然保护区

宁夏火石寨丹霞地貌国家级自然保护区位于固原市西吉县北部的火石寨乡境内，东西宽10 km，南北长17 km，保护区总面积9 795 hm^2。该保护区属地质遗迹类型，主要保护对象为丹霞地貌及其地质遗迹和保护区内的生物多样性。

7. 宁夏六盘山国家级自然保护区

宁夏六盘山国家级自然保护区地处宁夏南部，地跨固原市泾源县、隆德县两县。地理坐标为东经106°09′～106°30′，北纬35°15′～35°41′。该保护区海拔1 700～2 942 m，南北长110 km，东西宽5～12 km，是泾河、清水河、葫芦河的主要发源地之一。六盘山自然保护区有国家级自然保护区和自治区级自然保护区，总面积6.78万hm^2，其中，国家级自然保护区2.68万hm^2，自治区级自然保护区4.1万hm^2。六盘山生态环境优越，森林茂盛，物种资源丰富，有“西北种质资源基因库”之称。据有关调查，六盘山有高等植物113科382属788种，其中，经济价值较高的植物有150种，国家Ⅱ级重点保护植物有水曲柳、秦岭冷杉，具有重要药用价值的植物有桃儿七、黄芪、红毛七、猪苓、升麻、大叶三七、五味子、贝母、党参、半夏、白芷、柴胡等，六盘山特有植物有桃儿七、六盘山棘豆、四花早熟禾、紫穗鹅观草；有陆生脊椎动物24目59科215种，其中，国家一级保护动物有金钱豹、林麝、金雕，国家二级保护动物有红腹锦鸡、豺、鬣羚、豹猫、麀、狐狸、燕隼、红脚隼、红隼、大鵟、秃鹫、雀鹰等，包括两栖类1目3科5种，爬行类2目4科8种，鸟类15目36科155种，哺乳类6目16科47种；有无脊椎动物13纲47目332科3554种，包括科学新发现 150 种，中国新记录 71 种，宁夏新记录 627 种，六盘山新记录 445 种，其中，珍稀名贵昆虫有金斑幅蛾、丝带凤蝶、黑凤蝶、波水蜡蛾、褐纹十二羽蛾。这些动植物是六盘山自然保护区重要的生物资源，可见，六盘山自然保护区的生物多样性较为丰富。

8. 宁夏沙坡头国家级自然保护区

宁夏沙坡头国家级自然保护区位于宁夏中卫市沙坡头区西部腾格里沙漠东南缘，东起二道沙沟南护林房，西至头道墩，北接腾格里沙漠，总面积 1.40 万 hm^2。该保护区是我国最早建立的 7 个荒漠生态系统类型的自然保护区之一，也是我国第一个以天然沙生植被和人工治沙成果为主要保护对象的国家级自然保护区。

9. 宁夏南华山国家级自然保护区

宁夏南华山国家级自然保护区位于宁夏中部的中卫市海原县，地理坐标为东经 105°03′ ~ 105°44′，北纬 36°20′ ~ 36°33′，呈西北—东南走向，长约 26.4 km，宽约 19.2 km，总面积 2.01 万 hm^2。其主要保护对象为山地森林生态系统和山地草原与草甸生态系统。

（二）自治区级自然保护区

1. 宁夏六盘山自治区级自然保护区

六盘山自治区级自然保护区是 1982 年经宁夏回族自治区人大常委会审议确立的六盘山水源涵养林自治区级自然保护区。其地处宁夏南部，横跨宁夏固原市泾源县、隆德县、原州区两县一区，与六盘山国家级森林公园边界相连。其保护泾河、清水河、葫芦河发源地，起到涵养水源、调节气候、保持生态平衡等作用。

2. 宁夏沙湖自然保护区

宁夏沙湖自然保护区位于宁夏石嘴山市平罗县西南部，是 1997 年宁夏回族自治区人民政府确立的自治区级自然保护区。该保护区面积为 4 247.7 hm^2。沙湖为典型的干旱区微咸水湖，生物多样性丰富，生存有多种国家级和宁夏区级重点保护野生动植物。该保护区内湖泊和沙地相连，形成了奇特的自然景观。

在该保护区的野生动物中，国家一级保护鸟类有 4 种，国家二级保护动物有 24 种。该保护区处于国际上东亚—澳大利亚和中亚 2 条鸟类迁徙路线上，有 178 种鸟类，是候鸟的重要栖息繁衍地。鸟类等动物栖息地和珍稀动物是该保护区的主要保护对象。

3. 宁夏青铜峡库区自治区级自然保护区

宁夏青铜峡库区自治区级自然保护区位于吴忠市青铜峡市和中卫市中宁县境内，是由青铜峡水利枢纽工程经数十年的淤积形成的原生湿地生态系统。2002 年，其由宁夏回族自治区人民政府确定为自治区级自然保护区。该保护区南北长 40.4 km，东西最宽处 7.7 km，最窄处 2.5 km，总面积 1.97 万 hm^2。该保护区属黄河库区淤积类型，主要保护对象为库区湿地保护区内的动植物。该保护区有鱼类 39 种，两栖动物 3 种，爬行动物 5 种，鸟类 179 种，其中国家一级保护鸟类有黑鹳、

中华秋沙雕、金雕、玉带海雕、白尾海雕、大鸨、小鸨、胡兀鹫、遗鸥 9 种，在宁夏出现的 280 多种鸟类中，有 170 多种都栖息于此。该保护区内有湿地维管植物 53 科 152 属 240 种（不包括栽培种），植物中水生植被占 50% 以上，反映了库区湿地生态系统特征。

4. 党家岔自治区级湿地自然保护区

党家岔自治区级湿地自然保护区位于固原市西吉县震湖乡境内，是 2002 年宁夏回族自治区人民政府常务会确立的自治区级湿地自然保护区。该保护区距离县城 38 km，总面积 4 507.77 hm^2，是典型的内陆湿地型自然保护区，主要保护对象为地震滑坡形成的湿地生态系统及其中的动植物。

5. 石峡沟自治区级自然保护区

石峡沟泥盆系地质剖面自然保护点是 1990 年以来宁夏回族自治区人民政府批准的唯一的自治区级地质遗迹保护区，保护区范围为自石峡沟上游剖面起点沿沟向下（西）至剖面终点，长 1.4 km，沿石峡沟主沟向南、向北两侧各约 350 m 以内的区域，总面积 0.98 km^2。

第二章 第四次全国中药资源普查宁夏回族自治区普查情况

一、我国历次中药资源普查情况

中药资源是我国中医药事业和中药产业赖以生存、发展的重要物质基础，是国家重要的战略性资源。中药资源是动态变化的，为实现其科学利用及可持续性发展，使其能更好地服务于我国中医药事业，应当定期或不定期开展中药资源普查工作。中华人民共和国成立以来，我国经历了3次全国性中药资源普查。1960—1962年，第一次全国中药资源普查开展，此次普查以常用中药为主，整理出版了《中药志》（4卷，收载常用中药500多种）；1969—1973年，第二次全国中药资源普查开展，此次普查调查、收集了全国各地的中草药资料，整理出版了《全国中草药汇编》（上、下册）；1983—1987年，第三次全国中药资源普查开展，此次普查由中国药材公司牵头完成，调查结果显示，中药资源种类达12 807种，其中，植物类11 146种，动物类1 581种，矿物类80种，出版了《中国中药资源》《中国中药资源志要》《中国常用中药材》《中国中药区划》《中国药材资源地图集》《中国民间单验方》等。2012年，第四次全国中药资源普查试点工作正式启动，至2017年结束。2018年，第四次全国中药资源普查工作在全国范围内正式展开，此次普查是由国家中医药管理局组织领导，中国中医科学院牵头，以中国工程院院士黄璐琦为首席科学家，全国各省（区、市）几十家中医药相关科研院所作为技术承担单位共同实施的一次全国性中药资源普查。此次普查旨在解决中药资源家底不清、信息不对称、资源保护措施和产业政策制定依据不足等现实问题。这是进入21世纪后的第一次全国性中药资源“家底勘察”，也是我国有史以来规模最大、参与技术人员最多、范围最广的普查。

二、宁夏历次中药资源普查情况

由于历史原因，第一次全国中药资源普查中宁夏没有深入开展普查工作，只做过零星调查，未形成系统文字记载。第二次、第三次全国中药资源普查中宁夏都进行了深入的普查工作。在第二次全国中药资源普查中，宁夏卫生厅组织有关部门的科技人员组建宁夏中药资源普查队，在宁夏开展了较为系统的普查工作，共采集植物标本14 000份，植物种类达900余种，分属115科，其中药用植物共计610种，药用动物55种，药用矿物8种；基于此次普查成果，宁夏中药资源普

查团队还编写出版了《宁夏药用植物标本名录》和《六盘山区药用植物名录》。在第三次全国中药资源普查中，宁夏医药总公司、宁夏回族自治区卫生厅等 7 个单位联合进行了全区的中药资源普查工作，共调查药用植物 917 种、药用动物 182 种、药用矿物 5 种，并先后编写了《宁夏中药资源》、《宁夏中药志》（上、下卷）、《宁夏中药材标准》等。

在第四次全国中药资源普查试点工作中，宁夏共有 19 个试点县、市、区；2018 年，普查正式启动后，宁夏的普查地点增加了银川市兴庆区、银川市金凤区、石嘴山市大武口区及银川市灵武市宁东镇，实现了普查全覆盖。此次普查工作由宁夏回族自治区中医药管理局统一领导，试点期间成立了 5 支普查大队，第一普查大队由宁夏大学组建，负责区域为银川市西夏区、永宁县、贺兰县及石嘴山市惠农区、平罗县；第二普查大队由宁夏医科大学组建，负责区域为吴忠市利通区、青铜峡市及中卫市沙坡头区、中宁县；第三普查大队由宁夏农林科学院组建，负责区域为银川市灵武市及吴忠市同心县、盐池县、红寺堡区；第四普查大队由宁夏药品检验研究院组建，负责区域为固原市原州区、泾源县、隆德县、西吉县、彭阳县及中卫市海原县；第五普查大队由宁夏中医医院暨中医研究院组建，负责中药传统知识调查及少数民族药用资源调查，涉及 19 个县、市、区，技术依托单位为宁夏药品检验研究院。2018 年，普查正式开始后，宁夏医科大学负责动物药、矿物药资源调查，宁夏大学负责银川市兴庆区、银川市金凤区、石嘴山市大武口区及银川市灵武市宁东镇的药用植物资源调查。

三、第四次宁夏中药资源普查的主要任务

根据《全国中药资源普查技术规范》和宁夏回族自治区人民政府办公厅《关于印发国家基本药物宁夏所需中药原料资源调查和监测项目工作实施管理方案的通知》（宁政办发〔2012〕197 号）的要求，第四次宁夏中药资源普查的具体任务为全面开展全区中药资源普查，包括野外样地、样方套调查，药用植物标本采集、制作和物种鉴定，栽培中药材调查，普查数据上传及成果总结等；掌握宁夏中药资源状况，提出宁夏中药资源保护、合理开发和利用等相关建议，提出“宁夏中药产业发展规划”意见和建议。

四、普查技术特点

第四次全国中药资源普查运用了诸多现代技术手段，体现了鲜明的时代特色。一是 3S 技术，即全球定位系统（GPS）、地理信息系统（GIS）和遥感（RS）。GPS 是具有在海、陆、空全方位进行实时三维导航与定位能力的新一代卫星导航与定位系统，是以卫星为基础的无线电定位、导航系统。GIS 是以地理坐标为依据，对空间数据和属性数据（中药资源数据信息）进行管理和分

析的工具。RS技术则是实现遥感所采取的各种技术手段的总称，包括摄影和测量、图像矫正和解析、RS软件等技术。应用GPS可以进行样方的精确定位和样地面积的确定，辅助进行中药资源的动态监测。应用GIS可以将普查数据空间化，并实现这些空间数据的管理、分析、信息发布和生成专题地图（直观可视化管理），辅助进行中药资源的动态监测。应用RS可以辅助确定调查样点、确定中药资源的分布面积，对特定调查区域进行抽样监测，结合地面调查完成对大面积分布或有特定生境分布中药资源的调查，辅助进行中药资源的动态监测。二是计算机网络技术。利用计算机网络技术可以开展对此次全国中药资源普查数据的汇总、共享及成果展示等服务。三是数据库、软件技术。即由专业的软件开发单位和专家委员会，共同开发、建立专门的中药资源专题数据库和数据管理系统，用于此次全国中药资源普查数据的收集汇总、保存、管理和应用服务等。

五、普查方法

野生药用资源调查包括物种调查及重点品种的蕴藏量调查。蕴藏量调查首先要进行野外调查方案设计，即通过计算机系统（中药资源普查信息管理系统）来完成。野外调查方案设计主要包括普查代表区域设置和样地设置。

（一）普查代表区域设置

普查代表区域是县域普查重点区域，也是野生物种分布区域，计算机系统依据县RS本底数据，会自动屏蔽居民住宅、城乡建筑、人工种植区及工业用地等非普查区域，对县域内野生植物相同生态环境（生态或植被类型）的区域进行提取，将相同的生境地块及相近植被类型归集为同一类代表区域，可以用植被类型或地理特征命名，比如灌丛、草甸或荒漠代表区域等。普查代表区域面积不少于县域面积的1%。例如，固原市泾源县普查代表区域经信息管理系统提取和设置，共有5个，分别命名为草甸代表区域、草原代表区域、灌丛代表区域、阔叶林代表区域及针叶林代表区域（表2-1），其面积分别为110.8 km^2、173.1 km^2、87.1 km^2、304.5 km^2及6.1 km^2，普查代表区域总面积约为682 km^2。

表2-1　泾源县普查代表区域

普查代表区域名称	地名（行政区划名）	面积 /km^2
草甸代表区域	大湾乡、六盘山镇、香水镇	110.8
草原代表区域	黄花乡、六盘山镇、泾河源镇、新民乡、香水镇	173.1
灌丛代表区域	大湾乡、六盘山镇、香水镇	87.1
阔叶林代表区域	六盘山镇、泾河源镇、香水镇、兴盛乡	304.5
针叶林代表区域	香水镇	6.1

（二）样地设置

样地是位于普查代表区域内野生药用植物蕴藏量的调查单元（1 km × 1 km），面积为 1 km^2。计算机系统将县域水平划分为 1 km × 1 km 的单元格，位于普查代表区域内的单元格就是样地。样地是由计算机系统对普查代表区域内的单元格（样地）进行随机抽取的，因此样地可以有非常多种。通过对县域内的植被分布、地势地貌等踏查结果进行研判，确定其中一种方案，形成县样地设置。普查代表区域面积越大，计算机系统随机抽取的样地数量就越多，样地中心点就是样地位置，由计算机系统给出空间位置（经纬度）。由计算机系统完成普查代表区域、样地的设置，有效规避了人为因素干扰，保证了蕴藏量调查数据的科学性和代表性。当个别样地因地势而不具可达性时，可选择就近相同生态环境特征的样地进行替换。县域面积较大的县须适当增加样地数量以降低抽样误差。

（三）样方套设置

根据《第四次全国中药资源普查技术方案》，县域内的调查样地数量应不少于 36 个，每个样地至少调查 5 个样方。样方套是 10 m × 10 m 的正方形，面积为 100 m^2。样方套在样地内的设置原则为“十”字形（图 2–1），当样地地势复杂时，可根据地势条件及调查路线进行调整和设置，相邻样方套的水平距离不少于 200 m。每个样方套由 6 个不同大小的小样方组成，包括 1 个 10 m × 10 m 的乔木调查样方、1 个 5 m × 5 m 的灌木调查样方和 4 个 2 m × 2 m 的草本调查样方，6 个小样方有固定编号。在野外调查中，计算机系统可以将野外调查方案导入 GIS 采集器（手持 GPS），普查队员通过卫星导航搜寻样地，定位当前位置坐标，完成各项调查数据的采集，并可直接录入样方套内的药用植物物种、数量信息，随时将数据导入计算机系统。

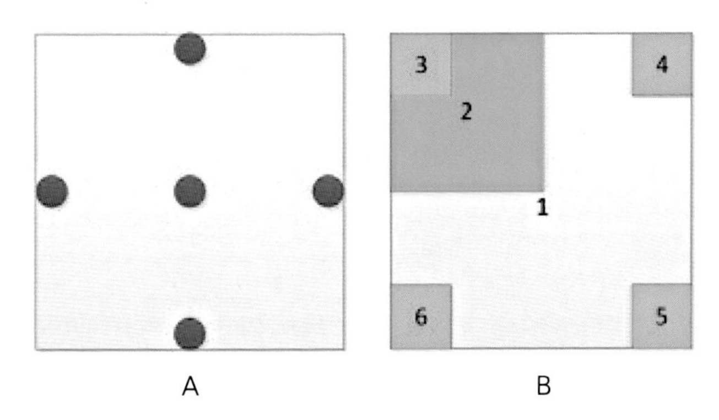

A. 样方套（绿色圆点为样方套）；B. 样方。

图 2–1　样方套、样方示意图

（四）蕴藏量计算

通过对县域内 36 个样地、180 个样方套中药用植物重点品种数量、重量数据信息进行分析，计算机系统会自动计算每个品种的蕴藏量，形成县域内每个品种的蕴藏量，然后上传国家数据库，进而完成重点品种的全国蕴藏量数据调查。

六、普查成果

宁夏此次普查共采集、制作及鉴定腊叶标本 31 859 份，采集药材样品 554 份，收集中药种质资源 412 份，拍摄照片 16 万余张；发现中药资源共计 1 397 种，包括药用植物 1 215 种、药用动物 175 种、药用矿物 7 种，其中野生药用植物 993 种，分属 118 科 449 属；发现宁夏新记录种 12 种（含新记录属 3 个）；交国家普查办公室腊叶标本 4 995 份、药材样品 554 份、中药种质资源样品 412 份；交自治区普查办公室腊叶标本 4 845 份，1128 种（存放于宁夏医科大学）；交宁夏药品检验研究院（技术牵头单位）腊叶标本 5 256 份，1 153 种；共调查栽培中药材 41 种，栽培面积 168.2 亩；在 22 个县、市、区及银川市灵武市宁东镇共调查样地 909 个、样方套 4 215 个、样方 25 290 个，对样方套内 64 种重点中药材的蕴藏量进行了计算；完成传统知识调查 227 份，实地访谈 94 人，收集民间验方 113 个；完成中药材市场 259 家相关企业的调查，其中中药材种植企业有 172 家；调查中药材专业合作社 199 家、家庭农场 22 家、中药材种植大户 41 家，并对 5 家中药材饮片生产企业的品种进行了详细调查。

按照国家中心建设标准，宁夏此次普查完成了“宁夏自治区中心”及 2 个监测站（中宁监测站、隆德监测站）的各项基础建设，下设 32 个监测点，主要开展枸杞子、甘草、银柴胡、黄芪等 15 个品种的日常监测；建立了 1 个重点物种保存圃，该保存圃位于固原市隆德县陈靳乡新和村和原州区头营镇徐河村，分为引种区、繁殖区、定植区、野生资源修复区，共引种药用植物 150 种，保存药用植物 148 种。

宁夏在此次普查过程中起草了《柴胡栽培技术规程》《大黄栽培技术规程》《黄芪栽培技术规程》《黄芩栽培技术规程》《秦艽栽培技术规程》等栽培技术规程 5 个；起草了《道地药材　第 53 部分：宁夏枸杞》《道地药材　第 54 部分：西甘草》《中药材商品规格等级　甘草》和《中药材商品规格等级　枸杞子》等中华中医药学会团体标准 4 个；修订了《宁夏中药饮片炮制规范》（2017 年版）及《宁夏中药材标准》（2018 年版）等地方标准 2 个；申报发明专利 4 项。

宁夏在此次普查过程中出版著作 9 部，包括《贺兰山植物资源图志》《宁夏中医药传统知识调查保护名录》《银柴胡生产加工适宜技术》《宁夏罗山苔藓与真菌图谱》《宁夏湿地植物资源》《宁夏栽培中药材》《发菜蛋白质组学研究基础》《500 种中草药识别图鉴》及《500 种中草药图鉴》等；发表研究论文 40 篇；培养中药资源方面的技术骨干 50 余人，其中硕士研究生 15 名，本科毕业生 30 名。此外，5 人参加了由国家中医药管理局举办、中国中医科学院承办的中药资源管理人才研修班。

第三章　宁夏回族自治区中药资源概况

第四次全国中药资源普查结果显示：宁夏境内分布有药用植物 1 215 种，分属 130 科 548 属；药用动物 175 种；药用矿物 7 种。中药资源共计 1 397 种，其中野生药用植物 993 种，分属 118 科 449 属。宁夏药用植物区系组成见表 3-1。

表 3-1　宁夏药用植物区系组成

植物类群	科数	属数	种数
藻类植物	1	1	2
菌类植物	9	17	19
苔藓植物	4	4	4
蕨类植物	9	16	22
裸子植物	4	7	14
被子植物（双子叶植物）	89	440	1 028
被子植物（单子叶植物）	14	63	126
合计	130	548	1 215

全国中药资源普查重点中药材品种共计 563 种（植物药 498 种，动物药 41 种，矿物药 24 种），宁夏有 216 种，占全国中药资源普查重点中药材品种数量的 38.4%，其中植物药 192 种，动物药 20 种，矿物药 4 种。

在宁夏的重点中药材中，植物药有枸杞子、黄芪、甘草、麻黄、银柴胡、苦杏仁、桃仁、党参、防风、款冬花、黄精、玉竹、锁阳、柴胡、秦艽、芦根、地榆、沙棘、酸枣仁、远志、升麻、大黄、葶苈子、茵陈、知母、红芪、茜草、淫羊藿、绵马贯众、藁本、羌活、白芷、桃儿七、射干、重楼、猪苓、穿山龙、木贼、半夏、五味子、白鲜皮、天南星、漏芦、地骨皮、薄荷、菟丝子、蒲公英、小蓟、益母草、车前子、蒲黄、蕤仁、赤芍、蒺藜、瞿麦、旋覆花、青蒿及菥蓂等；动物药有鹿茸、鹿角、牛黄、全蝎、鸡内金等；矿物药有石膏、玄精石、芒硝、龙骨、龙齿。

一、野生植物药资源

（一）野生药用植物物种

宁夏野生药用植物共有 993 种，分属 118 科 449 属。被子植物中以菊科（130 种）、蔷薇科（63 种）、豆科（58种）、毛茛科（50种）、伞形科（45种）、唇形科（34种）、百合科（29种）及禾本科（29种）8科的物种为最多，共438种，占野生药用植物总种数的44.1%，上述8科为占绝对优势的科类。宁夏野生药用植物区系组成见表3-2。

表3-2 宁夏野生药用植物区系组成

植物类群	科数	属数	种数
藻类植物	1	1	2
菌类植物	9	17	19
苔藓植物	3	3	3
蕨类植物	9	15	21
裸子植物	3	5	10
被子植物（双子叶植物）	79	352	830
被子植物（单子叶植物）	14	56	108
合计	118	449	993

除上述8科外，玄参科（25种）、蓼科（25种）、十字花科（24种）、忍冬科（24种）、石竹科（22种）、藜科（19种）、紫草科（17种）、小檗科（16种）、龙胆科（15种）、大戟科（12种）、柽柳科（12种）、罂粟科（11种）、报春花科（11种）、桔梗科（11种）、兰科（11种）、虎耳草科（10种）、葫芦科（10种）及萝藦科（10种）的科数（18科）占总科数（118科）的15.3%，其种数（285种）占野生药用植物总种数的28.7%，这18科为优势科。上述26科所含物种的种数占野生药用植物总种数的72.8%，在宁夏野生药用植物区系组成中起主导作用。

此外，有药用植物2～9种的科如下：景天科、柳叶菜科，各9种；鸢尾科、堇菜科，各8种；五加科、蒺藜科及卫矛科，各7种；旋花科、梅衣科、荨麻科、鼠李科、茜草科、茄科及列当科，各6种；天南星科、牻牛儿苗科、木犀科及车前科，各5种；香蒲科、木贼科、尾蕨科、水龙骨科、麻黄科、桦木科、槭树科、锦葵科、瑞香科、胡颓子科及白花丹科，各4种；莎草科、灰包科、多孔菌科、蹄盖蕨科、松科、柏科、杨柳科、桑科、苋科、金鱼藻科、猕猴桃科、藤黄科、鹿蹄草科、泽泻科、眼子菜科及灯心草科，各3种；念珠藻科、黄枝衣科、鳞毛蕨科、榆科、檀香科、桑寄生科、酢浆草科、亚麻科、远志科、漆树科、葡萄科、山茱萸科、花荵科及水麦冬科，各2种。共59科，占总科数（118科）的50.0%；237种，占野生药用植物总种数的23.9%。

单种科有锁阳科、马鞭草科、防已科、千屈菜科、杉叶藻科等，共33科，这些单种科所含物种的种数占野生药用植物总种数的3.3%，科数占总科数（118科）的28.8%。

宁夏区域面积6.64万km^2，森林覆盖率仅14%，林草（乔木、灌林木、乔灌混合林、草地等9种类型）覆盖率仅50%，不及全国大部分省份，但分布有野生药用植物近千种，物种丰富，区系特征明显，较为罕见。

（二）重点中药材品种的蕴藏量

宁夏 22 个普查县、市、区及银川市灵武市宁东镇共调查样地 909 个、样方套 4 215 个。通过对样方套内 64 个重点中药材品种进行蕴藏量的计算（表 3–3）可知，排在前十位的为甘草、苦杏仁、桃仁、苦豆子、蒺藜、狼毒（瑞香狼毒）、芦根、地榆、沙棘及酸枣仁，其蕴藏量占总蕴藏量的 90% 以上。调查结果显示，第四次中药资源普查的野生药用资源总蕴藏量较第三次中药资源普查显著增加。

第四次中药资源普查中有些中药材的资源蕴藏量较第三次中药资源普查大幅增加，如甘草、苦杏仁、桃仁、蒺藜、芦根、地榆、沙棘、酸枣仁、远志、知母、银柴胡、麻黄、大黄及瞿麦等。其主要原因是近几十年来国家对野生资源的保护措施落实到位，包括封山育林、退耕还林及建立自然保护区，植被覆盖率得到有效提高，气候条件不断改善，降水量明显增加，生态环境趋于良性循环；同时，甘草、黄芪、银柴胡、党参、秦艽、柴胡及菟丝子等大面积种植，产量不断增加，满足了巨大的市场需求，从而大幅降低了对野生资源的依赖。

有些中药材的资源蕴藏量显著降低，这些中药材资源主要分布于六盘山阴湿地区，如党参、淫羊藿、白鲜皮、秦艽、款冬花、黄精、玉竹、天南星及穿山龙等。上述品种民间一直存在采挖、收购及贩卖的现象；近几年，有些野生资源备受青睐，尤其是党参、淫羊藿、黄精、玉竹等，市场有特定需求，价格高，利润丰厚，助长了私自采挖贩卖或进行野生移栽驯化种植的现象，导致资源蕴藏量持续下降。

有些中药材的资源蕴藏量很少，这些中药材资源主要分布于六盘山地区，如重楼、藜芦、羌活、北五味子、桃儿七、天南星等；有的处于濒危状态，如宁夏贝母、珠子参（羽叶三七）、野三七（大叶三七）等。一方面，上述资源本身就很少，生境特殊，选择性较强，分布区域有限；另一方面，这些物种适应环境的能力弱，相对其他物种属极弱势种群。

有些中药材的资源蕴藏量呈下降趋势，如萹蓄、菟丝子、葶苈子、车前子、苍耳子等。由于这些物种多以田间杂草的形式分布，在使用农药及除草剂的情况下，资源蕴藏量受到限制，与第三次中药资源普查相比呈下降趋势，但也维持在一定水平。

表 3–3 第三次和第四次全国中药资源普查重点中药材品种蕴藏量

序号	药材名	基原中文名	基原拉丁学名	第三次普查蕴藏量 / 万 kg	第四次普查蕴藏量 / 万 kg
1	甘草	甘草	*Glycyrrhiza uralensis* Fisch.	—	4 218.38
2	苦杏仁	山杏	*Prunus sibirica* L.	100.00	3 988.72
		杏	*Prunus armeniaca* L.		
3	桃仁	山桃	*Prunus davidiana* (Carr.) C. de Vos	10.00	2 164.35
		桃	*Prunus persica* L.		
4	苦豆子	苦豆子	*Sophora alopecuroides* L.	—	1 373.01
5	蒺藜	蒺藜	*Tribulus terrestris* L.	58.00	666.78
6	狼毒	瑞香狼毒	*Stellera chamaejasme* L.	150.00	618.59

续表

序号	药材名	基原中文名	基原拉丁学名	第三次普查蕴藏量 / 万 kg	第四次普查蕴藏量 / 万 kg
7	芦根	芦苇	*Phragmites australis* (Cav.) Trin. ex Steud.	340.00	481.03
8	地榆	地榆	*Sanguisorba officinalis* L.	151.50	186.99
9	沙棘	沙棘	*Hippophae rhamnoides* L.	—	149.51
10	酸枣仁	酸枣	*Ziziphus jujuba* var. *spinosa* (Bunge) Hu ex H. F. Chow.	6.10	142.66
11	秦皮	白蜡树	*Fraxinus chinensis* Roxb.	—	132.63
12	远志	远志	*Polygala tenuifolia* Willd.	30.20	124.56
		西伯利亚远志	*Polygala sibirica* L.		
13	葶苈子	播娘蒿	*Descurainia sophia* (L.) Webb ex Prantl	135.00	115.88
		独行菜	*Lepidium apetalum* Willdenow		
14	茵陈	猪毛蒿	*Artemisia scoparia* Waldst. et Kit.	197.00	80.16
15	知母	知母	*Anemarrhena asphodeloides* Bunge	10.00	77.49
16	红芪	多序岩黄芪	*Hedysarum polybotrys* Hand.-Mazz.	—	66.78
17	茜草	茜草	*Rubia cordifolia* L.	27.50	54.13
18	锁阳	锁阳	*Cynomorium songaricum* Rupr.	25.30	46.32
19	麻黄	草麻黄	*Ephedra sinica* Stapf	39.75	45.18
		中麻黄	*Ephedra intermedia* Schrenk ex Mey.		
		木贼麻黄	*Ephedra equisetina* Bunge		
20	柴胡	北柴胡	*Bupleurum chinense* DC.	387.00	41.12
		红柴胡（狭叶柴胡）	*Bupleurum scorzonerifolium* Willd.		
21	漏芦	漏芦	*Stemmacantha uniflora* (L.) DC.	—	39.04
22	地骨皮	枸杞	*Lycium chinense* Miller	60.60	36.11
23	薄荷	薄荷	*Mentha canadensis* L.	5.00	33.53
24	菟丝子	菟丝子	*Cuscuta chinensis* Lam.	71.50	31.37
25	银柴胡	银柴胡	*Stellaria dichotoma* var. *lanceolata* Bge.	3.26	30.50
26	秦艽	秦艽	*Gentiana macrophylla* Pall.	61.58	29.06
		达乌里秦艽	*Gentiana dahurica* Fisch.		
27	蒲公英	蒲公英	*Taraxacum mongolicum* Hand.-Mazz.	220.00	23.79
		碱地蒲公英	*Taraxacum borealisinense* Kitam.		
		白缘蒲公英	*Taraxacum platypecidum* Diels.		
28	小蓟	刺儿菜	*Cirsium arvense* var. *integrifolium* C. Wimm. et Grabowski	—	22.33
29	益母草	益母草	*Leonurus japonicus* Houttuyn	183.00	21.20
30	穿山龙	穿龙薯蓣	*Dioscorea nipponica* Makino	—	15.91
31	升麻	升麻	*Cimicifuga foetida* L.	18.00	14.83
32	大黄	鸡爪大黄	*Rheum tanguticum* Maxim. ex Regel	—	14.83
		掌叶大黄	*Rheum palmatum* L.		

续表

序号	药材名	基原中文名	基原拉丁学名	第三次普查蕴藏量 / 万 kg	第四次普查蕴藏量 / 万 kg
33	地椒	百里香	*Thymus mongolicus* Ronn.	—	9.60
34	车前草	车前	*Plantago asiatica* L.	196.00	9.30
		平车前	*Plantago depressa* Willd.		
35	黄精	黄精	*Polygonatum sibiricum* Delar. ex Redoute	14.00	7.76
36	仙鹤草	龙芽草	*Agrimonia pilosa* Ldb.	—	6.67
37	蕤仁	蕤核	*Prinsepia uniflora* Batal.	—	4.33
38	赤芍	芍药	*Paeonia lactiflora* Pall.	50.00	4.26
39	瞿麦	瞿麦	*Dianthus superbus* L.	1.00	4.07
		石竹	*Dianthus chinensis* L.		
40	旋覆花	旋覆花	*Inula japonica* Thunb.	21.00	2.92
41	淫羊藿	淫羊藿	*Epimedium brevicornu* Maxim.	69.00	2.78
42	蒲黄	香蒲	*Typha orientalis* Presl	—	2.67
43	车前子	车前	*Plantago asiatica* L.	—	2.63
44	防风	防风	*Saposhnikovia divaricata* (Turcz.) Schischk.	—	2.59
45	款冬花	款冬	*Tussilago farfara* L.	35.08	2.49
46	玉竹	玉竹	*Polygonatum odoratum* (Mill.) Druce	17.00	2.14
47	祖师麻	黄瑞香	*Daphne giraldii* Nitsche	—	2.08
48	五味子	五味子	*Schisandra chinensis* (Turcz.) Baill.	0.50	1.98
49	白鲜皮	白鲜	*Dictamnus dasycarpus* Turcz.	29.50	1.71
50	天仙子	莨菪	*Hyoscyamus niger* L.	2.00	1.30
51	白芷	白芷	*Angelica dahurica* (Fisch. ex Hoffm.) Benth. et Hook. f. ex Franch. et Sav.	—	0.95
52	盐生肉苁蓉	盐生肉苁蓉	*Cistanche salsa* (C. A. Mey.) G. Beck	—	0.77
53	泽漆	泽漆	*Euphorbia helioscopia* L.	—	0.57
54	青蒿	黄花蒿	*Artemisia annua* L.	—	0.57
55	甘遂	甘遂	*Euphorbia kansui* T. N. Liou ex S. B. Ho	—	0.42
56	绵马贯众	粗茎鳞毛蕨	*Dryopteris crassirhizoma* Nakai	—	0.35
57	藁本	藁本	*Ligusticum sinense* Oliv.	2.00	0.34
		辽藁本	*Ligusticum jeholense* (Nakai et Kitag.) Nakai et Kitag.		
58	党参	党参	*Codonopsis pilosula* (Franch.) Nannf.	10.00	0.33
59	牛蒡子	牛蒡	*Arctium lappa* L.	1.50	0.30
60	透骨草	地构叶	*Speranskia tuberculata* (Bunge) Baill.	10.00	0.22
61	菥蓂	菥蓂	*Thlaspi arvense* L.	—	0.20
62	天南星	天南星	*Arisaema erubescens* (Wall.) Schott	0.80	0.17
63	桃儿七	桃儿七	*Sinopodophyllum hexandrum* Blume	—	0.08
64	射干	射干	*Belamcanda chinensis* (L.) Redouté	—	0.06

注："—"表示未查到第三次中药资源普查数据。

二、栽培植物药资源

截至 2019 年 12 月，宁夏主要栽培中药材有 41 种，总面积 172.80 万亩。栽培中药材品种主要有枸杞子、黄芪、甘草、银柴胡、小茴香、肉苁蓉、柴胡、菟丝子、党参、秦艽、金银花、金莲花、红花、板蓝根、大黄、黄芩、黄花菜、郁李仁、牛蒡子、白芍等。其中，枸杞子约 35 万亩，黄芪约 6 万亩，银柴胡约 8.6 万亩，菟丝子约 15 万亩，红花、柴胡、小茴香、甘草等共计约 20 万亩，苦杏仁约 30 万亩，桃仁约 20 万亩，枣约 40 万亩。

除枸杞子种植区外，目前形成了南部六盘山区、中部干旱区和北部引黄灌区 3 个特色鲜明的中药材种植带，具体内容如下。

南部六盘山区：以固原市隆德县、彭阳县为核心区域的六盘山黄芪、党参、板蓝根优质药材种植区域，面积约为 5 万亩，产量约为 1 200 万 kg；以固原市彭阳县、西吉县为核心区域的苦杏仁、桃仁产区，面积分别约为 30 万、20 万亩，产量约为 1 000 万 kg；以固原市隆德县、彭阳县、西吉县移民迁出区和退耕还林地为核心区域的柴胡、秦艽半野生种植区域，面积约为 10 万亩，产量约为 100 万 kg。

中部干旱区：以中部干旱带吴忠市盐池县、红寺堡区、同心县（下马关镇）为核心区域的甘草种植区域，面积约为 1 万亩，产量约为 200 万 kg；以吴忠市同心县预旺镇及周边地区为核心区域的银柴胡种植区域，面积约为 3 万亩，产量约为 750 万 kg；以中卫市海原县西安镇及周边地区为核心区域的小茴香种植基地，面积约为 2 万亩，产量为 80 万 ~ 100 万 kg。

北部引黄灌区：以银川市兴庆区、银川市贺兰县、石嘴山市平罗县、石嘴山市惠农区为核心区域，以小麦套种黄豆为主要模式的菟丝子种植区域，面积约为 15 万亩，产量约为 750 万 kg。

三、动物药、矿物药资源

宁夏动物药有 175 种，分属 11 纲 47 目 87 科 144 属，主要有地龙、水蛭、蜗牛、土鳖虫、全蝎、桑螵蛸、虻虫、斑蝥、青娘子、蜂蜜、蜂房、五谷虫、鳖甲、蝉蜕、鸡内金、阿胶、麝香、牛黄、鹿茸等。民间很少利用野生资源。经初步调查，宁夏 22 个县、市、区的动物养殖企业共有 184 家，主要养殖药用动物 16 种。

宁夏矿物药有石膏、玄精石、芒硝、龙骨、龙齿、石灰、钟乳石等。其中，石膏产于宁夏吴忠市利通区、同心县、盐池县、青铜峡市，中卫市沙坡头区、海原县，固原市隆德县等，资源极为丰富；玄晶石产于宁夏吴忠市盐池县，利用极少；芒硝产于宁夏吴忠市盐池县、银川市灵武市及中卫市海原县等，生于饱含钠离子和硫酸根离子的内陆盐湖和盐碱滩地上，资源丰富；龙骨、龙齿产于宁夏中卫市中宁县、海原县及吴忠市同心县等，资源较丰富，现已禁止采挖；石灰产于宁夏吴忠市利通区、同心县，中卫市中宁县，固原市原州区等，资源丰富，多用于建筑材料，少

供药用；钟乳石产于宁夏贺兰山，生于石灰岩洞，资源较丰富。

四、野生中药资源分布

宁夏总面积 6.64 万 km^2，全区海拔 1 000 m 以上，地势南高北低，呈阶梯状下降。属典型的大陆性气候，为温带半干旱区和半湿润地区，具有春多风沙、夏少酷暑、秋凉较早、冬寒较长、雨雪较少、日照充足及蒸发强烈等特点，年平均降水量约 300 mm。在地形上分为三大板块：一是北部引黄灌区，地势平坦，土壤肥沃，黄河水直接灌溉，素有“塞上江南”的美誉；二是中部干旱带，干旱少雨，土地贫瘠，生存条件较差；三是南部山区，即六盘山地区，丘陵沟壑林立，六盘山山腰区域阴湿多雨。

（一）六盘山地区

六盘山地处宁夏南部的黄土高原之上，是一座狭长山脉，呈东南至西北走向，平均海拔在 2 500 m 以上，最高峰米缸山高达 2 942 m。六盘山属中温带半湿润向半干旱过渡带，具有大陆性和海洋季风边缘气候特点，春季低温少雨，夏季温润，秋季多雨，冬季寒冷绵长，年日照十分丰富。六盘山山腰地带降雨较多，气候湿润，适宜林木生长，有较繁茂的天然次生阔叶林，使六盘山成为黄土高原上的一个“绿色岛屿”。

六盘山地区共有野生药用植物 713 种，分属 110 科 377 属，占宁夏野生药用植物物种数量的 71.8%。六盘山地区是宁夏名副其实的药用植物资源宝库，也是西北地区重要的药用植物资源分布区域。其中，物种较多的科为菊科（79 种）、蔷薇科（53 种）、毛茛科（42 种）、豆科（36 种）、伞形科（34 种）、唇形科（29 种）、百合科（25 种）、忍冬科（22 种）、蓼科（21 种）及玄参科（21 种），共 362 种，占六盘山野生药用植物物种总数的 50.8%。六盘山野生药用植物区系组成见表 3–4。

表 3–4　六盘山野生药用植物区系组成

植物类群	科数	属数	种数
藻类植物	1	1	1
菌类植物	9	17	19
苔藓植物	4	4	4
蕨类植物	8	14	19
裸子植物	4	5	5
被子植物（双子叶植物）	74	294	592
被子植物（单子叶植物）	10	42	73
合计	110	377	713

六盘山地区的重点中药材有黄芪、大黄、重楼、党参、黄精、玉竹、羌活、白芷、藁本、沙棘、蕤仁、木贼、藜芦、秦艽、柴胡、小叶莲、宁夏贝母、地椒、淫羊藿、防风、地榆、知母、桃仁、

苦杏仁等。

按地形及植被类型特征，六盘山的植物生长地带基本分为山地针叶林带、山地阔叶林带、山地灌丛带及山地草甸带。其中，山地针叶林带的重点中药材有小叶莲。

山地阔叶林带主要有五味子、桑寄生、槲寄生、绵马贯众、天南星、柴胡、猪苓、茜草、淫羊藿、珠子参、野三七、地榆等。

山地灌丛带主要有黄精、玉竹、重楼、党参、淫羊藿、木贼、藁本、升麻、白芷、白鲜皮、绵马贯众、天南星、半夏、羌活、独活、小叶莲、藜芦、地榆、沙棘、蕤仁、穿山龙、赤芍、续断及宁夏贝母等。

山地草甸带主要有黄芪、大黄、红芪、秦艽、防风、远志、柴胡、茜草、麻黄、地椒、漏芦、禹州漏芦、蒲公英、款冬花、茵陈、菥蓂、知母、柽柳、马勃、苦杏仁、桃仁、地榆、小蓟、狼毒（瑞香狼毒）、铁棒锤、青蒿、葶苈子、香薷、蕤仁、甘草、瞿麦、百合、香加皮、旋覆花、宁夏贝母等。

蕴藏量大的野生中药材有苦杏仁、桃仁、沙棘、地榆、柴胡、远志、漏芦、青蒿、小蓟、蒲公英、苣荬菜、菥蓂、茜草、知母、远志、地椒、狼毒（瑞香狼毒）、铁棒锤、泡沙参、茵陈、瞿麦、赤芍等，其中苦杏仁、桃仁、沙棘、茜草、小蓟、地椒、地榆、柴胡、漏芦、青蒿、蒲公英、苣荬菜、远志、菥蓂、狼毒（瑞香狼毒）及铁棒锤的资源量巨大。

蕴藏量较大的野生中药材有秦艽、淫羊藿、白鲜皮、穿山龙、禹州漏芦、蕤仁、红芪、柽柳、仙鹤草及牛蒡子等。

蕴藏量较少的野生中药材有黄精、玉竹、党参、藁本、白芷、淫羊藿、羌活、独活、防风、升麻、绵马贯众、猪苓、射干等。

资源处于濒危状态的野生中药材有黄芪、大黄、猪苓、党参、羌活、藜芦、重楼、五味子、小叶莲、珠子七、野三七及宁夏贝母等。

（二）贺兰山地区

贺兰山既是我国西北地区重要的地理界线，也是我国草原带和荒漠带的分界处，贺兰山南北长约 180 km，东西宽 20 ~ 40 km。南段山势平缓，三关口北段山势较高，海拔不低于 1 500 m，最高峰海拔 3 556 m。贺兰山山地东西不对称，西侧坡度和缓，东侧以断层临银川平原。由于贺兰山山体巨大、为南北走向，故贺兰山地区的水热组合差异较大，植被类型复杂多样。

贺兰山的野生药用植物共计 267 种，分属 70 科 198 属，其中，蕨类植物 5 科 5 属 6 种，裸子植物 3 科 4 属 6 种，被子植物 62 科 189 属 255 种（表 3-5）。菊科（40 种）、豆科（16 种）、蔷薇科（14 种）、禾本科（11 种）、唇形科（11 种）、藜科（10 种）这 6 科共有 102 种药用植物，占贺兰山野生药用植物物种总数的 38.2%。贺兰山药用植物种类繁多，区系较为复杂。

表 3–5 贺兰山野生药用植物区系组成

植物类群	科数	属数	种数
蕨类植物	5	5	6
裸子植物	3	4	6
被子植物（双子叶植物）	56	168	229
被子植物（单子叶植物）	6	21	26
合计	70	198	267

贺兰山的重点中药材有甘草、麻黄、银柴胡、地黄、远志、独行菜、黄精、玉竹、酸枣仁等。

贺兰山的植被存在垂直分异、坡向分异和水平分异。随着海拔高度升高，阳坡、阴坡变化，阳光、水分与热量等出现递变，各类植被在空间上产生了有规律的分布，其中以垂直分布最为明显。贺兰山从山麓到主峰可分为 6 个植被带，即山地荒漠带、山地草原带、山地灌丛带、山地疏林带、山地针叶林带和高山灌丛草甸带。

山地荒漠带的重点中药材有远志、地黄、银柴胡、夏至草、锁阳、酸枣仁等。

山地草原带主要有苦豆子、沙打旺、甘草、葶苈子、车前子、小蓟、蒲公英、地肤子、茵陈、贺兰山岩黄耆、薤白等。

山地灌丛带主要有麻黄、白屈菜、瓦松、苦杏仁、远志、酸枣仁、秦艽、玉竹、黄精、地骨皮等。

山地疏林带主要有百合、黄精、远志等。

山地针叶林带主要有白桦、苦杏仁、瞿麦、柴胡等。

高山灌丛草甸带主要有拳参、菥蓂、香薷、秦艽等。

贺兰山地区甘草、酸枣仁、蒺藜和远志等的资源量较大，地黄、玉竹、黄精资源量较少，柴胡、秦艽、瞿麦资源量有限。贺兰山地处宁夏平原和腾格里沙漠之间，是宁夏北部重要的生态屏障。虽然其物种丰富，但生态较为脆弱，大部分物种在生态系统中出现的频度都不高，例如，柴胡、鹿蹄草、罗布麻、银柴胡、秦艽、拳参、白屈菜、锁阳、绶草等药用植物非常少见，只有零星的分布。目前，私自采挖药材现象，以及部分区域采石、采煤及旅游景区的开发等对野生中药材造成了一定的破坏，导致有些中药材的资源量下降。

（三）荒漠及半荒漠地区

宁夏荒漠及半荒漠地区位于宁夏中部，包括吴忠市盐池县和同心县的大部分地区、中卫市沙坡头区、中卫市海原县北部山区、银川市灵武市、吴忠市青铜峡市、石嘴山市平罗县南部等，面积约为 2.5 万 km^2，占宁夏总面积的 37.7%。该区域主要为半荒漠草原，沙漠面积较大。其气候属荒漠草原气候，年平均降水量为 200 ~ 350 mm，由西北向东南方向递增，分布很不均匀，65% 的降水集中在 7 ~ 9 月，年平均无霜期为 140 ~ 150 天。由于降水量不足，气候干旱，该区域的水资源严重匮乏。

该区域有3个重点中药材分布区域：半荒漠区，包括吴忠市盐池县大部，银川市灵武市横山村、磁窑堡村、马家滩镇、石沟驿古城，石嘴山市平罗县陶乐镇南部，以及中卫市中宁县鸣沙乡至吴忠市同心县韦州镇、下马关镇和红寺堡区新庄集乡一带；中卫市沙坡头区、清水河流域，包括清水河下游流域，中卫市沙坡头区、海原县北部、中宁县，以及固原市原州区部分地区；鄂尔多斯台地区域，包括中卫市中宁县黄河以北地区，自腾格里沙漠南缘至卫宁北山地区，吴忠市青铜峡市青铜峡镇及石嘴山市平罗县陶乐镇。

半荒漠区的重点中药材有甘草、银柴胡、麻黄及苦豆子，其中甘草的资源蕴藏量较大。

中卫市沙坡头区、清水河流域的重点中药材有远志、柴胡、麻黄、秦艽、蒺藜及香加皮等，其中蒺藜、远志、柴胡的资源蕴藏量丰富。

鄂尔多斯台地区域的重点中药材有锁阳、盐生肉苁蓉、银柴胡、麻黄、列当及沙苁蓉等，其中，锁阳蕴藏量较大。多年生锁阳体肥条长，体重质坚，品质上乘。其分布于荒滩戈壁，且较分散，管理难度大，私自采挖现象严重，现已十分稀少，须加强保护。

（四）平原及河套地区

宁夏平原又称银川平原，位于宁夏中部黄河两岸，北起石嘴山，南至黄土高原，东到鄂尔多斯高原，西接贺兰山，南北长约320 km，东西宽10 ~ 50 km，面积1.7万km^2。滔滔黄河斜贯其间，流程397 km，水面宽阔，水流平缓。沿黄两岸地势平坦，早在2000多年以前先民们就凿渠引水，灌溉农田，秦渠、汉渠、唐渠延用至今，形成了大面积的自流灌溉区。宁夏平原的主要地貌有贺兰山洪积扇和黄河冲积平原，海拔1 070 ~ 1 234 m，地势南高北低且平坦，区域内湖沼、池塘较多。

该区域的重点中药材有问荆、苍耳子、旋覆花、香加皮、菟丝子、地骨皮、小蓟、萹蓄、车前子、鹤虱、葶苈子、蒺藜、委陵菜、桃仁、苦杏仁、大枣、蒲公英、茵陈、甘草、地肤子、地黄、苣荬菜、芦根、蒲黄、菥蓂、泽漆等，主要分布于田边、地埂、渠边、宅旁和池塘。其中，蒲公英、萹蓄、苍耳子、车前子、菟丝子、蒺藜、茵陈、芦根、蒲黄、大枣等的蕴藏量较大。

（五）湿地湖泊地区

宁夏湿地面积为2 072 km^2，约占宁夏总面积的3.1%。湿地类型为自然湿地（包括河流湿地、湖泊湿地和沼泽湿地）及人工湿地，其中自然湿地的面积占总湿地面积的82%。该区域的药用植物共146种，分属52科112属，其中以菊科和豆科药用植物种类为最多。重点中药材有地肤子、葶苈子、蒺藜、甘草、香加皮、秦皮、秦艽、地骨皮、青蒿、蒲公英、苣荬菜、车前子及蒲黄等。

第四章　宁夏回族自治区植物新记录种

一、药用植物新记录种

1. 地丁草 *Corydalis bungeana* Turcz.

（1）科属。罂粟科 Papaveraceae，紫堇属 *Corydalis*。

（2）药材名。苦地丁。

（3）药用部位。全草。

（4）形态特征。二年生草本，高达 50 cm。具主根。茎基部铺散分枝，具棱。基生叶多数，长 4 ~ 8 cm，叶柄与叶片近等长，基部稍具鞘，边缘膜质，叶 2 ~ 3 回羽状全裂，一回羽片 3 ~ 5 对，具短柄，二回羽片 2 ~ 3 对，先端裂成短小的裂片，裂片圆肾形，先端稍凹下，无乳突，边缘膜质。蒴果椭圆形，下垂，长 1.5 ~ 2 cm，种子 2 列；种子边缘具 4 ~ 5 列小凹点，种阜鳞片状。

（5）分布区域。发现于宁夏固原市原州区张易乡白马山，生于海拔 1 800 m 左右的山地草丛。也分布于甘肃、内蒙古、青海和四川。在宁夏为首次发现。

（6）凭证标本号。640402130820050LY。

（7）资源状况。较少。

（8）功能主治。清热毒，消痈肿。用于流行性感冒，扁桃体炎，传染性肝炎，肠炎，痢疾，肾炎，腮腺炎，结膜炎，急性阑尾炎，疮痈肿，瘰疬。

2. 羽衣草 *Alchemilla japonica* Nakai et Hara

（1）科属。蔷薇科 Rosaceae，羽衣草属 *Alchemilla*。

（2）药材名。羽衣草。

（3）药用部位。全草。

（4）形态特征。多年生草本，高达 13 cm，具肥厚木质根茎。茎单生或丛生，直立或斜展，密被白色长柔毛。叶心状圆形，长 2 ~ 3 cm，基部深心形，边缘有细锯齿并 7 ~ 9 浅裂，两面疏被柔毛，沿脉较密；叶柄长 3 ~ 10 cm，密被开展长柔毛；托叶膜质，棕褐色，外面被长柔毛；茎生叶小，叶柄短或近无柄，托叶外被长柔毛。伞房状聚伞花序较紧密；花序梗和花梗无毛或近无毛；花梗长 2 ~ 3 cm；花直径 3 ~ 4 mm；副萼片长圆状披针形，外面疏被柔毛，萼片三角状卵形，比副萼片稍长而宽，外面被疏柔毛；雄蕊长约为萼片的 1/2；花柱线形，稍长于雄蕊。瘦果卵圆形，长约 1.5 mm，无毛，全包在膜质萼筒内。花期 5 ~ 6 月。

（5）分布区域。发现于宁夏固原市隆德县山河乡大漫坡村，地理坐标为北纬 35°28′28.67″，东经 106°13′8.69″，海拔 2 588 m，生于灌丛林缘和草甸。也分布于甘肃、内蒙古、青海、陕西、四川和新疆。在宁夏为首次发现。

（6）凭证标本号。640423140607030LY。

（7）资源状况。较少。

（8）功能主治。止血收敛，消炎，止痛。

3. 小点地梅 *Androsace gmelinii* (Gaertn.) Roem. et Schuit.

（1）科属。报春花科 Primulaceae，点地梅属 *Androsace*。

（2）药材名。小点地梅。

（3）药用部位。全草。

（4）形态特征。一年生小草本。叶基生，叶片近圆形或圆肾形，基部心形或深心形，边缘具 7 ~ 9 圆齿，两面疏被贴伏的柔毛；叶柄被稍开展的柔毛。花葶柔弱，高 3 ~ 9 cm，被开展的长

柔毛；伞形花序有 2 ~ 5 花；苞片小，披针形或卵状披针形，先端锐尖；花梗长 3 ~ 15 mm；花萼钟状或阔钟状，长 2.5 ~ 3 mm，密被白色长柔毛和稀疏腺毛，分裂约达中部，裂片卵形或卵状三角形，先端锐尖，果期略开张或稍反折；花冠白色，与花萼近等长或稍伸出花萼，裂片长圆形，先端钝或微凹。蒴果近球形。花期 5 ~ 6 月。

（5）分布区域。发现于宁夏中卫市海原县南华山自然保护区，地理坐标为北纬 36°27′24.32″，东经 105°37′35.70″，海拔 2 496 m，生于沟溪旁。也分布于甘肃、内蒙古、青海和四川。在宁夏为首次发现。

（6）凭证标本号。NHS20170625024。

（7）资源状况。较少。

（8）功能主治。清热解毒，消肿止痛。

4. 松下兰 *Monotropa hypopitys* L.

（1）科属。杜鹃花科 Ericaceae，水晶兰属 *Monotropa*。

（2）药材名。松下兰。

（3）药用部位。全草。

（4）形态特征。植株高 8 ~ 27 cm，全株半透明，肉质。叶鳞片状，直立，互生，上部较稀疏，下部较紧密，卵状长圆形或卵状披针形，长 1 ~ 1.5 cm，宽 5 ~ 7 mm，先端钝，近全缘，上部常有不整齐锯齿。总状花序有 3 ~ 8 花；花初下垂，后渐直立；花冠筒状钟形，长 1 ~ 1.5 cm，直径 5 ~ 8 mm；苞片卵状长圆形或卵状披针形；萼片长圆状卵形，长 0.7 ~ 1 cm，早落；花瓣 4 ~ 5，长圆形或倒卵状长圆形，长 1.2 ~ 1.4 cm，先端钝，上部有不整齐锯齿，早落；雄蕊 8 ~ 10，花丝无毛；子房无毛，中轴胎座，4 ~ 5 室，花柱直立，长 2.5 ~ 4 mm。蒴果椭圆状球形，长 0.7 ~ 1 cm，直径 5 ~ 7 mm。花期 6 ~ 8 月，果期 7 ~ 9 月。

（5）分布区域。发现于宁夏中卫市海原县海城镇山门村南华山，地理坐标为北纬 36°28′27.30″，东经 105°36′38.60″，海拔 2 337.8 m，生于沟溪旁。也分布于安徽、福建、甘肃、湖北、湖南、吉林、江西、辽宁、青海、陕西、山西、四川、台湾、新疆、西藏和云南。在宁夏为首次发现。

（6）凭证标本号。640522140831014LY。

（7）资源状况。较少。

（8）功能主治。补虚弱，用于虚咳。

二、非药用植物新记录种①

1. 短梗胡枝子 *Lespedeza cyrtobotrya* Miq.

（1）科属。豆科 Leguminosae，胡枝子属 *Lespedeza*。

（2）形态特征。灌木，高 1 ~ 3 m。小枝疏被贴伏柔毛。叶具 3 小叶；叶柄长 1 ~ 2.5 cm；小叶宽卵形、卵状椭圆形或倒卵形，长 1.5 ~ 4.5 cm，先端圆或微凹，具小刺尖，上面无毛，下面被贴伏疏柔毛。总状花序比叶短，稀与叶近等长；花序梗短缩或近无花序梗，密被白毛；花梗短，被白毛；花萼长 2 ~ 2.5 mm，5 裂至中部，裂片披针形；花冠红紫色，长约 1.1 cm，旗瓣倒卵形，基部具短瓣柄，翼瓣长圆形，较旗瓣和龙骨瓣短约 1/3，基部具耳和瓣柄，龙骨瓣与旗瓣近等长，具耳和瓣柄。荚果斜卵形，长 6 ~ 7 mm，稍扁，密被毛，具网纹。花期 7 ~ 8 月，果期 9 月。

（3）分布区域。发现于宁夏固原市泾源县黄花乡六盘山秋千架林区，地理坐标为北纬 35°33′58″，东经 106°26′31″，海拔 1 721 m，生于山坡、灌丛或杂木林下。也分布于甘肃、广东、河北、黑龙江、河南、江西、吉林、辽宁、陕西、山西和浙江。在宁夏为首次发现。

（4）凭证标本号。LPS2016727026。

① 在此次中药资源普查过程中，除发现一些药用植物新记录种外，还发现一些非药用植物新记录种。由于它们在宁夏首次被发现，是此次中药资源普查的成果之一，故编者在撰写本书时一并纳入。

2. 两型豆 *Amphicarpaea edgeworthii* Benth.

（1）科属。豆科 Fabaceae，两型豆属 *Amphicarpaea*。

（2）形态特征。一年生缠绕草本。茎纤细，被淡褐色柔毛。羽状复叶具 3 小叶；叶柄长 2 ~ 5.5 cm；顶生小叶菱状卵形或扁卵形，长 2.5 ~ 5.5 cm，宽 2 ~ 5 cm，先端钝或急尖，基部圆、宽楔形或平截，两面被白色贴伏柔毛，有 3 基出脉，侧生小叶常偏斜。花二型，生于茎上部的为正常花，2 ~ 7 排成腋生的总状花序，除花冠外，各部均被淡褐色长柔毛；苞片膜质，卵形或椭圆形，长 3 ~ 5 mm，腋内具花 1，宿存；花萼筒状，5 裂；花冠淡紫色或白色，长 1 ~ 1.7 cm，各瓣近等长，旗瓣倒卵形，瓣片基部两侧具耳，翼瓣与龙骨瓣近相等；子房被毛；生于茎下部的为闭锁花，无花瓣，柱头弯曲，与花药接触；子房伸入地下结实。果实二型，生于茎上部的为长圆形或倒卵状长圆形，长 2 ~ 3.5 cm，宽约 6 mm，被淡褐色毛，有种子 2 ~ 3；生于茎下部的为椭圆形或近球形，有种子 1。花果期 8 ~ 11 月。

（3）分布区域。发现于宁夏固原市泾源县六盘山秋千架林区大东沟和西峡林场大南沟，地理坐标为北纬 35°39′17″，东经 106°23′28″，海拔 1 849 m，生于山地阴坡林下或草地。也分布于安徽、福建、甘肃、贵州、海南、河北、黑龙江、河南、湖北、湖南、江苏、江西、吉林、辽宁、内蒙古、陕西、山东、山西、四川、台湾、西藏、云南和浙江。在宁夏为首次发现。

（4）凭证标本号。NHS20150808015。

3. 牧场膨果豆 *Phyllolobium pastorium* (H. T. Tsai et T. T. Yü) M. L. Zhang et Podlech

（1）科属。豆科 Fabaceae，蔓黄芪属 *Phyllolobium*。

（2）形态特征。多年生草本。羽状复叶有 7 ~ 11 小叶，长达 9 cm；托叶三角状或宽卵形，渐尖；小叶互生，椭圆状长圆形，长 12 ~ 25（ ~ 35） mm，宽 6 ~ 8 mm，先端钝，有短尖头，基部宽楔形，上面无毛，下面被白色贴伏毛。总状花序有 7 ~ 9 花，呈伞形花序式，疏被黑色毛或近无毛；花萼钟状，被褐色毛，萼筒长 3 ~ 4 mm，萼齿三角状披针形；花冠青紫色，旗瓣长 15 ~ 16 mm，宽 10 ~ 11 mm，瓣片近圆形，长 8.5 ~ 9 mm，先端微缺，基部突然收狭，瓣柄长约 3 mm，翼瓣长 11 ~ 12 mm，瓣片狭长圆形，长 8.5 ~ 9 mm，宽 2.5 ~ 3.5 mm，先端钝圆，瓣柄长 3.5 ~ 4 mm，龙骨瓣长 13 ~ 13.5 mm，瓣片近倒卵形，长 8.5 ~ 9 mm，宽 4 ~ 5 mm，瓣柄长 3.5 ~ 5 mm；子房有柄，被短柔毛，柄长 2.5 ~ 3 mm，柱头被簇毛。荚果膨胀，椭圆形，先端尖喙状，具网脉。花期 6 ~ 7 月，果期 8 ~ 10 月。

（3）分布区域。发现于宁夏中卫市海原县南华山自然保护区，地理坐标为北纬 36°27′7.35″，东经 105°37′35.04″，海拔 2 579 m，生于山坡草地。也分布于四川、西藏和云南。在宁夏为首次发现。

（4）凭证标本号。NHS20170625001。

4. 灰毛地蔷薇 *Chamaerhodos canescens* Krause

（1）科属。蔷薇科 Rosaceae，地蔷薇属 *Chamaerhodos*。

（2）形态特征。多年生草本。茎多数，丛生，直立或上升，高 10 ～ 30 cm，上部分枝，基部密生短腺毛及疏生长柔毛。基生叶密集，长 1 ～ 1.5 cm，有腺毛及灰色长刚毛，2 回 3 裂，一回裂片 3 深裂，二回裂片全缘或深缺刻状 2 ～ 3 裂，小裂片条形，长 4 ～ 6 mm，先端近圆钝或锐尖，基部楔形，全缘；茎生叶似基生叶，侧裂片常全缘，少有具缺刻，中裂片 3 深裂，二回裂片再 2 ～ 3 裂；基生叶的叶柄长 1.5 ～ 3 cm，茎生叶的叶柄极短，长约 5 mm，皆有长刚毛；托叶和茎生叶侧裂片相似，条形，长约 5 mm，全缘，有长刚毛。复聚伞花序，直径 2 ～ 3 cm，多花，排列紧密；总花梗及花梗被具腺柔毛；苞片及小苞片披针形，长 5 ～ 10 mm，2 ～ 3 深裂，裂片条形，被具腺柔毛；花直径 3 ～ 5 mm；花梗长 2 ～ 4 mm；萼筒宽钟形，长 2 ～ 3 mm，外面有长刚毛，萼片披针形，长约 2 mm，先端渐尖，有 10 显明脉和长刚毛；花瓣倒卵形，长 3 ～ 4 mm，粉红色或白色，先端微缺，基部具短爪，无毛；花丝长 1.5 ～ 2 mm，无毛；花托有长柔毛；心皮 4 ～ 6，离生，花柱丝状，子房无毛。瘦果长圆卵形，长 2 mm，黑褐色，无毛，先端渐尖，具尖头。花期 6 ～ 8 月，果期 8 ～ 10 月。

（3）分布区域。发现于宁夏固原市西吉县火石寨乡白庄村，地理坐标为北纬 36°09′35.90″，东经 105°44′28.40″，海拔 2 033.4 m，生于山坡草地。也分布于河北、黑龙江、吉林、辽宁、内蒙古和山西。在宁夏为首次发现。

（4）凭证标本号。640522140630012LY。

5. 北京堇菜 *Viola pekinensis* (Regel) W. Beck.

（1）科属。堇菜科 Violaceae，堇菜属 *Viola*。

（2）形态特征。多年生草本，无地上茎，高达 8 cm。根茎粗短。叶基生，莲座状，叶圆形或卵状心形，长、宽均为 2 ～ 3 cm，先端钝圆，基部心形，具钝锯齿，两面无毛或沿叶脉被疏柔毛；叶柄长 1.5 ～ 4.5 cm，无毛，托叶外侧者较宽，白色，膜质，内部者较窄，绿色，离生部分窄披针形，具稀疏的流苏状细齿。花淡紫色或近白色；花梗稍高于叶丛，近中部有 2 小苞片；萼片披针形或卵状披针形，长 7 ~ 9 mm，宽 1.5 ~ 2 mm，边缘窄膜质，基部附属物长 2 ~ 3 mm，先端浅裂；花瓣宽倒卵形，上瓣长约 1.1 cm，宽约 7 mm，侧瓣内面近基部有须毛，下瓣连距长 1.5 ~ 1.8 cm，距圆筒状，稍粗而直伸；柱头顶部平，两侧及后方具边缘，前方具短喙，喙端具较宽的柱头孔。蒴果无毛。花期 4 ~ 5 月，果期 5 ~ 7 月。

（3）分布区域。发现于宁夏固原市泾源县六盘山自然保护区胭脂峡，地理坐标为北纬 35°28′50.26″，东经 106°27′37.42″，海拔 1 788 m，生于沟溪、路旁。也分布于甘肃、河北、河南、江苏、陕西、山东和山西。在宁夏为首次发现。

（4）凭证标本号。LPS20170415001。

6. 总裂叶堇菜 *Viola dissecta* var. *incisa* (Turcz.) Y. S. Chen

（1）科属。堇菜科 Violaceae，堇菜属 *Viola*。

（2）形态特征。多年生草本，高约 10 cm，全体密被白色短柔毛。基生叶 4 ~ 8；叶片卵形，长 1.5 ~ 3 cm，宽 1 ~ 1.5 cm，先端稍尖，基部宽楔形，边缘缺刻状浅裂至中裂，下部裂片通常具 2 ~ 3 不整齐的钝齿，两面密被白色短柔毛；托叶近膜质，1/2 以上与叶柄合生，离生部分线状披针形或线形，全缘。花大，紫堇色；花梗细，高出于叶，密被短柔毛，在中部稍上处有 2 长线形小苞片；萼片卵状披针形，具 3 脉，基部附属物较短，边缘具缘毛，末端近截形，通常有不整齐的缺刻状裂齿；花瓣长圆形，上方花瓣长约 1.1 cm，宽约 4.5 mm，先端圆，基部渐狭，侧方花瓣长约 1.2 cm，宽约 3.5 mm，里面基部有稀疏的须毛，下方花瓣连距长约 2 cm，距管状，长 6 ~ 8 mm，直径约 3.5 mm，直或稍弯曲，末端圆；花药长约 2 mm，药隔先端附属物长约 1.5 mm，下方 2 雄蕊之距细而长，长 5 ~ 6.5 mm，末端尖；子房无毛，花柱基部稍细并向前方微膝曲，向上显著增粗，柱头两侧稍增厚成狭而直展的边缘，中央部分微凹陷，前方具向上、稍粗的短喙，喙端具较粗而明显的柱头孔。花期 4 ~ 5 月。

（3）分布区域。发现于宁夏固原市隆德县山河乡大漫坡村，地理坐标为北纬 35°28′28.67″，

东经 106°13′8.69″，海拔 2 588 m，生于林缘和路旁。也分布于河北、吉林、辽宁、内蒙古、陕西和山西。在宁夏为首次发现。

（4）凭证标本号。LPS20170530005。

7. 钝叶单侧花 *Orthilia obtusata* (Turcz.) Hara

（1）科属。杜鹃花科 Ericaceae，单侧花属 *Orthilia*。

（2）形态特征。常绿草本状小半灌木，高 4 ~ 15 cm。叶近轮生于地上茎下部，薄革质，阔卵形，较小，长 1.2 ~ 2.3 cm，宽 1 ~ 1.6 cm，先端圆钝，基部近圆形，边缘有圆齿，褐绿色，上面色深，下面苍白色。总状花序较短，有 4 ~ 8 花，偏向一侧；花序轴有细小疣；花水平倾斜，或下部花半下垂，花冠卵圆形或近钟形，淡绿白色；花梗较短，有密细小疣，腋间有膜质苞片，短小，阔披针形或卵状披针形，先端短渐尖；萼片卵圆形或阔三角状圆形，先端圆钝，边缘有齿；花瓣长圆形，长 4 ~ 4.5 mm，宽 2 ~ 2.3 mm，基部有 2 小突起，边缘有小齿；雄蕊 10，花丝细长，花药顶孔裂，无小角，有细小疣，黄色；花柱直立，伸出花冠，先端无环状突起；柱头肥大，5 浅裂。蒴果近扁球形。花期 7 月；果期 7 ~ 8 月。

（3）分布区域。发现于宁夏吴忠市红寺堡区罗山马长沟，地理坐标为北纬 37°18′9.39″，东经 106°17′6.18″，海拔 2 511 m，生于青海云杉林下。也分布于甘肃、黑龙江、内蒙古、青海、山西、四川、新疆和西藏。在宁夏为首次发现。

（4）凭证标本号。LS20160915001。

8. 五福花 *Adoxa moschatellina* L.

（1）科属。五福花科 Adoxaceae，五福花属 *Adoxa*。

（2）形态特征。多年生矮小草本，高 8 ~ 15 cm。茎单一，纤细。基生叶 1 ~ 3，为一至二回三出复叶；小叶片宽卵形或圆形，长 1 ~ 2 cm，3 裂；茎生叶 2，对生，3 深裂，裂片再 3 裂。花序有限生长，5 ~ 7 花成顶生聚伞形头状花序，无花柄。花黄绿色，直径 4 ~ 6 mm；花萼浅杯状，顶生花的花萼裂片 2，侧生花的花萼裂片 3；花冠辐状，管极短，顶生花的花冠裂片 4，侧生花的花冠裂片 5，裂片上乳突约略可见；内轮雄蕊退化为腺状乳突，外轮雄蕊在顶生花为 4，在侧生花为 5，花丝 2 裂几至基部，花药单室，盾形，外向，纵裂；子房半下位至下位，花柱在顶生花为 4，在侧生花为 5，基部联合，柱头 4 ~ 5，点状。核果。花期 4 ~ 7 月，果期 7 ~ 8 月。

（3）分布区域。发现于宁夏固原市泾源县香水镇米岗村米岗山，地理坐标为北纬 35°32′58″，东经 106°15′26″，海拔 2 224 m，生于阔叶林下。也分布于河北、黑龙江、辽宁、内蒙古、青海、山西、四川、新疆、西藏和云南。在宁夏为首次发现。

（4）凭证标本号。640424140524036LY。

参考文献

[1] 袁彩霞，余杨春，丁锐，等．宁夏豆科植物 1 新记录属及 2 新记录种 [J]．宁夏大学学报（自然科学版），2016（4）：466-469.

[2] 中国科学院中国植物志编辑委员会．中国植物志：第四十一卷 [M]．北京：科学出版社，1995：256-257.

[3] 中国科学院中国植物志编辑委员会．中国植物志：第五十一卷 [M]．北京：科学出版社，1991：55，80.

[4] 中国科学院中国植物志编辑委员会．中国植物志：第五十九卷 [M]．北京：科学出版社，1989：154.

[5] 中国科学院中国植物志编辑委员会．中国植物志：第四十二卷 [M]．北京：科学出版社，1993：152.

[6] WU Z Y，RAVEN P H．Flora of China：Vol. 10[M]．Beijing：Science Press and Missouri Botanical Garden，2010：327.

第五章 宁夏回族自治区珍稀濒危药用植物资源

宁夏不仅拥有丰富的植物种质资源，也是西北地区著名的药用植物资源宝库和药材生产基地及交易集散地。第四次全国中药资源普查宁夏中药资源普查结果显示，宁夏全区共分布有各类药用植物 1 214 种。虽然宁夏的药用植物资源相对丰富，但是其药材资源储量有限。近年来，由于人们对野生中药材需求量的增加，宁夏的野生药用植物资源受到严重的威胁，药材资源储量不断减少，部分种类甚至濒临灭绝。

根据《国家重点保护农业野生植物要略》《中国珍稀濒危保护植物名录》《国家重点保护野生药材物种名录》和《国家重点保护野生植物名录》［国家林业和草原局、农业农村部公告（2021 年第 15 号）］等资料，目前宁夏分布有 58 种国家珍稀濒危药用植物（表 5-1）。另外，根据第四次全国中药资源普查宁夏中药资源普查结果，结合野生药材的资源储量、生境、分布等因素进行综合评判，初步确定宁夏重点保护药用植物有 31 种（表 5-2）。因此，宁夏珍稀濒危和重点保护药用植物共计 65 属 89 种。

一、宁夏珍稀濒危药用植物

宁夏有各类（野生、栽培）国家级珍稀濒危药用植物 58 种，分属 33 科 43 属。

国家Ⅰ级重点保护植物：发菜（*Nostoc flaglliforme* Born. et Flah.）、银杏（*Ginkgo biloba* L.）、紫斑牡丹［*Paeonia suffruticosa* Andrews var. *papaveracea* (Andrews) Kerner］。

国家Ⅱ级重点保护植物：毛杓兰（*Cypripedium franchetii* E. H. Wilson）、紫点杓兰（*Cypripedium guttatum* Sw.）、斑子麻黄（*Ephedra rhytidosperma* Pachomova）、牡丹（*Paeonia suffruticosa* Andr.）、桃儿七［*Sinopodophyllum hexandrum* (Royle) Ying］、软枣猕猴桃［*Actinidia arguta* (Sieb. & Zucc.) Planch. ex Miq.］、黄檗（*Phellodendron amurense* Rupr.）、蒙古扁桃［*Amygdalus mongolica* (Maxim.) Ricker］、玫瑰（*Rosa rugosa* Thunb.）、沙冬青［*Ammopiptanthus mongolicus* (Maxim. ex Kom.) Cheng f.］、四合木（*Tetraena mongolica* Maxim.）、野大豆（*Glycine soja* Siebold et Zuccarini）、甘草（*Glycyrrhiza uralensis* Fisch.）、锁阳（*Cynomorium songaricum* Rupr.）、黑果枸杞（*Lycium ruthenicum* Murray）、手参［*Gymnadenia conopsea* (L.) R. Br.］、宁夏贝母（*Fritillaria taipaiensis* P. Y. Li var. *ningxiaensis* Y. K. Yang et. J. K. Wu）、水曲柳（*Fraxinus mandschurica* Rupr.）、七叶一枝花［*Paris polyphylla* var. *chinensis* (Fran-

表 5-1　宁夏珍稀濒危药用植物名录

序号	药材名	基原中文名	拉丁学名	科名	《中国珍稀濒危保护植物名录》	《国家重点保护农业野生植物要略》	《国家重点保护野生药材物种名录》	《国家重点保护野生植物名录》	特有性	备注
1	发菜	发菜	*Nostoc flagelliforme* Born. et Flah.	念珠藻科		重点	Ⅱ类	Ⅰ级		野生
2	猪苓	猪苓	*Polyporus umbellatus* (Pers.) Fr.	多孔菌科			Ⅲ类			野生
3	银杏叶	银杏	*Ginkgo biloba* L.	银杏科	稀有，2 级			Ⅰ级		栽培
4	核桃仁	胡桃	*Juglans regia* L.	胡桃科	濒危，2 级	重点				栽培
5	胡桐泪	胡杨	*Populus euphratica* Oliv.	杨柳科	渐危，3 级					栽培
6	麻黄	中麻黄	*Ephedra intermedia* Schrenk ex Mey.	麻黄科		重点	Ⅲ类			野生
7	麻黄	斑子麻黄	*Ephedra rhytidosperma* Pachomova	麻黄科		重点		Ⅱ级		野生
8	麻黄	草麻黄	*Ephedra sinica* Stapf	麻黄科		重点	Ⅲ类			野生、栽培
9	沙拐枣	沙拐枣	*Calligonum mongolicum* Turcz.	蓼科		重点				野生
10	五味子	五味子	*Schisandra chinensis* (Turcz.) Baill.	五味子科		重点	Ⅲ类			野生
11	牡丹皮	牡丹	*Paeonia suffruticosa* Andr.	毛茛科				Ⅱ级	中国特有	栽培
12	牡丹皮	紫斑牡丹	*Paeonia suffruticosa* Andrews var. *papaveracea* (Andrews) Kerner	毛茛科				Ⅰ级	中国特有	栽培
13	南方山荷叶	南方山荷叶	*Diphylleia sinensis* H. L. Li	小檗科		重点				野生
14	小叶莲	桃儿七	*Sinopodophyllum hexandrum* (Royle) *Ying*	小檗科	稀有，3 级	重点		Ⅱ级		野生
15	软枣子	软枣猕猴桃	*Actinidia arguta* (Sieb. & Zucc.) *Planch.ex Miq.*	猕猴桃科				Ⅱ级		野生
16	斧翅沙芥	斧翅沙芥	*Pugionium dolabratum* Maxim.	十字花科		重点				野生
17	凤尾七	小丛红景天	*Rhodiola dumulosa* (Franch.) S. H. Fu	景天科				Ⅱ级		野生
18	蒙古扁桃	蒙古扁桃	*Amygdalus mongolica* (Maxim.) Ricker	蔷薇科	稀有，3 级	重点		Ⅱ级		野生
19	玫瑰花	玫瑰	*Rosa rugosa* Thunb.	蔷薇科	濒危，3 级	重点		Ⅱ级		栽培
20	沙冬青	沙冬青	*Ammopiptanthus mongolicus* (Maxim. ex Kom.) Cheng f.	豆科	渐危，3 级	重点		Ⅱ级		野生
21	黄芪	膜荚黄芪	*Astragalus membranaceus* (Fisch.) Bunge	豆科	渐危，3 级					野生

续表

序号	药材名	基原中文名	拉丁学名	科名	《中国珍稀濒危保护植物名录》	《国家重点保护农业野生植物要略》	《国家重点保护野生药材物种名录》	《国家重点保护野生植物名录》	特有性	备注
22	黄芪	蒙古黄芪	*Astragalus membranaceus* (Fisch.) Bunge var. mongholicus (Bunge) P. K. Hsiao	豆科	渐危，3 级	重点				栽培
23	野大豆藤	野大豆	*Glycine soja* Siebold et Zuccarini	豆科	渐危，3 级	重点	Ⅱ类	Ⅱ级		野生
24	甘草	光果甘草	*Glycyrrhiza glabra* L.	豆科			Ⅱ类			栽培
25	甘草	甘草	*Glycyrrhiza uralensis* Fisch.	豆科		重点	Ⅱ类	Ⅱ级		野生、栽培
26	关黄柏	黄檗	*Phellodendron amurense* Rupr.	芸香科	渐危，3 级		Ⅱ类	Ⅱ级		栽培
27	远志	西伯利亚远志	*Polygala sibirica* L.	远志科			Ⅲ类			野生
28	远志	远志	*Polygala tenuifolia* Willd.	远志科			Ⅲ类			野生
29	中国沙棘	中国沙棘	*Hippophae rhamnoides* L. subsp. *sinensis* Rousi	胡颓子科		重点				野生
30	锁阳	锁阳	*Cynomorium songaricum* Rupr.	锁阳科				Ⅱ级		野生
31	山茱萸	山茱萸	*Cornus officinalis* Sieb. et Zucc.	山茱萸科			Ⅲ类			栽培
32	羽叶三七	羽叶三七	*Panax pseudoginseng* Wall. var. *bipinnatifidus* (Seem.) Li	五加科				Ⅱ级		野生
33	宽叶羌活	宽叶羌活	*Notopterygium franchetii* H. Boissieu	伞形科			Ⅲ类			野生
34	羌活	羌活	*Notopterygium incisum* Ting ex H. T. Chang	伞形科			Ⅲ类			野生
35	防风	防风	*Saposhnikovia divaricata* (Turcz.) Schischk.	伞形科			Ⅲ类			野生
36	毛杓兰	毛杓兰	*Cypripedium franchetii* E. H. Wilson	兰科				Ⅱ级	中国特有	野生
37	黄囊杓兰	紫点杓兰	*Cypripedium guttatum* Sw.	兰科				Ⅱ级		野生
38	手参	手参	*Gymnadenia conopsea* (L.) R. Br.	兰科				Ⅱ级		野生
39	连翘	连翘	*Forsythia suspensa* (Thunb.) Vahl	木犀科			Ⅲ类			栽培
40	水曲柳	水曲柳	*Fraxinus mandschurica* Rupr.	木犀科	渐危，3 级		Ⅱ类	Ⅱ级		野生、栽培
41	羽叶丁香	羽叶丁香	*Syringa pinnatifolia* Hemsl	木犀科	濒危，3 级					野生

42	丁香	贺兰山丁香	*Syringa pinnatifolia* var. *alashanensis* Ma et S. Q. Zhou	木犀科	濒危，3 级					野生
43	秦艽	小秦艽	*Gentiana dahurica* Fisch.	龙胆科			Ⅲ类			野生
44	秦艽	秦艽	*Gentiana macrophylla* Pall.	龙胆科			Ⅲ类			野生、栽培
45	秦艽	麻花秦艽	*Gentiana straminea* Maxim.	龙胆科			Ⅲ类			野生
46	紫草	紫草	*Lithospermum erythrorhizon* Sieb. et Zucc.	紫草科			Ⅲ类			野生
47	黄芩	黄芩	*Scutellaria baicalensis* Georgi	唇形科			Ⅲ类			野生
48	黄果枸杞	黄果枸杞	*Lycianthes barbatum* L. var. *aurantiarpum* K. F. Ching	茄科		重点				野生
49	枸杞子、地骨皮	宁夏枸杞	*Lycium barbarum* L.	茄科		重点				栽培
50	黑果枸杞	黑果枸杞	*Lycium ruthenicum* Murr	茄科		重点		Ⅱ级		野生、栽培
51	肉苁蓉	肉苁蓉	*Cistanche deserticola* Ma	列当科	濒危，3 级	重点		Ⅱ级		栽培
52	盐生肉苁蓉	盐生肉苁蓉	*Cistanche salsa* (C. A. Mey.) G. Beck	列当科		重点				野生
53	列当	列当	*Orobanche coerulescens* Steph.	列当科		重点				野生
54	华重楼	七叶一枝花	*Paris polyphylla* var. *chinensis* (Franch.) Hara	百合科				Ⅱ级		野生
55	盘贝	宁夏贝母	*Fritillaria taipaiensis* P. Y. Li var. *ningxiaensis* Y. K. Yang et J. K. Wu	百合科				Ⅱ级		野生
56	穿山龙	穿龙薯蓣	*Dioscorea nipponica* Makino	薯蓣科		重点				野生
57	沙芦草	沙芦草	*Agropyron mongolicum* Keng	禾本科			Ⅱ类	Ⅱ级		野生
58		四合木	*Tetraena mongolica* Maxim.	蒺藜科				Ⅱ级	中国特有	野生

注：表中的“四合木”为孑遗植物，尚无药用记录。

表 5-2 宁夏区级重点保护野生药用植物名录

序号	药材名	基原中文名	拉丁学名	科名	备注
1	马勃	大马勃	*Calvatia gigantea* (Batsch et Pers.) Lloyd.	马勃科	野生
2	脱皮马勃	脱皮马勃	*Lasiosphaera fenzlii* Reich.	马勃科	野生
3	伸筋草	石松	*Lycopodium clavatum* L.	石松科	野生
4	大黄	六盘山鸡爪大黄	*Rheum tanguticum* Maxim et Balf var. *liupanshanense* Cheng et Kao	蓼科	野生
5	大黄	鸡爪大黄	*Rheum tanguticum* Maxim. ex Regel	蓼科	野生
6	银柴胡	银柴胡	*Stellaria dichotoma* L. var. *lanceolata* Bunge	石竹科	野生
7	铁棒锤	伏毛铁棒锤	*Aconitum flavum* Hand.-Mazz.	毛茛科	野生
8	升麻	升麻	*Cimicifuga foetida* L.	毛茛科	野生
9	淫羊藿	淫羊藿	*Epimedium brevicornu* Maxim.	小檗科	野生
10	蕤仁	蕤核	*Prinsepia uniflora* Batal.	蔷薇科	野生
11	白鲜皮	白鲜	*Dictamnus dasycarpus* Turcz.	芸香科	野生
12	酸枣仁	酸枣	*Ziziphus jujuba* Mill. var. *spinosa* (Bunge) Hu ex H. F. Chow.	鼠李科	野生
13	祖师麻	黄瑞香	*Daphne giraldii* Nitsche	瑞香科	野生
14	甘肃瑞香	唐古特瑞香	*Daphne tangutica* Maxim.	瑞香科	野生
15	土贝母	假贝母	*Bolbostemma paniculatum* (Maxim.) Franque	葫芦科	野生
16	白芷	白芷	*Angelica dahurica* (Fisch. ex Hoffm.) Benth. et Hook. f. ex Franch. et Sav.	伞形科	野生
17	柴胡	北柴胡	*Bupleurum chinense* DC.	伞形科	野生
18	柴胡	红柴胡	*Bupleurum scorzonerifolium* Willd.	伞形科	野生
19	鹿衔草	鹿蹄草	*Pyrola rotundifolia* L. subsp. *chinensis* H.	鹿蹄草科	野生
20	罗布麻叶	罗布麻	*Apocynum venetum* L.	夹竹桃科	野生
21	香加皮	杠柳	*Periploca sepium* Bunge	萝藦科	野生
22	地骨皮	枸杞	*Lycium chinense* Mill.	茄科	野生
23	党参	党参	*Codonopsis pilosula* (Franch.) Nannf.	桔梗科	野生
24	漏芦	祁州漏芦	*Stemmacantha uniflora* (L.) Dittrich	菊科	野生
25	知母	知母	*Anemarrhena asphodeloides* Bunge	百合科	野生
26	七筋姑	七筋姑	*Clintonia udensis* Trautv. et Mey.	百合科	野生
27	百合	细叶百合	*Lilium pumilum* DC.	百合科	野生
28	玉竹	玉竹	*Polygonatum odoratum* (Mill.) Druce	百合科	野生
29	黄精	黄精	*Polygonatum sibiricum* Delar. ex Redoute	百合科	野生
30	藜芦	藜芦	*Veratrum nigrum* L.	百合科	野生
31	天南星	天南星	*Arisaema heterophyllum* Blume	天南星科	野生

ch.) Hara]、肉苁蓉（*Cistanche deserticola* Ma）、沙芦草（*Agropyron mongolicum* Keng）。

国家重点保护中药材资源：发菜（*Nostoc flaglliforme* Born. et Flah.）、猪苓［*Polyporus umbellatus* (Pers.) Fr.］、中麻黄（*Ephedra intermedia* Schrenk et C. A. Mey.）、草麻黄（*Ephedra sinica* Stapf）、五味子［*Schisandra chinensis* (Turcz.) Baill.］、野大豆（*Glycine soja* Siebold et Zuccarini）、光果甘草（*Glycyrrhiza glabra* L.）、甘草（*Glycyrrhiza uralensis* Fisch.）、黄檗（*Phellodendron amurense* Rupr.）、远志（*Polygala tenuifolia* Willd.）、西伯利亚远志（*Polygala sibirica* L.）、山茱萸（*Cornus officinalis* Sieb. et Zucc.）、宽叶羌活（*Notopterygium forbesii* Boiss）、羌活（*Notopterygium imcisum* Ting ex H. T. Chang）、防风［*Ledebouriella divaricata* (Turcz.) Hiroe］、连翘［*Forsythia suspensa* (Thunb.) Vahl］、水曲柳（*Fraxinus mandschurica* Rupr.）、小秦艽（*Gentiana dahurica* Fisch.）、秦艽（*Gentiana macrophylla* Pall.）、麻花秦艽（*Gentiana straminea* Maxim.）、紫草（*Lithospermum erythrorhizon* Sieb. et Zucc.）、黄芩（*Scutellaria baicalensis* Georgi）、沙芦草（*Agropyron mongolicum* Keng）。

国家农业农村部重点保护植物：发菜（*Nostoc flaglliforme* Born. et Flah.）、胡桃（*Juglans regia* L.）、中麻黄（*Ephedra intermedia* Schrenk et C. A. Mey.）、草麻黄（*Ephedra sinica* Stapf）、五味子［*Schisandra chinensis* (Turcz.) Baill.］、斑子麻黄（*Ephedra lepidosperma* C. Y. Cheng）、沙拐枣（*Calligonum mongolicum* Turcz.）、南方山荷叶（*Diphylleia sinensis* H. L. Li）、桃儿七［*Sinopodophyllum hexandrum* (Royle) Ying］、斧翅沙芥（*Pugionium dolabratum* Maxim.）、蒙古扁桃［*Amygdalus mongolica* (Maxim) Ricker］、玫瑰（*Rosa rugosa* Thunb.）、沙冬青［*Ammopiptanthus mongolicus* (Maxim. ex Kom.) Cheng f.］、野大豆（*Glycine soja* Siebold et Zuccarini）、甘草（*Glycyrrhiza uralensis* Fisch.）、中国沙棘（*Hippophae rhamnoides* L. subsp. *sinensis* Rousi）、宁夏枸杞（*Lycium barbarum* L.）、黄果枸杞（*Lycianthes barbatum* L. var. *auranticarpum* K. F. Ching）、黑果枸杞（*Lycium ruthenicum* Murray）、盐生肉苁蓉［*Cistanche salsa* (C. A. Mey.) G. Beck］、肉苁蓉（*Cistanche deserticola* Ma）、列当（*Orobanche coerulescens* Steph.）、穿龙薯预（*Dioscorea nipponica* Makino）。

此外，根据第四次全国中药资源普查中宁夏中药资源普查结果，初步确定宁夏重点保护药用植物有 31 种，分属 20 科 29 属。

宁夏重点保护药用植物有大马勃［*Calvatia gigantea* (Batsch et Pers.) Lloyd.］、脱皮马勃（*Lasiosphaera fenzlii* Reich.）、石松（*Lycopodium clavatum* L.）、六盘山鸡爪大黄（*Rheum tanguticum* Maxim et Balf var. *liupanshanense* Cheng et Kao）、鸡爪大黄（*Rheum tanguticum* Maxim. ex Regel）、银柴胡（*Stellaria dichotoma* L. var. *lanceolata* Bunge）、伏毛铁棒锤（*Aconitum flavum* Hand.-Mazz.）、升麻（*Cimicifuga foetida* L.）、淫羊藿（*Epimedium brevicornu* Maxim.）、蕤核（*Prinsepia uniflora* Batal.）、白鲜（*Dictamnus dasycarpus* Turcz.）、酸枣［*Ziziphus jujuba* Mill. var. *spinosa* (Bunge) Hu ex H. F. Chow.］、黄瑞香（*Daphne giraldii* Nitsche.）、唐古特瑞香（*Daphne tangutica* Maxim.）、假贝母［*Bolbostemma paniculatum* (Maxim.) Franque］、白芷［*Angelica dahurica* (Fisch. ex Hoffm.) Benth. et Hook. f. ex Franch.

et Sav.］、北柴胡（*Bupleurum chinense* DC.）、红柴胡（*Bupleurum scorzonerifolium* Willd.）、鹿蹄草（*Pyrola rotundifolia* L. subsp. *chinensis* H.）、罗布麻（*Apocynum venetum* L.）、杠柳（*Periploca sepium* Bunge）、枸杞（*Lycium chinense* Mill.）、党参［*Codonopsis pilosula* (Franch.) Nannf.］、祁州漏芦［*Stemmacantha uniflora* (L.) Dittrich］、知母（*Anemarrhena asphodeloides* Bunge）、七筋姑（*Clintonia udensis* Trautv. et Mey.）、细叶百合（*Lilium pumilum* DC.）、玉竹［*Polygonatum odoratum* (Mill.) Druce］、黄精（*Polygonatum sibiricum* Delar. ex Redoute）、藜芦（*Veratrum nigrum* L.）、天南星（*Arisaema heterophyllum* Blume）。

二、宁夏珍稀濒危药用植物资源组成及区系组成特点

宁夏的珍稀濒危药用植物资源主要包括藻类植物（发菜）、菌类植物（猪苓、大马勃、脱皮马勃）、蕨类植物（石松）、裸子植物（草麻黄、中麻黄、斑子麻黄、银杏）和被子植物，共计89种，其中珍稀濒危药用种子植物有84种。除14种（蒙古黄芪、肉苁蓉、山茱萸、连翘、银杏、胡桃、宁夏枸杞、紫斑牡丹、牡丹、黄檗、胡杨、玫瑰、黄芩、光果甘草）全部为引进或栽培植物外，其余75种均为野生植物，这些物种大多零星分布于交通不便的边远山区，生长于干旱荒漠、戈壁荒滩或深山密林中。

在植物区系组成上，按吴征镒对中国植物区系的划分，宁夏的84种珍稀濒危药用种子植物可划分为11个分布区类型和6个变型（表5-3）。

表5-3　宁夏珍稀濒危药用种子植物属的分布区类型和变型

分布区类型及变型	属数	占总属数百分比/%	代表种类
1. 世界分布	5	7.69	银柴胡、黄芩、西伯利亚远志、远志、小秦艽、秦艽、麻花秦艽、蒙古黄芪、膜荚黄芪
2. 泛热带分布	3	4.62	酸枣、中麻黄、斑子麻黄、草麻黄、穿龙薯蓣
6. 热带亚洲至热带非洲分布	2	3.08	杠柳、野大豆
8. 北温带分布	20	30.77	伏毛铁棒锤、升麻、白芷、细叶百合、鹿蹄草、宁夏贝母、玉竹、黄精、藜芦、天南星、胡桃、胡杨、牡丹、紫斑牡丹、玫瑰、山茱萸、毛杓兰、紫点杓兰、手参、水曲柳、紫草、列当、沙芦草
8-2. 北极—高山分布	1	1.54	小丛红景天
8-4. 北温带和南温带间断分布	2	3.08	北柴胡、红柴胡、枸杞、黄果枸杞、宁夏枸杞、黑果枸杞
9. 东亚及北美间断分布	5	7.69	罗布麻、七筋姑、五味子、南方山荷叶、羽叶三七
10. 旧世界温带分布	6	9.23	淫羊藿、白鲜、黄瑞香、唐古特瑞香、中国沙棘、羽叶丁香、贺兰山丁香、七叶一枝花
10-1. 地中海区、西亚和东亚间断分布	3	4.62	祁州漏芦、蒙古扁桃、连翘
11. 温带亚洲分布	2	3.08	六盘山鸡爪大黄、鸡爪大黄、防风
12. 地中海区、西亚至中亚分布	3	4.62	沙拐枣、锁阳、肉苁蓉、盐生肉苁蓉

续表

分布区类型及变型	属数	占总属数百分比 /%	代表种类
12-3. 地中海区至温带—热带亚洲、大洋州和南美洲间断分布	1	1.54	光果甘草、甘草
13. 中亚分布	2	3.08	斧翅沙芥、沙冬青
14. 东亚分布	2	3.08	软枣猕猴桃、党参
14-1. 中国—喜马拉雅分布	2	3.08	蕤核、桃儿七
14-1. 中国—日本分布	1	1.54	黄檗
15. 中国特有分布	5	7.69	假贝母、四合木、知母、银杏、宽叶羌活、羌活
总计	65		

除世界广布的9种外，热带分布类型有7种，包括泛热带分布的酸枣、中麻黄、斑子麻黄、草麻黄、穿龙薯蓣，热带亚洲至热带非洲分布的野大豆、杠柳。

北温带分布类型及其变型有30种，包括伏毛铁棒锤、升麻、白芷、细叶百合、鹿蹄草、宁夏贝母、玉竹、黄精、藜芦、天南星、胡桃、胡杨、牡丹、紫斑牡丹、玫瑰、山茱萸、毛杓兰、紫点杓兰、手参、水曲柳、紫草、列当、沙芦草、小丛红景天、北柴胡、红柴胡、枸杞、黄果枸杞、宁夏枸杞、黑果枸杞。

东亚及北美间断分布类型有 5 种，包括罗布麻、七筋姑、五味子、南方山荷叶、羽叶三七。

旧世界温带分布类型及其变型有 11 种，包括淫羊藿、白鲜、黄瑞香、唐古特瑞香、中国沙棘、羽叶丁香、贺兰山丁香、七叶一枝花、祁州漏芦、蒙古扁桃、连翘。

温带亚洲分布类型有 3 种，包括六盘山鸡爪大黄、鸡爪大黄、防风。

地中海区、西亚至中亚分布类型及其变型有 6 种，包括沙拐枣、锁阳、肉苁蓉、盐生肉苁蓉、光果甘草、甘草。

中亚分布类型有 2 种，包括斧翅沙芥、沙冬青。

东亚分布类型及其变型有 5 种，包括软枣猕猴桃、党参、蕤核、桃儿七、黄檗。

中国特有分布类型有 6 种，包括假贝母、四合木、知母、银杏、宽叶羌活、羌活。

尽管宁夏仅分布有 84 种珍稀濒危药用种子植物，但其区系组成复杂，在我国的 15 个植物区系类型中，宁夏就占有 11 个分布类型，且在区系组成中以温带分布类型居多，表现出明显的温带分布类型特征。另外，在这 84 种珍稀濒危药用种子植物中，不乏一些古老的孑遗物种，如沙冬青、蒙古扁桃、四合木、斑子麻黄等，这些物种对研究该地区植物区系的发生和演化具有重要的价值。此外，四合木作为国家Ⅱ级保护野生植物，在宁夏贺兰山国家级自然保护区有零星分布，虽然目前尚没有药用记载，但其潜在的药用价值值得关注。

三、宁夏珍稀濒危药用植物资源现状与保护对策

在宁夏的89种珍稀濒危药用植物中，除14种栽培种外，目前被广泛开发利用的有黑果枸杞、甘草、膜荚黄芪、麻黄、秦艽，自产自销或很少利用的药材有远志、穿山龙，未被开发利用的有桃儿七、南方山荷叶、沙冬青，这些药用植物多分布局限，种群数量十分有限，一旦遭到不合理的开发，会导致这些物种急剧减少，以致种群消失。因此，对这些珍稀濒危药用植物的保护迫在眉睫。

宁夏珍稀濒危药用植物资源的保护建议如下。

（1）对这些珍稀濒危药用植物进行全面调查，通过对其种群分布、个体数量、资源储量的详细调查，进行综合评价，确定合理的采收量和采收期，最后确定科学、合理的采收方式，以保证这些物种能够自我更新。同时，对于一些种群数量稀少的物种，应制定严格的管理制度，严禁采挖。此外，还可以利用遥感技术对这些珍稀濒危药用植物进行动态监测，为资源保护提供及时、准确的依据。

（2）根据药用物种的濒危程度及分布特点，因地制宜地选择保护措施。采用围栏护育、封山育林、封滩育草、禁牧育草等方式，使其自然恢复和正常繁衍，以保护林区和牧区的野生药用植物资源。除此之外，还应采取采大留小、保护幼株的措施，同时严格控制采药季节和采药量。

（3）进行珍稀濒危药材野生变家种和引种驯化技术研究。野生变家种、人工驯化栽培不仅是缓解中药材供需矛盾的有效途径之一，也是保护珍稀濒危物种的有效途径之一。通过人工栽培来满足市场需求，能够从根本上缓解野生资源有限的压力，同时也为珍稀濒危物种的迁地保护和物种复壮提供了可能。

（4）深入开展珍稀濒危药用植物的科学研究。从地理分布、生境、生殖生物学、生理生态学等方面分析药用植物致濒的内在机制和外在因素，做出综合评价，确定其受威胁程度，提出优先保护顺序，并通过组织培养、细胞培养等生物技术手段来扩大种群数量。

（5）建立野生珍稀濒危药用植物种质资源库。药用植物种质资源是中药材生产的源头，种质资源是进行中药材品种改良、新品种培育的物质基础。因此，可通过建立药用植物种子库、试管苗种质库、基因库等，为珍稀濒危药用植物的资源保存、引种驯化、新品种培育等提供资源保障。

（6）进一步加强科普工作。通过举办科普活动，开展相关法律法规的宣传教育，普及药用植物资源知识，增强民众保护珍稀濒危药用植物资源的意识，促进民众自觉遵守相关法律法规，使全社会形成理解、支持、参与珍稀濒危药用植物资源保护和合理开发利用的良好氛围。

参考文献

[1] 高正中，戴法和. 宁夏植被 [M]. 银川：宁夏人民出版社，1988：5-9.
[2] 邢世瑞. 宁夏中药志 [M]. 银川：宁夏人民出版社，2006.
[3] 马德滋，刘惠兰，胡福秀. 宁夏植物志 [M]. 2 版. 银川：宁夏人民出版社，2007.
[4] 董玉琛，郑殿升. 国家重点保护农业野生植物要略 [M]. 北京：气象出版社，2005.
[5] 国家环保局，中国科学院植物研究所. 中国珍稀濒危保护植物名录 [M]. 北京：科学出版社，1987.
[6] 中华人民共和国国务院. 国家重点保护野生植物名录（第一批）[J]. 植物杂志，1999（5）：4-11.
[7] 国家重点保护野生药材物种名录 [J]. 药学情报通讯，1988（2）：82.
[8] 吴征镒. 中国种子植物属的分布区类型 [J]. 云南植物研究，1991（增刊Ⅳ）：1-179.
[9] 杨世林，张昭，张本刚，等. 珍稀濒危药用植物的保护现状及保护对策 [J]. 中草药，2000，31（6）：401-403，426.
[10] 闫志峰，张本刚，陈士林，等. 濒危中药资源系统评价保护体系的构建 [J]. 世界科学技术——中医药现代化，2006，8（5）：16-21.
[11] 张绍云，付开聪，李良昌，等. 思茅地区国家重点保护野生药用植物资源研究 [J]. 中国野生植物资源，20（4）：23-25.
[12] 周繇. 长白山区野生珍稀濒危药用植物资源评价体系的初步研究 [J]. 西北植物学报，2006，26（3）：599-605.
[13] 国家林业和草原局，农业农村部. 国家重点保护野生植物名录 [EB/OL].（2021-09-07）. http://www.forestry.gov.cn/main/3951/20210908/164754443253634.html.

第六章 宁夏回族自治区中药资源传统知识调查

中药资源传统知识是中医药工作者及民间人士长期积累和传承的传统医药知识，包括基于传统的中医文献、医药文物、医药器具、传承者及传承的规则方法，以及与之密切相关的社会文化背景、生态环境、动植物药用资源等；其类别包括生命知识、养生知识、疾病知识、诊法知识、疗法知识、针灸知识、方剂知识、药物知识等。宁夏民间具有相对丰富的中药传统知识，在疾病诊疗及中药材利用方面发挥了独特的作用。根据第四次全国中药资源普查工作的要求，宁夏开展了 22 个县、市、区和银川市灵武市宁东镇的传统知识调查工作，基本摸清了宁夏中药资源传统知识家底，获得了对宁夏中药资源传统知识的系统认识，为保护、挖掘、传承中药资源传统知识奠定了基础。

一、宁夏民间医生及常用药材基本情况

第四次全国中药资源普查宁夏民间医生及常用药材普查工作涉及宁夏 22 个县、市、区和银川市灵武市宁东镇，共向 230 人搜集和调查相关信息，实地访谈 97 人，分别从他们的年龄、学医经历、弟子人数、主治病证、使用药材来源、月门诊量、常用中药材名称、药用部位、常用中草药使用方法和禁忌等进行了采访记录。此次普查完成了《宁夏 22 县调查报告》《宁夏地区中药传统知识调查工作报告》，整理出版了《宁夏中医药传统知识调查保护名录》。

调查发现，宁夏民间医生普遍趋于老龄化，平均年龄在 50 岁以上，断代现象比较严重。调查的 97 位中医医生多数学历偏低，有 11 位医生的医学知识是通过自学或卫校学习所获得的。在传承方面，97 位中医医生除传给自己的后人外，其中有 37 人收了徒弟，培养了下一代传承人，其余民间医生则缺乏传承人，他们所积累的传统知识将面临失传。从月门诊量可以看出，民间医生的门诊量最多约为 2 500 人 / 月，而最少只有 1 ~ 2 人 / 月。在药材使用方面，除了极少量的药材（如蒲公英、茵陈、败酱草等）为野外采集外，绝大多数种类均从药材公司购买使用。

宁夏民间医生常用的中药材主要有黄芩、金银花、薄荷、苍术、五味子、忍冬、防风、厚朴、茵陈、蒲公英、透骨草、白鲜皮、蛇床子、蝉蜕、车前草、白芷、夏枯草、杜仲、苦参、黄柏、香薷、牛膝、三七等。狼毒、七叶一枝花、木鳖子、附子等用传统炮制方法进行炮制，用于肺结核、肾病等，疗效显著。

二、宁夏民间留存的古籍资料

宁夏民间现存古籍资料较少，保存较完好的有50余本。民间医生保存的古籍资料主要有《图注八十一难经》《医宗金鉴》《珍珠囊药性赋》《笔花医镜》《邢子亨医案》《针灸学纲要》《针灸学中医理论基础》《中医历代医论选》《医方集解》《日用中药常识》《汤头歌诀（正续集）》《本草分经》《医宗金鉴（内科）》《医宗金鉴（外科）》《傅青主先生女科书》《寿世保元》《本草备要》《重校汤头歌诀》《增补寿世保元》《灵枢素问集注》《家宝传集》《景岳全书》《千家妙方》《幼幼集成》《校正验方新编》《增广灵验验方新编》《御纂医宗金鉴外科》《南氏秘验录》《秘方验方选集》《傅青主先生男科书》《医学白话》《校正医宗金鉴外科》《万病回春》《医用验方》《医理详解十卷》等。

三、宁夏中药资源传统知识传承发展存在的问题与建议

（一）存在的问题

第一，保护和挖掘利用不够。社会重视程度不够，对一些优秀传统知识的保护和挖掘利用尚有待加强。

第二，民间医生老龄化现象普遍，缺乏传人。由于中药资源传统知识的独特性，传统知识持有人（民间医生）普遍老龄化，而年轻人缺乏学习热情和积极性，再加上民间医生大多不愿将知识外传他人，导致传承断代，掌握传统知识的年轻人比例较低。

第三，传统知识应用机会较少。随着城镇化的发展，多数基层医生（主要是乡村医生）的诊疗活动明显减少，村民一旦患病，有条件的都去市级医院进行治疗，加之在基层就诊者以老人为主，导致家传验方应用机会较少。

第四，传承人文化水平普遍偏低。虽然传统知识持有人诊疗经验丰富，但由于其文化水平普遍偏低，故更多的是口口相传，在日常记录及用专业术语描述诊疗活动时往往缺乏连贯性、完整性和规范性。

（二）建议

第一，进一步加强宣传和推广应用传统中医药知识，提升民众对中医药传统知识正确、客观、全面、系统的理解与认识水平，加强对民间中医药技术与人才资源的开发，尤其对散落在宁夏各地的民间验方与治疗技术的研究开发给予高度重视，在技术、资金及政策上给予大力支持。

第二，加强人才培养，加快培养与中医药未来发展相适应、具有现代生命科学知识的新型人才，促进宁夏传统医药知识的传承与发展。

第三，加大对基层医生的重视程度，在政策或待遇上给予大力支持，提高其传承传统知识的积极性和主动性。

第四，加强对基层民间医生的继续教育，提高其专业技术水平和传承传统知识的能力。

第七章　宁夏回族自治区中药资源动态监测体系

健全的中药资源动态监测体系是中药材产业健康发展和中药资源保护、开发和利用的重要保证。2012 年，国家中医药管理局决定在此次中药资源普查工作的基础上建立包括 1 个中心平台、40 个监测站和 655 个监测点的国家基本药物中药原料动态监测和信息服务体系。为了落实监测体系的工作任务，2014 年，依托宁夏中医医院暨中医研究院建设了宁夏中药原料质量监测技术服务中心，并建立了宁夏隆德县中药资源动态监测站和中宁县中药资源动态监测站，开展了宁夏中药资源动态监测体系建设及监测、服务工作。

一、宁夏中药资源动态监测体系建设目标

建立自治区级中药原料质量监测技术服务中心，设立中药材重点产区中药资源动态监测站，构建面向市场需求、政府引导、整合优质资源、层次清晰、分工明确、组织架构稳定和合作成果共享的中药原料质量监测体系，提高宁夏在中医药发展方面的基础服务能力。

二、宁夏中药资源动态监测体系建设内容

在第四次全国中药资源普查宁夏中药资源普查工作的基础上，建设了宁夏中药资源动态监测体系，其主要任务包括以下内容。

（1）建立宁夏中药原料质量监测技术服务中心，设立宁夏隆德县中药资源动态监测站和中宁县中药资源动态监测站。宁夏中药原料质量监测技术服务中心是连接国家中心平台与宁夏监测站的枢纽，与国家中心平台和自治区中医药管理局共同统筹本区域内中药资源动态监测信息与技术服务工作，完成相应任务。

（2）宁夏中药原料质量监测技术服务中心指定专人，帮助、指导中药资源动态监测站开展中药原料的质量监测工作，协助监测站配备所需快速检测仪器设备和专用办公场所等软硬件设施。

（3）帮助、指导中药资源动态监测站完成本区域内中药原料质量监测数据的收集与汇总分析，上报国家中心平台，并向自治区中医药管理局、自治区财政厅和国家中医药管理局上报区域内中药原料质量变化的相关信息。

（4）协助国家中心平台开展信息服务、技术服务、技术推广和人员培训等工作。其中，信息

服务包括中药材种植信息服务、产地信息服务、交易信息服务、从业者数据信息服务、报告信息服务及其他信息服务等。技术服务包括中药材基原和真伪鉴定技术服务、质量检测技术服务、外源污染物检测技术服务、种植基地和品种选择技术服务、种子种苗质量检测技术服务、种植技术服务、病虫草害防治技术服务、采收加工技术服务、样品标本采集技术服务等。

三、宁夏中药资源动态监测体系建设情况

（一）宁夏中药原料质量监测技术服务中心建设

依托宁夏中医医院暨中医研究院，按照省级中药原料质量监测技术服务中心建设标准，开展了宁夏中药原料质量监测技术服务中心及第三方实验室［获得中国合格评定国家认可委员会（CNAS）认证］的建设工作，完成了中心专职人员配备，建立了组织管理架构，完善了制度建设。宁夏中药原料质量监测技术服务中心达到了国家的相关建设要求。

（二）监测站建设

宁夏中宁县中药资源动态监测站、隆德县中药资源动态监测站已按照标准，从基础建设、人员队伍建设、组织管理、制度建设等方面完成了监测站的建设。中宁县中药资源动态监测站建立了 15 个监测点，隆德县中药资源动态监测站建立了 17 个监测点。宁夏中药原料质量监测技术服务中心按照国家中心平台的要求，协助监测站建立监测点，确保监测体系网络信息采集畅通、内容真实可信。

（三）选定品种的日常监测

宁夏主要开展了枸杞子、甘草、银柴胡、板蓝根、菊花、黄芪、鹿茸、柴胡、金银花、黄芩、党参、秦艽、金莲花、小茴香等中药材品种的日常监测，监测内容包括种植面积、年产量、销售额、每日采购价、销售价、销售量等。每周由专人按时在中药资源动态监测网上报信息数据，并于每月 12 日及 27 日向国家中心平台上报《中药材市场价格监测报告》。

（四）种植基地调查

宁夏开展的中药材种植基地调查主要包括单户（公司）种植面积、种植品种、销售方式、田间管理、技术应用、产值等内容。自宁夏中药原料质量监测技术服务中心建立以来，通过不同方式已调研了自治区内大、中、小型种植基地近百家，主要包括枸杞子、银柴胡、甘草、黄芪、肉苁蓉、秦艽、柴胡、板蓝根、党参、大黄、黄芩、金莲花、铁棒锤、杜仲、芍药等种植基地，收集了大量的种植基地信息。

（五）监测站巡查

主要针对监测站的基础建设、人员配备、制度建设、经费使用情况等开展工作督导和检查，促进监测站的建设符合建设标准。通过巡查，及时对监测站人员进行“省级中药原料质量监测技术服务中心建设方案（提纲）”的培训，掌握监测站工作内容。中药资源动态监测站所监测的药材不仅包括检测站所在地区的药材，而且还包括在宁夏其他地区种植、流通的药材。

中宁县中药资源动态监测站监测范围：中卫市中宁县、沙坡头区，吴忠市同心县、盐池县、青铜峡市，银川市灵武市、永宁县、西夏区、金凤区、兴庆区、贺兰县，石嘴山市平罗县、大武口区、惠农区等地区。监测品种有枸杞子、银柴胡、甘草、麻黄、肉苁蓉等。

隆德县中药资源动态监测站监测范围：固原市隆德县、泾源县、彭阳县、西吉县、原州区，中卫市海原县。监测品种有黄芪、柴胡、板蓝根、党参、金莲花、牛蒡子、秦艽、黄芩、大黄等。

（六）需求调查

宁夏中药原料质量监测技术服务中心针对种植、炮制加工中药材的药农与药商定期开展需求调查，包括种子种苗需求、种植技术指导需求、销售帮助需求、仓储需求等。通过开展实地调研、分发调查问卷、电话咨询与反馈等多种途径收集需求信息。仅 2015—2017 年期间，宁夏中药原料质量监测技术服务中心开展的信息和技术服务需求调查便达 143 次，收到监测技术服务需求 38 次、信息服务需求 125 次，向药材企业、合作社发放满意度调查表 44 份，调查内容包括监测体系知晓度、印象、监测体系服务质量满意度、是否参与监测体系组织的培训会及需求调查等。调查结果对于开展药材的检测、种植、加工技术指导及满足药农与药商对药材价格信息的需求具有重要的指导意义。

（七）信息交流平台搭建

宁夏中药原料质量监测技术服务中心已建立了“宁夏中药资源动态监测”QQ 群、“宁夏回族自治区中药原料质量监测”微信群、“宁夏中药原料质量信息监测”微信群、“宁夏道地中药材质量研讨会交流群”微信群等多个交流群。在信息平台上，积极开展中药材相关知识的交流与分享，发放宁夏中药原料质量监测技术服务体系宣传资料，提高了中药原料动态监测体系的知名度，提升了监测体系信息和技术服务质量，扩大了监测体系信息和技术服务范围。

（八）中药材适宜技术推广及技术服务

宁夏中药原料质量监测技术服务中心举办了各类技术培训活动。培训活动根据调查需求，结合当地种植环境，为企业及农户提供了切实可行的技术指导，先后培训近千人次，成为农户与技术专家的种植技术沟通纽带，对农户中药材种植技术水平提升和经济效益提高发挥了重要作用。此外，通过培训增强了监测站、监测点人员信息技术服务水平，丰富了全区基层中药材企业、合作社、种植大户等的相关种植技术知识，对推广宁夏道地中药材规范化种植、产地加工、炮制、质量监测具有重要的促进作用。

（九）专职人员技能培训及能力提升

宁夏中药原料质量监测技术服务中心工作人员积极参加国家中心平台组织的相关培训会议，学习其他省份监测体系的模式，结合宁夏地区特点逐步完善其监测体系，其相关技术人员的服务能力得以提高。

（十）第三方实验室（获得 CNAS 认证）检测

确定了 22 个中药常规检测项目；根据宁夏中药材种植情况，确定将 24 种道地药材作为检测品种；编写完成了 34 个程序文件、40 个质量手册；完成了 14 个检验项目的方法学验证，完成了实验室的检验项目验证；开展了中宁县中药资源动态监测站和隆德县中药资源动态监测站送检的枸杞子、银柴胡、黄精、大黄、黄芩、黄芪、小茴香等 13 种样品多批次的检验。

四、宁夏中药资源动态监测体系成果

通过宁夏中药原料质量监测技术服务中心、中宁县中药资源动态监测站、隆德县中药资源动态监测站等的建设及有效运转，宁夏中药资源动态监测体系建设初见成效。

（一）枸杞子市场分析

宁夏中药原料质量监测技术服务中心通过收集整理每月不同枸杞品种的交易量和交易额，形成了《宁夏中宁国际枸杞交易中心枸杞交易分析报告》，结合文献资料绘制了中宁国际枸杞交易中心不同产地枸杞销售趋势图，并结合产地因素分析了不同销售量产生的原因。

（二）商品规格等级研究

1. 枸杞子商品规格等级及炮制相关研究

相关研究人员在“中国知网”查阅了近 36 年枸杞子的文献资料，建立了详细的枸杞子数据库（主要包括本草考证、鉴别、化学成分、药理作用、抗氧化性、质量标准、加工与贮藏方法、微量元素、品质等方面），为枸杞子的进一步研究打下了基础。同时，完成了 20 个产地枸杞子药材样品常规项目（水分、总灰分、浸出物）和抗氧化性的检测，完成了《枸杞子商品规格等级研究课题技术研究报告》。

2. 银柴胡商品规格等级及炮制相关研究

通过文献查阅，并结合银柴胡产区特点，相关研究人员制订了《银柴胡商品规格等级的研究方案》，开展了银柴胡商品规格等级研究。

（三）小茴香、铁棒锤等特色药材调查

通过文献资料调研及实地调查，采集相关影像资料，结合实验室研究，相关技术人员完成了《宁夏小茴香的调查研究》。

五、宁夏中药资源动态监测体系社会效益

随着国家中心平台、宁夏中药原料质量监测技术服务中心、中宁县中药资源动态监测站、隆德县中药资源动态监测站等网络监测建设工作的逐步完善，基本建成了宁夏中药资源动态监测体系，创新了宁夏中药资源的数据采集模式，实现了宁夏中药资源统计分析的规范化和系统化，有利于辅助当地政府、企业进行宏观决策。

借助宁夏中药资源动态监测体系，通过综合分析中药资源动态变化趋势，宁夏中药原料质量监测技术服务中心与各级科研单位、大专院校、企事业单位组建联合攻关小组，解决中药材保护、生产和利用等领域存在的问题，并加强科研成果向中药材生产一线的转化和应用，提升了技术服务人员的业务水平和监测能力，并通过网络提供了社会化、专业化的服务，促进了宁夏中药材产业的健康和可持续发展。

第八章　宁夏回族自治区中药资源区划

宁夏的自然条件复杂，从南到北具有明显的差异，中药资源的区域性特征显著。通过第三次全国中药资源普查，宁夏中药资源区划被分为5个一级区，即六盘山半阴湿药材区、西海固半干旱黄土丘陵药材区、盐同干旱低缓丘陵药材区、贺兰山林区药材区及宁夏平原药材区。这是对宁夏中药资源区划的一次系统总结。几十年来，随着国家对环境保护的日益重视，相关保护措施相继出台并不断加强，特别是国家级、自治区级保护区的建立，使宁夏林草（乔木林、灌木林、乔灌混交林及草地等）覆盖率显著增加。2017年，宁夏第一次全国地理国情普查公报指出，宁夏林草覆盖率已达到64.7%。与30年前相比，不仅宁夏的中药资源总量得到了有效提高，而且有些物种的分布区也发生了变化，尤其是人工栽培、仿野生（林下种植）中药材品种等。由于二级区的中药资源情况与第三次全国中药资源普查结果相比发生了一些变化，故有关部门依据第四次全国中药资源普查结果，在保留原有一级区的基础上对二级区进行了修订，具体内容如下。

一、六盘山半阴湿药材区

（一）区域范围与概况

六盘山半阴湿药材区位于宁夏南部，包括固原市泾源县、固原市隆德县东部、固原市原州区南部、固原市彭阳县西南部及固原市西吉县和中卫市海原县的部分地区。该区南北长约110 km，东西宽约20 km，面积约3 800 km^2。其中六盘山国家级自然保护区横跨固原市隆德县、泾源县、原州区，总面积678 km^2，森林覆盖率近70%。

1. 地形地貌

地势较高，以山地、丘陵为主，六盘山纵贯南北，西北部有月亮山、南华山，东南部有小关山。六盘山又称大关山，海拔2 500 m以上，最高峰米缸山高达2 942 m；月亮山海拔2 500 m以上，最高峰海拔2 633 m；南华山最高峰海拔2 955 m。六盘山南段森林资源丰富，是宁夏三大天然林区之一；而北段的月亮山、南华山之间的低山丘陵是一片绿郁的森林草原。

2. 气候

六盘山属于高寒区，雨水多，气温低，日照少，历来有“春去秋来无盛夏”之说。年平均降水量为500 ～ 650 mm，是宁夏雨量最多的地区。清水河、泾河、葫芦河发源于六盘山和月亮山，水资源丰富。

3. 土壤

该区的土壤主要为山地土壤。六盘山的土壤分布呈垂直地带性，自上而下依次为山地草甸土、山地棕壤、山地灰褐土。月亮山、南华山的土壤为山地灰褐土。垦殖耕作土壤主要为山地侵蚀灰褐土、阴黑土和黑垆土等。

（二）中药资源情况

六盘山区降雨多，气候湿润，土壤肥沃，适于多种动植物生长和繁衍，药用动植物资源丰富。第四次宁夏中药资源普查结果显示，六盘山区的野生药用植物有 993 种，分属 118 科 449 属，六盘山区是宁夏中药资源物种最为丰富的地区，被誉为“西部药用植物天然宝库”。同时，六盘山国家级自然保护区的建立，对植物资源的可持续发展和利用具有重要意义。

1. 六盘山南段药材区

六盘山南段药材区指西兰公路以南地区，包括固原市泾源县、隆德县东南部、原州区南部。该区是宁夏最阴湿的地区，年平均降水量达 550 ~ 750 mm；植被覆盖率高，林草覆盖率达 90% 以上，是宁夏森林面积最大的地区，且多为乔木林；动植物资源非常丰富。药用植物的垂直分布明显。

该区的野生药材主要有黄芪、羌活、藁本、白芷、黄精、玉竹、重楼、大黄、赤芍、党参、升麻、白鲜皮、淫羊藿、半夏、天南星、秦艽、绵马贯众、猪苓、小叶莲、木贼、窝儿七、五味子、竹节参、沙棘、地榆、宁夏贝母、款冬、鹿衔草、麝香等。

该区的栽培药材主要有林下种植柴胡、秦艽。近年来，板蓝根、黄芪、大黄、党参、半夏、宁夏贝母、金莲花的种植得到了较好的发展；该区的黄芪、板蓝根获得了国家地理标志认证，黄芪、黄芩、板蓝根在 2015 年获得了国家中药材生产质量管理规范（GAP）认证。

2. 六盘山北段药材区

六盘山北段药材区指西兰公路以北地区，包括固原市隆德县、彭阳县、原州区等县（区）的部分地区。该区的雨量较六盘山南段药材区少，年降水量为 450 ~ 500 mm。与六盘山南段药材区相比，该区的林草覆盖率较低，森林面积较小，且以灌木林居多。

该区的野生药材主要有柴胡、秦艽、茜草、漏芦、瞿麦、蕤核、仙鹤草、红芪、地骨皮、桃仁、地榆、沙棘、益母草、薄荷、远志、铁棒锤、苦杏仁、地椒、马勃、牛蒡子、菥蓂、茵陈、青蒿、甘草等。

该区的栽培药材主要有黄芪、党参、柴胡、地黄、红花、艾叶、板蓝根等，且栽培广泛。其中，固原市隆德县、彭阳县及原州区黄芪的栽培面积约为 3 万亩；固原市隆德县、彭阳县党参的栽培面积约为 1 万亩，柴胡的栽培面积约为 5 000 亩，板蓝根的栽培面积约为 5 000 亩。

二、西海固半干旱黄土丘陵药材区

（一）区域范围与概况

西海固半干旱黄土丘陵药材区位于宁夏南部，包括固原市彭阳县和原州区的中北部，西吉县和隆德县的西部，中卫市海原县中南部，吴忠市盐池县和同心县的部分地区，该区土地辽阔。

1. 地形地貌

该区位于我国黄土高原的西北边缘，地貌类型以黄土覆盖的丘陵为主，除局部山地外，海拔一般为1 500 ~ 2 000 m。各山之间受河流切割和冲积的影响，形成了相间分布的川盆及梁峁小地貌。该区主要有清水河中游冲积平原、葫芦河流域的兴隆川、东西向的沙塘川和红茹河川等，河流两旁多为梁峁、丘陵或台地。

2. 气候

该区属于半干旱半湿润气候区，年平均气温为6 ~ 7 ℃，年平均无霜期为130 ~ 150天，年平均降水量为350 ~ 500 mm，水和热的分布规律是由南向北，沿六盘山到南华山一线向东西两侧，降水量逐渐减少，气温逐渐升高。

3. 土壤

该区的土壤主要为湘黄土，其次为黑垆土、灰钙土和少量水盐条件下的湖土、盐土、草甸土等。土层深厚，质地较好。

（二）中药资源情况

受降水量少，蒸发量大，水土流失严重，土壤肥力低，以及开荒、铲草皮等因素的影响，西海固半干旱黄土丘陵药材区的药材资源相对贫乏，大宗药材不多，相对来说，接近六盘山区的地段植被生长较好，药材资源较丰富。

该区的野生药材主要有柴胡、地骨皮、苦杏仁、桃仁、透骨草、茵陈、酸枣仁、知母、远志、秦艽、白头翁、甘草、麻黄、蕤仁、甘遂、菥蓂、地椒、锁阳、盐生肉苁蓉、沙苁蓉等。该区是全国桃仁、苦杏仁的主要产区之一，桃仁的年产量约为2 000 t，苦杏仁的年产量约为6 000 t。同时，该区远志、地椒、锁阳、盐生肉苁蓉、沙苁蓉等的资源量亦较丰富。

该区的栽培药材主要有黄芪、党参、板蓝根、柴胡、地黄、银柴胡、红花、小茴香、甘草等。

三、盐同干旱低缓丘陵药材区

（一）区域范围与概况

盐同干旱低缓丘陵药材区位于宁夏中部，包括吴忠市盐池县、同心县的大部，中卫市香山地区，中卫市海原县北部，银川市灵武市、吴忠市青铜峡市的山区。

1. 地形地貌

该区的地貌主要有以下 3 种类型。南部清水河两侧为梁峁状黄土丘陵；北部苦水河以西为同心、兴仁、香山等间山盆地，各山之间有兴仁、喊叫水、同心、红寺堡、韦州、下马关等川盆地；苦水河以东为鄂尔多斯西南边缘缓坡丘陵，主要有半荒漠草原，沙漠面积较大。

2. 气候

该区属于荒漠草原气候，年平均降水量为 200 ~ 350 mm，由西北向东南方向递增，全年分布很不均匀，65% 的降水集中在 7 ~ 9 月。该区降水严重不足，气候干旱，大风和沙暴较多。年平均无霜期为 140 ~ 150 天。

3. 土壤

该区的土壤以灰钙土为主，南部少有黄土，局部地区有零星分布的盐土、草甸土和山地土壤。一般有机质层很薄，结构松散，沙性大，土壤肥力很低。

（二）中药资源情况

半荒漠草原蕴藏着丰富的中药资源，沙生药材是半荒漠草原的特色中药资源，其蕴藏量和产量均很大。宁夏的道地沙生药材主要产于盐同干旱低缓丘陵药材区，如甘草、银柴胡、麻黄、锁阳、苦豆子，以及地骨皮、酸枣仁、蒺藜、柴胡、茵陈、远志、芒硝、石膏等。

1. 盐灵同药材区

盐灵同药材区包括吴忠市盐池县大部，银川市灵武市横山村、磁窑堡村、马家滩镇、石沟驿古城，银川市东北部（原陶乐县南部），中卫市中宁县鸣沙乡至吴忠市同心县韦州镇、下马关镇和红寺堡区新庄集乡一带。该区土地面积较大，位于鄂尔多斯高原的西南部，毛乌素沙漠的边缘。一般海拔为 1 200 ~ 1 500 m，沙漠面积约为 40 万 hm^2，年平均降水量为 200 ~ 300 mm，由西北向东南方向递增。

该区的野生药材主要有甘草、麻黄、银柴胡等。

该区的栽培药材主要有麻黄、银柴胡。截至 2020 年，宁夏银柴胡的栽培面积为 8.6 万 ~ 10 万亩，仅吴忠市同心县银柴胡的栽培面积便达 6 万 ~ 8 万亩，年产量可达 200 万 ~ 300 万 kg（干品）。

2. 香山、清水河药材区

香山、清水河药材区包括清水河下游流域，中卫市香山地区、海原县北部、中宁县，固原市原州区的部分地区。该区地貌类型复杂，降水量少，蒸发强烈，植被覆盖率低，草原以荒漠化草原为主，香山海拔 1 500 m 以下的地区有小面积的乔灌混交林，耕地零星分布于较平坦的岭谷之间。

该区的野生药材资源较少，主要有蒺藜、柴胡、远志、麻黄、秦艽、香加皮、龙骨、龙齿、全蝎等。

该区的栽培药材主要为枸杞子，其中，固原市原州区三营镇、头营镇等枸杞子的栽培面积约为 3 万亩，中卫市海原县高崖乡、李旺镇等枸杞子的栽培面积达 3.2 万亩，中卫市中宁县枸杞子

的栽培面积超过 10 万亩。

3. 荒漠地带药材区

荒漠地带药材区包括中卫市沙坡头区、中宁县的黄河以北地区，自腾格里沙漠南缘至卫宁北山和吴忠市青铜峡市青铜峡镇一带，以及原陶乐县的鄂尔多斯台地部分地区。该区的地貌多为移动沙丘或沙漠，年平均降水量为 130 ~ 200 mm。天然草场以强旱生、超旱生小灌木及小半灌木为主，伴生一定数量的多年生草本植物。

该区面积不大，药材资源不多，所产的药材主要有石膏、全蝎、锁阳、银柴胡、麻黄、列当等。

4. 罗山红芪、柴胡药材区

罗山是宁夏三大林区之一，位于吴忠市同心县境内，是荒漠草原中的孤立的石质山地，南北长约 15 km，东西宽约 5 km，海拔 2 800 m。海拔 2 500 m 以上地区生长的植被为云杉林，海拔 2 500 m 以下地区生长的植被为针阔叶混交林，山麓阴坡生长的植被为灌木林，阳坡土层较薄，湿度小，所生长的植被多为旱生灌木和牧草。

该区的野生药材资源丰富，主要有红芪、柴胡、黄精、玉竹、茜草、漏芦、升麻、知母、苦杏仁、远志、秦艽、山楂等。近年来，由于加强了对罗山天然林的管护，同时禁止采挖野生药材，故罗山的野生植物资源得到了较好的保护。

5. 贺兰山东麓酸枣仁药材区

贺兰山东麓酸枣仁药材区包括贺兰山中段东麓洪积扇地段及贺兰山北段和南段的东侧，东邻银川平原。该区呈南北向狭长带状，长约 200 km，宽 5 ~ 15 km，具有荒漠至半荒漠石质山地及以砂石为主的山麓缓坡地。该区的植物种类较少，植被覆盖率低，零星分布着酸枣等灌木，同时还分布着一些强旱生的小灌木、小半灌木和多年生耐旱草本植物。

该区的野生药材资源不多，主要有酸枣仁、苦杏仁、蒺藜等。该区的栽培药材主要有甘草、板蓝根、知母、金银花等。

四、贺兰山林区药材区

（一）区域范围与概况

贺兰山林区药材区位于宁夏西北部，西以分水岭为界与内蒙古为邻，东以山麓为界，北到枯水沟，南至三关口，林区面积 15.7 万 hm^2。贺兰山脉呈西南—东北走向，南北长约 180 km，东西平均宽 30 km，北段山幅达 60 km，主体在中段（宗别立至三关口），海拔约 3 000 m，最高峰海拔 3 556 m，境内地形复杂，坡大沟深，处处都是悬崖峭壁。年平均降水量为 420 mm，年平均气温为 −0.9 ℃。贺兰山是宁夏最大的天然次生林区。森林覆盖率较高，草木垂直分布明显，海拔 1 500 m 以下的地区为荒漠草原，海拔 1 500 ~ 2 000 m 的地区为阔叶林带，海拔 2 000 ~ 2 400 m

的地区为针阔叶混交林带，海拔 2 400 ～ 3 000 m 的地区为云杉纯林带，海拔 3 000 m 以上的地区为高山灌丛草甸。

（二）中药资源情况

贺兰山林区的植物资源丰富，有维管植物 86 科 340 余属 600 余种。该区所产的药材主要有麝香、鹿茸、全蝎、红芪、黄精、玉竹、百合、远志、地骨皮、马勃、秦艽、紫花地丁、茜草、柴胡、瓦松、薤白、漏芦等。

五、宁夏平原药材区

（一）区域范围与概况

宁夏平原药材区位于宁夏北部，南自中卫市南山台子和吴忠市青铜峡市牛首山起，北至内蒙古，东邻鄂尔多斯高原，西倚贺兰山山麓及腾格里沙漠，包括石嘴山市大武口区、惠农区、平罗县，银川市贺兰县、永宁县、兴庆区、灵武市，吴忠市青铜峡市，中卫市中宁县、沙坡头区等各县（区）的灌区部分。该区具有 2 000 多年的引黄灌溉历史，素有“塞上江南”之称。

1. 地形地貌

该区的主要地貌为贺兰山东麓洪积扇和黄河冲积平原，海拔 1 070 ～ 1 234 m，地势南高北低、平坦，湖沼、池塘密集。

2. 气候

该区属于温带干旱半荒漠气候，干旱少雨，日照充足，年平均气温为 8 ～ 9 ℃，年平均无霜期为 150 ～ 200 天，年平均降水量约为 200 mm。

3. 土壤

该区的土壤主要为黄河淤积土，土层较深，肥力好，其次为淡灰钙土和湖土等。

（二）中药资源情况

宁夏平原药材区农业发达，为宁夏的商品粮基地，栽培植物以粮油作物为主，水果和蔬菜生产基础较好。除枸杞子和一些以粮油作物为主的交叉品种外，该区的栽培药材还有甘草、板蓝根、紫苏、补骨脂、桔梗、金银花、知母、胡芦巴等。但该区栽培药材的种类和产量不稳定，除枸杞子、甘草、板蓝根等栽培规模较大外，其他药材尚未形成稳定的生产基地。

该区的野生药材主要为田边、地埂、渠边、宅旁和池塘中常见的种类，如蒲黄、萹蓄、苍耳子、芦根、旋覆花、小蓟、蒲公英、槐花、槐角、车前子、紫花地丁、菟丝子等。

宁夏是我国西北地区道地药材的重要产地之一，药用动植物资源种类繁多，蕴藏量大，开发利用历史悠久。宁夏是业内人士公认的“一个具有显著特色的天然药库” 。自 2000 年 9 月宁夏被国

家科学技术部批准为“国家中药现代化科技产业（宁夏）中药材基地”以来，宁夏中药材种植基地建设与产业开发蓬勃发展，中药资源产值不断增加。同时，宁夏中药材产地初加工及饮片加工能力不断提升，截至2020年，宁夏中药材产地初加工及饮片加工量达500 ~ 1 000 t的企业有7家，达1 000 ~ 2 000 t的企业有4家，达2 000 t以上的企业有1家。目前，宁夏中药材产地初加工及饮片加工量约为1万t，直接产值达4亿元。

为进一步推动宁夏中药材产业快速发展，应全面落实《中华人民共和国中医药法》《中医药发展战略规划纲要（2016—2030年）》《中医药健康服务发展规划（2015—2020年）》《中药材保护和发展规划（2015—2020年）》《中药材产业扶贫行动计划（2017—2020年）》《自治区党委 人民政府关于推进创新驱动战略的实施意见》，充分发挥宁夏中药材产业优势，凝聚多方力量促进宁夏中药材产业提档升级。

第九章　宁夏回族自治区中药资源调查史及文献资料

宁夏回族自治区于 1958 年成立。成立之初，自治区除开展了一些传统药材的一般收购业务外，并没有对全区的中药资源状况进行系统调查。因此，全国性的药学文献对宁夏分布的中药资源情况记载甚少。20 世纪 60 年代，宁夏进行了几次局部地区的中药资源调查，20 世纪 70 年代和 80 年代又进行了两次全区性的中药资源普查，基本查清了宁夏的中药资源状况。宁夏药学工作者基于调查或普查结果编写了多部有关宁夏中药资源、中药材等情况的专著。

一、宁夏回族自治区中药资源调查史

（一）中华人民共和国成立前的中药资源调查

民国时期，宁夏进行过小规模的中药资源调查。20 世纪 20 年代中期至 40 年代，宁夏农业处对贺兰山区进行了林木植物调查，采集、制作药材标本 17 种。罗时宁、梅白逵等人撰写的《宁夏资源志》一书，对宁夏的中药资源状况做了简要叙述，记载了每种药材的产地、产量，以及重要品种的销售情况、质量优劣。

（二）20 世纪 60 年代局部地区的中药资源调查

1960 年，高春明等调查了隆德、泾源两县的药材资源，采集药用植物标本 300 余份，这些标本未经过科学鉴定，但被完好地保存了下来。

1963 年，邢世瑞、高春明等调查了贺兰山的药材资源，编写了《贺兰山药用植物名录》。

1964 年，邢世瑞、陶德兴等调查了六盘山部分地区的药材资源，采集药用植物标本 800 余份、170 余种。

1969 年，邢世瑞等 9 人组成了药材资源普查队，对固原市泾源县进行了深入的调查，采集药用植物标本 5 000 余份、290 余种。

（三）20 世纪 70 年代宁夏的中药资源普查

1970 年，在银川市举办了“宁夏中草药展览会”，各县均采集了当地的药用动植物标本，并报送了参加展览会的资料，共展出中草药 300 种。

1972—1974 年，宁夏卫生局（厅）组织由卫生、商业、林业等部门的 30 余名科技人员组成

的宁夏中药资源普查队，深入六盘山、贺兰山、罗山、南华山等主要山区和引黄灌区的部分县市，进行了规模较大的普查，调查发现，宁夏有中药资源 673 种（以来源计），其中植物药 610 种，动物药、矿物药 63 种；同时，编写了《六盘山区药用植物名录》和《宁夏药用植物标本名录》。

（四）20 世纪 80 年代宁夏的中药资源普查

1983—1987 年，在全国中药资源普查办公室的统一部署下，遵照国务院关于“对全国中药资源进行系统的调查研究，制定发展规划”的决定，宁夏医药总公司、宁夏回族自治区卫生厅等 7 个单位抽调科技人员，组成了由邢世瑞、刘景林分别任正、副队长的宁夏中药资源普查队，进行了宁夏中药资源普查。此次普查在总结历史资料的基础上，深入调查了固原市、彭阳县、泾源县、隆德县、西吉县、海原县、盐池县、陶乐县、灵武市、同心县、中卫市、石嘴山市 12 个重点县市和平罗县、贺兰县、青铜峡市、吴忠市、中宁县、永宁县、银川市 7 个非重点县市（编者注：按 1999 年前宁夏的行政区划记载），采集植物、动物、矿物标本 15 000 余份，查出宁夏共有中药资源（以来源计）1 104 种，其中，植物药 917 种，动物药、矿物药 187 种。同时，还发掘了民间草药 28 种，澄清了 35 种地产药材的混乱品种，估测了 74 种常用中药的蕴藏量，系统地总结了宁夏中药生产、购销、科研和民间用药的经验和成果。

（五）宁夏甘草资源及利用的调查

2001 年，宁夏回族自治区草原工作站组织开展了“宁夏甘草资源及利用的调查”，完成了调查报告，内容包括宁夏甘草资源的种类、分布，野生甘草资源的面积与储量，资源利用的现状及存在的问题，合理开发宁夏甘草资源的对策与措施等。

（六）第四次全国中药资源普查中宁夏的中药资源普查

2013—2019 年，第四次全国中药资源普查中宁夏的中药资源普查工作全面展开，由宁夏回族自治区中医药管理局统一领导，以县为单位，试点期间共计调查 19 个县、市、区，宁夏大学、宁夏医科大学、宁夏农林科学院、宁夏药品检验研究院及宁夏中医医院暨中医研究院作为 5 支普查大队承担了具体的普查任务。第一普查大队由宁夏大学组建，负责区域为银川市西夏区、永宁县、贺兰县及石嘴山市惠农区、平罗县；第二普查大队由宁夏医科大学组建，负责区域为吴忠市利通区、青铜峡市及中卫市沙坡头区、中宁县；第三普查大队由宁夏农林科学院组建，负责区域为银川市灵武市及吴忠市同心县、盐池县、红寺堡区；第四普查大队由宁夏药品检验研究院组建，负责区域为固原市原州区、泾源县、隆德县、西吉县、彭阳县及中卫市海原县；第五普查大队由宁夏中医医院暨中医研究院组建，负责中药传统知识调查及少数民族药用资源调查。2018 年普查正式开始后，宁夏医科大学负责动物药、矿物药资源调查，宁夏大学负责银川市兴庆区、银川市金凤区、石嘴山市大武口区及银川市灵武市宁东镇（三区一镇）的药用植物资源调查，实现了普查全覆盖。

22个县、市、区及银川市灵武市宁东镇共调查药用植物1 215种（包括野生药用植物993种）、药用动物175种、药用矿物7种，采集标本31 859份；调查样地909个、样方套4 215个，对样方套内64种重点中药材的蕴藏量进行了计算；对41种栽培药材的分布区域、面积、产量等进行了详细的调查。

二、宁夏回族自治区中药资源方面的文献资料

1946年，罗时宁、梅白逵主编（编者注：根据国家图书馆、内蒙古大学图书馆公开的出版信息，《宁夏资源志》一书由罗时宁、梅白逵主编，由宁夏省政府出版，出版时间为1946年）并出版了《宁夏资源志》一书，其中第七章为“植物药材”，相关内容如下。

该章第一节“甘草”记载“本省甘草分布甚广，几无县不产之，以宁朔、平罗、中卫、中宁、金积、灵武、盐池、磴口、陶乐为主要产地。其年产量就编者最近调查略如下：宁朔二百五十担，灵武三千担，平罗三百担，盐池二千八百担，中卫五百担，陶乐二千五百担，中宁六百担，磴口四千二百担，金积二百担，合计一万四千三百五十担”“甘草在本省药材中固占重要地位，在输出物资中亦价值甚大，战前输出总产值约十万元。其运销多由包头出口，输往天津、河南及日本等处。抗战后包头沦陷，则转自平凉出口，输往陕西、四川、河南等省”。

该章第二节“枸杞”记载“枸杞为宁夏唯一的特产，亦药材之大宗，其输出总值，在战前即达五十余万元，几占本省输出总值四分之一强，实宁夏至可注意之资源”“枸杞产在以中宁县为中心，中卫、金积、同心、平罗、灵武，虽亦产之，然量至微，且品质亦远逊中宁之所产。故通常称枸杞均系指中宁所产。中宁枸杞园各乡均有，以县城附近及白马滩四百户所产最佳，种植亦最多。战前中宁全县栽培面积八千余亩，每亩平均年产枸杞子八十五市斤，合计全县年产量为六千八百市担，合中卫县年总量约五十市担，共计为六千八百五十市担”。

该章第三节“苁蓉”记载“宁夏苁蓉产地，首推磴口，磴口年产苁蓉约二十万斤，次为陶乐，年产十七万斤。此外平罗、中宁及阿拉善额济，虽亦产之，但无人采集。宁夏产苁蓉除小部销于本省，大部均出省，战前输销天津，然后转销上海、香港、湘、广及东三省，战后则运销豫、陕”。

该章第四节“锁阳”记载“宁夏锁阳产地，首推平罗，次为陶乐，惠农、中卫、中宁亦有之。年产量：平罗五百市担、陶乐四百八十市担、中宁二百市担、惠农二百六十市担、中卫三百五十市担，合计一千七百九十市担”。

该章第五节为“其他”，该章前四节分别对甘草、枸杞、苁蓉、锁阳进行重点记述，剩余的77种见表9-1和表9-1下面的文字叙述。

表 9–1　宁夏部分植物药材

药材名	产地	年产量 / kg	备注
柴胡	贺兰山、罗山	1 400	
黄芩	贺兰山、罗山	1 250	
苦参	贺兰山、永宁县、中卫县	250 000	
知母	贺兰山	500	
远志	中宁县	400	
大小蓟	各县，中宁县尤多	2 500	
紫苏	中卫县、中宁县、贺兰山	1 000	
金银花	中卫县、中宁县、罗山、贺兰山	2 500	
车前子	各县	1 500	
五加皮	中宁县	500	
麻黄	中宁县、罗山、贺兰山	1 500	
红花	中宁县、中卫县	1 500	
秦艽	贺兰山	400	
黄芪	贺兰山、罗山	2 500	
百合	罗山	2 500	
地榆	罗山	2 500	
黄精	贺兰山	—	无人采收药用
杜松实	贺兰山	7 500	
椿白皮	贺兰山	—	无人采收药用
胡桐碱	—	—	无人采收药用
黄柏	贺兰山、罗山	—	无人采收药用
薄荷	贺兰山	—	无人采收药用
黄连	贺兰山	2 500	
荆芥	贺兰山	—	
茵陈	中卫县、金积镇、灵武县	—	无人采收药用
羌活	贺兰山	1 500	
菖蒲	各县	—	
营实（蔷薇果）	贺兰山	—	
木角豆（梓实）	银川市	—	
冬青皮	贺兰山	—	
小茴香	平罗县、永宁县、贺兰县	2 500	
升麻	贺兰山、罗山	2 500	
防风	贺兰山、罗山、中卫县	500	
益母草	各县	1 000	
旋覆花	各县	250	
杏仁	各县	50 000	
胡颓子	各县	150 000	利用者少
柽柳	各县	—	利用者少
丁香实	贺兰山、罗山	500	
槐花	各县	4 000	
茜草	平罗县、永宁县、贺兰县	—	

续表

药材名	产地	年产量 / kg	备注
地黄	罗山	1 250	
瞿麦	贺兰山、罗山	—	
海金沙	中宁县	—	产量微
蒲公英	各县	—	

注：表中的产地按当时宁夏的行政区划记载。"大小蓟"按照1946年《宁夏资源志》原文表述。"—"表示书中未记载。

除上表列出的药材之外，尚有独活、芦根、独帚、菟丝子、樗白皮、苍耳、沙参、土党参、桃仁、艾叶、白芍、红芍、水仙根、丹皮、马兰、地肤子、菊花、木贼、刺蒺藜、鸡冠花、牵牛花、蓖麻子、凤仙子、马兜铃、桑、酸枣仁、郁李仁、大麻仁、马齿苋、山药、木瓜、慈姑32种。（编者注：《中华本草》记载药材地肤子的原植物为地肤 *Kochia scopuria* (L.) Schrad，又名独帚（《本草图经》）。基于上述分析，此处记载的独帚可能是地肤 *Kochia scopuria* (L.) Schrad 的别名。独帚与地肤子重复。故1946年《宁夏资源志》除记述4种重点药材与表9-1列出的45种药材之外，另记述31种药材，共计80种药材；而文中"81种药材"是按照《宁夏资源志》原文记载所写，特此说明）

《宁夏中药志》记载：上述81种药材中多数药材的名称与现今是一致的，也有些药材的药用部位有待进一步考证，如水仙根等。还有些种类现今有混淆的情况。例如，木瓜：宁夏没有药用木瓜分布，但是群众常将文冠果 *Xanthoceras sorbifolia* Bge. 称为木瓜树，将其果实称为木瓜，20世纪50年代末，曾在贺兰山将其误作木瓜进行收购；羌活：贺兰山不产羌活，但是20世纪60年代初，曾在贺兰山将地榆 *Sanguisorba sitchensis* C. A. Mey. 的根误作羌活进行收购；防风：贺兰山不产防风，但是长期以来，银川市、石嘴山市平罗县等将内蒙古邪蒿 *Seseli intramongolicum* Y. C. Ma 的根误作防风进行收购和应用，《宁夏中草药手册》称之为"贺兰山防风"，以示与正品防风之区别；海金沙：海金沙分布于广东、广西、云南、贵州等南方地区，宁夏不会有分布。尽管限于当时的条件，历史资料可能不是十分完善，但它仍旧很宝贵，应该用发展的眼光，客观地看待这些资料。

1971年，宁夏卫生局（厅）抽调邢世瑞、王愚、马德滋等组成了《宁夏中草药手册》编写组，根据历次的资源调查和1970年在银川市举办的宁夏中草药展览会的资料编写出版了《宁夏中草药手册》一书。该书共收载中草药422种。这是首次系统地记载宁夏中药资源的书籍，全书共计约35万字。但是，由于该书是在未进行宁夏中药资源全面调查的情况下编写的，因此，收载的内容有一定的局限性。同年，宁夏中医学校编写出版了《宁夏常见病验方选编》，收载民间验方900余条。

1982年，《枸杞研究》编写组（秦国峰等）编写出版了《枸杞研究》一书。该书共收载论文32篇，其中，植物学特性方面的论文7篇，栽培技术方面的论文19篇，加工利用和质量研究方面的论文6篇，是一部内容较为全面、对于枸杞生产和科研有一定参考价值的书籍。

1983年，仲仁山编写出版了《苦豆子的研究及其应用》一书。该书全面介绍了苦豆子的植物

学特性、生药学鉴定、生态环境对体内化学成分的组成及其含量变化的影响、化学成分及动力学研究、生物碱的药理学及毒理学研究、制剂及临床应用等方面的内容。全书共计约 15 万字。

1987 年，邢世瑞主编出版了《宁夏中药资源》一书。该书简要收录了宁夏分布的中草药 1 104 种（以来源计），其中，植物药 917 种，动物药 182 种，矿物药 5 种，并对一些问题和有关内容以专题报告的形式进行了深入的分析和论述，全面地反映了宁夏中药资源的基本状况，为合理开发利用宁夏中药资源，指导药材的生产、购销和科研工作提供了科学依据。全书共计约 35 万字。

1988 年，张永庆、李天鹏主编出版了《宁夏甘草资源研究》一书，作者采用调查与实验相结合的方法，对宁夏甘草资源的历史、现状、分布、蓄积量、生态特征、生理指标及人工栽培技术进行系统研究，其调查和研究结果以专题报告形式载入该书。全书共计约 7.8 万字。

1990 年，王香亭主编出版了《宁夏脊椎动物志》一书。该书收录鱼类、两栖动物、爬行动物、鸟类、哺乳动物共计 411 种，如蟾蜍、中国林蛙、中华鳖、大耳猬、达乌尔猬、猪獾、狗獾、野猪、豹、马鹿、梅花鹿、林麝、马麝、狍、黄羊、青羊等，记述了每种的分类、检索、分布、形态、鉴别特征、生态及经济意义等。书中有黑白插图 336 幅、彩色图版 8 面。全书共计约 110 万字。

1991 年，邢世瑞主编出版了《银柴胡栽培技术及质量研究》一书，作者在对银柴胡的栽培技术和药材质量进行系统研究的基础上，将银柴胡的生物学特性、栽培技术、生药鉴定、化学成分、药理作用、质量标准等，以专题报告的形式载入该书。全书共计约 7.3 万字。

1991 年，刘惠兰主编出版了《宁夏野生经济植物志》一书。该书收载经济植物 630 种，其中，药用植物 276 种，野生果树 56 种。全书共计约 58 万字。

1991 年，邢世瑞主编出版了《宁夏中药志》一书。该书分为上、下两卷，共计约 227.5 万字。全书分为总论、各论两部分，总论概述了宁夏中药资源的基本状况和资源区划；各论收载了植物药 496 种，动物药 60 种，矿物药 6 种，共计 562 种，并从正名、别名、来源、采集加工、药材鉴别、化学成分、药理作用、性味功用、应用举例等方面，对每种药材进行了介绍。书末还简要介绍了 243 种非常用药。另外，书中附彩图、墨线图和照片 643 幅。

1993 年，宁夏卫生厅出版了《宁夏中药材标准》（1993 年版）一书。该标准收载了《中华人民共和国药典》（1990 年版）一部和《中华人民共和国卫生部药品标准》未收载而宁夏生产并有使用习惯的地产中药材 44 种，每种分正文和说明书两部分。该书作为宁夏地方药品标准发布实施，供全区中药生产、经营、使用、检验和管理部门进行质量检验与监督。全书共计约 22.1 万字。

1994 年，钟铉元编写出版了《枸杞高产栽培与育种》一书。该书全面介绍了枸杞的育苗、建园、耕作、水肥管理、整形修剪、果实制干、病虫害防治等栽培技术，还介绍了枸杞的用途、生物特性、优良品种及育种技术，是一部内容丰富、资料翔实、系统论述枸杞栽培技术的专著。全书共计约 15.6 万字。

1997 年，宁夏卫生厅出版了《宁夏中药炮制规范》（1997 年版）一书。该版是在《宁夏中药炮制规范》（1981 年版）的基础上修订而成的。全书分为总论、各论两部分，总论主要记载了中药炮制的目的、方法和辅料；各论共收载中药 632 种，按药用部位分为 13 类，每种药材收载了药材来源、炮制方法、成品性状、功能主治、用法用量等项目。该书是一部指导中药材加工和应用、具有标准或规范性质的书籍。全书共计约 48 万字。

1999 年，白寿宁主编出版了《宁夏枸杞研究》一书，编写过程中，共收集到 1981—1997 年有关枸杞的科研论文 700 余篇，从中精选了 396 篇进行摘要而收入该书。全书分为 5 个部分：植物学基础及栽培技术研究（120 篇）、成分分析（66 篇）、药理学研究（137 篇）、临床应用实验研究（29 篇）、产品开发与研究（44 篇）。此外，还简要介绍了有关枸杞的国家发明专利产品 60 个。该书全面、系统介绍了宁夏枸杞的研究、开发和生产情况，是一部很有参考价值的书籍。全书共计约 230 万字，其中很多是宁夏科技工作者发表的文章。

2000 年，李润淮编写出版了《枸杞高产栽培技术》一书。该书是“农家乐丛书”的分册之一，作者从枸杞的品种、生物学特性、物候期、育苗、定植、枸杞园栽培管理、病虫害防治、鲜果的采集与制干等方面进行了详细阐述，书后附录还介绍了宁夏枸杞优质丰产操作规程和宁杞 1 号的质量标准。全书共计约 9.8 万字。

2001 年，张守宗、李显编写出版了《六盘山区中药材栽培技术》一书。该书分为 4 个部分：①发展中药材生产应注意哪些问题；②栽培中药材必须掌握的基础知识；③主要中药材栽培技术（42 种）；④采集与加工。全书共计约 16 万字。

2002 年，钟铨元编写出版了《枸杞高产栽培技术》一书，作者在前作《枸杞高产栽培与育种》的基础上，又根据本人的长期研究和实践，吸收全国枸杞的丰产研究成果，突出田间管理的实用技术，通俗易懂地介绍了育苗、建园、土水肥管理、病虫害防治、采收、制干等技术。全书共计约 9.7 万字。

2003 年，张守宗编写出版了《西北中药材规范化栽培与加工技术》一书。该书分为总论和各论两部分，总论介绍了中药材生产质量管理规范（GAP）、标准操作规程（SOP）和生产基地建设等方面的内容；各论介绍了柴胡、半夏等 56 种中药材的优质、高产种植与加工技术。全书共计约 29.6 万字。

2005 年，邢世瑞、张守宗编写出版了《优质中药材栽培生产技术》一书。该书介绍了宁夏及其周边省区适宜种植的中药材 30 种，其中，根和根茎类 17 种，果实、种子类 7 种，全草类 3 种，花类 3 种。对于每种中药材，分别介绍了其概况、来源与植物形态、生长习性、栽培管理、病虫害防治、采收与加工等内容。全书共计约 13 万字。

2006 年，邢世瑞主编再版了《宁夏中药志》一书。该书分为上、下两卷。书中总论重点介绍了宁夏的自然环境、中药资源状况、资源区划、中药材生产基地建设和规范化种植技术研究；各论共收载地产药物 831 种，其中，植物药 467 种，动物药 49 种，矿物药 7 种，附载 72 种，非常

用中药236种。每种药材按正名、别名、历史、来源、栽培技术、采集加工、资源利用、药材鉴别、化学成分、药理作用、炮制方法、性味与归经、功能与主治、用法与用量、应用举例、注、参考文献等项目进行介绍。

2007年，王自贵、王鑫编著，祁赟、周志超翻译，克利福德、约翰英文校对的《神奇的宁夏枸杞》一书，由中国文化出版社出版发行。该书从宁夏枸杞的基础研究着手，通过对宁夏枸杞及其加工产品的生产工艺、成分分析、科研成果、枸杞文化宣传等主要环节的科学论证，系统地展示了宁夏枸杞的经济、文化和生态等方面的价值，发挥了向世界宣传宁夏枸杞的积极作用。

2007年和2013年，王俊分别主编出版了《六盘山药用植物原色图谱》（上册）和《六盘山药用植物原色图谱》（下册），书中共收录宁夏六盘山地区的药用植物300种。对于每种药材，分别从中文名、别名、来源、植物形态、分布、采收加工、药材性状、性味、功能主治等方面进行描述，并附有原植物彩图，图文并茂。

2009年，蒋齐、王英华、李明、杨彩霞等编写出版了《甘草研究》一书。该书介绍了甘草生物学和生态学特性、甘草种类和资源分布、甘草规范化栽培技术研究、宁夏栽培甘草的化学成分研究、宁夏栽培甘草质量分析及其评价的研究、甘草药用器官发育与主要药用成分积累关系研究。

2013年，梁文裕主编出版了《发菜蛋白质组学研究基础》一书。该书系统介绍了发菜的研究历史、分类地位、资源分布、生态环境、生物活性成分分离、蛋白质组学研究方法、蛋白质表达谱、特异蛋白基因克隆与表达等内容。

2014年，朱强、叶华谷主编出版了《中国药用植物》（第三册）一书。该书以宁夏地区的沙旱生药材为主，记载沙旱生药用植物202种（包括亚种、变种及变型），主要从植物资源利用的角度，介绍了每种植物的中文名、别名、拉丁名、形态特征、生长环境、地理分布、采集加工、性味功能、主治用法等。

2015年，朱强主编出版了《500种中草药识别图鉴》一书。该书记录了我国的常用药材500种，并对每味中草药的拼音、别名、入药部位、原植物、分布区域、采收加工、性味归经、用法用量等做了详细阐述。

2015年，曹有龙、巫鹏举主编出版了《中国枸杞种质资源》一书。该书分为上、下两篇，上篇重点介绍了枸杞的起源与栽培历史、枸杞种质资源研究的主要内容和方法、枸杞属植物种质资源分类及评价利用方面的研究进展；下篇介绍了枸杞的野生资源和栽培资源，分别收录了20份野生种质、12个品种，以及13份地方品种与新优品系，共计45份枸杞种质资源。

2017年，黄璐琦、李小伟主编出版了《贺兰山植物资源图志》一书。该书图文并茂地收录了贺兰山的维管植物86科340余属600余种（包括种下等级）。按恩格勒被子植物分类系统进行编排，每一种植物均配有原色照片，以其展示其形态特征，并对其识别要点、药用部位、药用功效和其他价值进行了文字描述。该书的出版为贺兰山植物的科学研究、药用开发利用提供了基础资料。

2017 年，由宁夏药品监督管理局编写（马如林主编）的《宁夏中药饮片炮制规范》出版发行。该规范收载了 190 个中药饮片品种，除“质量标准”及“起草说明”外，重点包括 378 个项目、478 幅样品图及实验图谱、1 373 个定量数据等内容。宁夏回族自治区成立以来，先后出版了 1981 年版和 1997 年版《宁夏中药炮制规范》。该规范以 1997 年版为蓝本进行修订，为区分中药材和中药饮片，该版更名为《宁夏中药饮片炮制规范》。

2018 年，由宁夏药品监督管理局编写（刘峰主编）的《宁夏中药材标准》出版发行。该标准在 1993 年版的基础上进行修订，遴选、收载中药材品种 41 种，增加了 20 个品种，同时在附录中收载了地方习用药材品种 129 种。所收载品种根据国家药品标准收载中药材情况和宁夏中药材资源及中药材生产使用情况而遴选确定。

2018 年，赵云生、彭励主编出版了《银柴胡生产加工适宜技术》一书。该书详细介绍了银柴胡的形态特征、伪品来源、生物学特性、地理分布、种子检验与质量标准、适宜种植技术、病虫害防治、合理采收、加工技术、质量评价、化学成分、药理作用等内容。

2019 年，李小伟、李涛、朱学泰主编出版了《宁夏罗山苔藓与真菌图谱》一书。该书收集了罗山国家级自然保护区苔藓 16 科 25 属 36 种、真菌 30 科 43 属 74 种，图文并茂地展示了其形态特征，并对其识别要点、食用价值、药用功效进行了文字描述。该书的出版为罗山的苔藓和大型真菌的科学研究、资源可持续利用提供了基础资料。

2019 年，李明、张新慧编写出版了《宁夏栽培中药材》一书。该书介绍了宁夏中药生态农业模式的构建与实践、宁夏中药材种植区划、宁夏主要栽培中药材等内容。

2019 年，由《枸杞通史》编纂委员会编写出版了《枸杞通史》一书。该书分为上、下两卷，主要介绍了枸杞起源、枸杞在世界各地的分布、枸杞种植历史、枸杞药用史、枸杞食用养生史、枸杞医药医理、枸杞科学研究、枸杞产地规模、枸杞品牌创立、枸杞病虫害防治、枸杞饮食文化、枸杞加工产品、枸杞诗词歌赋艺术等内容。全书共计 50 余万字。

2020 年，梁文裕、朱强编写出版了《宁夏湿地植物资源》一书。该书记载了宁夏湿地植物 188 种，隶属于 44 科 110 属，其中，苔藓植物 1 科 1 属 1 种，蕨类植物 3 科 3 属 5 种，被子植物 40 科 106 属 182 种（其中，双子叶植物 27 科 69 属 113 种，单子叶植物 13 科 37 属 69 种），从分类地位、形态特征、生态分布、资源利用等方面进行了介绍，并附有原色照片。

2020 年，王自贵、姚入宇、王鑫翻译出版了《枸杞子鉴定分析标准、质量控制与疗效》一书，由黄河出版传媒集团阳光出版社出版发行。该书从本草学、植物分类学、药物化学、食品安全、药理活性、毒理学等多方面，汇总了枸杞的传统知识及近年来世界枸杞研究的科学数据和最近进展。（原英文版于 2019 年 3 月 20 日在美国纽约发行）

2021 年，朱强、王汉卿主编出版了《500 种中草药图鉴》一书。该书以《中华人民共和国药典》主要植物品种和宁夏中药资源为主，按照中药材功效进行排序，对每味中草药的本草考证、别名、

入药部位、原植物、分布区域、采收加工、性味归经、用法用量等做了详细阐述。书中每味中药均配有原植物图和药材饮片图，并添加了快速识别条目。

第十章　宁夏回族自治区中药资源发展概况

宁夏是由我国科学技术部认定的国家中药材现代化科技产业中药材基地。截至 2020 年，全区的中药材种植面积为 60.82 万亩（不包括枸杞、山杏、山桃），年产量近 10 万 t，中药种植业产值为 16.6 亿元，加工业产值为 10 亿元。宁夏形成了引黄灌区、中部干旱带、六盘山区的规模化、区域化、生态化种植基地，以固原市隆德县、彭阳县和吴忠市盐池县为代表的产业发展重点县，以隆德六盘山药用植物资源有限公司、尚药局（宁夏）制药有限公司、宁夏明德中药饮片有限公司等为代表的中药材加工企业。中药材产业已发展为宁夏极具特色的优势生态产业，在助力脱贫攻坚战略实施中发挥了巨大作用。

一、科技创新支撑中药材产业发展成效显著

“十三五”以来，按照《宁夏中药材产业创新发展推进方案》部署，宁夏启动实施了“22842”中药材创新工程。借助东西部科技合作机制的优势，通过整合宁夏农林科学院、宁夏医科大学、南京中医药大学等优势科技力量，加强产业发展关键技术攻关，搭建科技创新平台，培育壮大产地加工科技型企业，建立规范化种植科技示范基地，实现了中药材生产基地基原品种、规范化种植技术、大宗中药材质量溯源全覆盖，构建了绿色、优质药材质量控制体系，形成了布局合理、功能互补、配套协作、融合发展的产业格局。

（一）基础研究不断加强

①依托吴忠市盐池县沙边子科研基地，组建了盐池沙旱生药用植物研究所，建立了沙旱生药用植物园，搭建了种质资源保存与综合利用研究平台，建成了全国最大的甘草种质资源圃，保存了甘草种质资源 32 份。植物园成为集种质资源保存、引种驯化、试验研究、良种繁育、药材展示、科普示范和生态旅游为一体的综合性基地。②依托六盘山中药资源优势，在固原市隆德县建成了六盘山药用植物园，园内引种了宁夏贝母、桃儿七等 208 个品种。植物园成为集种质资源保存与利用、良种繁育、品种展示、科普示范和生态旅游为一体的综合性基地。同时，完成了部分濒危稀缺中药材人工驯化和种植养殖，筛选出了适宜当地种植的主推品种。③依托药用植物园，保存了稀缺品种种质资源，为开发利用奠定基础。

（二）创建了种植技术体系

①研发了双覆膜种植技术、红花顶凌播种和覆膜垄沟穴栽技术、艾草旋耕分根育苗和覆膜移栽技术、柴胡（荞麦套种）轻简化种植技术、沙地金银花移栽技术等，其中，双覆膜种植技术解决了抗旱育苗问题。值得一提的是成功研制了黄芪精量播种、起垄移栽、机械中耕除草、水肥一体化、采挖等全程机械化技术及装备，实现了农机农艺深度融合和提质增效，提高了宁夏中药材现代化种植技术水平。②制定了《柴胡栽培技术规程》《黄芪栽培技术规程》《黄芩栽培技术规程》《秦艽栽培技术规程》《掌叶大黄栽培技术规程》5 个地方标准，总结完善了《宁夏中药材栽培技术》，提升了中药材栽培技术水平。

（三）搭建了一批创新平台

建立了宁夏天然药物工程技术研究中心、中医药现代化工程技术研究中心、中药材开发与利用工程技术研究中心、宁夏中药饮片炮制工程技术研究中心和宁夏中药配方颗粒工程技术研究中心 5 个，组建了宁夏中药新产品研发（吴忠市盐池县）、宁夏中药配方颗粒（固原市隆德县）等自治区技术创新中心 9 个，组建了宁夏道地中药资源开发利用等自治区科技创新团队 3 个，并与国内外 20 多家较大的科研院所、10 多家医药企业建立了中药研究开发产、学、研联盟。

（四）强化了“自治区中药材产业指导组、宁夏中药材产业专家服务组和宁夏中药材产业协会”科技服务机制

宁夏回族自治区科学技术厅组织宁夏农林科学院、宁夏医科大学、宁夏职业技术学院、宁夏大学、宁夏药品检验研究院的 40 名相关专家，组成了宁夏中药材产业专家服务组，并在 5 家单位建立了中药材专家服务工作站。通过组织专家为种植和加工企业开展“问诊把脉”、技术指导、观摩培训等活动，强化全产业链服务。

（五）创建了生态型中药材产业开发模式

①研究提出了基于“适地适药”的“黄芪、党参、板蓝根入川，柴胡、秦艽、大黄上山，黄芩可山可川”的中药材生产布局原则。②构建了中药生态农业模式并应用于实践，在固原市隆德县、彭阳县、西吉县、原州区，吴忠市同心县、盐池县，中卫市等海原县 7 个县（区）建立了 21 个中药材综合试验示范基地，创建并推广了“林－药”“粮－药”“药－药”等高效生态种植模式。③在退耕还林区、生态移民迁出区及荒山区域，大力发展以秦艽、柴胡为主的仿野生中药材种植，固原市彭阳县林下药材种植及抚育面积达 11 万亩。④探索形成了中药材生态产业发展模式。

（六）示范带动了中药材产业融合发展

①依托科技项目和龙头企业，创建中药材科普基地、教学实习基地，示范推广了种子种苗繁育、规范化种植、病虫草害防治、机械化种植、采挖等一批关键技术。②依托彭阳县壹珍药业有

限责任公司、隆德县葆易圣药业有限公司等科技示范企业，开展种苗统育统供、病虫统防统治、肥料统配统施、市场营销等服务，提高生产组织化程度。③固原市隆德县、彭阳县等县将六盘山药用植物园、中药材规范化种植基地建设与当地旅游业发展紧密结合，推进中药材生产与休闲旅游、美丽乡村建设相结合，提高宁夏中药材产业的综合效益和竞争力。

（七）创建了一批中药材规范化种植科技示范基地

发挥科技示范带动作用，建立了盐池县甘草、同心县银柴胡、海原县小茴香、平罗县菟丝子科技示范基地，建立了固原市黄芪、党参、黄芩种子种苗规范化繁育基地，固原市柴胡、秦艽、大黄、黄芩仿野生原生态规范化种植基地，黄芪、党参、板蓝根优质药材绿色规范化种植基地和彭阳县苦杏仁、桃仁规范化种植基地等 8 大科技示范基地，并完成了第一批 15 家科技示范基地的认定。通过科技示范基地的带动，以中部干旱带吴忠市盐池县、红寺堡区、同心县（下马关镇）扬黄灌区为核心区域，建成甘草规范化种植基地 5 620 亩；以吴忠市同心县预旺镇及周边地区为核心区域，建成银柴胡规范化种植基地 73 000 亩；以中卫市海原县西安镇及周边地区为核心区域，建成小茴香规范化种植基地 20 900 亩；以固原市隆德县、彭阳县、西吉县移民迁出区和退耕还林地为核心区域，建成柴胡、秦艽、黄芩半野生六盘山中药材原生态规范化种植基地 77 714 亩；以固原市隆德县、彭阳县为优势核心区域，建成六盘山黄芪、党参、黄芩优质种苗规范化繁育基地 35 000 亩；以固原市隆德县、彭阳县为优势核心区域，建成六盘山黄芪、党参、板蓝根大宗优质道地药材绿色种植基地 122 560 亩；以固原市彭阳县为核心区域，建成苦杏仁、桃仁规范化种植基地 300 000 亩；以银川市兴庆区、石嘴山市平罗县、石嘴山市惠农区等银北引黄灌区为核心区域，建成以小麦套种大豆为主要模式的菟丝子规范化种植基地 195 000 亩。由此实现了宁夏中药材的区域化布局、生态化种植、规范化管理，确立了宁夏优质中药材生产基地技术和品牌优势。

二、企业创新提升中药材产业化发展水平

（一）加快培育中药材产业科技型企业

通过引导、支持企业加大研发投入力度、开展科技合作、搭建创新平台、实施科技项目，宁夏明德中药饮片有限公司成为宁夏最大的集药材饮片生产、销售及中药材炮制、种植技术研究为一体的国家高新技术企业；宁夏拓明农业开发有限公司成为实现中药种植全程机械化的国家高新技术企业，开发出了具有秋季覆膜、精量穴播、铺设滴灌带、卫星定位一体化功能的播种机械，实现了中药材高垄移栽、水肥一体化、机械采挖的全程机械化，开创了全国黄芪、甘草等根茎类中药材全程机械化种植的“宁夏模式”，被黄璐琦院士作为案例在国家中药材生态产业大会上进行了介绍。

（二）推进中药材基地共建共享

宁夏中药材产业专家服务组联合产业协会，通过开展中药材产业技术对接、发布技术需求，举办了各种学术论坛暨推介会、线上双交会、中药材产业发展云培训等活动，组织区内中药材企业参加了武汉、天津、成都等全国中药材基地共建共享联盟大会，推介了宁夏中药材基地和药材产品，成立了中药材基地共建共享联盟宁夏联络站，通过信息共享、市场共享、技术共享，搭建了宁夏与国内大宗药材交易市场的沟通交流平台。

（三）提高中药材生产组织化水平

坚持实施创新主体培育工程，加强企业研发资金归集、财务管理改革、创新方法培训和宁夏农业高新技术企业申报等。吴忠市盐池县及固原市隆德县、彭阳县、西吉县等中药材大县均出台了扶持中药材产业发展的政策措施，引导、支持企业研发建立标准化生产工艺，研发功能性食品，延长产业链，提高企业效益和市场竞争力。中药材农业高新技术企业已发展成引领、带动中药产业高质量发展的排头兵。

中篇

宁夏回族自治区道地、大宗中药资源

茄科 Solanaceae 枸杞属 *Lycium* 凭证标本号 640521140812036LY

宁夏枸杞 *Lycium barbarum* L.

| 药 材 名 | 枸杞子（药用部位：果实。别名：苟起子、西枸杞）、地骨皮（药用部位：根皮。别名：杞根、地骨、苟起根）。

| 本草综述 | 殷商时期甲骨卜辞记载“己卯卜行贞，王其田亡灾，在杞”，这表明早在殷商时期便已经开始了枸杞的生产活动。春秋时期《诗经》中“隰有杞桋”“陟彼北山，言采其杞”“无折我树杞”等记载反映了枸杞的生长环境和人工驯化生产。秦汉时期《神农本草经》将枸杞列为上品，并对其药性做了详细记载：“性味苦寒，主五内邪气，热中，消渴，久服坚筋骨，轻身不老。”

南北朝时期《名医别录》记载枸杞“生常山平泽及诸丘陵阪岸”，宋代《本草图经》记载枸杞“今处处有之”，这表明枸杞的产地发生了较大的变化。唐代《药性论》记载枸杞“味甘，平”，此与之

宁夏枸杞

前药书记载的枸杞“味苦，寒”截然不同，枸杞的性味发生根本性变化，这充分证明了枸杞的基原在物种方面发生了新变化。北宋时期《梦溪笔谈》记载“《千金翼》云：甘州者为真，叶厚大者是。大体出河西诸郡（今宁夏、甘肃、黄河以西地区），其次江池间圩埂上者。实圆如樱桃。全少核，暴干如饼，极膏润有味”，首次指出产地环境造成了枸杞品质的差异，这反映出宁夏在汉唐时期就已经成为优质枸杞的产地。

北宋时期《梦溪笔谈》记载：“枸杞，陕西极边生者，高丈余，大可作柱，叶长数寸，无刺，根皮如厚朴，甘美异于他处者。”明代《本草纲目》记载：“古者枸杞、地骨，取常山者为上，其他丘陵阪岸者皆可用。后世惟取陕西者良，而又以甘州者为绝品，今陕之兰州（今兰州周边）、灵州（今宁夏灵武西南）、九原（今内蒙古五原）以西，枸杞并是大树，其叶厚，根粗。河西（今甘肃西部、内蒙古西部等黄河以西一带）及甘州者，其子圆如樱桃，暴干紧小，少核，干亦红润甘美，味如葡萄，可作果食，异于他处者……则入药大抵以河西者为上也。”该书记载“河西及甘州”枸杞子味甘、少籽、色红，异于其他产地的枸杞子，记述了产地对枸杞子品质的影响。

清代乾隆年间《中卫县志》记载“宁安一带，家种杞园，各省入药甘枸杞皆宁产也”，进一步表明枸杞在宁夏已形成种植规模，宁夏成为枸杞药材的重要产地，“宁夏枸杞甲天下”得到人们的广泛认可。

1977年之前，入药枸杞子为茄科植物宁夏枸杞 *Lycium barbarum* L. 或枸杞 *Lycium chinense* Mill. 的干燥成熟果实。随着枸杞研究的深入，1977年版《中华人民共和国药典》规定枸杞子为茄科植物宁夏枸杞 *Lycium barbarum* L. 的干燥成熟果实，明确了宁夏枸杞 *Lycium barbarum* L. 是枸杞子的唯一基原物种。2006年《中药大辞典》记载枸杞子“主产于宁夏”。

枸杞的产地沿革见表宁夏枸杞 –1。

表宁夏枸杞 –1　枸杞的产地沿革

年代	出处	产地
南北朝	《名医别录》	生常山平泽及诸丘陵阪岸
	《本草经集注》	今出堂邑，而石头烽火楼下最多
唐	《千金翼方》	甘州者为真，叶厚大者是
北宋	《梦溪笔谈》	枸杞，陕西极边生者，高丈余，大可作柱，叶长数寸，无刺，根皮如厚朴，甘美异于他处者
明	《本草纲目》	古者枸杞、地骨，取常山者为上，其他丘陵阪岸者皆可用。后世惟取陕西者良，而又以甘州者为绝品，今陕之兰州、灵州、九原以西，枸杞并是大树，其叶厚，根粗。河西及甘州者，其子圆如樱桃，暴干紧小，少核，干亦红润甘美，味如葡萄，可作果食，异于他处者……则入药大抵以河西者为上也

续表

年代	出处	产地
清	《归砚录》	甘枸杞以甘州得名，河以西遍地皆产，惟凉州镇番卫瞭江石所产独佳
	《中卫县志》	宁安一带，家种杞园，各省入药甘枸杞皆宁产也
现代	《中华人民共和国国家标准·地理标志产品　宁夏枸杞》（GB/T 19742—2008）	批准保护的范围，位于北纬36° 45′ ~ 39° 30′，东经105° 16′ ~ 106° 80′
	《道地药材标准汇编》	“宁夏中宁县及其周边地区”为道地产区

形态特征　灌木，因人工栽培而形成高大主干，高0.8 ~ 2 m，栽培者茎粗，直径达10 ~ 20 cm。当年生根系浅黄色，多年生根系深褐色，水平根系多分布于距地表20 cm土层中，垂直根系深度可达1 m。分枝细密，野生时多开展而略斜升或弓曲，栽培时小枝弓曲而树冠多呈圆形；枝有纵棱纹，灰白色或灰黄色，无毛而微有光泽，有不生叶的短棘刺和生叶、花的长棘刺。叶互生或簇生，披针形或长椭圆状披针形，先端渐尖或急尖，基部楔形，长2 ~ 8 cm，宽4 ~ 6 mm，略带肉质，叶面光滑，全缘。花在长枝上1 ~ 2生于叶腋，在短枝上2 ~ 6同叶簇生；花梗长1 ~ 2 cm，向先端渐增粗；花萼钟状，长4 ~ 5 mm，通常2中裂，裂片有小尖头或先端又2 ~ 3齿裂；花冠漏斗状，紫堇色，筒部长8 ~ 10 mm，自下部向上渐扩大，明显长于檐部裂片，裂片长5 ~ 6 mm，卵形，先端圆钝，边缘无缘毛，花开放时平展；雄蕊的花丝基部稍上处及花冠筒内壁生一圈密绒毛；花柱像雄蕊一样由于花冠裂片平展而稍伸出花冠。浆果，成熟后红色，也有橙色者，果皮肉质，多汁液，形状及大小由于经长期人工培育或植株年龄、生境的不同而多变，广椭圆状、矩圆状、卵状或近球状，先端有短尖头或平截，

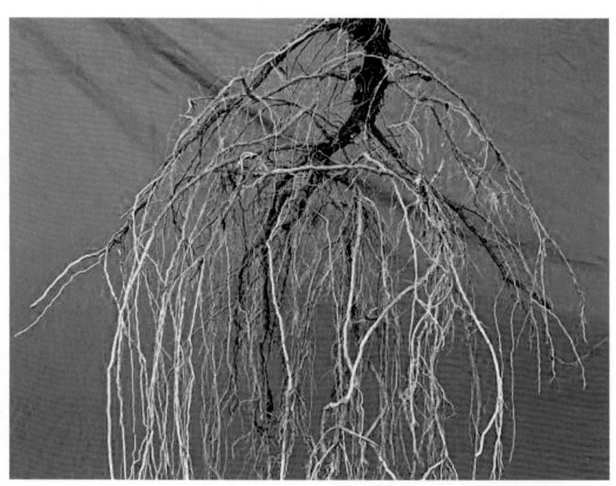

有时稍凹陷，长 8 ~ 20 mm，直径 5 ~ 10 mm；种子 20 ~ 50，略呈肾形，扁压，棕黄色，长约 2 mm。花果期较长，一般 5 ~ 10 月边开花边结果，采摘果实时成熟一批采摘一批。

| 野生资源 |

（1）生长环境。宁夏枸杞多生于海拔 1 100 ~ 2 500 m 的山坡、河岸、盐碱地、沙荒地、丘陵地、路旁及村边宅旁。

（2）分布区域。宁夏枸杞 *Lycium barbarum* L. 的野生、逸生资源在宁夏各地均有分布，主要分布在原州、同心、海原、中宁、沙坡头、平罗、灵武、红寺堡等地。宁夏枸杞在全国主要分布于宁夏、陕西、甘肃、青海、新疆及华北北部等地。《中国植物志》记载，宁夏枸杞 *Lycium barbarum* L. 与枸杞 *Lycium chinense* Mill. 是一对对应分化的老种，并指出中国可能是枸杞族 Lycieae 的发源地。

（3）蕴藏量。宁夏枸杞的野生资源较少。

| 栽培资源 |

（1）栽培历史。枸杞种植始于殷商，兴于唐宋，壮于明清，发展于当代，经历了野生利用、人工驯化、农家栽培、规范化种植的演变过程。在历经上千年的产地、物种变迁和入药临床验证的基础上，形成了宁夏枸杞道地药材品牌。

自南北朝时期《名医别录》开始有产地记载至今，关于枸杞子品质优劣的描述均与产地相结合，且从古至今枸杞子的产地不断变迁。在几千年的应用过程中，经过漫长的临床优选，枸杞子的基原由全国广泛分布的枸杞 *Lycium chinense* Mill. 等逐步变迁为分布于宁夏中宁及其周边地区的宁夏枸杞 *Lycium barbarum* L.，且此地区枸杞种植已形成规模。以宁夏为道地产区，体现了道地药材经中医临床长期优选的特点。

（2）栽培区域。宁夏枸杞的栽培区域按照"一核（以宁夏中宁为核心）、两带（清水河流域产业带、银川北部产业带）十产区"的产业布局，形成了南至固原头营、海原海城，北到石嘴山惠农、平罗，东至盐池，西到贺兰山东麓，以中宁、银川、惠农、平罗、红寺堡、同心、海原、海城、盐池、固原等为主的枸杞产区。

（3）栽培面积与产量。宁夏是枸杞的道地产区，2015—2020 年枸杞的栽培面积稳定在 43.18 万 ~ 47.94 万亩，产量保持在 7.12 万 ~ 10.20 万 t，具体统计数据见表宁夏枸杞 -2。

表宁夏枸杞 -2　2015—2020 年宁夏枸杞的栽培面积与产量

	2015	2016	2017	2018	2019	2020
面积 / 万亩	43.18	44.40	44.58	47.66	47.94	46.05
产量 / 万 t	7.12	8.18	9.19	9.77	10.20	9.80

注：以上统计数据来自宁夏统计局。

（4）栽培技术。

1）园地选择。宁夏枸杞的栽培园地宜选择年平均气温 5.6 ~ 12.6 ℃，年平均降水量 ≤ 400 mm，年平均日照时数 2 700 ~ 3 000 小时，≥ 10 ℃年积温 2 500℃，土壤为砂壤土、轻壤土，pH 为 7.5 ~ 8.5，全盐含量 ≤ 5 g/kg，地下水位 100 cm 以下的地方。

2）品种选择。入药枸杞选用宁夏枸杞 *Lycium barbarum* L. 的农家品种或选育品

种。选择根茎直径≥ 0.5 cm，5 cm 侧根≥ 5 条，根幅≥ 15 cm，苗高≥ 40 cm，无病虫害、无破皮的扦插苗进行建园。

3）定植建园。3 月下旬至 4 月上旬进行园地开沟或开挖定植坑，沟（坑）深 50 cm、宽 40 cm，沟（坑）底施腐熟有机肥和氮磷钾复合肥，并将之与土拌匀。每亩施有机肥 3 ～ 4 m^3，纯氮 0.03 kg、纯磷 0.03 kg、纯钾 0.03 kg。苗木定植前用浓度为 100 mg/L 的萘乙酸水溶液沾根 5 ～ 10 分钟，放入栽植沟（坑）内，舒展根系，回填湿土，提苗，踏实，再填土至苗木根茎处，再踏实，覆土高于地面 2 ～ 3 cm，栽植完毕后及时灌水。行距 300 cm，株距 100 cm，或行距 200 cm，株距 100 cm。有条件的可结合滴灌沿行向设立篱架。

4）田间管理。①土壤管理。3 月下旬进行园地表层土壤浅耕，耕作深度 5 ～ 10 cm。5 月上旬、6 月、7 月、8 月中旬分别中耕 1 次，行间耕作深度 10 ～ 15 cm，株间耕作深度 10 cm。9 月下旬进行行间深翻 1 次，耕作深度 20 ～ 25 cm；株间中耕 1 次，耕作深度 10 cm。注意树冠下作业时不要伤根茎。②水分管理。4 月下旬灌头水，进水量 120 m^3/ 亩；5 ～ 6 月土壤水分≤ 18% 时，及时灌水，进水量 60 m^3/ 亩；7 ～ 8 月采果期每 15 天灌水 1 次，进水量 50 m^3/ 亩；9 月上旬灌水 1 次，进水量 60 m^3/ 亩；11 月中旬灌冬水，进水量 120 m^3/ 亩。采用节水灌溉的园地，4 月中上旬结合滴灌肥灌头水，灌水定额 10 ～ 15 m^3/ 亩；4 月下旬至 7 月上旬每 10 天灌水 1 次，灌水定额 10 ～ 15 m^3/ 亩；8 月中下旬灌水 1 次，灌水定额 15 m^3/ 亩；9 月中上旬灌水 1 次，灌水定额 20 m^3/ 亩；11 月灌冬水，灌水定额 40 m^3/ 亩。③树体管理。1 ～ 3 月进行整形修剪，剪除主干、主枝上的徒长枝，截短主枝上的中间枝，疏除冠层的细弱枝、病虫枝和老结果枝。4 月下旬至 5 月上旬抹去主干、主枝上无用的新芽，剪除干枯枝和基部的根蘖。5 月中旬至 7 月上旬进行夏季修剪，剪除徒长枝，截短中间枝，摘心二次枝。8 月中下旬，截短中间枝，促发秋梢。9 月中旬剪除徒长枝。④土壤培肥。4 月中旬、6 月上旬、8 月上旬沿树冠外缘开沟（挖坑）施肥，沟（坑）深 40 cm、宽 40 cm。二龄以下单株施纯氮 0.06 ～ 0.15 kg、纯磷 0.04 ～ 0.13 kg、纯钾 0.02 ～ 0.06 kg，三龄以上单株施纯氮 0.19 ～ 0.29 kg、纯磷 0.16 ～ 0.20 kg、纯钾 0.08 ～ 0.12 kg，4 月施入肥料总量的 60%，6 月、8 月各施入肥料总量的 20%；6 ～ 7 月每 15 天喷施叶面肥 1 次；10 月中下旬沿树冠外缘开沟深施基肥，沟深 40 cm、宽 40 cm，施腐熟有机肥 0.01 ～ 0.02 m^3/ 株。有滴灌条件的可结合灌水施肥。

5）病虫害防治。①虫害防治。a. 枸杞木虱 *Paratrioza sinica* Yang et Li。其成虫、

若虫以刺吸式口器刺入枸杞嫩梢、叶片表皮组织内，刺吸汁液，一般 3 月中下旬开始出现，6 ~ 7 月盛发，年发生 3 ~ 4 代，世代重叠，危害普遍。防治药剂有 5% 吡虫啉乳油 1 000 倍液、50% 吡蚜酮可湿性粉剂 2 000 倍液、50% 氟啶虫胺腈水分散粒剂 4 000 倍液等。b. 枸杞瘿螨 *Aceria palida* Keifer。其危害枸杞叶片、嫩茎、花蕾、幼果，可导致虫瘿、瘤痣的形成或造成畸形，使树势衰弱。4 月中旬芽苞开放时成螨从越冬场所迁至嫩叶上造瘿为害；5 月中上旬和 8 月中下旬新稍生长期再次扩散迁移为害，6 月上旬和 9 月有 2 次高峰期。防治药剂有 1.8% 阿维菌素乳油 3 000 倍液、15% 哒螨灵乳油 1 500 倍液、11% 乙螨唑悬浮剂 5 000 倍液、50% 硫磺悬浮剂 300 倍液等。c. 枸杞负泥虫 *Lema decempunctata* Gebler。其成虫、幼虫取食叶片，造成不规则的缺刻或孔洞，食量大，危害重。年发生 3 ~ 4 代，5 月中旬至 9 月各虫态可见，世代重叠。防治药剂有 2.5% 高效氯氟氰菊酯微乳剂 1 250 倍液等。d. 枸杞实蝇 *Neoceratitis asiatica* (Becker)。其幼虫危害枸杞果实，年发生 3 代，以蛹越冬，5 月上旬越冬成虫羽化，产卵于幼果的皮内，幼虫孵出后蛀食果肉；6 月下旬至 7 月上旬幼虫老熟后，由果实内钻出，落地入土化蛹；7 月中下旬，羽化出 2 代成虫；8 月下旬至 9 月上旬进入 3 代成虫盛期，后以 3 代幼虫化蛹，在土内越冬。防治方法：通过土壤拌药杀死越冬蛹和初羽化成虫；在采果期每隔 5 ~ 7 天，结合采果作业，摘取蛆果，于当天集中投入 20 cm 深的土坑内，并撒上辛硫磷药剂深埋踏实。②病害防治。a. 枸杞炭疽病。枸杞炭疽病又称枸杞黑果病，其病原为胶孢炭疽菌 *Colletotrichum gloeosporioides* Penzg。该病危害枸杞叶片、青果、花蕾、红果等部位。病菌分生孢子主要借风、雨水传播，可多次侵染。病原菌生长的温度范围是 15 ~ 35 ℃，最适宜温度是 23 ~ 25 ℃，最适宜湿度为 100%。一般 5 月中下旬开始发病，6 月中旬至 7 月中旬为高峰期，若遇阴雨天、高温高湿环境，则危害程度加重、危害速度加快。为防治此病，需做好清园工作，加强田园管理，提高植株抗病能力。防治药剂有 80% 代森锰锌可湿性粉剂 1 000 倍液、10% 苯醚甲环唑水分散粒剂 2 000 倍液、25% 嘧菌酯悬浮剂 1 500 倍液、40% 氟硅唑乳油 7 500 倍液等。b. 枸杞白粉病。其病原为穆氏节丝壳 *Arthrocladiella mougeotii*。该病危害枸杞新梢和叶片，以及嫩芽、花蕾、花梗等，可引起叶片干枯或者脱落，降低树势，从而导致枸杞质量和产量下降。以闭囊壳黏附在落叶或枝梢上越冬，翌年 7 ~ 8 月子囊孢子成熟时，借风传播侵染，进入发病初期；8 月下旬至 9 月上旬开始发病，进入发病盛期。分生孢子繁殖能力强、繁殖速度快、侵染力强，可多次重复再侵染，10 月下旬至 11 月形成闭囊壳。为防治此病，需

要加强田间栽培管理，增强树势，提高树体抗病能力。防治药剂有1%蛇床子素微乳剂800倍液、80%硫磺水分散粒剂1 000倍液、10%苯醚甲环唑水分散粒剂2 000倍液、吡唑醚菌酯30%乳油1 200倍液等。③枸杞病虫害“五步法”绿色防控措施。a. 第一阶段：早春清园封园（3月底至4月上旬）。萌芽前将修剪后的枝条及震落下的残留病虫果，以及园中和田边的杂草、落叶、枸杞根孽苗全部清除干净，再选用药剂对枸杞园树体、地面、田边、地埂进行药剂封闭，降低越冬病虫害基数。b. 第二阶段：采果前期压低虫口基数（4～5月）。4月上旬至5月下旬是全年防控的关键期，需加强监测，大力压低虫口基数。4月上旬萌芽期重点防治枸杞木虱成虫和卵，4月上旬展叶期重点防治瘿螨、枸杞木虱、负泥虫、蚜虫，5月上旬新枝生长期重点防治瘿螨的二次扩散，4月下旬和5月中旬现蕾期重点防治红瘿蚊，5月中下旬花期重点防治蓟马。在害虫防治关键期以“杀虫剂＋杀螨剂”的药剂配方开展防治。4月中下旬展叶期抹除植株根茎、主干、主枝上的无用萌芽，剪除冠层枝条的风干枝条。4月下旬现蕾期灌水前后不铲园，保持土壤表面板结，阻止羽化的红瘿蚊成虫出土。5月生长季节每5～7天进行1次修剪工作，剪除植株根茎、主干、树膛内、冠层萌发的徒长枝及被蚜虫、木虱等害虫危害较重的强壮枝。c. 第三阶段：夏果期生物农药与天敌协调控制（6～8月）。6月上旬至8月上旬，加强各种病虫害的监测，保护和利用自然天敌，采用以生物农药与天敌协调控制为主的综合防控技术，对达到防治指标的区域，确保使用未添加隐性成分的生物药剂防治，保证不使用任何化学农药。加强田间管理，结合夏季修剪，剪除徒长枝，截短中间枝，改善树体、园内的温度、湿度及通风透光条件；追施有机肥，合理灌水，及时中耕除草，

改善土壤结构和理化性质，提高土壤有机质含量，增强树体病虫害抵抗力。d. 第四阶段：秋果期生物农药与化学农药协调控制（9 ~ 10 月）。加强秋季田间管理，采用生物农药与低毒低残留化学农药协调应用技术重点防治白粉病、炭疽病。8 月中旬至 9 月上旬采用化学农药，在保证安全间隔期的基础上对病害及较严重的虫害防治 1 ~ 2 次，将发生危害程度控制在防治指标以下。9 月中旬至 10 月下旬秋果采收期，主要采用安全的生物药剂进行控制。e. 第五阶段：越冬封园（10 月下旬）。秋果采收结束后，加强树体管理，在落叶前全园进行药剂封闭，有效降低越冬病虫基数，减轻翌年的防控压力。

6）繁殖技术。选择 3 ~ 5 年树龄、健壮的优良品种植株。在春季树液流动至萌芽前，采集树冠中上部着生的无破皮、无虫害的一年生壮枝。采直径 0.5 ~ 0.8 cm

的枝条，上下留好饱满芽，将之截成长 15 ~ 18 cm 的插条，每 100 ~ 200 根 1 捆，沙藏。4 月采用硬枝扦插的方法开展育苗工作。也可于 5 ~ 9 月从良种母株上采集未木质化的嫩枝，剪成长 5 cm 的穗条，穗条顶部保留 2 片叶，在育苗棚内进行绿枝扦插育苗。

经过长期的实践和总结，宁夏形成了其独特的枸杞栽培技术。2015 年，“中宁枸杞种植系统”被列入中国重要农业文化遗产名录。

| 采收加工 |

枸杞子：6 ~ 10 月为果实成熟期，分批采收。当果皮呈红色、色泽鲜艳、果肉变软、果蒂疏松时即可采摘。采收过早或过晚，均会影响药材质量。应选晴天露水干后连同果柄一同采收，做到轻采、轻放，采收容器以 10 ~ 15 kg 为宜。采收时应防止压烂或受损伤，以免果浆外流而影响质量。

采收后的果实应及时制干。将采收的鲜果经 3% ~ 5% 的碳酸钠水溶液和洁净水冲淋脱蜡后，均匀薄摊于晾晒容器中进行晒干或烘干。晒干时，前 2 天中午阳光强烈时要将之移至阴处晾晒，待下午 3 时以后再将之移至阳光下晾晒。第 3 天可整天暴晒，直至全干。晾晒时禁止用手随意翻动，以免影响色泽。一般 6 ~ 7 天即可干燥。烘干时烘房的温度控制在 45 ~ 60 ℃，制干时间 35 ~ 40 小时。制干果实含水量≤ 13%。果实干燥后应除去果柄和杂质，分级包装，置通风干燥处贮藏，防止受潮、霉变。

地骨皮：初春或秋后采挖，洗净泥土，剥下根皮，晒干。分级包装。

| 药材性状 |

枸杞子：本品呈类纺锤形或椭圆形，长 6 ~ 20 mm，直径 3 ~ 10 mm。表面红色或暗红色，先端有小突起状的花柱痕，基部有白色的果柄痕。果皮柔韧，皱缩；果肉肉质，柔润。种子 20 ~ 50，类肾形，扁而翘，长 1.5 ~ 1.9 mm，宽 1 ~ 1.7 mm，表面浅黄色或棕黄色。气微，味甜。

地骨皮：本品呈筒状或槽状，长 3 ~ 10 cm，宽 0.5 ~ 1.5 cm，厚 0.1 ~ 0.3 cm。外表面灰黄色至棕黄色，粗糙，有不规则纵裂纹，易呈鳞片状剥落。内表面黄白色至灰黄色，较平坦，有细纵纹。体轻，质脆，易折断，断面不平坦，外层黄棕色，内层灰白色。气微，味微甘而后苦。

| 品质评价 |

（1）枸杞子。枸杞子古代多以“常山”产者为上。自唐代之后，以出自“河西及甘州”者为主。明代《本草纲目》将宁夏枸杞列为上品，指出“河西及甘州者，其子圆如樱桃，暴干紧小，少核，干亦红润甘美，味如葡萄，可作果食，异于他处者……则入药大抵以河西者为上也”。《朔方道志》记载枸杞以“宁安堡者”为佳。历代对枸杞子的品质评价均强调产地，均以宁夏枸杞子为道地药材，并在此基础上以果实大小、形状、色泽、气味、肉质等指标进行综合评价。

枸杞子商品规格等级按照团体标准《中药材商品规格等级 枸杞子》（T/CACM 1021.50—2018）的规定分为一等、二等、三等、四等 4 种规格。以枸杞粒度（粒 /50 g）为主要指标进行分级，要求无油果、杂质、虫蛀、霉变。枸杞子等级划分见表宁夏枸杞 -3。

表宁夏枸杞 -3 枸杞子等级划分

指标	等级			
	一等	二等	三等	四等
粒度 /（粒 /50 g）	≤ 280	≤ 370	≤ 580	≤ 900

（2）地骨皮。《梦溪笔谈》记载：“枸杞，陕西极边生者，高丈余……根皮如厚朴，甘美异于他处者。” 1963 年版《中华人民共和国药典》一部记载，以块大、肉厚、无木心与杂质者为佳。地骨皮的基原物种为宁夏枸杞 *Lycium barbarum* L. 和枸杞 *Lycium chinense* Mill.2 种。

地骨皮商品规格等级按照团体标准《中药材商品规格等级 地骨皮》（T/CACM 1021.174—2018）的规定分为一等、二等、三等 3 种规格。地骨皮等级划分见表宁夏枸杞 -4。

表宁夏枸杞 -4 地骨皮等级划分

等级	性状描述	
	共同点	区别点
一等	呈筒状或槽状，外表面棕黄色，粗糙，有不规则纵裂纹，易呈鳞片状剥落。内表面黄白色至灰黄色，较平坦，有细纵纹。体轻，质脆，易折断，断面不平坦，外层黄棕色，内层灰白色。含杂率≤ 3%。气微，味微甘而后苦	长度 8 ~ 10 cm
二等		长度 6 ~ 8 cm
三等		长度 3 ~ 6 cm

化学成分

枸杞子中含有多糖类、类胡萝卜素类、苯丙素类等成分。其中，多糖类为枸杞子中含量最为丰富的活性物质，类胡萝卜素类次之。此外，还含有亚精胺类、氨基酸、甜菜碱、酸浆红色素及胡萝卜素、维生素 B_1（硫胺素）、维生素 B_2（核黄素）、抗坏血酸、烟酸，以及钙、磷、铁等人体所需要的多种营养成分。

地骨皮主要含有生物碱类化合物、有机酸及其酯类化合物、蒽醌类化合物。其中生物碱类化合物主要有甜菜碱、胆碱、地骨皮甲素、地骨皮乙素；有机酸及其酯类化合物主要有亚油酸、亚麻酸、肉桂酸、棕榈酸、蜂花酸、硬脂酸、油酸以及可以抑制血管紧张素转化酶的 9- 羟基 -10,12- 十八碳二烯酸和 9- 羟基 -10,12,15- 十八碳三烯酸；蒽醌类化合物主要有大黄素甲醚、大黄素、2- 甲基 -1,3,6- 三羟基 -9,10- 蒽醌和 2- 甲基 -1,3,6- 三羟基 -9,10- 蒽醌 -3-*O*-（6-*O*- 乙酰基）-*α*- 鼠李糖基（1 → 2）-*β*- 葡萄糖苷。除此之外，地骨皮还含有东莨菪苷、紫丁香酸葡萄糖苷、蒙花苷及地骨皮苷甲等。

现代医学研究表明，枸杞叶片含有绿原酸、芦丁等生物活性物质。

| 药理作用 | 现代药理研究表明，枸杞子具有免疫调节、抗氧化、抗衰老、抗肿瘤、抗菌、抗病毒、降血糖、降血脂、降血压、保护肝肾及生精细胞、保护神经等药理活性。

现代药理研究表明，地骨皮具有降血脂、降血压、降血糖、抑菌抗炎、免疫调节、解热镇痛等药理活性。

| 功能主治 | 枸杞子：甘，平。归肝、肾经。滋补肝肾，益精明目。用于虚劳精亏，腰膝酸痛，耳鸣，内热消渴，血虚萎黄，目昏不明。

地骨皮：甘，寒。归肺、肝、肾经。凉血除蒸，清肺降火。用于阴虚潮热，骨蒸盗汗，肺热咳嗽，咯血，衄血，内热消渴。

| 用法用量 | 枸杞子：内服煎汤，6 ~ 12 g；或入丸、散、膏、酒剂。

地骨皮：内服煎汤，9 ~ 15 g，大剂量可用至 15 ~ 30 g。脾胃虚寒者慎服。

| 市场信息 | 枸杞子因产地、商品规格不同，品质有所差异，其中宁夏产区枸杞子较其他产区枸杞子的市场售价略高，通常市场售价在 20 ~ 80 元 /kg。近年来，宁夏产区枸杞子的年产量稳定在 9 万 t。

近年来，地骨皮的市场售价趋于平稳，为 36 ~ 48 元 /kg。该药材属于小宗药材，市场年需求量在 500 ~ 1 000 t，宁夏每年可向市场提供 20 t 以上的药材。

近年来，宁夏紧密依托枸杞药食同源的特点，着力于资源开发利用、药理药效机制研究、产品研发等领域的科技攻关，取得了系列科技成果，打造了宁夏百瑞源枸杞产业发展有限公司、具万亩规模的玺赞庄园枸杞有限公司、宁夏中杞枸杞贸易集团有限公司等龙头企业，建立了一批高标准化的药材生产基地，推动了枸杞产业的发展，初步实现了生产布局区域化、种植生产规范化、市场经营信息化的新格局。李丁仁等主编的《宁夏枸杞》一书记载，1986—2005 年，宁夏的枸杞子出口量为 22 ~ 889 t。2010—2019 年，宁夏的枸杞子出口量整体呈增长趋势。2020 年，受新型冠状病毒肺炎疫情影响，宁夏的枸杞子出口量有所减少。2010—2020 年宁夏的枸杞子出口量见表宁夏枸杞 -5。

表宁夏枸杞 -5　2010—2020 年宁夏的枸杞子出口量

年度	2010	2011	2012	2013	2014	2015	2016	2017	2018	2019	2020
数量 /t	6 191	4 421	5 839	9 305	12 279	9 799	12 625	12 681	11 964	11 563	4 469

注：表中数据来源于宁夏枸杞产业发展中心。

| 传统知识 | （1）用于肝肾不足，眼目昏暗，瞻视不明，茫茫漠漠，常见黑花，多有冷泪。枸杞子 90 g，巴戟（去心）30 g，甘菊（拣）120 g，苁蓉（酒浸，去皮，切，焙）60 g。上为细末，炼蜜丸如梧桐子大。每服三十至五十丸，温酒或盐汤下，空腹食前服。

（2）用于肾虚腰痛。枸杞子、地骨皮各 500 g，川萆薢、川杜仲各 300 g，俱晒燥，微炒，以好酒三斗，净坛内浸之，煮一日，滤出渣。早晚随量饮之。

| 资源利用 | 枸杞子为药食两用的中药材。近年来，宁夏等地在枸杞子功能性食品开发方面进行了积极有效的探索，各种保健食品相继上市。国内市场上已开发的枸杞食品主要有枸杞红啤酒、枸杞豆腐、枸杞冰淇淋、芦荟枸杞饮料、枸杞核桃乳等。宁夏枸杞产品的开发已形成了五大系列 30 多个品种，由传统的中药材领域扩展到饮料食品、酿酒、营养保健等行业。

近年来，国内市场根据枸杞叶的生物活性成分，开发了具有降血压、降血糖、降血脂及耐缺氧功能的系列枸杞叶茶。由宁夏培育的无果枸杞芽茶也在市场上占有一席之地。

附：枸杞属其他植物资源

枸杞属植物资源种类较多，全世界约有 80 余种。入药枸杞子的基原为宁夏枸杞，该种在全球呈离散型分布，宁夏是该种的主要分布区。宁夏枸杞经过数千年的进化演变，在自然杂交和人工选择的基础上，形成了诸如小麻叶、大麻叶、麻叶、圆果、小圆果、尖头圆果、黄果、黄叶、卷叶、白条、扎扎刺等农家品种。随着生产栽培的优化选择，许多农家品种在生产中被逐渐淘汰，濒临灭绝，亟待进行挖掘收集与保存。20 世纪 60 年代宁夏开启了枸杞资源挖掘和人工选育研究工作，先后选育出了宁杞 1 号、宁杞 2 号、宁杞 3 号、宁杞 4 号、宁杞 5 号、宁杞 6 号、宁杞 7 号、宁农杞 2 号、宁农杞 9 号及宁杞菜 1 号等枸杞优良品种。依托宁夏农林科学院枸杞工程技术研究所建成的枸杞种质资源圃，面积达 15 hm^2，收集、保存枸杞种质资源 2 000 余份，成为目前枸杞属植物遗传多样性涵盖量最大、种质资源最丰富的基因库。2000 年，枸杞种质资源圃被纳入“国家药用植物种质资源库体系”。2011 年，在宁夏中宁发现了清水河枸杞 *Lycium qingshuiheense* X. L . Jiang et J. N. Li、密枝枸杞 *Lycium barbarum* L. var. *implicatum* T. Y. Chen et X. L. Jiang 和小叶黄果枸杞 *Lycium parvifolium* T. Y. Chen et X. L. Jiang 3 个枸杞属植物新类群，为枸杞资源的开发和品种改良提供了种质资源。除了上述 3 个新种群和宁夏枸杞外，宁夏还广泛分布有黑果枸杞、枸杞、黄果枸杞、截萼枸杞等种群，野生蕴藏量较为丰富。

（一）黄果枸杞

黄果枸杞 *Lycium barbarum* L. var. *auranticarpum* K. F. Ching 为宁夏枸杞 *Lycium barbarum* L. 的变种。多分布于宁夏荒滩盐碱地。

落叶灌木，植株高 50 ~ 120 cm，分枝性强；老枝灰褐色或灰黑色；当年生枝光滑无毛，青灰色或青黄色；多棘刺，几乎每一分枝的先端与侧生短枝均呈棘刺状，棘刺长 0.5 ~ 2 cm。叶单生或簇生，叶形狭窄，条形、条状披针形、倒条状披针形或狭披针形，长 2 ~ 5 cm，宽 0.2 ~ 0.4 cm。花单生于枝上或 2 ~ 4 簇生于叶腋；花萼钟状，紫绿色，通常 2 中裂，也有 3 裂或 4 裂者；花冠紫红色或淡紫红色，花冠裂片卵形；花丝基部稍向上处着生一圈绒毛并交织成球状毛丛。成熟果实橙色或橙黄色，表面透明、有光泽，圆茄状或球状，鲜果千粒重约为 160 g；种子 2 ~ 8，半圆形或肾形，种皮黄白色，长约 1.5 mm。

《中国植物志》记载：本变种与原变种的不同之处在于叶狭窄，条形、条状披针形、倒条状披针形或狭披针形，肉质；果实橙黄色，球状，直径 4 ~ 8 mm，仅有 2 ~ 8 种子。本变种产于宁夏银川地区。生于田边和宅旁。

（二）黑果枸杞

多棘刺灌木，高 20 ~ 50 cm，多分枝；枝白色或灰白色，坚硬，常呈“之”字形曲折，有不规则的纵条纹，小枝先端渐尖成棘刺状，节间短缩，每节有长 0.3 ~ 1.5 cm 的短棘刺。叶 2 ~ 6 簇生于短枝上，或单叶互生于幼枝上，肥厚肉质，近无柄，条形、条状披针形或条状倒披针形，有时呈狭披针形，先端钝圆，基部渐狭，两侧有时稍向下卷，长 0.5 ~ 3 cm，宽 2 ~

7 mm，中脉不明显。花 1 ~ 2 生于短枝上；花梗细瘦，长 0.5 ~ 1 cm；花萼狭钟状，长 4 ~ 5 mm，果时稍膨大成半球状，包围于果实中下部，不规则 2 ~ 4 浅裂，裂片膜质，边缘有稀疏缘毛；花冠漏斗状，浅紫色，长约 1.2 cm，筒部向檐部稍扩大，5 浅裂，裂片矩圆状卵形，长为筒部的 1/3 ~ 1/2，无缘毛；雄蕊稍伸出花冠，着生于花冠筒中部，花丝离基部稍上处有疏绒毛，同样在花冠内壁等高处亦有稀疏绒毛；花柱与雄蕊近等长。浆果紫黑色，球状，有时先端稍凹陷，直径 4 ~ 9 mm；种子肾形，褐色，长 1.5 mm，宽 2 mm。花果期 5 ~ 10 月。耐干旱，常生于盐碱土荒地、沙地或路旁。

（三）宁杞 1 号

小灌木，进入成龄期（四年生以上）后株高 1.40 ~ 1.60 m，根颈直径 4.40 ~ 12.50 cm，树冠直径 1.50 ~ 1.70 m。叶深绿色，质地较厚，横切面平或略微向上凸起，先端钝尖，当年生枝单叶互生或后期有 2 ~ 3 叶并生，披针形，叶长 2.65 ~ 7.60 cm，宽 0.68 ~ 2.18 cm，厚 0.10 ~ 0.15 cm，嫩叶中脉基部及叶中下部边缘紫红色。当年生枝条灰白色，嫩枝梢部淡紫红色，多年生枝灰褐色，株枝条数 160 ~ 285，结果枝细长而软，棘刺少，枝形弧垂或斜生，枝长 36 ~ 54 cm，节间长 1.34 ~ 1.48 cm，成熟枝条较硬，棘刺极少，结果枝开始着果的距离为 3 ~ 8 cm，平均每坐果节位花果数 2.2，节间距 1.09 cm。花淡紫色，花长 1.6 cm，花瓣绽开时直径 1.5 cm 左右，花冠喉部至花冠裂片基部淡黄色，花丝近基部有一圈稀疏绒毛，花萼 2 ~ 3 裂。幼果粗壮，熟果鲜红色，表面光亮，椭圆柱状，具 4 ~ 5 纵棱，先端钝尖或圆，鲜果纵径 1.5 ~ 1.9 cm，横径 0.73 ~ 0.94 cm，果肉厚 0.11 ~ 0.14 cm，鲜果千粒重 505 ~ 582 g。种子棕黄色，肾形，每鲜果内有种子 25 ~ 40，种子千粒重 0.80 g，种子占鲜果重的 5.08%。

（四）宁杞2号

小灌木，在宁夏栽培5年以上者一般株高1.50 ~ 1.68 m，根颈直径5.60 ~ 11.50 cm，树冠直径1.80 ~ 2.10 m。树皮灰褐色。当年生枝条灰白色，嫩枝梢部淡红白色，结果枝细长而软，棘刺极少，平均枝长35.4 cm，最长者95 cm，节间长1.41 cm，结果枝开始着果的距离为7 ~ 17 cm，平均每坐果节位花果数2.2。叶深绿色，在二年生枝上簇生，条状披针形，在当年生枝上单叶互生或后期有2 ~ 3叶并生，叶片长2.61 ~ 7.45 cm，宽0.65 ~ 1.43 cm，厚0.385 ~ 0.481 mm，老枝叶卵状披针形或披针形。花较大，花长1.58 ~ 1.75 cm，花瓣绽开时直径1.57 cm左右，花丝基部有一圈特别稠密的绒毛，花瓣明显反曲，花萼多为单裂。果实特大，梭形，先端渐尖，鲜果平均纵径2.43 cm，横径0.98 cm，果肉厚0.178 cm，种子占鲜果重的6.77%。

（五）宁杞 3 号

小灌木，在宁夏栽培 3 年者株高 1.50 ~ 1.61 m，根颈直径 4.01 ~ 5.05 cm，树冠直径 1.30 ~ 1.50 m。树势强健，生长快，发枝多，每枝平均可发 3.2 枝，嫩枝梢部淡黄绿色，树皮灰褐色，当年生枝外皮灰白色，结果枝细长而软，弧垂生长，棘刺少，平均枝长 39.7 cm。叶绿色，叶横切面向下凹形，先端渐尖，二年生老枝叶条状披针形，簇生，当年生枝叶披针形，长宽比为 4.88 ∶ 1，互生。花绽开后紫红色，花冠喉部及花冠裂片基部紫红色，花冠筒内壁淡黄色，花丝近基部有一圈稠密的绒毛，花梗长 2.31 cm，长枝上有花 1 ~ 3，腋生。果实成熟后为红色，浆果，粗大，腰部略向外凸，平均纵径 1.74 cm，横径 0.89 cm，果肉厚 0.207 cm，鲜果千粒重 996.6 g，果实鲜干比为 4.68 ∶ 1，平均每鲜果内有种子 33.3。

（六）宁杞 4 号

小灌木，生长快，树势强健，树冠开张，通风透光。在固原原州区栽植 4 年的树高 1.82 m，冠幅 1.3 m，每株平均结果枝 222.8，着果距 9.3 cm，每节花数 4。叶浓绿色，质地厚，二年生枝叶

片披针形，当年生枝叶片部分反卷，嫩叶叶脉基部至中部正面紫色。花长 1.59 cm，花瓣绽开时直径 1.53 cm，花丝中部有一圈稠密的绒毛，花萼 2 ~ 3 裂。二年生枝每芽眼花蕾数 4 ~ 7，二年生枝和一年生春枝平均落花、落果 2.3%。果实长，果径大，具 8 棱（4 高 4 低），先端多钝尖。鲜果平均纵径 1.83 cm，横径 0.94 cm。

（七）宁杞 5 号

小灌木，栽植 6 年者株高 1.6 m，根颈直径 6.38 cm，树冠直径 1.7 m。树势强健，树体较大，枝条柔顺。一年生枝条黄灰白色，嫩枝的枝梢略有紫色条纹，当年生结果枝枝条梢部较细弱，梢部节间较长，结果枝细、软、长，但不影响采摘。枝型开张树体较紧凑，幼树期营养生长势强，70% 结果枝的有效结果长度集中在 40 ~ 70 cm，老熟枝条后 1/3 段偶具细弱小针刺，结果枝开始着果的距离为 8 ~ 15 cm，节间长 1.13 cm。叶深灰绿色，质地较厚，老熟叶片青灰绿色，叶中脉平展，二年生老枝叶条状披针形，簇生，当年生枝叶互生，披针形，最宽处近中部，叶尖渐尖，当年生叶片长 3 ~ 5 cm，长宽比为（4.12 ~ 4.38）：1。花长 1.8 cm，花瓣绽开时直径 1.6 cm，花柱超长，显著高于雄蕊花药，新鲜花药嫩白色、开裂但不散粉，花绽开后花冠裂片紫红色，盛花期花冠筒喉部鹅黄色，在裂片紫色的映衬下呈星形，花冠筒内壁淡黄色，花丝近基部有一圈稠密的绒毛，花萼 2 裂。鲜果橙红色，表面光亮，平均单果重量 1.1 g，最大单果重量 3.2 g。鲜果果型指数 2.2，腰部平直，果实多不具棱，纵剖面近距圆形，先端钝圆，平均纵径 2.54 cm，横径 1.74 cm，果肉厚 0.16 cm，内含种子 15 ~ 40。

（八）宁杞 6 号

枝条较直立，发枝条数多。二年生枝灰白色，具长针刺，平均节间长 1.45 cm，当年生枝青绿色，梢部泛红色，平均节间长 1.48 cm。叶展开呈宽长条形，碧绿色，叶脉清晰，幼叶两边对称卷曲，呈水槽状，老叶不规则翻卷，叶片大，单叶面积 2.9 cm^2，叶果比为 5.16 ∶ 1。合瓣花，花长 1.4 cm，花瓣直径 1.3 cm，花冠 5，紫红色，且紫红色一直延伸至花冠筒基部，花冠筒直径小，雄蕊 5，稀 4 或 6，部分雌蕊高于雄蕊，开花后雌蕊向两侧不规则弯曲，开花 3 ～ 5 小时后，花瓣开始褪为浅紫色，开花 5 ～ 8 小时后花瓣褪为白色，1 ～ 2 天内花瓣变为白褐色，2 ～ 3 天后花瓣变为淡褐色，并开始枯萎，4 天后花瓣脱落，子房开始膨大。繁育系统以异交为主，授粉需要传粉者。幼果细长，稍弯曲，萼片单裂，个别在尖端有浅裂痕，果实长大后渐直，成熟后呈长矩形。5 年平均鲜果千粒重 973.6 g，单果平均横径 9.29 mm，纵径 22.73 mm，果肉厚 2.03 mm，平均每鲜果内有种子 20.96，果实鲜干比为 4.5 ∶ 1。枸杞多糖含量为 1.26 mg/100 mg，氨基酸含量为 8.91 mg/100 mg，胡萝卜素含量为 0.15 mg/100 mg。

（九）宁杞7号

小灌木，进入成龄期（四年生以上）后株高1.40 ~ 1.60 m，根颈直径6.38 cm，树冠直径1.40 ~ 1.60 m。枝条灰白色，结果枝210 ~ 250，棘刺少，枝形弧垂或斜生，平均枝长45 cm，节间长1.56 cm，着果距4.2 ~ 6.8 cm，每坐果节位花果数1 ~ 2。幼叶黄绿色，成熟叶片深绿色，叶片质地较厚，横切面平展，叶脉清晰，先端钝尖。当年生枝单叶互生或有2 ~ 3叶并生，叶片宽披针形，平均长4.15 cm，宽1.24 cm，厚0.4236 mm。花淡紫色，花长1.8 cm，花瓣绽开时直径1.6 cm左右。幼果粗壮，熟果深红色，椭圆柱状，多不具纵棱，先端钝尖，鲜果纵径1.8 ~ 2.0 cm，横径0.98 ~ 1.20 cm，果肉厚0.13 ~ 0.17 cm，鲜果千粒重940 ~ 1 002 g。种子黄色，肾形，每鲜果内有种子24 ~ 40，种子千粒重约为0.725 g。

（十）宁农杞 2 号

树势强健，树体紧凑，生殖生长势强，自然成枝力 8.2，剪截成枝力 4.3。结果枝细长而软，嫩枝条青绿色，不具紫色条纹和斑点，多年生枝棕褐色。叶深灰绿色，披针形或长椭圆状披针形，正反面叶脉清楚，长宽比为 4.3 ∶ 1。花淡紫色，花冠高脚碟状，筒细长，花冠喉部筒状，檐部裂片不向外翻，花萼 2 裂，二年生枝花 4 ~ 5 腋生，当年生新枝花 1 ~ 2 腋生。果实长椭圆形，青果腹缝线处具 1 明显纵棱和 2 沟槽，成熟果实呈压扁状或三棱形，先端凸起，具有小的锥状尖头，鲜果平均纵径 2.50 cm，横径 1.10 cm，千粒重 1 119.2 g，果实鲜干比为 4.6 ∶ 1。种子棕黄色，肾形，平均每果实有种子 33.4，饱满种子含量 86.23%。

（十一）宁农杞 9 号

宁农杞 9 号是宁夏农林科学院、国家（宁夏）枸杞工程技术研究中心培育出的枸杞新品系。2014 年 7 月 3 日，该品种通过了自治区林业厅林木良种审定委员会组织的专家现场勘查。

该品种果实颗粒大，鲜果椭圆形，色泽鲜红发亮，含糖量高，可作鲜果食用。鲜果单果平均重量为 1.24 ~ 1.46 g，比“宁杞 1 号”增加 1 倍以上，比“宁杞 7 号”增加 60% 以上。干果特级

率达 90% 以上。该品种长势旺，第 3 年可进入盛果期，亩产干果 300 kg 以上，与“宁杞 7 号”基本相当。售价每千克比“宁杞 1 号”高 10 ～ 15 元。果实大，针刺少，易采摘，可节省大量采摘人工费用，经济效益显著。

（十二）宁杞菜 1 号

宁杞菜 1 号是宁夏农林科学院枸杞研究所经人工杂交选育的叶用型枸杞新品种，其茎叶可作蔬菜，也可制茶。该品种具有抗干旱、耐瘠薄、易繁殖、好栽培、管理方便等特点。丛状生长，茎高 10 ～ 15 cm，直径 0.27 ～ 0.36 cm，绿色。单叶互生或 2 ～ 4 簇生于芽眼，披针形或长椭圆状披针形，长 3.1 ～ 8.7 cm，宽 0.8 ～ 2.3 cm；叶脉明显，主脉紫红色，叶肉质地厚。4 月萌芽。露地栽培可亩产鲜菜 1 695 kg。

宁杞菜1号营养丰富，含有18种氨基酸（总量为244.7 g/kg）、粗蛋白（含量为3 516 g/kg）、脂肪（含量为263 g/kg）、维生素C（含量为134.5 mg/kg）、钙（含量为0.56%），以及锌、铁、硒等微量元素。

参考文献

[1] 杨森林．枸杞通史 [M]．银川：黄河出版社，2019：22-31．

[2] 黄璐琦，郭兰萍，詹志来．道地药材标准汇编 [M]．北京：北京科学技术出版社，2020：405-411．

[3] 中国科学院中国植物志编辑委员会．中国植物志：第六十七卷 [M]．北京：科学出版社，2004：13．

[4] 王晓宇，陈鸿平，银玲，等．中国枸杞属植物资源概述 [J]．中药与临床，2011，2（5）：1-3．

[5] 安巍．枸杞栽培发展概况 [J]．宁夏农林科技，2010（1）：26，34-36．

[6] 南京中医药大学．中药大辞典 [M]．2版．上海：上海科学技术出版社，2014：2246-2249．

[7] 王英华，王庆，王汉卿，等．中药材商品规格等级　枸杞子：T/CACM 1021.50—2018 [S]．北京：中华中医药学会，2018．

[8] 郑玉光，黄璐琦，郭兰萍，等．中药材商品规格等级　地骨皮：T/CACM 1021.174—2018 [S]．北京：中华中医药学会，2018．

[9] 袁媛．中药地骨皮化学成分、含量测定及药理活性研究进展 [J]．中医药临床杂志，2018，30（11）：2131-2134．

[10] 刘建飞，巩媛，杨军丽，等．枸杞属植物中生物碱类成分研究进展 [J/OL]．科学通报：1-19[2021-08-02]．http://kns.cnki.net/kcms/detail/11.1784.N.20210730.1631.004.html.

[11] 李吉宁，蒋旭亮，李志刚，等．清水河枸杞，宁夏茄科一新种 [J]．广西植物，2011，31（4）：427-429．

[12] 陈天云，蒋旭亮，李清善，等．宁夏枸杞属（茄科）一新种和一新变种 [J]．广西植物，2012，32（1）：5-8．

[13] 李丁仁，李爽，曹弘哲．宁夏枸杞 [M]．银川：宁夏人民出版社，2012：37．

撰稿人：安　巍　何　嘉　梁晓婕　曹有龙

豆科 Leguminosae 甘草属 *Glycyrrhiza* 凭证标本号 640323130615001LY

甘草 *Glycyrrhiza uralensis* Fisch.

药材名 甘草（药用部位：根和根茎。别名：甜草根、红甘草、粉甘草）。

本草综述 本草中有关甘草产地、质量信息的描述不是很多。《本草经集注》云："河西、上郡不复通市，今出蜀汉中，悉从汶山诸夷中来。赤皮断理，看之坚实者，是抱罕草，最佳。……青州间亦有，不如。"《本草品汇精要》云："山西隆庆州者最胜。"《本草简要方》云："产热河绥远者最佳。"《本草图经》云："今陕西，河东州郡皆有之……今甘草有数种，以坚实断理者为佳。"即甘草在今陕北、宁夏毛乌素沙地一带（含宁夏盐池等地）有分布。《药物出产辨》云："产内蒙古，俗称王爷地。"即甘草在今鄂尔多斯台地一带（含宁夏盐池等地）有分布。近代有"梁外草""西正甘草""王爷地草"和"河川草"等道地药材，其中产于宁夏盐池、平罗等地者称为"上河川草"，

甘草

即西正甘草。《宁夏中药志》记载，宁夏是我国乌拉尔甘草的重点道地产区和核心分布区域，所产甘草以色红皮细、质重粉足、条干顺直、口面新鲜而著称，被世人冠以“西正甘草”之称，在国内外享有盛誉。

| 形态特征 | 多年生草本。根与根茎粗壮，直径 1 ～ 3 cm，外皮褐色，里面淡黄色，具甜味。茎直立，多分枝，高 30 ～ 120 cm，密被鳞片状腺点、刺毛状腺体及白色或褐色绒毛。叶长 5 ～ 20 cm，托叶三角状披针形，长约 5 mm，宽约 2 mm，两面密被白色短柔毛；叶柄密被褐色腺点和短柔毛；小叶 5 ～ 17，卵形、长卵形或近圆形，长 1.5 ～ 5 cm，宽 0.8 ～ 3 cm，上面暗绿色，下面绿色，两面均密被黄褐色腺点及短柔毛，先端钝，具短尖，基部圆，全缘或微呈波状，多少反卷。总状花序腋生，具多数花，总花梗短于叶，密生褐色的鳞片状腺点和短柔毛；苞片长圆状披针形，长 3 ～ 4 mm，褐色，膜质，外面被黄色腺点和短柔毛；花萼钟状，长 7 ～ 14 mm，密被黄色腺点及短柔毛，基部偏斜并膨大成囊

状，萼齿 5，与萼筒近等长，上部 2 齿大部分联合；花冠紫色、白色或黄色，长 10 ~ 24 mm，旗瓣长圆形，先端微凹，基部具短瓣柄，翼瓣短于旗瓣，龙骨瓣短于翼瓣；子房密被刺毛状腺体。荚果弯曲，呈镰状或环状，密集成球，密生瘤状突起和刺毛状腺体；种子 3 ~ 11，暗绿色，圆形或肾形，长约 3 mm。花期 6 ~ 8 月，果期 7 ~ 10 月。

| 野生资源 |

（1）生长环境。甘草的适应性强，在干燥沙漠草原的砂壤土、灰钙土、棕钙土地带生长良好，在草甸灌淤土、盐渍土地带，以及土壤较黏重、地下水位较高的地带也能生长。

（2）分布区域。甘草在宁夏各地均有分布，主要分布于盐池、灵武、红寺堡、同心、平罗等地。其在全国主要分布于新疆、内蒙古、宁夏、甘肃、山西（朔州）。在世界范围内，甘草在亚洲、欧洲、大洋洲、美洲等地均有分布（大都有传统的药用用途和其他用途）。

（3）蕴藏量。在经济利益的驱使下，现代人们过度采挖甘草，使得野生甘草资源遭到了严重破坏，已濒临灭绝。

| 栽培资源 |

（1）栽培历史。2010 年前后，盐池甘草种子的产量一般可达七八吨。受农业、能源产业开发，以及人工柠条林的影响，盐池天然草场甘草种子的生产力越来

越弱，至 2017 年，甘草种子几乎绝收。但同时，盐池高沙窝镇是最早开展甘草人工种植的地区之一，甘草种子的交易延续了近 30 年，至今高沙窝镇仍然是全国甘草种子集散流通中心，其甘草种子流通量占全国总量的 2/3。

（2）栽培区域。盐池、灵武、红寺堡等及其周边区域是我国甘草的核心分布区，也是甘草的核心种质区。盐池是宁夏甘草的重点种植区域。人工种植甘草在全国主要分布于新疆、内蒙古、宁夏部分地区、甘肃河西走廊及陇西周边地区等。

（3）栽培面积与产量。据估算，每年全国甘草的种子量不足 300 t，栽培甘草种子的产量很低，几乎完全依赖于野生甘草，甘草种子严重匮乏。甘草种苗也只有盐池田丰甘草种植专业合作社、荣峰甘草种植专业合作社、宁夏拓明农业开发有限公司在繁育，每年的生产面积不足 1 000 亩，可供移栽面积 5 000 亩。由于受口岸甘草价格的冲击，药农种植甘草的积极性不高，甘草种子基本上属于有价无市，甘草种苗亦出货不畅。

（4）栽培技术。

1）育苗选地整地。①选地。应远离工矿厂区和城镇，周围 500 m 以内没有企事业单位和居民区，周围 3 km 之内没有污染源。甘草是钙质土的指示植物。甘草的适种土壤为风沙土、灌淤土、灰钙土、灰漠土、黄绵土、红黏土、黑垆土、盐渍土等。甘草不宜在土质黏重、重度盐碱地及排水不良的土壤中种植。②整地。整理沟渠，平整土地，深翻耙耱，施足底肥。

2）选种育苗。①选种。将晾晒合格的甘草种子定量分装入通透性较好、无毒无污染的种子专用包装袋。种子质量分级应达到三级以上（包含三级）标准，即纯度 ≥ 96%、净度 ≥ 80.0%、千粒重 ≥ 10.0 g、发芽率（处理后）≥ 70.0%。

②种子处理。a. 破种皮。甘草种子表皮为坚硬的蜡质层，须经破皮处理后种子才能吸水萌发。通常采用以下方法进行破皮。谷物碾米机处理法：即调整机器磨片到合适间隙，碾磨 1 ～ 2 遍，以划破种皮且不碾碎种子为宜；硫酸拌种法：1 kg 甘草种子用 98% 浓硫酸 30 ml 充分拌种 20 ～ 30 分钟，用清水冲洗干净，阴干留置。b. 浸种。在水地或墒情较好的育苗地，播前 10 小时左右，将 60 ～ 70 ℃热水倒入种子内，边倒边搅拌至常温，再浸泡 2 ～ 3 小时，滤干水分放置 8 小时左右即可播种。③播种期。最适宜的育苗播种时间为 5 月中下旬。6 月上旬至 8 月上旬亦可播种，但当年不能出圃移植，宜翌年出圃。育苗播量为 6 ～ 10 kg/ 亩。也可视发芽率情况，加大播量。播前先浇水，干后浅耕播种，正常播深为 1 ～ 3 cm。④播种方法。机械播种法：选择 8 ～ 12 行的谷物播种机进行播种，播深 1 ～ 3 cm，行距 8 ～ 10 cm。覆膜方法：采用宽幅育苗，膜宽 240 ～ 400 cm，平铺，将膜的两侧埋入土中，踩实。同时应在膜面上每隔 2 ～ 3 m 拦腰覆土，以防止大风揭膜。出苗后及时放风炼苗，以避免放风不及时或放风过急而造成生理性死苗。⑤苗床管理。a. 灌水。苗出齐后灌第 2 次水，苗高 10 cm 时灌第 3 次水，后期若干旱，则灌第 4 次水。b. 追肥。结合灌水每次追施高效复合肥 20 ～ 25 kg/ 亩或者高效复合肥 10 ～ 15 kg/ 亩加尿素 10 ～ 15 kg/ 亩，全年 2 ～ 3 次。叶面肥选择寡糖链蛋白 6% 可湿性粉剂中保阿泰灵。喷施时期为苗高 10 cm 以上后和幼苗分枝期，全年 2 ～ 3 次；喷施浓度为 20 ～ 25 g 原药兑水 15 kg。c. 除草。应结合中耕进行人工除草，出苗期不宜除草，以免拔除杂草时将甘草幼苗带出。苗地杂草不宜超过 10 cm。拔除的杂草应及时清理出苗地。芽前除草：在当年第 1 次灌水时实施。适用药剂为乙草胺、施田补等芽前选择性除草剂，剂量为 50% 乳油 300 ml/ 亩，施用时期为杂草芽前，施用方法为喷施或随水滴施。芽后除草：适用药剂为豆草特，防除对象为除禾本科以外的一年生杂草，剂量为 250 ml/ 亩，施用时期为杂草 4 叶期以前，施用方法为喷施或随水滴施。注意：施用后 3 年不能种植粮食作物。高效盖草宁除草：高效盖草宁为高效广谱除草剂，防除对象为禾本科杂草，剂量为 50 ml/ 亩，施用时期为杂草长出，灌水后，施用方法为喷施，为提高药效，可加入有机硅助剂。d. 苗期病害防治。生理性病害：主要表现为甘草苗成片死亡，部分子叶发白，呈灼伤状，根系完整，根及根茎未腐烂，拔苗时地上部分与地下部分不分离，根部表皮色泽同土壤色泽，无坏死状，死苗未有任何气味；常发于雨后高温、气温陡降等气温变化异常天气，幼苗周围空气湿度急剧上升或下降，根部吸水供应不上，导致幼苗失水，并产生生理性死苗。防治措施为选择熟化土壤，适期播种，

加强出苗期田间管理。立枯病：主要表现为幼苗根茎基部变褐色，根茎收缩细缢，直立枯死；幼苗出土后即可受害。多为种子受侵染而出现种腐或幼苗枯死。防治措施为用绿享1号、绿享3号或移栽灵，剂量参考使用说明，间隔期为3～5天。猝倒病：主要表现为幼苗根茎基部水浸状，局部收缩细缢，猝倒死亡；幼苗出土后即可受害。高温高湿造成幼苗根部发病。防治措施“同立枯病”。e. 苗期虫害防治。蚜虫多附着于叶片背面及嫩茎处，淡绿色、褐绿色或黑绿色。5～8月是发生期，局部地区甘草植株受害较重。根据田间局部蚜虫的情况进行防治。防治措施为以吡虫啉1 500倍液喷洒。

3）移栽定植。①选地。育苗地宜选择有多年耕种史、无病虫害或严重草害史、熟化土层厚、土壤肥力较好，且处于种植区或靠近种植区、交通方便、有防风林网的砂壤土或壤土地区域。②整地。机械深翻20～30 cm，精细耙耱。同时结合整地均施腐熟农家肥3～5 m^3/亩，磷酸二铵或复合肥30～50 kg/亩。③定植。a. 种植时间。春季移栽的适宜时间为土壤解冻至5月上旬。秋季移栽的适宜时间为种苗完全停止生长至土壤完全封冻之前。b. 种植密度。水地移栽密度为18 000～22 000株/亩，行距为30～35 cm，株距小于12 cm。旱地移栽密度为12 000株/亩以上，行距为35～40 cm，株距小于13 cm。c. 种植方法。移栽前施入农家肥，底施化肥不超过15 kg/亩，以防伤芽，影响种苗返青。

4）田间管理。①除草松土。旱地可结合中耕除草或雨后进行追肥，具体方法为将肥料均匀撒至地表，结合中耕除草，使肥土混合。对于田间杂草，应做到早除、勤除。在5月中下旬、6月中下旬和7月中旬左右结合中耕进行除草，9月下旬应刈割地上部的全部杂草，对于病虫害严重的田块，应彻底清理并焚烧掩埋，以防止菌源、虫源越冬，减轻病虫害的危害程度。a. 芽前除草。适用于水地甘草，可选择在当年第1次灌水时实施。适用药剂为乙草胺、施田补等芽前选择性除草剂，剂量为50%乳油300 ml/亩，施用时期为杂草芽前，施用方法为喷施或随水滴施。b. 芽后除草。以播前翻耕除草、机械中耕和人工除草为主。化学除草，应选择低残留且已登记的除草剂。②灌水施肥。水地移栽后1周内开始灌第1次水，6月中下旬灌第2次水，7月中下旬灌第3次水。全年灌3～4次水。水地可结合灌第2次水，每次随水追施高效复合肥20～25 kg/亩或者高效复合肥10～15 kg/亩加尿素10～15 kg/亩，全年2～3次。翌年再追施2～3次。叶面肥宜选用磷酸二氢钾和寡糖链蛋白6%可湿性粉剂中保阿泰灵。苗高10 cm以上后和幼苗分枝期各喷施1次。喷施浓度以20～25 g原药兑水15 kg为宜。

5）病虫害防治。①病害防治。a. 锈病。4月上旬为发生始期；5～6月是夏孢病株的发生盛期，发病适宜温度为 20 ～ 25 ℃；7 月中旬以后是冬孢病株的发生盛期；9 月以后随着气温下降，甘草停止生长。防治措施：应先消灭发病株与封锁发病中心，清除地上病株，尤其是秋季刈割、清理的病枝落叶，以减少翌年的病原；4 月下旬至 5 月上旬，80% 的甘草植株露芽 1 ～ 2 cm，锈病植株达 20% 时，用 20% 粉锈宁 1 200 倍液或 97% 敌锈钠 300 倍液喷雾防治，间隔 7 天进行 1 次，共 2 次。b. 白粉病。病菌主要在田间病株残体上越冬，翌年秋季降雨多、湿度大有利于该病的发生蔓延。防治措施：用 20% 粉锈宁 800 ～ 1 000 倍液或硫磺胶悬剂 300 倍液喷雾防治，视病情间隔 7 天加强 1 次。c. 根腐病。对于栽培甘草，该病主要靠水流、土壤传播，由根部伤口侵入。防治措施：应注意天气情况，防止大水漫灌。发现病株后，用 50% 甲基托布津 800 倍液或 75% 百菌清 600 倍液进行灌根。②虫害防治。甘草虫害防治以种植前清除野生甘草，阻断传播源为主。a. 胭脂蚧。1 年发生 1 代，9 月以后，一部分若虫在卵囊内越冬，另一部分若虫破囊后寄生于寄主越冬；翌年 4 月，随着气温的升高，卵囊内的若虫爬出寻找寄主，固定危害，吸食甘草汁液；5 月至 7 月上旬形成蚧壳，进入老熟期；8 月中旬成虫羽化、交尾产卵，完成一个生活世代。b. 萤叶甲。以成虫在枯枝、落叶下和土缝中越冬，翌年 4 月中下旬，甘草幼芽萌发后开始取食危害，1、2 代幼虫危害加重，5 月下旬至 8 月为发生盛期。防治措施：甘草生长季节，可采用乐斯本 1 000 倍液或 1 500 倍液，或千虫克 800 倍液进行喷洒；加强田间管理，

冬季灌水，秋季刈割、清除田间枯枝落叶，减少越冬虫源与翌年虫口基数。c. 蚜虫。5 ~ 8 月是发生期，局部地区甘草植株受害较重。防治措施：以吡虫啉 1 500 倍液、20% 高效溴氰菊酯 2 000 倍液或千虫克 800 倍液进行喷洒。d. 小绿叶蝉。1 年发生 3 ~ 5 代，主要以幼虫、成虫危害豆科、榆树等多种植物，7 ~ 8 月是发生盛期。防治措施：危害高峰期常采用敌敌畏乳液 1 000 倍液进行喷洒，防效可达 90% 以上。

| 采收加工 | （1）采收。直播种植 3 年后采挖，移栽种植宜 2 年后采挖，采挖季节应在秋季。（2）加工。采收后基本的加工方式为去芦头、去皮，干燥方法为曝干、阴干等。

| 药材性状 | 本品根呈圆柱形，长 25 ~ 100 cm，直径 0.6 ~ 3 cm。外皮松紧不一。表面红棕色或灰棕色，具显著的纵皱纹、沟纹、皮孔及稀疏的细根痕。质坚实，断面略显纤维性，黄白色，粉性，形成层环明显，射线放射状，有的有裂隙。根茎呈圆柱形，表面有芽痕，断面中部有髓。气微，味甜而特殊。

| 品质评价 | 以表面红棕色、粗大、横纹、质地坚实、断面黄白、粉性足者为佳。采用高效液相色谱法测定，本品按干燥品计算，含甘草苷（$C_{21}H_{22}O_9$）不得少于 0.50%、甘草酸（$C_{42}H_{62}O_{16}$）不得少于 2.0%。

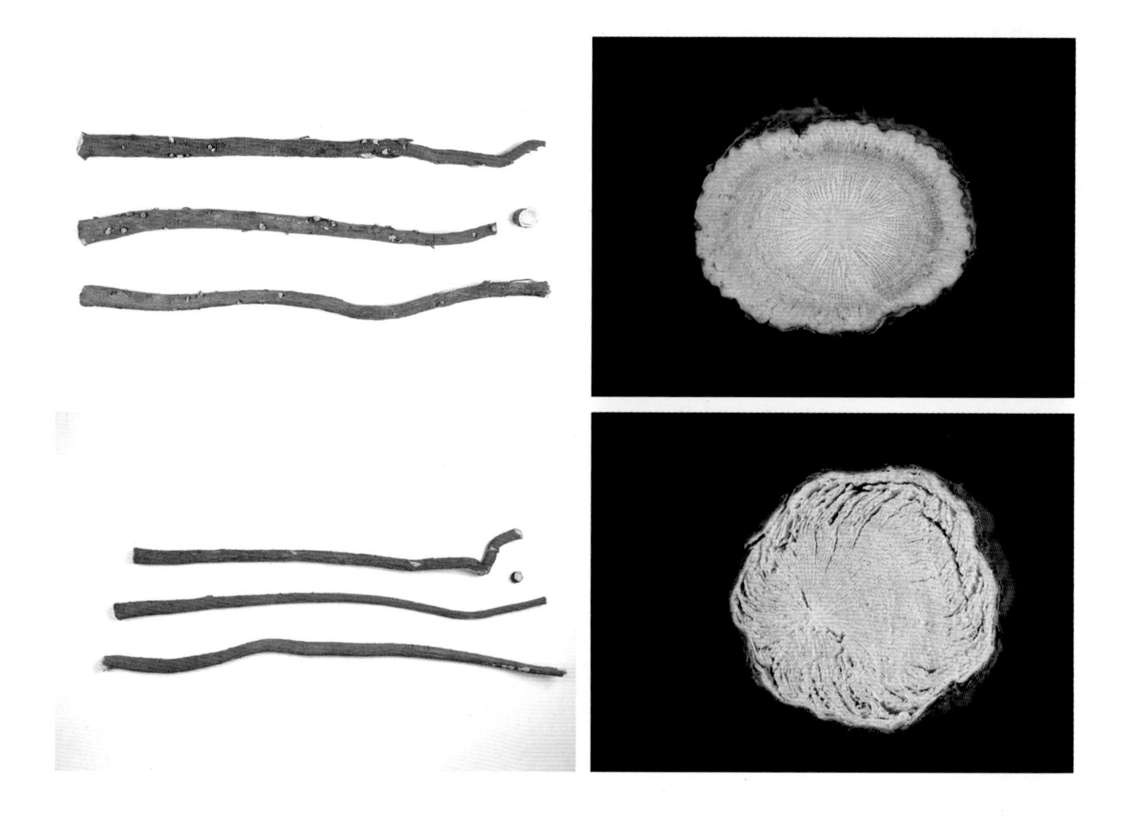

化学成分 甘草中主要含有三萜类、黄酮类、多糖类、香豆素类、挥发油类及氨基酸等成分，其中三萜类和黄酮类是其主要成分。三萜类主要包括甘草酸、甘草次酸等。黄酮类主要包括甘草苷、异甘草苷、甘草素等。多糖类主要由葡聚糖、鼠李糖、甘露糖、阿拉伯糖、半乳糖等组成。甘草中还含有香豆素类、挥发油类及氨基酸等成分。

药理作用 （1）抗炎作用。甘草具有显著的抗炎作用，其主要抗炎成分为甘草酸和甘草次酸，其含有的黄酮成分也有抗炎效果。甘草次酸对多种炎症反应有抑制作用。甘草素可通过激活雌激素受体减少神经炎症，从而发挥抗炎作用。

（2）心脑血管系统保护作用。甘草中的多种成分已被证实具有显著的心脑血管保护作用，甘草苷能够通过抑制 MAPK 和 NF-κB 信号通路延缓心肌纤维化过程。甘草酸可以有效地改善心肌缺血症状，也有一定的抗心肌梗死作用。甘草次酸的降血压、抗血栓作用较强，甘草次酸和甘草甜素可改善颅内出血性中风症状。异甘草素可抑制瞬时受体电位通道 5 的表达，具有抗动脉粥样硬化作用。

（3）神经保护作用。甘草的神经保护作用显著，可用于抑郁症、阿尔兹海默症、帕金森等神经系统疾病，其余大宗中药与其配比用于神经系统疾病的治疗有着较强的理论支持。

（4）抗病毒作用。甘草酸苷的抗甲型流感病毒活性作用是通过与细胞膜的相互作用介导的，可以导致细胞内吞活性降低，从而减少病毒的摄取。甘草酸二铵是通过诱导宿主细胞产生 γ-干扰素，调节免疫功能来抵抗流感病毒的感染。

（5）抗肿瘤作用。甘草中的甘草酸、甘草次酸等具有不同程度的抗肿瘤作用，其机制与诱导肿瘤细胞凋亡、抗氧化、抗促癌、抗致突变及免疫调节作用有关。异甘草素具有抗氧化、抗炎症和抗肿瘤活性，以及对脂肪变性诱导的氧化应激的保肝作用。药理学研究表明，异甘草素对雌激素受体（ER）有很强的亲和性，可以抑制乳腺癌细胞的增殖。

（6）抗糖尿病作用。有研究表明，甘草乙醇提取物能够激活过氧化物酶体增生物激活受体 PPAR-γ (peroxisome proliferator activated receptor-γ)，从而起到预防和减轻糖尿病、腹部肥胖、高血压等代谢症候群症状。

（7）其他作用。甘草中的成分还具有保肝、抗骨质疏松、免疫调节、抗菌、抗纤维化等药理作用，但目前对相关配伍应用的研究还较少，因此，含甘草处方在这些药理作用方面有着较大的研究和开发价值。

| 功能主治 | 甘，平。归心、肺、脾、胃经。补脾益气，清热解毒，祛痰止咳，缓急止痛，调和诸药。用于脾胃虚弱，倦怠乏力，心悸气短，咳嗽痰多，脘腹、四肢挛急疼痛，痈肿疮毒，缓解药物毒性、烈性。

| 用法用量 | 内服煎汤，调和诸药用量宜小，2 ~ 6 g；作为主药用量宜稍大，可用 10 g 左右；用于中毒抢救，可用 30 ~ 60 g。凡入补益药中宜炙用，入清泻药中宜生用。外用适量，煎汤洗、渍；或研末敷。不宜与海藻、京大戟、红大戟、甘遂、芫花同用。

| 市场信息 | （1）商品规格。新中国成立以来，行业主管部门先后制定多个中药材商品规格等级标准。其中 1984 年由国家医药管理局与卫生部联合发布的《七十六种药材商品规格标准》，至今已有 30 多年，该标准对于当时的药材分级发展、中药市场优质优价有着积极的促进作用。随着 20 世纪 90 年代药材经营管理的放开，现常用大宗药材也由野生品转为栽培品为主，由于栽培技术及生长环境等因素的差异，栽培药材的形态特征、质量等均发生了较大的变化，而中药材市场自我形成的“标准”随意性较大，无法统一，导致部分药材商品品别、规格、等级混乱。为了规范中药材市场交易，完善中药材商品规格等级标准，2018 年中华中医药学会发布了《中药材商品规格等级标准　甘草》，具体见表甘草 -1。

表甘草 -1　甘草的规格等级

规格			等级	性状描述			
				共同点	区别点		
					长度 / cm	口径 / cm	尾径 / cm
野生甘草	甘草	条草	一等	呈圆柱形，单枝顺直。表面红棕色、淡红棕色、红褐色、棕褐色或灰棕色，皮细紧，有纵纹，斩去头尾，口面整齐。质坚实、体重。断面黄色至黄白色，粉性足或一般。味甜。间有黑心系加工条草砍下之根头，呈疙瘩头状	25 ~ 100	>1.7	>1.1
			二等			1.1 ~ 1.7	>0.6
			三等			0.6 ~ 1.1	>0.3
		毛草	统货		—	<0.6	—
		草节	统货		6 ~ 25	≥ 0.6	—
		疙瘩头	统货		—	—	—
	胀果甘草	条草	统货	呈圆柱形，单枝顺直。表面灰棕色或灰褐色，外皮粗糙，斩去头尾，口面整齐。质坚硬、体重。断面黄白色，间有黑心。粉性小。味甜	25 ~ 100	>0.6	>0.3
		毛草	统货		—	<0.6	—
	光果甘草	条草	统货	呈圆柱形，单枝顺直。表面灰棕色，皮孔细而不明显。斩去头尾，口面整齐。质地较坚实、体重。断面黄白色，粉性一般，味甜。间有黑心	25 ~ 100	>0.6	>0.3
		毛草	统货		—	<0.6	—
栽培甘草		条草	一等	呈圆柱形，单枝顺直。表面红棕色、淡红棕色、红褐色、棕褐色或灰棕色，皮细紧，有纵纹，斩去头尾，口面整齐。质坚实、体重。断面黄色至黄白色，粉性足或一般。味甜。间有黑心	25 ~ 100	>1.7	>1.1
			二等			1.1 ~ 1.7	>0.6
			三等			0.6 ~ 1.1	>0.3
			统货			>0.6	>0.3
		毛草	统货		—	<0.6	—
		草节	统货		—	≥ 0.6	—

（2）价格信息。野生甘草和栽培甘草的价格差异很大。品质较好的野生甘草价格昂贵。品质较低的野生甘草和栽培甘草价格类似。甘草价格一般为 9 ~ 16 元 /kg。

（3）收购量。市场上甘草的来源较为混杂，有真有假，有野生有栽培，有国产有进口，且多数未经正规渠道而进入市场，导致收购量数据统计困难。

（4）易混（伪）品等。在我国的甘草物种中，胀果甘草和光果甘草容易混淆。胀果甘草的根及根茎质地较坚实，有的分枝，外皮不粗糙，多为灰棕色。光果甘草的根及根茎木质化，粗壮，有的分枝，外皮粗糙，多为灰棕色或灰褐色，质坚硬，木质纤维多，粉性小，不定芽多而粗壮。

| 资源利用 | （1）资源利用。甘草是半荒漠草地自然植被的主要组成部分，也是重要的沙生药用植物资源，具有广泛的临床应用价值，是我国 2 000 多种草药中用量最大的一味草药，素有“十方九草”“无草不成方”之说。我国的甘草属植物有10余种，《中华人民共和国药典》收录 3 种，即甘草、胀果甘草、光果甘草。甘草以根和根茎入药，有解百毒之功效，是重要的常用中草药，享有“中草药之王”的美誉。同时，甘草可广泛应用于食品、烟草、化工业等，是一种用途极其广泛的植物资源。

（2）资源可持续发展。对甘草的无序采挖，不仅使野生甘草资源面临枯竭，且还导致大面积草场或固定、半固定沙地遭到破坏，加速了荒漠化的进程。而国内外对甘草的需求量不断增加，在野生甘草资源匮乏和国家大力保护野生资源的背景下，人工栽培甘草成为商品甘草的重要来源，是缓解甘草资源危机和社会供需矛盾的基本方法。

| 附　　注 | 根据《国家重点保护野生植物名录》[国家林业和草原局 农业农村部公告（2021年第 15 号）]，甘草 *Glycyrrhiza uralensis* Fisch. 为国家二级重点保护植物。

参考文献

[1] 史磊，郭玉岩，曹思思，等．甘草的本草溯源 [J]．现代中药研究与实践，2020，34（4）：82-86.

[2] 张晨，李娜，钟赣生，等．十八反中甘草物种的本草考证 [J]．中草药，2021，52（20）：6425-6430.

[3] 森立之．本草经考注 [M]．郭秀梅点校．北京：学苑出版社，2020.

[4] 刘文泰．本草品汇精要 [M]．北京：中国中医药出版社，2013.

[5] 良石．本草良方 [M]．北京：中医古籍出版社，2006.

[6] 苏颂．本草图经 [M]．尚志钧辑校．合肥：安徽科学技术出版社，1994：551-552.

[7] 邢世瑞．宁夏中药志 [M]．2 版．银川：宁夏人民出版社，2006.

[8] 陈雯清，陆嘉惠，王倩倩，等．甘草属杂交区物种形态特征的数值分类学研究 [J]．草业学报，2020，29（6）：14-26.

[9] 李明，张新慧．宁夏栽培中药材 [M]．银川：阳光出版社，2019.

[10] 王汉卿，马玲，王庆，等．甘草药材生产区划研究 [J]．中国中药杂志，2016，41（17）：3122-3126.

[11] 蒋齐，王英华，李明，等．甘草研究 [M]．银川：宁夏人民出版社，2009.

[12] 李学斌，陈林，李国旗，等．中国甘草资源的生态分布及其繁殖技术研究 [J]．生态环境学报，2013，22（4）：718-722.

[13] 马斌，李明，刘华，等．人工甘草生长影响因素研究进展 [J]．宁夏农林科技，2021，62（5）：16-20.

[14] 国家药典委员会．中华人民共和国药典：一部 [M]．北京：中国医药科技出版社，2020.
[15] 黄璐琦，姚霞．新编中国药材学：第二卷 [M]．北京：中国医药科技出版社，2020：79-84.
[16] 王英华，马玲，董琳，等．中药材商品规格等级　甘草：T/CACM 1021.6—2018 [S]．北京：中华中医药学会，2018.
[17] 国家中医药管理局《中华本草》编委会．中华本草：第 4 册 [M]．上海：上海科学技术出版社，1999：500-505.
[18] 郑云枫，魏娟花，冷康，等．甘草属 Glycyrrhiz L. 植物资源化学及利用研究进展 [J]．中国现代中药，2015，17（10）: 1096.
[19] 邓桃妹，彭灿，彭代银，等．甘草化学成分和药理作用研究进展及质量标志物的探讨 [J]．中国中药杂志，2021，46（11）：2660-2676.
[20] 金亚香，张研，刘天戟，等．甘草水提物对大鼠 C-BSA 肾炎模型治疗作用的研究 [J]．世界临床药物，2016，37（1）：29-32.
[21] 杨晓露，刘朵，卞卡，等．甘草总黄酮及其成分体外抗炎活性及机制研究 [J]．中国中药杂志，2013,38（1）：99-104.
[22] 程瑞凤，景晶，华冰，等．甘草总黄酮提取部位抗小鼠抑郁活性可能与其增强中枢 5- 羟色胺能神经功能有关 [J]．中国药理学与毒理学杂志，2014，28（4）: 484-490.
[23] 孙晓红，邵世和，李洪涛，等．甘草抗肿瘤作用的研究及临床应用 [J]．北华大学学报（自然科学版），2004，5（6）：540-544.
[24] 赵中振，肖培根．当代药用植物典：第 1 册 [M]．上海：世界图书出版公司，2007：436-440.
[25] LIU P，CAI Y，ZHANG J，et al．Antifungal activity of liquiritin in Phytophthora capsici comprises not only membrane-damage-mediated autophagy，apoptosis，and Ca^{2+} reduction but also an induced defense responses in pepper[J]．Ecotoxicology and Environmental Safety，2021（209）：111813.
[26] JI S，LI Z，SONG W，et al．Bioactive constituents of *Glycyrrhiza uralensis*（licorice）：Discovery of the effective components of a traditional herbal medicine[J]．Journal of Natural Products，2017，79（2）：281.
[27] LI X，QIN X，TIAN J，et al．Liquiritin protects PC12 cells from corticosterone-induced neurotoxicity via regulation of metabolic disorders，attenuation ERK1/2-NF- κ B pathway，activation Nrf2-Keap1 pathway，and inhibition mitochondrial apoptosis pathway[J]．Food and Chemical Toxicology，2020（146）：111801.
[28] ASL M N，HOSSEINZADEH H．Review of pharmacological effects of *Glycyrrhiza* sp. and its bioactive compounds[J]．Phytotherapy Research，2008，22（6）：709-724.
[29] JIANG M，ZHAO S，YANG S，et al．An "essential herbal medicine" —licorice：A review of phytochemicals and its effects in combination preparations[J]．Journal of Ethnopharmacology，2020（249）：112439.
[30] LU J，LIANG W，WEI K，et al．Induction of signal molecules and expression of functional genes after Pichia pastoris stimulation in *Glycyrrhiza uralensis* Fisch adventitious roots[J]．Journal of Food Biochemistry，2019，43（4）：e12798.
[31] ZHANG Y，ZHANG L，ZHANG Y，et al．The protective role of liquiritin in high fructose-induced

myocardial fibrosis via inhibiting NF-κB and MAPK signaling pathway[J]. Biomed Pharmacother, 2016, 84: 1337-1349.

[32] ZHOU P, YANG X-L, WANG X-G, et al. A pneumonia outbreak associated with a new coronavirus of probable bat origin. Nature[J]. 2020, 579（7798）: 270-273.

[33] SEON M R, PARK S Y, KWON S J, et al. Hexane/ethanol extract of Glycyrrhiza uralensis and its active compound isoangustone A induce G1 cycle arrest in DU145 human prostate and 4T1 murine mammary cancer cells[J]. J Nutr Biochem, 2012, 23（1）: 85-92.

[34] HUO X W, YANG S, SUN X K, et al. Protective effect of glycyrrhizic acid on alcoholic liver injury in rats by modulating lipid metabolism[J]. Molecules, 2018, 23（7）: E1623.

撰稿人：李　明　马　斌　马　玲

麻黄科 Ephedraceae 麻黄属 *Ephedra* 凭证标本号 6400221170610003LY

草麻黄 *Ephedra sinica* Stapf

| 药 材 名 | 麻黄（药用部位：草质茎。别名：龙沙、狗骨、卑相）、麻黄根（药用部位：根和根茎）。

| 本草综述 | 麻黄始载于《神农本草经》，被列为中品。《神农本草经辑注》云："一名龙沙。"魏晋时期《吴普本草》云："麻黄一名卑相，一名卑坚。"南北朝时期《名医别录》云："麻黄一名卑相，一名卑盐。"明代《本草乘雅半偈》云："龙沙，麻黄也，麻黄茎。麻黄根，狗骨也。"明代《本草纲目》记载"麻黄诸名疏不可解，或云其味麻，其色黄"，故称其为麻黄。清代《本经疏证》记载汉代将"龙沙"作为麻黄的异名。《本草钩沉》记载麻黄的别名有"草麻黄（河北）、川麻黄（山西）、海麻黄（山东）、哲里根（内蒙古）"。根据以上内容可知，古籍中所记载的麻黄名称较多，但均以"麻黄"为其正名。

草麻黄

麻黄的药用历史虽较为悠久，但自明代文献中才有对其原植物形态的描述，古代文献所载麻黄原植物的形态特征为："根色紫赤"；茎细而直，中间空，节间长；先端开花，雌雄异株；果实肉质、红色。近代文献记载麻黄原植物叶的特征为：叶对生，膜质鳞叶。通过对比古代、近代本草与现代《中国植物志》《中华人民共和国药典》及《中华本草》对麻黄的描述可以发现，古代、近代本草中所描述的麻黄的茎高、叶、果实颜色等特征与《中华人民共和国药典》中所载草麻黄的特征十分相似，由此可以判断古代、近代本草所载麻黄药材的原植物为草麻黄。

麻黄属植物在我国约有 15 个种，其中西北各省（区）及云南、四川种类较多。不同时期的本草所载麻黄的道地产区有所不同。

关于麻黄产地的记载始见于秦汉时期《神农本草经》，该书记载麻黄"或生河东（今山西运城、临汾一带）"。南北朝时期《本草经集注》记载："生晋地（今山西）。"

南北朝时期《名医别录》记载："麻黄生晋地（今山西）及河东（今河北）。立秋采茎，阴干令青。"上述内容说明在秦汉至南北朝时期，山西为麻黄的产地。南北朝时期《本草经集注》云："今出青州（今山东青州）、彭城（今江苏铜山）、荥阳（今河南荥阳一带）、中牟（今河南中牟、汤阴）者胜，色青而多沫。蜀中（今四川中部）亦有，不好。用之折除节，节止汗故也。"该书记载麻黄的产地为山东、江苏、河南、四川。

唐代《新修本草》云："郑州鹿台及关中沙苑河傍沙洲上太多，其青、徐者亦不复用，同州沙苑最多也。"可见初唐时期麻黄产于河南、陕西两地。

宋代以河南开封府的麻黄最为上品，《开宝本草》云："今用中牟者为胜，开封府岁贡焉。"《本草图经》云："今近京（今开封）多有之，以荥阳、中牟者为胜。"《本草衍义》云："麻黄出郑州者佳。"

明代《本草蒙筌》云："麻黄，青州、彭城俱生，荥阳、中牟独胜。"《山堂肆考》卷十六云："狗脊山在开封府中牟县治后，上产麻黄。"《大明一统志》记载麻黄"中牟县出"。《本草品汇精要》云："茂州（今四川茂县）、同州（今陕西大荔）、荥阳、中牟者为胜。"

据清代方志记载，产麻黄的省（区、市）除河南外，尚有山东、陕西、云南、北京、内蒙古。清代《伪药条辨》云："麻黄，始出晋地，今荥阳、汴州、彭城诸处皆有之。"《增订伪药条辨》云："麻黄，九十月出新。山西大同府、代州、城出者肥大，外青黄而内赤色为道地，太原陵县及五台山出者次之，陕

西出者较细，四川滑州出者黄嫩，皆略次，山东、河南出者亦次。惟关东出者，细硬芦多不入药。”又民国二十九年（1940）《药材行规》之“麻黄、麻黄根”条“产地”项言：“西北各省，大同产佳。”可见在民国时期，山西取代了河南，成为麻黄的道地产区。

《中华本草》记载，草麻黄主产于河北、山西、陕西、内蒙古。

《新编中药志》记载，草麻黄主产于河北、山西、新疆、内蒙古，此外，吉林、辽宁、陕西、河南、宁夏等地亦产。

由于宁夏区名发生演变及地理区划被多次调整，历史上关于麻黄在宁夏分布及利用的记载相对较少。第三次全国中药资源普查结果表明，宁夏分布有 5 种麻黄，其中草麻黄资源相对丰富。2000 年版《中华人民共和国药典》收载了草麻黄、中麻黄和木贼麻黄，并明确记述 3 种麻黄主要分布于新疆、内蒙古、宁夏等地。第四次全国中药资源普查结果表明，宁夏分布有草麻黄、中麻黄、木贼麻黄、膜果麻黄、斑子麻黄和单子麻黄 6 种麻黄，且作药用的草麻黄、中麻黄、木贼麻黄在宁夏分布区域广，资源蕴藏量大，是宁夏主要的野生药用植物资源。

| 形态特征 |

草本状灌木，高 20 ～ 40 cm。直根系。木质茎极短或呈匍匐状；小枝直伸或微曲，绿色，节间长 2 ～ 4 cm，直径约 2 mm。叶膜质鞘状，上部 2 裂，下部 1/3 ～ 2/3 合生，裂片锐三角形，先端急尖。雄球花呈复穗状，具总梗，苞片 4 对，雄花具雄蕊 7 ～ 8，花丝合生，有时先端微分离；雌球花单生，在幼枝上顶生，在老枝上腋生，卵圆形或矩圆状卵圆形，具 4 对苞片，雌花 2，珠被管长约 1 mm，直立或先端微弯。雌球花成熟时肉质红色，种子 2，不露出苞片，表面具细皱纹。

| 野生资源 |

（1）生长环境。草麻黄生于山坡、荒地及沙地。耐寒，抗旱，对土壤要求不严，主要为以风沙土为主的砂质灰铝土。可在 −31.6 ～ 42.6 ℃的极端气温条件下生存。伴生种多样化。

（2）分布区域。草麻黄分布于宁夏彭阳、原州、平罗、永宁、灵武、盐池、兴庆、金凤和大武口等。

（3）蕴藏量。第四次全国中药资源普查统计结果显示，宁夏的麻黄蕴藏量为 392.823 t，其中草麻黄和中麻黄的蕴藏量较多，木贼麻黄的蕴藏量相对较少。

| 栽培资源 |

（1）栽培历史。麻黄药材主要来源于野生资源，麻黄的人工栽培历史较短。20 世纪 90 年代初，我国部分地区，如内蒙古、新疆和宁夏开始人工栽培麻黄。

草麻黄在宁夏的生长地属于中温带干旱气候区，该地区为典型大陆性气候，光热资源丰富，干旱少雨，风大沙多。年平均气温 8.7 ~ 9.6 ℃，最冷月（1 月）平均气温 −14 ℃，极端最低气温 −27 ℃，最热月（7 月）平均气温 29.3 ℃，极端最高气温 38.3 ℃；6 ~ 8 月地温较高，0 ~ 20 cm 地温 26.4 ~ 26.7 ℃，沙丘表层最高温度达 67 ℃；≥ 0℃年平均积温 3 915 ℃，≥ 10 ℃年平均积温 3 432 ℃；无霜期 130 ~ 154 天。年平均降水量 200 mm，降水分布不均，6 ~ 9 月的降水量占全年降水量的 71.2%，11 月至翌年 2 月雨雪稀少，该时期的降水量仅占全年降水量的 4.3%。年平均蒸发量 1 784.7 ~ 1 906.0 mm，大气相对湿度低于 50%，年平均干燥度在 3 以上。年平均日照时数 2 900 小时左右。

栽培土壤以灰钙土类、风沙土类、潮土类为主。土壤表层 pH 为 8.31，盐分总量为 0.045 6%，土壤有机质含量为 0.118%，全氮含量为 0.017%，水解氮含量为 6.02 mg/kg，速效磷含量为 4.92 mg/kg，速效钾含量为 49.16 mg/kg，土壤贫瘠，无盐化。

（2）栽培区域。历史上麻黄在宁夏盐池、灵武、中宁、陶乐（今已撤销）等地分散种植，后来由于多种原因，人工栽培逐年减少直至停止。广夏（银川）天然物产有限公司曾有草麻黄的种植基地，目前该公司已不再种植草麻黄。

（3）栽培面积与产量。20 世纪 90 年代，宁夏曾种植麻黄（主要为草麻黄）约 1 666.7 hm^2，鲜草产量为 12 000 ~ 15 000 kg/hm^2。其中广夏（银川）天然物产有限公司曾种植麻黄 1 300 hm^2。

（4）栽培技术。草麻黄的繁殖方式分为有性繁殖和无性繁殖。其中，有性繁殖具有 2 种方法：一是用草麻黄种子直接播种的方法；二是先通过育苗得到草麻黄实生苗，再移栽定植的方法。人工栽培宜采用先育苗后移栽的方法。

1）种子的采收与储藏。①种子的采收。a. 采种母株的选择。在与种植区气候和土壤条件相同或相近的优质天然草麻黄产区，选择分布在平坦沙地或丘间地、处于生长旺期、无病虫害、3 年以上无人为干扰破坏的雌雄株混交群落，或与雄株群落距离较近的雌株群落，以健壮的草麻黄雌株作为采种母株。b. 采收。在 7 月中下旬至 8 月上中旬，人工采摘母株上果肉表层泛白色、先端开裂的成熟果实。采摘的草麻黄果实应于当日运至脱粒加工场所并摊平存放。②种子的储藏。草麻黄种子在入库储藏前，应按每千克种子 1 g 磷化铝（粮虫净）的用药量，均匀拌种，随后用透气良好的编织袋按 30 kg/ 袋定量，入库储藏。室温在 −10 ~ 15 ℃时，每隔 10 天监测 1 次；室温在 15 ℃以上、种子温度在 20 ℃以上时，每隔 5 天监测 1 次。打开包装，检查种子是否发热或受潮等。草麻黄

种子宜在常温条件下储藏，适宜储藏时限为 8 个月，不宜超过 1 年，以免降低种子品质。

2）育苗。在种植区或靠近种植区、地势平坦、排水良好、有水电供应、交通方便、有防风林网的区域，选择地下水位埋深 2.5 ～ 5 m、无病虫害、土壤肥力较高、结构疏松、通透性良好的砂壤土作为育苗地。将草麻黄种子放入温度为 40 ～ 50 ℃的水中，浸种 6 小时。

浸种后用 70% 倍得利可湿性粉剂，按种子重量 0.25% 的用药量拌种消毒。对于灌水细平后的苗床，在播种前用 70% 甲基托布津可湿性粉剂 750 倍液对苗床土壤进行喷雾消毒，随后播种。

①播种时间。草麻黄春季育苗的适宜播种时间为 5 月中旬至 6 月上旬，秋季育苗的适宜播种时间为 8 月中下旬。②播种量。播种量根据设计出圃苗量、保苗率、出苗率、种子净度、千粒重和发芽率等指标确定。一般每亩土地播一级种子 8 kg，播二级种子 10 kg，播三级种子 12 kg。③播深。草麻黄种子的适宜播深为 0.5 ～ 1 cm。④灌水。播种前对苗床灌水，保持床面湿润，细平苗床。播种后立即灌水，灌水时应以小水漫灌，使水渗透苗床，防止床面形成径流而造成冲刷。土壤水分应控制在 10% 左右。

3）移栽。①移栽地要求。土壤应为结构疏松、通透性佳、排水良好的砂土或砂壤土，土壤 pH 为 7.0 ～ 8.5，不宜移栽于重壤土和盐碱土；地下水位埋深保持在 3 m 以下。②整地标准。春季移栽，在早春整地；秋季移栽，在移栽当年 5 ～ 8 月整地。整地不宜过早，以防风蚀。耕翻深度应大于 30 cm。将条田划分成面积为 667 m^2 的畦田，筑埂细平。细平标准为畦田内高差小于 6 cm，无洼坑或土堆。③移栽时间。移栽分春季移栽（时间为 3 月下旬至 4 月底）和秋季移栽（时间为 8 月中旬至 9 月底）。④移栽密度。移栽初期每亩定植 8 000 ～ 10 000 株，达产期每亩的存苗量保持在 8 000 株。移栽采用宽窄行，每 3 窄行间隔 1 宽行，宽行宽 60 cm，窄行宽 30 cm，植苗株距 17 ～ 20 cm。⑤移栽。a. 苗木处理。春季移栽草麻黄苗的留枝长度为 10 ～ 15 cm，秋季移栽草麻黄苗的留枝长度为 5 ～ 8 cm，栽前留根长度为 20 ～ 25 cm。b. 植苗。人工栽植，适合于小面积栽植，栽植时将锹插入土中开植苗缝，在植苗缝两端各栽 1 株，逐株、逐行踩实。机械栽植，适合于大面积栽植，栽植时用拖拉机挂带开沟播肥机，边开沟边播施底肥，车速均匀，保持沟壁不回塌，开沟播肥后，随即人工植苗，要求苗根伸展，将苗垂直植入沟中。

4）田间管理。①灌溉。灌溉草麻黄时以喷灌和地面畦灌相结合的方式为宜。3 ～ 6

月以喷灌为主；7 ~ 8 月以地面畦灌为主，喷灌为辅，如雨水偏多，仍以喷灌为主；冬灌采用地面畦灌的方式。全年共灌溉 6 ~ 8 次。②培肥。草麻黄生长初期和生长前期（即 4 月至 5 月下旬）是需肥的临界期，7 月中旬至 8 月下旬是草麻黄需肥的关键时期。施用肥料包括氮、磷、钾大量元素肥料和微量元素肥料。氮肥在 4 月上旬、5 月上旬、6 月上旬和 7 月施用，其中 4 月上旬施肥为播施，其他时期施肥为结合灌水撒施。磷肥为缓效肥，可在 3 月下旬至 4 月上旬与其他肥料一起一次性播施。钾肥在 4 月上旬、5 月上旬和 7 月施用，其中 4 月上旬施用的钾肥与氮肥和磷肥等一同播施，其余 2 次与氮肥一起结合灌水撒施。微量元素肥料在 4 月上旬播施，在 7 月喷施。

5）病虫害防治。草麻黄的病害主要有根腐病和根线虫病等，其中以根腐病最为严重。①根腐病。a. 病原。草麻黄根腐病的主要病原为胶孢镰孢菌 *Fusarium subglutinans* (Wr. & Reink)，而茄病镰孢菌 *Fusarium solani* (Mart.) Sacc.、半裸镰孢菌 *Fusarium semitectum* Berk. & Rav.、茄病镰孢菌蓝色变种 *Fusarium solani* var. *coeruleum* (Sacc.) Booth 和尖孢镰孢菌 *Fusarium porum* Schlecht 为其次要病原。b. 症状。草麻黄地上部枝条由部分萎蔫变为全部萎蔫，颜色由绿色变为浅灰绿色，最后干枯死亡。前一年发病严重的植株枯死，不再萌发；发病较轻的植株在翌年返青初期会正常萌发新枝，当新枝长到 4 ~ 5 cm 时即开始萎蔫并逐渐枯死；部分枝条萎蔫枯死的植株在半月后会重新萌发新枝，但新枝数量较少且长势很弱。7 ~ 8 月草麻黄枝条的木质化程度较高，表现为枝条由顶部逐节向下干枯或整株颜色变为黄绿色，最后枝条全部干枯死亡。地下部根尖腐烂，根木质部颜色由白色变为浅黄褐色，韧皮部产生黏液，并逐渐与木质部分离，根部呈现水渍状，用手轻捋时表皮即脱落，最终根全部腐烂，植株干枯死亡。田间发病趋势主要表现为由病斑（区）中心向四周扩散。c. 发病时间。多发生于 2 龄期以上的草麻黄。4 月上旬至 5 月上旬是发病的主要时期，7 月下旬至 8 月是第 2 个发病时期。d. 防治方法。对于少量发病严重的植株，应及时挖除烧毁，并对病区喷施 30% 噁霉灵水剂、25% 咪鲜胺乳油或 50% 多菌灵可湿性粉剂，从而对土壤灭菌消毒。在 4 月上旬草麻黄开始生长时，选用低毒杀菌剂 98% 噁霉灵可溶粉剂（绿亨 1 号）灌根 1 次，间隔 7 ~ 10 天再连续喷雾 2 次。②根线虫病。a. 病原。草麻黄根线虫病的病原为垫刃目垫刃科茎线虫属马铃薯腐烂茎线虫 *Ditylenchus destructor* Thoron。b. 症状。受害植株地上部枝条半边生长表现正常，半边枯死，翌年枯死部分不萌发新枝，地下部分受侵入根组织内部线虫的刺激，致使根细胞不断分裂，逐渐膨大、畸形，在受害植株根上形成不规则根

结，根结内部组织坏死、朽烂，形成空腔，有瘤状畸形组织。c. 发病时间。主要发生在春季、秋季，多发生于 2 龄期以上的草麻黄。在发病区域内补栽的一年生草麻黄多生长正常，主要是因为根线虫侵染、繁殖的速度较慢，病程较长。d. 防治方法。对于少量受害严重的植株，应及时挖除烧毁，并合理控制灌水，以缩小虫源扩散范围。在 3 月下旬，选用低毒杀线虫剂，即 50% 棉隆（必速灭）微粒剂并用细土拌和，采取施药覆土耙平的方法进行防治。

草麻黄的虫害有蚜虫、盲椿象和蛴螬等，对草麻黄危害严重的是蚜虫。危害草麻黄的蚜虫为麻黄蚜 *Aphis ephedraposis* sp. nov.，麻黄蚜有无翅蚜和有翅蚜 2 种。①发生规律。每年 4 ~ 10 月发生，5 ~ 7 月是繁殖高峰，1 年可繁殖 10 余代。②症状。其成虫和若虫以刺吸式口器吸食幼枝汁液，危害草麻黄嫩芽、嫩梢，造成植株严重失水和营养不良，被害枝条呈斑状失绿或发黄，生长停滞，倒伏，植株逐渐枯萎，严重时整株死亡。③防治方法。在 3 月中上旬和 10 月中下旬，清理草麻黄地周围的树枝、枯草、落叶，并将其集中销毁，以消灭虫源，降低虫口密度。在 4 ~ 8 月蚜虫发生高峰期，当虫口密度达到每 100 株 2 000 ~ 3 000 头时，选用 0.3% 苦参碱水剂、10% 吡虫啉可湿性粉剂，每年进行 3 ~ 4 次分区或全面喷雾防治。

（5）采收加工。

1）采收期。栽培草麻黄宜从 2 龄期开始采收，以后逐年收割。适宜的收割时期为 10 月，以 10 月上旬收割为最佳，其次为 10 月中旬。

2）割茬高度。草麻黄的适宜割茬高度为 2 ~ 4 cm。

3）采收方式。草麻黄的采收按其作业方式分为人工收割和机械收割 2 种。①人工收割。控制留茬高度，不伤及留茬枝条，不拔出（伤）根，不割伤芽盘，漏割撒失率应小于 2%。每间隔 2 ~ 3 m 放一小堆。②机械收割。收割机割台随田面起伏仿形浮动要准确、灵敏，保证割茬高度，不允许割伤芽盘；集草装置和刀具应性能良好，漏割撒失率应小于 3%；割刀应耐磨且易于更换；将收割的草麻黄按适当间隔成堆卸放。

| 采收加工 | 麻黄：秋季采割绿色草质茎，晒干。

麻黄根：秋末采挖根部，除去残茎、须根和泥沙，晒干。

| 药材性状 | （1）麻黄。本品呈细长圆柱形，分枝少，长 20 ~ 35 cm，直径 1 ~ 2 mm。表面淡绿色至黄绿色，有细沟纹，脊线明显，触之微有粗糙感。节明显，节间长 2 ~ 4 cm。节上具膜质鳞叶，长 3 ~ 4 mm，裂片 2 裂（稀 3），裂片锐三角形，先

端灰白色，反曲，基部联合成筒状，红棕色。体轻，质脆，易折断，断面略呈纤维性，周边黄绿色，髓部红棕色，近圆形。气微香，味涩、微苦。色变枯黄、脱节者不宜药用。

（2）麻黄根。本品呈圆柱形，略弯曲，长 8 ～ 25 cm，直径 0.5 ～ 1.5 cm。表面红棕色或灰棕色，有纵皱纹和支根痕。外皮粗糙，易呈片状剥落。根茎具节，节间长 0.7 ～ 2 cm，表面有横长凸起的皮孔。体轻，质硬而脆，断面皮部黄白色，木部淡黄色或黄色，射线放射状，中心有髓。气微，味微苦。

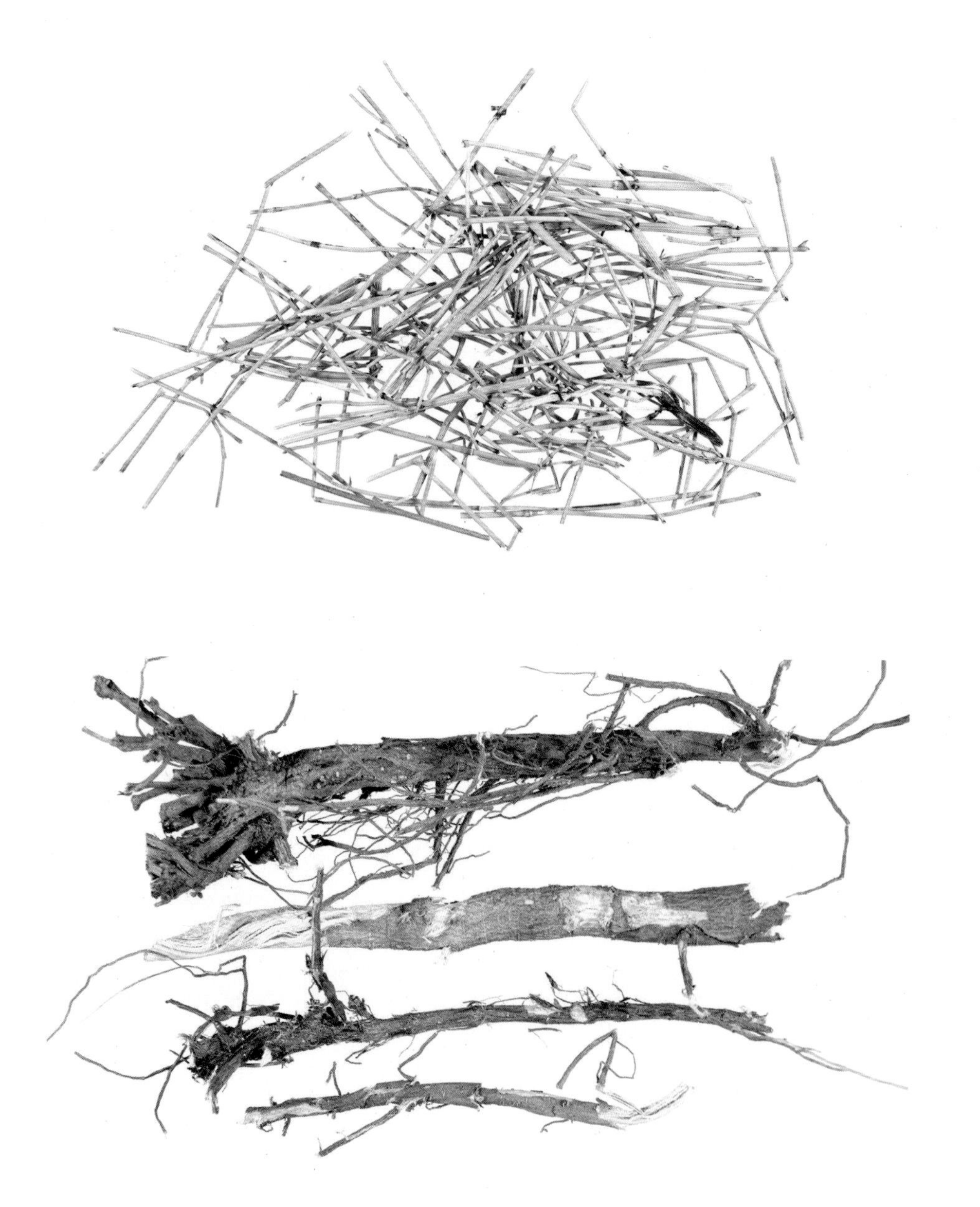

| 品质评价 | 麻黄：以色淡绿或黄绿，内心色红棕，手拉不脱节，味苦、涩者为佳。

麻黄根：以干爽、无残茎及杂质者为佳。

| 化学成分 | 草麻黄含有多种生物碱、挥发性物质、黄酮类、糖类、矿质元素等，其中生物碱含量最高。

（1）生物碱。草麻黄含有多种生物碱，主要为 L- 麻黄碱和 D- 伪麻黄碱，还含有微量的 L-*N*- 甲基麻黄碱、D-*N*- 甲基伪麻黄碱、L- 去甲基麻黄碱、D- 去甲基伪麻黄碱、麻黄次碱、麻黄噁烷等，其中 L- 麻黄碱、D- 伪麻黄碱、L-*N* 甲基麻黄碱、D-*N*- 甲基伪麻黄碱、L- 去甲基麻黄碱、D- 去甲基伪麻黄碱是草麻黄的有效成分，常用作各种麻黄药材和草麻黄制剂品质的评价指标。

（2）丹宁类。草麻黄含有多种丹宁，主要为儿茶精、1- 表儿茶精和 1- 没食子儿茶精。

（3）挥发油。草麻黄中挥发油类成分的含量约为 0.15%，其中 L-*α*- 萜品烯醇为主要成分，其他成分还有 *α*,*α*,4- 三甲基 -3- 环己烯 - 甲醇、2,3,5,6- 四甲基吡嗪、*β*- 萜品烯醇等。

（4）黄酮类。草麻黄中的黄酮类成分主要有芹菜素、山柰酚、槲皮素、无色矢车菊素、小麦黄素、草棉黄素、芹菜素 -5- 鼠李糖苷、3- 甲氨基棉黄素、山柰酚鼠李糖苷、芦丁、白天竺葵苷、白花色苷、白矢车菊素、4,5,7- 三羟基 -8- 甲氧基黄酮醇 -3-*O*-*β*-D- 吡喃葡萄糖苷等。

（5）其他微量成分。草麻黄中的其他微量成分有 3,4- 二甲基 -5- 苯基噁唑烷、2,3,4- 三甲基 -5- 苯基噁唑烷、*O*- 苯甲酰 - 右旋伪麻黄碱和 7- 甲氧基 -4- 羟基喹啉 -2- 羧酸等。

| 药理作用 | （1）对心血管系统的作用。麻黄碱可兴奋心脏的 β- 受体，使心肌收缩力增强，心输出量增加，但心率变化不大；兴奋 β_1- 受体，使骨骼肌、冠状动脉血管扩张；兴奋 α- 受体，使皮肤、黏膜、内脏血管收缩，收缩压和舒张压均升高，脉压增大。升压作用较肾上腺素弱而持久，并能被酚妥拉明所拮抗。麻黄碱的 3 种异构体按升压作用的强弱依次为：左旋麻黄碱、消旋麻黄碱、右旋麻黄碱。

（2）对平滑肌的作用。麻黄碱对支气管平滑肌的松弛作用较肾上腺素弱而持久；点眼可使瞳孔扩大，但对光反射、眼内压等均无明显影响；能使胃肠道平滑肌松弛，抑制胃肠道蠕动，延缓胃肠道内容物的推进和排空；可使动物子宫的张力及振幅增大，但对人的子宫一般起到抑制作用；增强小鼠离体输精管的自发性收缩，此作用可被酚妥拉明所拮抗；能使膀胱三角肌和括约肌张力增强，减少排尿次数，对遗尿症有效。

（3）对中枢神经系统的作用。较大剂量的麻黄碱可兴奋大脑皮层及皮层下中枢，引起失眠、烦躁不安、震颤等，对呼吸中枢及血管运动中枢亦有兴奋作用。麻黄碱可提高中枢性痛阈值，产生镇痛作用。

（4）抗微生物作用。麻黄煎剂对金黄色葡萄球菌、链球菌、炭疽杆菌、白喉棒状杆菌、铜绿假单胞菌、大肠埃希菌、痢疾志贺菌、伤寒沙门菌等均有不同程度的抗菌作用。麻黄挥发油对亚洲甲型流感病毒有抑制作用，对脊髓灰质炎病毒、埃柯病毒亦有抑制作用。

（5）对呼吸系统的作用。灌服或腹腔注射麻黄水提取物，对小鼠、豚鼠及犬和猫均有镇咳作用；对组胺所致豚鼠哮喘有抑制作用，可使引喘潜伏期延长；对麻醉犬的支气管有扩张作用，并能对抗组胺所致的气管收缩。

（6）其他作用。麻黄碱有抗疲劳作用，能促进被箭毒抑制的神经肌肉间的传导，治疗重症肌无力；静脉注射麻黄碱有利胆作用；麻黄碱有抗炎、抗过敏和抗凝血作用；麻黄碱对糖、蛋白质和脂肪代谢及基础代谢均有一定的影响。

（7）不良反应。麻黄中能引发不良反应的主要成分是麻黄碱，麻黄碱可使人出现中枢神经和交感神经兴奋症状，如头晕、耳鸣、烦躁不安、心律失常、血压升高、瞳孔散大等。

｜功能主治｜ 麻黄：辛、微苦，温。归肺、膀胱经。发汗散寒，宣肺平喘，利水消肿。用于风寒感冒，发热恶寒，无汗，百日咳，支气管炎，支气管哮喘，大叶性肺炎，麻疹初期透发不畅，风疹瘙痒及风水浮肿，小便不利等。

麻黄根：甘、涩，平。归心、肺经。固表止汗。用于自汗，盗汗。

｜用法用量｜ 麻黄：内服煎汤，2 ~ 10 g。

麻黄根：内服煎汤，3 ~ 9 g。外用适量，研末撒扑。

｜饮片炮制｜ 麻黄：除去木质茎、残根及杂质，洗净，闷润，切段，干燥。

蜜麻黄：取蜂蜜炼熟，兑开水适量，倒入净麻黄段，拌匀，用小火炒至微黄色，不黏手，取出，晾凉。每麻黄段 100 kg，用蜂蜜 15 kg。

麻黄绒：取净麻黄段，碾碎成纤维状，疏散成绒，筛去粉末。

蜜麻黄绒：取蜂蜜炼熟，兑开水适量，倒入麻黄绒，小火炒至微黄色，不黏手，取出，晾凉。每麻黄绒 100 kg，用蜂蜜 20 ~ 25 kg。

麻黄根：拣去杂质，除去残茎，用水浸泡，润透，切片，晒干。

| 市场信息 |

（1）商品规格。根据市场实际情况，将麻黄药材分为“选货”与“统货”2个等级。

选货：有的带少量棕色木质茎；细长圆柱形，表面淡绿色至黄绿色；体轻，质脆，易折断；气微香，味涩、微苦；杂质不得过 3%。

统货：带少量棕色木质茎；细长圆柱形，表面淡绿色至黄绿色；体轻，质脆，易折断；味涩、微苦；杂质不得过 5%。

（2）价格信息。麻黄为特殊管理药品，受政策影响，近 5 年价格基本稳定。安国、亳州、成都、玉林等药材市场中麻黄的价格均为 12 ～ 15 元 /kg。

（3）收购量和年销量。种植、收购、销售麻黄时均须按相关法律规定办理行政许可手续，受此影响，其产销量均受到一定的限制。20 世纪末，麻黄提取物市场需求量较大，宁夏有多家企业开展麻黄的提取生产，麻黄的需求量增加，导致麻黄野生资源遭到毁灭性破坏。进入 21 世纪以来，随着国家对麻黄碱等易制毒化学品的管制和对麻黄药材的管控，以及麻黄碱提取生产企业的停产等，麻黄的收购量已不足 20 世纪时的 1/5，年收购量下降到 300 t 以下。

（4）易混（伪）品。

1）木贼。为木贼科植物木贼 *Equisetum hiemale* L. 的干燥地上部分。木贼为多年生草本，分布于宁夏六盘山，亦分布于东北、华北、西北其他地区及河南等。生于疏林下或阴湿沟旁、溪边。

2）节节草。为木贼科植物节节草 *Equisetum ramosissimum* Desf. 的干燥地上部分。节节草为多年生草本，全国各地均有分布，宁夏全区普遍分布。生于渠边、路边、沙地及低洼湿地。

3）问荆。为木贼科植物问荆 *Equisetum arvense* L. 的干燥全草。问荆为多年生草本，宁夏全区普遍分布，亦分布于东北、华北、西北其他地区及西南各地等。生于渠边、路边、田间或低洼湿地。

| 传统知识 |

（1）用于喘咳。一般需配伍杏仁，以增强平喘作用。肺热喘咳，加用石膏等清热药；肺寒喘咳，须加用干姜、细辛、五味子，以加强散寒、祛痰、镇咳的作用。慢性咳嗽者一般不宜久服，可间歇使用。

（2）用于外感风寒。冬季外感风寒，寒邪在表，脉浮紧，头、身肌肉紧张而疼痛者，用之最为合适。

（3）用于水肿。取其发汗、利尿的作用以减轻水肿。一般与白术同用。治疗水肿而伴有表证者，若偏寒，配伍羌活、防风；若偏热，配伍石膏。

（4）用于风湿关节疼痛。配伍薏苡仁或白术等，通过发汗祛湿而缓解疼痛。

资源利用

（1）药用价值。麻黄的茎、枝、根均可入药，是重要的传统中药材。随着现代医学设备的更新和药物分析手段的完善，从麻黄中提取的麻黄碱、伪麻黄碱、甲基麻黄碱、甲基伪麻黄碱、去甲基麻黄碱、去甲基伪麻黄碱、麻黄定碱等开始应用于医药领域。现代药理研究表明：麻黄碱有平喘、升高血压、收缩血管等作用；伪麻黄碱有升高血压、利尿作用，对横纹肌有兴奋作用；麻黄定碱具有降低血压的作用；麻黄挥发油具有降温、抑制流行性感冒病毒等（以下简称“流感病毒”）作用。

（2）生态价值。麻黄对维持干旱、半干旱地区的生态环境具有显著的作用，特别在以天然麻黄建群的荒漠草原上，麻黄群丛密集，根系粗壮，盘结交错，形成根网。庞大的扩散根系，加之横卧于地表的根茎及其茂密的株丛，形成了天然的防风沙障。麻黄是治理沙漠和改造退化草地的固沙植物。

（3）营养价值。麻黄果实含有多种营养成分，其中包括 18 种氨基酸，而人体必需的 9 种氨基酸在麻黄果实中就有 7 种，且含量丰富。此外，麻黄果实中的维生素含量丰富，含糖量亦较高，总含糖量为 5.16%。

（4）利用现状。目前，我国的麻黄主要用于生产麻黄素和麻黄浸膏粉，产品大部分出口，近年来我国也开发出了一些麻黄类药物。国外的麻黄产品已被广泛用于减肥药、心血管药、镇静药、运动饮料和保健饮料中，开发出的麻黄系列药物剂型包括普通片、咀嚼片、胶囊、水剂、糖浆、滴剂等 10 余种，系列药品达 200 余种。

20 世纪 90 年代，麻黄在宁夏西夏、金凤、永宁、盐池、灵武、中宁、沙坡头、惠农、平罗等地分散种植，后来人工种植逐年减少，目前已无人工种植。民间尚有采集野生麻黄用作药材者。

附　注

（1）民族用药。

1）蒙药。麻黄作为蒙药，始载于《无误蒙药鉴》，该书记载：“多枝，株高余，茎圆形，节多，色黄绿，冬季不枯。无叶，多分枝，味苦。果实色红，内含黑色种子者为浩宁哲日根；无种子者为伊曼哲日根。”

2）藏药。藏医所用麻黄药材的基原为藏麻黄 *Ephedra saxatilis* Royle ex Florin 和中麻黄 *Ephedra intermedia* Schrenk ex Mey.。

3）维药。《中华本草·维吾尔药卷》引《保健药园》云：“是一种小灌木的全草……多枝，茎枝细长圆柱形，有节，粗如筷子大小，节中有空，质硬，有多分小枝，

叶小；全株味微辛涩，果实红色，如胡豆大小，干化时棕褐色；根木质而硬。”维医所用麻黄药材的基原为木贼麻黄 *Ephedra equisetina* Bunge。

（2）濒危情况。草麻黄和中麻黄是《国家重点保护野生药材物种名录》中收载的国家Ⅲ级重点保护中药材，同时也是《国家重点保护农业野生植物要略》收载的重点保护植物。另外，据《中国珍稀濒危保护植物名录》和《中国植物红皮书》记载，斑子麻黄（非药用）为珍稀濒危保护物种。《国家重点保护野生植物名录》（国家林业和草原局、农业农村部公告〔2021〕第 15 号）将斑子麻黄列为国家二级保护植物。

（3）相关法规规定。虽然草麻黄、中麻黄、木贼麻黄分布范围较广，但由于长期的不合理采挖，其野生资源已遭到严重破坏。根据《国务院关于禁止采集和销售发菜、制止滥挖甘草和麻黄草有关问题的通知》（国发〔2000〕13 号）、《卫生部关于限制以甘草、麻黄草、苁蓉和雪莲及其产品为原料生产保健食品的通知》（卫法监发〔2001〕188 号）和《甘草、麻黄草专营和许可证管理办法》（国家经济贸易委员会于 2001 年 3 月 20 日发布）可知，国家已于 2000 年禁止采挖麻黄草野生资源。

此外，国家食品药品监督管理总局办公厅在 2013 年下发的《食品药品监管总局办公厅关于进一步加强麻黄草药品生产经营管理的通知》（食药监办药化监〔2013〕84 号）中规定：“中药材专业市场不得经营麻黄草类药材。各级食品药品监管部门要进一步加强药品生产经营企业麻黄草经营、使用的监督检查，发现药品生产经营过程中违反规定采挖、销售、收购、加工、使用麻黄草的，要按照有关法律法规严肃查处。涉嫌构成犯罪的，一律移送公安机关予以严惩。”2021 年 7 月 29 日，宁夏回族自治区人民政府发布《宁夏回族自治区麻黄草管理办法》（宁夏回族自治区人民政府令第 116 号），该办法规定，自 2021 年 10 月 1 日起，禁止非法采集、买卖、运输麻黄草。

附：宁夏分布的其他麻黄属植物资源

（一）《中华人民共和国药典》收录的麻黄属植物

除草麻黄可作为麻黄药材的基原外，2000 年版和 2015 年版《中华人民共和国药典》明确记载麻黄科植物中麻黄 *Ephedra intermedia* Schrenk ex Mey. 和木贼麻黄 *Ephedra equisetina* Bunge 也是麻黄药材的基原，且该 2 种麻黄在宁夏均有分布。

根据市场实际情况，来源于草麻黄、中麻黄、木贼麻黄的麻黄药材应符合表草麻黄 -1 的要求。

表草麻黄 -1　麻黄药材规格等级划分

<table>
<tr><th rowspan="2">等级</th><th rowspan="2">基原</th><th colspan="2">性状描述</th></tr>
<tr><th>共同点</th><th>区别点</th></tr>
<tr><td rowspan="3">选货</td><td>草麻黄</td><td rowspan="3">细长圆柱形，有的带少量棕色木质茎。表面淡绿色至黄绿色。体轻，质脆，易折断。气微香，味涩、微苦。杂质不得过 3%</td><td>少分枝，直径 1 ~ 2 mm，表面触之微有粗糙感。节上膜质鳞叶裂片 2（稀 3），锐三角形，反曲。断面略呈纤维性，周边黄绿色，髓部红棕色，近圆形</td></tr>
<tr><td>中麻黄</td><td>多分枝，直径 1.5 ~ 3 mm，表面触之有粗糙感。节上膜质鳞叶裂片 3（稀 2），先端锐尖。断面髓部呈三角状圆形</td></tr>
<tr><td>木贼麻黄</td><td>较多分枝，直经 1 ~ 1.5 mm，表面触之无粗糙感。节上膜质鳞叶裂片 2（稀 3），上部短三角形，先端多不反曲。断面髓部呈圆形</td></tr>
<tr><td>统货</td><td colspan="3">细长圆柱形，带少量棕色木质茎。表面淡绿色至黄绿色。体轻，质脆，易折断。味涩、微苦。杂质不得过 5%</td></tr>
</table>

注：市场上的麻黄药材主要来源于草麻黄，其次来源于木贼麻黄，来源于中麻黄者较为罕见。

（二）《中华人民共和国药典》未收录的麻黄属植物

除草麻黄、中麻黄、木贼麻黄 3 种《中华人民共和国药典》收录的麻黄外，宁夏还分布有膜果麻黄 *Ephedra przewalskii* Stapf、斑子麻黄 *Ephedra lepidosperma* C. Y. Cheng 和单子麻黄 *Ephedra monosperma* Gmel. ex Mey.。

（三）宁夏分布的 6 种麻黄分类检索表

1. 球花的苞片大部分离，仅基部合生，膜质，草黄色；雌球花成熟时苞片呈无色半透明的薄膜质；叶多 3 裂，少为 2 裂，球花无梗……………………………………膜果麻黄 *Ephedra przevalskii*

1. 球花的苞片厚膜质，绿色，具无色膜质的狭边；雌球花成熟时苞片变为肥厚的肉质，红色，呈浆果状；叶多 2 裂，稀 3 裂。

　2. 植株矮小，绿色枝细短硬；球花苞片通常 2 ~ 3 对。

　　3. 植株高 5 ~ 20 cm，近垫状，具短硬多瘤节的木质枝；绿色枝细短硬直；球花苞片通常 2 ~ 3 对，种子 2，1/3 露出苞片，黄棕色……………………………斑子麻黄 *Ephedra lepidosperma*

　　3. 草本状矮小灌木，高 5 ~ 15 cm；绿色小枝常微弯；雄球花单生于枝顶或对生于节上，苞片 3 ~ 4 对；雌球花单生或对生于节上，无梗，苞片 3 对，成熟时苞片肉质红色，被白粉，含种子 1……………………………………………………单子麻黄 *Ephedra monosperma*

　2. 植株通常较高大，高 20 ~ 100 cm，灌木或草本状灌木。

　　4. 叶 3 裂或 2 裂；球花的苞片 2 对生或 3 轮生，苞片的膜质边缘较明显；雌花的胚珠具长、曲折的珠被管……………………………………………………中麻黄 *Ephedra intermedia*

　　4. 叶 2 裂，稀在个别枝上 3 裂；球花的苞片全为 2 对生；雌花胚珠的珠被管一般较短而直。

　　　5. 植株草本状；小枝节间长多为 3 ~ 4 cm；球花多顶生或侧生，具梗；雌球花成熟时近圆形，含种子 2……………………………………………草麻黄 *Ephedra sinica*

5. 植株为灌木；小枝节间细而短，长 1 ～ 2.5 cm；球花侧生无梗或开花时具短梗；雌球花成熟时长卵形或卵圆形，含种子 1……………………………木贼麻黄 *Ephedra equisetina*

参考文献

[1] 邢世瑞．宁夏中药志 [M]．2 版．银川：宁夏人民出版社，2006.

[2] 马德滋，刘惠兰，胡福秀．宁夏植物志 [M]．2 版．银川：宁夏人民出版社，2007.

[3] 赵一之，马文红，赵利清．贺兰山维管植物检索表 [M]．呼和浩特：内蒙古大学出版社，2016.

[4] 么厉，程惠珍，杨智．中药材规范化种植（养殖）技术指南 [M]．北京：中国农业出版社，2006.

[5] 沈观冕．我国麻黄属的分类问题 [J]．干旱区研究，1993（1）：39-48.

[6] 张国荣，赵辉．甘草麻黄开发应用技术 [M]．银川：宁夏人民出版社，2001.

[7] 刘国钧．麻黄 [M]．北京：中国中医药出版社，2001.

[8] 国家药典委员会．中华人民共和国药典：一部 [M]．北京：中国医药科技出版社，2015.

[9] 肖培根．新编中药志：第三卷 [M]．北京：化学工业出版社，2002：299-307.

[10] 马继兴．神农本草经辑注 [M]．北京：人民卫生出版社，2013：147.

[11] 吴普．吴普本草 [M]．尚志钧等辑校．北京：人民卫生出版社，1987.

[12] 陶弘景．名医别录（辑校本）[M]．尚志钧辑校．北京：中国中医药出版社，2013：29.

[13] 卢之颐．本草乘雅半偈 [M]．北京：中国医药科技出版社，2014：69-70.

[14] 邹澍．本经疏证 [M]．武国忠点校．北京：学苑出版社，2009：148.

[15] 杨继荣，王艳宏，关枫．麻黄本草考证概览 [J]．医药学报，2010，38（2）：51-52.

[16] 叶橘泉．本草钩沉 [M]．北京：中国医药科技出版社，1988：377.

[17] 孙兴姣，李红娇，刘婷，等．中药民族药麻黄的本草考证 [J]．中国药业，2017，26（21）：1-3.

[18] 黄璐琦，詹志来，郭兰萍．中药材商品规格等级标准汇编 [M]．北京：中国中医药出版社，2019.

[19] 国家中医药管理局《中华本草》编委会．中华本草：第 2 册 [M]．上海：上海科学技术出版社，1999：349.

撰稿人：梁文裕

石竹科 Caryophyllaceae 繁缕属 *Stellaria* 凭证标本号 640104180617012LY

银柴胡 *Stellaria dichotoma* L. var. *lanceolata* Bge.

| 药 材 名 | 银柴胡（药用部位：根。别名：银胡、牛肚根、白根子）。

| 本草综述 | 银柴胡之名始见于《本草纲目》“柴胡”项下。《本草纲目》记载：“近时有一种，根似桔梗、沙参，白色而大，市人以伪充银柴胡。”由此可见，在明代“银柴胡”无疑来源于 2 种植物，一种为伞形科柴胡属植物银州柴胡 *Bupleurum yinchowense* Shan et Y. Li，该种被认作柴胡之佳品，另一种为“根似桔梗、沙参，白色而大”的石竹科繁缕属植物银柴胡，该种为柴胡的伪品。明代《本草原始》亦载有银柴胡并附图，谓其所绘银夏柴胡“根类沙参而大，皮皱色黄白，肉有黄纹，市卖皆然”，同时记载“今以银夏者为佳，根长尺余，色白而软，俗呼银柴胡”，书中所绘植物形态与今石竹科植物银柴胡相似。明代《本草经疏》对银柴胡的药效进行了阐述，云：“按

银柴胡

今柴胡，有二种，色白黄而大者，名银柴胡，用治劳热骨蒸；色微黑而细者，用以解表发散。”该书明确记载柴胡与银柴胡是 2 种不同的药物。清代《本经逢原》首次将柴胡与银柴胡分条并列，云：“银柴胡甘微寒，无毒。银州者良。”清代《本草纲目拾遗》在“银柴胡”项下引述《药辨》之说云“银柴胡出宁夏镇，形如黄芪”，又引翁有良之言云“今银柴胡粗细不等，大如拇指，长数尺，形不类鼠尾，又不似前胡，较本草不对，治病难分两用，究非的确，用者详之”，并云“银柴胡虽发表，不似柴胡之峻烈”。这说明至清代，石竹科植物银柴胡已逐渐摆脱对柴胡的依附而独立为一新品。综上所述，明代《本草原始》所载之银夏柴胡及清代《本经逢原》《本草纲目拾遗》所载之银柴胡，与现今所用银柴胡基本一致。《宁夏中药志》记载“银柴胡已有近 400 年的药用历史，古今一直认为宁夏产的银柴胡质量最佳”。随着近代植物分类学和生药学的发展，《中药学》中明确指出柴胡属清凉解表药，而银柴胡属清虚热药，主治清晰，条理分明。至此，银柴胡从原植物和药用功能上已完全与柴胡区分开来。

| 形态特征 | 多年生草本，高 20 ~ 60 cm。主根粗壮，圆柱形，直径 1 ~ 3 cm，根头处多疣状突起。根与地上茎之间常有一段埋入地下的茎，长 10 ~ 20 cm 或更长，粗壮；地上茎直立而纤细，节部膨大，从下部开始多次二歧分枝。全株扁球形，密被短毛。叶对生，无柄，茎下部叶较大，上部叶较小，叶片披针形，长 0.5 ~ 3 cm，宽 2 ~ 7 mm，全缘，先端锐尖，基部圆形或近心形，稍抱茎。二歧聚伞花序生于枝顶，开展，具多数花；苞片与叶同形而较小；花梗纤细，长 8 ~ 20 mm；萼片 5，矩圆状披针形或披针形，长 4 ~ 5 mm，宽约 1.5 mm，先端锐尖，边缘白色，膜质；花瓣 5，白色，近椭圆形，长 4 mm，宽 2 mm，二叉状分裂至中部，

具爪；雄蕊 10，2 轮，花丝基部合生，黄色；子房上位，花柱 3。蒴果宽椭圆形，长约 3 mm，直径约 2 mm，成熟时先端 6 齿裂，外被宿存萼，通常含种子 1；种子椭圆形，深棕褐色，种皮具多数小突起。花期 7 ～ 8 月，果期 8 ～ 9 月。

| 野生资源 |

（1）生长环境。

1）生境。野生银柴胡生于海拔 1 200 ～ 1 500 m 的半荒漠石质山坡石缝或干燥石质草原地带的松沙土中，极耐干旱，在含水率为 3.8% 左右的土壤中仍能生长。黄河灌区和湿度较大的林区山地未见银柴胡分布。

2）伴生植物群落。野生银柴胡在分布区内为零散分布，在群落中未见优势，其主要伴生植物为草本植物及小灌木，如沙蒿、黄花铁线莲、麻黄、甘草、酸枣、杠柳等。

3）土壤类型。野生银柴胡生长区的土壤类型为淡灰钙土，土质为松沙土。

4）气象条件。银柴胡生长区的年平均气温 7.9 ～ 8.8 ℃，极端最高气温 37.7 ℃，极端最低气温 -30.3 ℃，相对湿度＜ 60%，年降水量 178 ～ 254 mm，年蒸发量约 2 000 mm，无霜期 153 ～ 205 天，年平均日照时数约 3 000 小时。

（2）分布区域。银柴胡分布于宁夏石嘴山、中卫及灵武、同心、盐池等。宁夏是我国银柴胡的道地产区和主产区。

（3）生物学特性。

1）植株特性。茎多数从根头部生出，由基部开始多次二叉状分枝，叶无柄，披针形或条状披针形，基部稍抱茎，全缘；二歧聚伞花序也多次分叉；成株扁球形、牢固地附于地表，以防大风、沙尘暴侵袭。茎叶表面均被短硬毛，粗糙坚挺，表现出耐干旱、风沙的特性。

2）根系特性。野生银柴胡根系发达，有明显粗壮的主根，一般长 20 ～ 50 cm，有的长达 150 ～ 200 cm，直径 0.5 ～ 2.4（～ 3.7）cm；支根较少，主要分布在距地表 6 ～ 30 cm 深的土层中，根头被沙埋后，茎下部被埋地下，数年后形成数条根茎（又称过渡茎），横走或斜生，长 12 ～ 23 cm，直径 0.2 ～ 0.4 cm，根茎的每一节都可萌发新枝和须根。在干旱、贫瘠的松沙土中生长的银柴胡，一般生长年限较长，表面常有深浅不等的疤痕，较深者充满细沙，俗称“沙眼”。

3）种子特性。①种子在水分充足的情况下，当温度为 9 ℃时，经 10 天，发芽率为 83%，当温度为 13 ～ 15 ℃时，经 3.5 天，发芽率为 94%。②在满足湿度要求的情况下，在 4 月（平均气温为 10.3 ℃）播种后 15 天左右即可出苗，在 5 月（平均气温为 16.8 ℃）播种后 10 天内即可出苗。③种子的千粒重为 1.06 ～ 1.10 g。

（4）蕴藏量。1987 年，第三次宁夏中药资源普查结果显示，宁夏野生银柴胡的蕴藏量为 32 600 kg。2019 年，第四次宁夏中药资源普查结果显示，宁夏野生银柴胡的蕴藏量为 305 000 kg。第四次中药资源普查中宁夏野生银柴胡的蕴藏量是第三次中药资源普查中宁夏野生银柴胡蕴藏量的 10 倍以上，这说明银柴胡的生态有了明显改善。

（5）资源状况。银柴胡零星分布于荒漠和半荒漠中，产量较少，而人们无节制地采挖，使本来不多的野生银柴胡资源濒临枯竭。20 世纪 90 年代以来，随着银柴胡栽培技术的提高和栽培面积的扩大，银柴胡药材的市场供需矛盾得以缓解，同时，野生银柴胡资源也得到了保护。

栽培资源

（1）栽培历史。20 世纪 70 年代末至 80 年代初，宁夏已零星栽培银柴胡，但由于栽培技术不过关，未能提供人工栽培银柴胡商品药材。为满足市场需求，1984—1991 年，宁夏回族自治区药材公司、宁夏药品检验研究院（原宁夏药品检验所）和沈阳药科大学协作进行了银柴胡的野生变家种研究工作，并获得了成功，提出了一套较为完善的涵盖选地、整地、播种、田间管理、病虫害防治、采收加工等的操作技术体系。由于能够提供一定量的人工栽培银柴胡商品药材，缓解了正品银柴胡的供应紧缺状态。

20 世纪 80 年代，银柴胡野生变家种取得成功后，宁夏人工种植生产得到了迅速发展。

20 世纪 90 年代，在宁夏南部山区的彭阳、原州等地，仍为农户分散种植，未形成规模化生产基地。

2000 年以来，在科学技术的支持和带动下，宁夏的银柴胡种植基地以同心为核心，辐射红寺堡、平罗、盐池、灵武、中宁、彭阳、海原、沙坡头等县（区），形成了百亩以上的连片生产规模。

（2）栽培技术研究。宁夏是银柴胡的道地产区，早期曾有较大面积的野生资源分布，由于过度采挖等原因，野生银柴胡资源濒临枯竭，其生境亦受到严重破坏。为了保障药用需求，宁夏在我国率先开展了银柴胡的人工种植技术研究。宁夏药品检验研究院（原宁夏药品检验所）邢世瑞教授课题组依据野生银柴胡的生长习性，分别在引黄灌区、南部半阴湿山区、干旱荒漠和半干旱荒漠草原区进行了引种实验，通过比较这 3 个不同生态区域的土壤类型，不同有机质含量、土壤含水量（降雨）等条件下的生长状况及产出药材的性状和质量，进行银柴胡栽培适应性比较研究。结果表明，宁夏中部干旱荒漠和半干旱荒漠草原区是人工栽培银柴胡的适宜区域，其栽培药材（3 ~ 4 年）的质量接近于野生品，地下分枝较少，烂根、死苗也较少，有较好的适应性。该研究的内容如下。

1）银柴胡生物学特性的考察。为提供银柴胡栽培技术依据和参考资料，寻找栽培品质量不过关的原因，课题组考察了银柴胡的分布、生态环境及生物学特性，对野生与人工栽培生产环境进行了比较，结果显示，人工栽培银柴胡的生态环境与野生银柴胡分布区的生态环境差异较大。

2）银柴胡药材质量的研究及家种、野生药材质量的比较。①银柴胡的生药学研究及家种、野生银柴胡的比较研究。通过对 1 ~ 4 龄人工栽培品与野生品药材性状、显微特征的比较研究，课题组认为人工栽培银柴胡生长 3 年以上与野生品相近。②银柴胡的化学成分研究及家种、野生银柴胡化学成分的比较研究。野生银柴胡与 1 ~ 5 龄人工栽培品的比较研究结果表明，种植 3 年采挖的银柴胡的主要化学成分及含量与野生品相近。③银柴胡的药理学研究及家种、野生银柴胡药理作用的比较研究。研究结果表明，种植 3 年采挖的银柴胡的解热、抗炎等药理作用与野生品相近。a. 口服急性毒性试验结果表明，栽培、野生银柴胡均无毒。b. 栽培、野生银柴胡的乙醚提取物对以酵母致热大鼠均有显著的解热作用。c. 炭末廓清率试验结果表明，栽培、野生银柴胡的水提取物能显著增强小鼠网状内皮系统（RES）的吞噬功能。d. 栽培、野生银柴胡的水提取物对小鼠小肠蠕动均具有显著的兴奋作用。e. 栽培、野生银柴胡乙醚提取物对二甲苯所致小鼠耳壳肿胀和小鼠角叉菜胶性足肿胀，均有明显的抗炎作用。综上所述，课题组首次提出栽培生长 3 年的银柴胡的药品质量与野生品药材接近。④人工栽培银柴胡最佳采挖年限的确定。根据家种、野生银柴胡的生物学、生药学、化学、药理学的比较研究结果，人工种植银柴胡应生长 3 年以上采挖。生长年限不足是其内在质量达不到要求的主要原因，生态环境改变较大是药材性状发生改变的主要原因。

（3）栽培区域。依据相关研究和调查结果可知，银柴胡的最佳栽培区域为宁夏中部干旱带的沙生草原区，在这个地区栽培银柴胡具有明显优势。近年来，银柴胡的主要栽培基地集中在同心和红寺堡。2019 年，同心银柴胡获得中华人民共和国农业农村部农产品地理标志认定。

（4）栽培面积与产量。据调查及统计，1988 年，宁夏银柴胡的种植和保留面积为 181.7 hm^2，年产量达 10.5 万 kg；20 世纪 90 年代，其种植面积为 4 000 ~ 5 000 亩，年产量达 10 万 ~ 20 万 kg；2013 年，同心、平罗、红寺堡、海原、彭阳等县（区）的银柴胡种植面积为 40 959 亩；截至 2019 年，宁夏银柴胡的种植面积约为 8.6 万亩，其中，同心种植了约 5 万亩。

（5）栽培技术。银柴胡的繁殖方式有种子直播与育苗移栽 2 种。近年来，覆膜

保墒机械化种植技术与育苗移栽技术得到了迅速发展，目前已成为银柴胡生产的主要方式。

1）直播。①选地整地。银柴胡为耐干旱、耐贫瘠的沙生深根系植物，宜选择地势高燥、阳光充足、土层深厚、透水性良好的松沙土或砂壤土种植，黏土地、盐碱地、地下水位高的地方不宜种植。种植区域应远离工矿厂区和城镇，3 km之内应无污染。②播种。宜于4月上旬、中旬开沟条播，当年可收种子。土壤干旱时，可于5月上旬田间灌水后，再行播种，以利全苗。或于8月下旬至9月下旬进行播种。③田间管理。a. 间苗、定苗及中耕除草。当株高7 ~ 8 cm时，按株距4 ~ 5 cm进行间苗。b. 施肥。每年5月至植株封垄前，追施尿素或氮磷钾复合肥1 ~ 2次，每次75 ~ 150 kg/hm^2，施后立即灌水。沙生草原区和山区旱地可参照上述操作。c. 排灌。除结合追肥灌水外，整个生长期不另行灌水，要特别注意田间不可积水。④病害防治。a. 病害种类及发生规律。银柴胡的病害主要有根腐病、霜霉病、白粉病等。根腐病：主要危害根部，发病初期根、茎连接处呈黑褐色病斑，后期根部表皮干裂，裂口呈黑褐色。霜霉病：5 ~ 7月均有发生，主要危害叶片，发病率在5% ~ 10%，严重时叶背面形成灰白色霉层，最终导致叶片发黄枯萎，整株死亡。白粉病：主要危害叶片、嫩茎，发病初期叶片上有零星分布的白色粉末状霉层，严重时整个叶片被白色粉末状霉层所覆盖。b. 防治方法。加强田间管理，保证植株健康生长。

2）移栽。宁夏引黄灌区主要采用直播法；南部山区主要采用第 1 年育苗、第 2 年移栽的方法；在沙生草原区，直播和移栽 2 种方法均可采用。

移栽的选地整地、播种（育苗）、田间管理、病虫害防治、采收加工等，均可参考直播法操作。应注意以下 2 方面内容。①育苗播种量为 37.5 kg/hm^2，产苗 105 万 ~ 150 万株 /hm^2。②移栽栽苗量为 30 000 ~ 60 000 株 /hm^2。

3）种苗的质量要求。种苗应符合以下质量要求：主条长、无（或少）分枝、无损伤或病斑，根头见芽而无地上苗叶等。

| 采收加工 | 野生品于春、夏季植株萌发或秋后茎叶枯萎时采挖，栽培品于种植后第 3 年 9 月中旬或第 4 年 4 月中旬采挖，除去残茎、须根、泥沙，晒干。

| 药材性状 | 本品呈类圆柱形，偶有分枝，长 15 ~ 40 cm，直径 0.5 ~ 2.5 cm。表面浅棕黄色至浅棕色，有扭曲的纵皱纹和支根痕，多具孔穴状或盘状凹陷，习称“沙眼”，从沙眼处折断可见棕色裂隙中有细沙散出。根头部略膨大，有密集、呈疣状突起样的芽苞、茎或根茎的残基，习称“珍珠盘”。质硬而脆，易折断，断面不平坦，较疏松，有裂隙，皮部甚薄，木部有黄白相间的放射状纹理。气微，味甘。栽培品有分枝，下部多扭曲，直径 0.6 ~ 1.2 cm。表面浅棕黄色或浅黄棕色，纵皱纹细腻、明显，细支根痕多呈点状凹陷。几无沙眼。根头部有多数疣状突起。折断面质地较紧密，几无裂隙，略显粉性，木部放射状纹理不甚明显。味微甜。

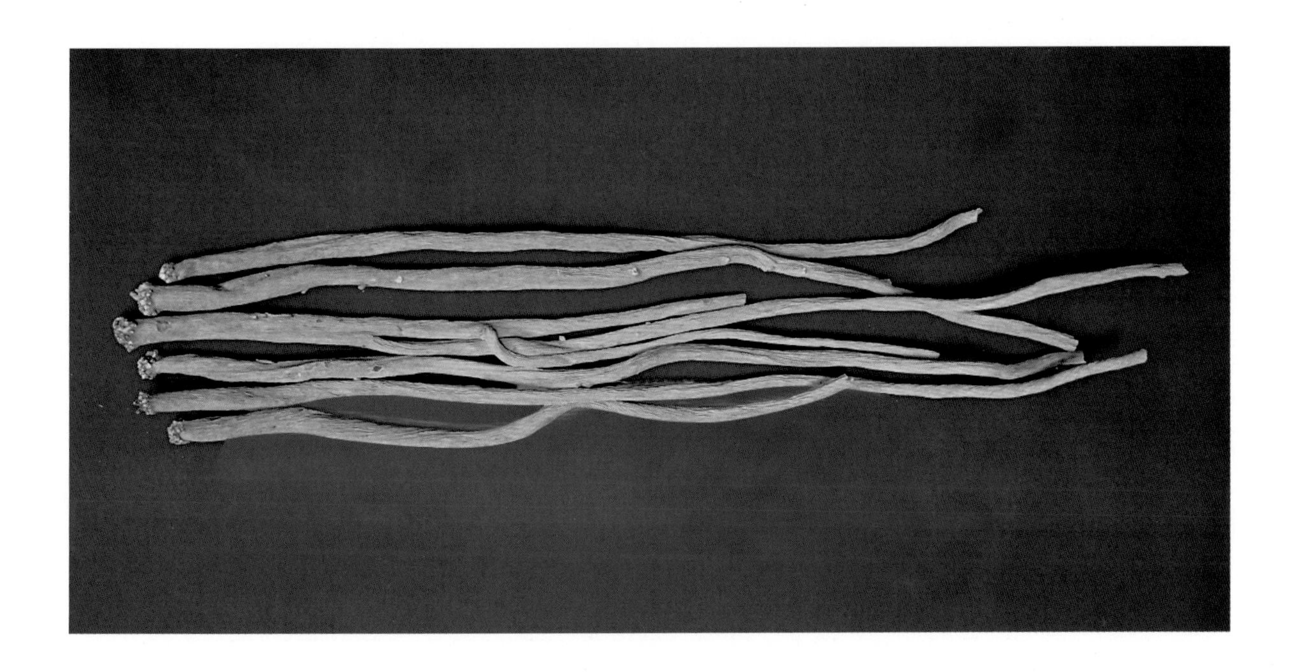

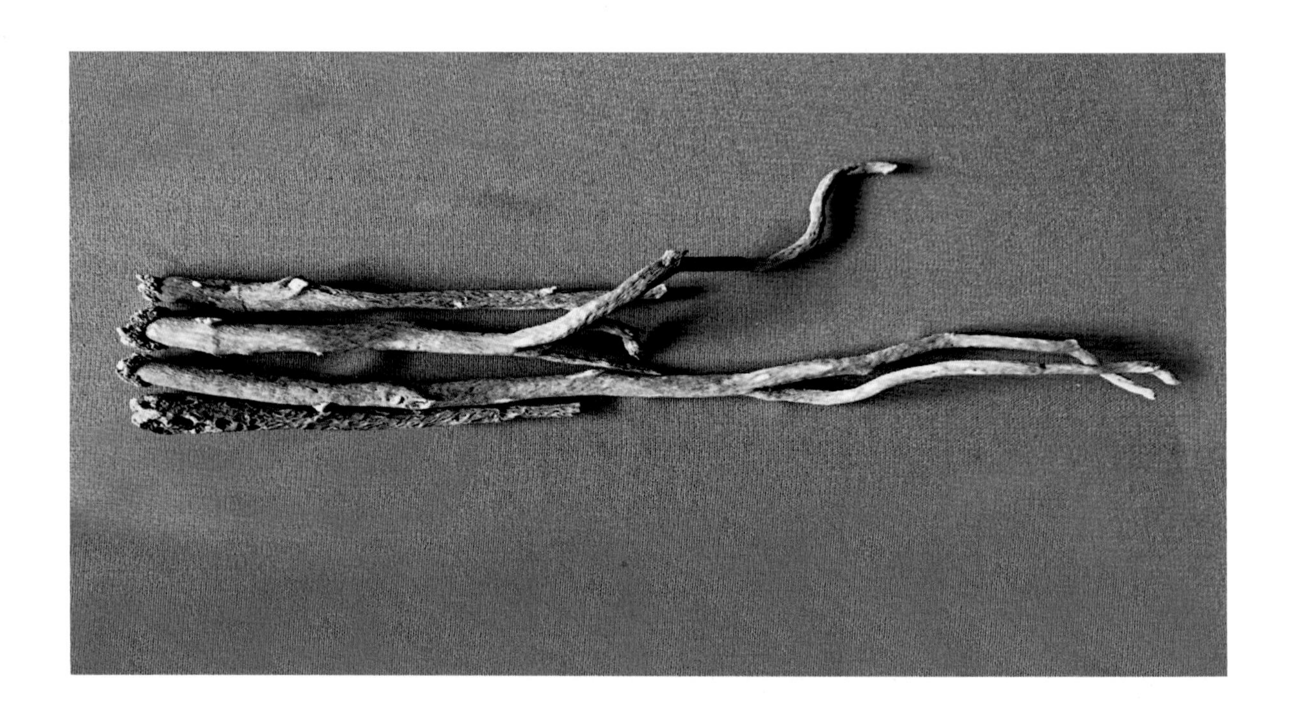

品质评价

以根条长而均匀、表面淡黄棕色、质硬而脆、断面黄白色、根头部无黑心者为佳。采用紫外－可见分光光度法进行测定，在 270 nm 波长处有最大吸收。采用醇溶性浸出物冷浸法进行测定，本品中甲醇浸出物含量不得少于 20%。银柴胡品质评价沿革见表银柴胡－1。

表银柴胡－1　银柴胡品质评价沿革

年代	出处	品质评价
明	《本草纲目》	所产柴胡，长尺余而微白且软，不易得也
	《本草原始》	今以银夏者为佳，根长尺余，色白而软，俗呼银柴胡
清	《本经逢原》	甘微寒，无毒。银州者良。今延安府五原城所产者，长尺余，肥白而软
	《本草纲目拾遗》	银柴胡，银州者良，今延安府、五原城所产者，长尺余，肥白而软，翁有良云：银柴胡，产银州者佳，今银柴胡粗细不等，大如拇指，长数尺，形不类鼠尾，又不似前胡
民国	《增订伪药条辨》	银柴胡，陕西宁夏府甘肃州及山西大同府皆产。选肥大坚实、色白软糯、无沙心者为佳。伪者尚无
现代	《中华人民共和国药典》（1963 年版及 1977 年版）一部	以条长均匀、圆柱形、外皮淡黄棕色、断面黄白色者为佳
	《中华药海》	以条长、外皮淡黄棕色、断面黄白色、产于宁夏银川者为佳
	《500 味常用中药材的经验鉴别》	银柴胡商品以根条粗长均匀，表面淡黄棕色，皮紧纹细，断面色粉白质柔，根顶珍珠盘明显为佳。商品来源以野生品为优，野生品中，又以生长于砂质土为佳，生长于壤土者较次
	《金世元中药材传统鉴别经验》	以根长均匀、外皮淡黄色、断面黄白色者为佳
	《中药材商品规格等级标准汇编》第二辑	古籍对银柴胡主要是从产地来说明其品质，以陕西、宁夏、内蒙古交界处及部分甘肃地区出产的银柴胡品质为佳

现代文献除了依据产地对银柴胡进行品质评价，还依据根的粗细、断面颜色、珍珠盘等性状对银柴胡进行等级划分，以根粗壮、断面色粉白质柔、根顶“珍珠盘”明显者为佳，这为制定银柴胡商品规格等级标准提供了依据。

| 化学成分 | 银柴胡的主要成分有甾醇类、环肽类、生物碱类、酚酸类。

（1）甾醇类。银柴胡中含有 *α*- 菠甾醇、豆甾 -7- 烯醇、*α*- 菠甾醇葡萄糖苷、豆甾 -7- 烯醇葡萄糖苷、豆甾醇、*β*- 谷甾醇、棕榈酸豆甾 -7- 烯醇酯、棕榈酸 *α*- 菠甾醇酯和麦角 -7- 烯醇葡萄糖苷。

（2）环肽类。银柴胡中含有 dichotomins A ～ K、银柴胡环肽。

（3）生物碱类。银柴胡中含有 *β*- 咔啉类生物碱 dichotomides Ⅰ、dichotomides Ⅱ和 *β*- 咔啉生物碱苷 glucodichotomine B 等。

（4）酚酸类。银柴胡中含有香草酸、3，4- 二甲氧基苯丙烯酸、二氢阿魏酸等。

| 药理作用 | （1）解热作用。银柴胡的乙醚提取物具有明显的解热作用。

（2）抗炎作用。银柴胡的乙醚提取物有明显抑制角叉菜胶诱发的小鼠踝关节肿胀的作用，β - 咔啉类生物碱也具有一定的抗炎活性。

（3）抗过敏作用。银柴胡乙醇提取物在小鼠被动皮肤过敏反应（PCA）中显示出抗过敏作用，并能抑制 RBL-2H3 细胞 β - 已糖胺酶的释放。

（4）扩张血管作用。银柴胡中的环肽类成分 dichotomins J、dichotomins K 能抑制由去甲肾上腺素诱导的鼠动脉血管收缩，说明银柴胡具有舒张鼠动脉血管的作用。

（5）抗肿瘤作用。银柴胡中的多肽类成分 dichotomins A、dichotomins H、dichotomins I、dichotomins J、dichotomins K 对 P-388 细胞的生长有不同程度的抑制作用，表现出体外抗肿瘤活性。

（6）其他。银柴胡挥发油中的糠醇有抗菌作用。

| 功能主治 | 甘，微寒。归肝、胃经。清虚热，除疳热。用于阴虚发热，骨蒸劳热，小儿疳热。

| 用法用量 | 内服煎汤，3 ～ 10 g。

| 市场信息 | （1）商品规格。根据市场流通情况，将银柴胡药材分为选货和统货 2 个规格，选货根据药材颜色、直径等划分为 2 个等级（表银柴胡 -2）。

表银柴胡 -2 银柴胡商品规格等级划分

<table>
<tr><th rowspan="2">规格</th><th rowspan="2">等级</th><th colspan="2">性状描述</th></tr>
<tr><th>共同点</th><th>区别点</th></tr>
<tr><td rowspan="2">选货</td><td>一等</td><td rowspan="3">呈类圆柱形，偶有分枝。纵皱纹细腻、明显，细支根痕多呈点状凹陷，几无沙眼。根头部有多数疣状突起。折断面质地较紧密，几无裂隙，略呈粉性，木部放射状纹理不甚明显。气微，味微甘</td><td>表面浅棕黄色，条形顺直，直径 > 0.8 cm，杂质≤ 0.5%</td></tr>
<tr><td>二等</td><td>表面浅棕黄色至浅棕色，条形较顺，直径 0.6 ~ 0.8 cm，杂质≤ 1%</td></tr>
<tr><td>统货</td><td>—</td><td>表面浅棕黄色至浅棕色，不分条形，直径 0.5 ~ 2.5 cm，杂质不得过 3%</td></tr>
</table>

（2）价格信息。从 1999—2017 年全国中药材市场银柴胡的价格变化来看，2005 年，银柴胡统货价格最低，仅 6.5 元 /kg；2012 年，银柴胡价格较高，统货达 90 元 /kg，其最高价格是最低价格的 13.85 倍；2016—2017 年，银柴胡统货价格约为 28 元 /kg。

（3）收购量、年销量。据统计，银柴胡的产量与需求量均逐年增加，1978 年，全国年产银柴胡 400 t 以上，年销售银柴胡约 350 t，可维持供需平衡。1983 年，全国银柴胡的产量锐减至 137.7 t，而其年销量达 364 t，已难以维持产销平衡。1983 年银柴胡的销量为 1957 年销量的 5.08 倍，产量为 1957 年的 3.34 倍。1957—1983 年银柴胡产量与销量见表银柴胡 -3。目前，全国银柴胡的需求量达 700 ~ 1 000 t。市场供应银柴胡已由以野生药材为主，发展成以栽培药材为主。

表银柴胡 -3 1957—1983 年银柴胡（含山银柴胡）产量与销量

年份	产量 /kg	销量 /kg
1957	41 242	71 691
1960	138 034	110 049
1965	194 301	138 364
1970	314 436	353 973
1978	408 840	352 788
1983	137 714	364 134

（4）易混（伪）品等。据第三次全国中药资源普查统计，1970—1985 年间全国正品银柴胡的供应量不足需求量的 10%。各地（包括宁夏）将同科植物灯心蚤缀 *Arenaria juncea* Bieb.、旱麦瓶草 *Silene jenisseensis* Willd.、苍蝇花 *Silene fortunei* Vis.、窄叶丝石竹 *Gypsophila licentiana* Hand.-Mazz.、丝石竹 *Gypsophila oldhamiana* Miq. 等称作“山银柴胡”，这些植物代银柴胡药用而出现在市场上。

1）灯心蚤缀 *Arenaria juncea* Bieb.。别名：山银柴胡、小无心菜。根头部残留多数长 2 ~ 3 cm、直立的细圆柱状根茎；根圆锥形，长 10 ~ 20 cm，直径 1.5 ~ 4 cm，表面灰棕色，上部有多数密集的细环纹；质松脆，断面皮部白色，木部黄色，多裂隙。味略苦、辛。横切面观，韧皮部和木射线薄壁细胞含较多的草酸钙簇晶及少量砂晶。

2）旱麦瓶草 *Silene jenisseensis* Willd.。别名：黄柴胡、铁柴胡。分布于河北、内蒙古、山东、山西等地。根头先端有少数细小疣状突起；根细圆柱形，长通常为 5 ~ 10 cm，直径 0.5 ~ 2 cm，表面略具纵纹，黄色或黄棕色；质较脆。味微辛。横切面观，韧皮部及木射线细胞均含较多的草酸钙簇晶。

3）苍蝇花 *Silene fortunei* Vis.。别名：蝇子草、野蚊子草。根头部有的削平，有的残留茎枝；根圆锥形，长 10 ~ 20 cm，直径 1 ~ 2 cm，平直或扭曲，表面具纵皱纹，纵皱纹上可见横向线形突起。质坚硬，折断面坚实致密；味略甘。横切面观，韧皮部和木射线细胞中有稀疏、散在的簇晶；木部导管不规则散在，有木纤维群。纵切面观，纤维末端狭尖或呈叉状。

4）窄叶丝石竹 *Gypsophila licentiana* Hand.-Mazz.。别名：黑皮银柴胡、石柱花根。根细圆柱形，长 4 ~ 6 cm，直径 0.5 ~ 1 cm，表面深棕色至灰棕色，粗糙，具多数横向的皮孔样突起，栓皮较厚而易剥离，质较坚硬，折断面可见异型维管束；味苦、涩。横切面观，中柱具异型构造，有 1 ~ 2 轮外韧维管束，束间薄壁细胞含大量草酸钙簇晶。

5）丝石竹 *Gypsophila oldhamiana* Miq.。别名：霞草。根圆柱形或圆锥形，长 10 ~ 15 cm，直径 2 ~ 5 cm，市售品多已除去棕色外皮，但纵皱纹的凹陷处有残余而形成棕白相间的纹理。质坚硬，不易折断，断面可见异型维管束 2 ~ 3 轮；有强的苦涩味。

此外，据文献报道，个别地区尚用兴安丝石竹 *Gypsophila dahurica* Turcz.、锥花丝石竹 *Gypsophila paniculata* L. 及石栏菜 *Gypsophila acutifolia* Fisch. 的根入药。据报道，采用光谱法可以区分繁缕属 *Stellaria*、蚤缀属 *Arenaria*、蝇子草属 *Silene* 和丝石竹属 *Gypsophila* 4 属中的一些药材，各属植物根的紫外和红外光谱有一定差异。

| 资源利用 | 银柴胡为我国传统常用中药，至今已有近 400 年的药用历史，被收载于历版《中华人民共和国药典》中。银柴胡除被加工成饮片与中药配方颗粒用于临床外，还是参茸鹿胎丸、乌鸡白凤胶囊、乌鸡白凤口服液、女宝胶囊、小儿珍珠镇惊丸等药品的重要原料。银柴胡产品的开发，促进了银柴胡产业的发展。

| 附　　注 | （1）银柴胡产地沿革。银柴胡产地沿革见表银柴胡 -4。

表银柴胡 –4 银柴胡产地沿革

年代	出处	产地
南北朝	《雷公炮炙论》	柴胡出平州平县，即今银州银县也，凡采得银州柴胡用银刀削去赤皮少许
宋	《本草图经》	柴胡……以银州者为胜
	《本草别说》	柴胡……唯银夏者最良
明	《本草蒙筌》	柴胡……银夏出者独胜
	《本草纲目》	银州即今延安府神木县，五原城是其废迹，所产柴胡，长尺余而微白且软，不易得也
	《本草原始》	今以银夏者为佳，根长尺余，色白而软，俗呼银柴胡
清	《本草汇》	柴胡产银夏者，色微白而软。为银柴胡
	《本经逢原》	甘微寒，无毒。银州者良。今延安府、五原城所产者，长尺余，肥白而软
现代	《中华人民共和国药典》（1963 年版）一部	均系野生，主产于宁夏、内蒙古、陕西等地
	《中国药材学》	主产于宁夏、陕西、内蒙古
	《中华本草》	分布陕西、甘肃、内蒙古、宁夏等地
	《中国植物志》	产内蒙古、辽宁（赤峰）①、陕西、甘肃、宁夏
	《新编中药志》（第一卷）	银柴胡主产宁夏、甘肃及内蒙古。销全国各地并有出口
	《宁夏中药志》	银柴胡有 400 年药用历史，古今一致认为宁夏产为佳
	《当代药用植物典》（第二册）	银柴胡药用之名，始见于《本草纲目》柴胡项下。明清两代本草多有著录。主产于中国宁夏，甘肃及内蒙古也产
	《500 味常用中药材的经验鉴别》	主要分布于内蒙古和宁夏，此外西北、华北、东北诸省亦有分布。主产于宁夏陶乐、盐池、灵武、同心、中卫；内蒙古阿巴嘎旗、鄂托克前旗、苏尼特左旗、乌审旗；河北平山、隆化、阜平、邢台、抚宁及青海门源、民和、乐都等县

（2）银柴胡及山银柴胡 6 种植物、药材检索表。目前，虽然银柴胡商品药材可满足市场需求，但市场中仍存在以山银柴胡充当银柴胡的现象，各种山银柴胡药材的原植物与正品银柴胡为同科不同种植物，其生态环境、植物形态、药材性状等与正品银柴胡有显著差别，其区别见以下 2 个检索表。

6 种植物检索表：

1. 萼片离生，花瓣无爪，花柱 3。

  2. 叶片披针形，花单生于叶腋，花萼大于花冠，花瓣先端 2 深裂………………………………………………银柴胡 *Stellaria dichotoma* L. var. *lanceolata* Bge.

  2. 叶片窄线形，顶生聚伞花序，花萼小于花冠，花瓣先端微凹，近全缘……………………………………………………………灯心蚤缀 *Arenaria juncea* Bieb.

① 辽宁（赤峰）为《中国植物志》（1996）中的表述，赤峰曾隶属于辽宁，现隶属于内蒙古。

1. 萼片合生，花瓣具爪或无爪，花柱 3 或 2。
   3. 萼脉 10，花瓣具长爪，喉部有舌片 2，圆锥聚伞花序，花柱 3。
      4. 叶片狭长圆形至披针形，花瓣多叉状细裂……苍蝇花 *Silene fortunei* Vis.
      4. 叶片线状披针形，花瓣 2 裂……………旱麦瓶草 *Silene jenisseensis* Willd.
   3. 萼脉 5，脉间膜质，花瓣无爪，伞房状复伞花序，花柱 2。
      5. 叶片宽披针形，长 4 ~ 5 cm，宽 1 ~ 3 mm……………………………………………………………………窄叶丝石竹 *Gypsophila licentiana* Hand.-Mazz.
      5. 叶片宽披针形，长 4 ~ 6 cm，宽 5 ~ 8 mm……………………………………………………………………丝石竹 *Gypsophila oldhamiana* Miq.

6 种药材检索表：

1. 横断面无异型维管束。
   2. 薄壁细胞含大量砂晶，味略甜……………………………………………银柴胡
   2. 薄壁细胞含大量草酸钙簇晶，味淡或涩。
      3. 质坚硬，味微甜而后涩，木部可见木纤维…………………………苍蝇花
      3. 质较松脆，味淡而不涩，木部无木纤维。
         4. 根圆锥形，直径 1.5 ~ 2 cm，表面灰褐色，多细环纹，根头部尤甚………………………………………………………………………灯心蚤缀
         4. 根圆柱形，直径 0.5 ~ 1 cm，表面黄色，具纵纹……………旱麦瓶草
1. 横断面有异型维管束。
   5. 有黑褐色或棕褐色外皮，表面粗糙多疙瘩，并具纵纹，根细，直径 0.5 ~ 1 cm，味苦、涩…………………………………………………………………窄叶丝石竹
   5. 已除去外皮，但纵皱纹的凹陷处有残余而形成棕白相间的纹理，根粗，直径 2 ~ 4 cm，味颇苦、涩……………………………………………丝石竹

参考文献

[1] 中国科学院中国植物志编辑委员会. 中国植物志：第六十九卷 [M]. 北京：科学出版社，1990：83-89.

[2] 国家药典委员会. 中华人民共和国药典：一部 [M]. 北京：中国医药科技出版社，2020：330.

[3] 邢世瑞. 宁夏中药志：上卷 [M]. 2 版. 银川：宁夏人民出版社，2006：84-96.

[4] 李时珍. 本草纲目 [M]. 北京：人民卫生出版社，1978：68.

[5] 李中立. 本草原始 [M] 北京：人民卫生出版社，2007：49.

[6] 缪希雍. 神农本草经疏 [M]. 上海：上海人民出版社，2005：367-368.

[7] 张璐. 本经逢原 [M]. 上海：上海科学技术出版社，1959：44.

[8] 赵学敏. 本草纲目拾遗 [M]. 北京：中国中医药出版社，1998：77.

[9] 邢世瑞. 银柴胡栽培技术及质量研究 [M]. 银川：宁夏人民出版社，1991：72.

[10] 赵云生，彭励. 银柴胡生产加工适宜技术 [M]. 北京：中国医药科技出版社，2018：6-35.

[11] 刘明生，陈英杰，王英华，等. 银柴胡挥发油的研究 [J]. 沈阳药学院学报，1995，8（2）：134-136.

[12] 李旻辉，黄璐琦，郭兰萍，等. 中药材商品规格等级 银柴胡：T/CACM 1021.142—2018 [S]. 北京：中华中医药学会，2018.

[13] 李旻辉，黄璐琦，郭兰萍，等. 道地药材 第 61 部分：银柴胡：T/CACM 1020.61—2019 [S]. 北京：中华中医药学会，2019.

[14] 黄璐琦，姚霞. 新编中国药材学：第二卷 [M]. 北京：中国医药科技出版社，2020：299-302.

[15] 赵中振，肖培根. 当代药用植物典：第二册 [M]. 上海：上海世界图书出版公司，2007：450-452.

[16] 肖培根. 新编中药志：第一卷 [M]. 北京：化学工业出版社，2002：915-922.

[17]《全国中草药汇编》编写组. 全国中草药汇编：上册 [M]. 2 版. 北京：人民卫生出版社，1996：802.

[18] 韩健，蔡少青，李军，等. 银柴胡类生药的光谱鉴定研究 [J]. 中国中药杂志，1999，24（8）：454-466.

[19] 王英华，邢世瑞，刘明生，等. 栽培银柴胡化学成分的研究 [J]. 沈阳药学院学报，1991，8（4）：269-271.

[20] 刘明生，陈英杰，王英华，等. 银柴胡环肽类研究 [J]. 药学学报，1992，27（9）：667-669.

[21] 王英华，邢世瑞，孙厚英. 引种与野生银柴胡化学成分比较研究 [J]. 中国药学杂志，1991，26（5）：266-269.

[22] 孙博航，吉川雅之，陈英杰，等. 银柴胡的化学成分 [J]. 沈阳药科大学学报，2006，23（2）：84-87.

[23] 刘明生，陈英杰，王英华，等. 野生银柴胡甾醇类成分研究 [J]. 沈阳药学院学报，1993，10（2）：134-135.

[24] H MORITA，T KAYASHITA，A SHISHIDO，et al. Cyclic peptides from higher plants. 26. Dichotomins A-E，new cyclic peptides from *Stellaria dichotoma* L. var. *lanceolata* Bge[J]. Tetrahedron，1996，52（4）：1165-1176.

[25] H MORITA，A SHISHIDO，T KAYASHITA，et al. Cyclic peptides from higher plants. 39. Dichotomins F and G，cyclic peptides from *Stellaria dichotoma* var. *lanceolata*[J]. Journal of Natural Products，1997，60（4）：404-407.

[26] H MORITA，K TAKEYA，H ITOKAWA. Cyclic octapeptides from *Stellaria dichotoma* var. *lanceolata* [J]. Phytochemistry，1997，45（4）：841-845.

[27] SUN B，MORIKAWA T，MATSUDA H，et al. Structures of new beta-carboline-type alkaloids with antiallergic effects from *Stellaria dichotoma*[J]. J Natural Products，2004，67（9）：1464-1469.

[28] LI-HUA CAO，WEI ZHANG，JIAN-GUANG LUO，et al. Five New beta-Carboline-Type Alkaloids from *Stellaria dichotoma* var. *lanceolata*[J]. Helvetica Chimica Acta，2012，95（6）：132-136.

撰稿人：王英华　马　玲　刘王锁

伞形科 Apiaceae 茴香属 *Foeniculum* 凭证标本号 640522140819003ZPLY

茴香 *Foeniculum vulgare* Mill.

| 药 材 名 | 小茴香(药用部位:果实。别名:茴香、蘹香、茴香子)、茴香茎叶(药用部位:茎叶。别名:茴香菜、草蘹香、香丝菜)、茴香根(药用部位:根)。

| 本草综述 | 茴香,原名蘹香,入药始见于《药性论》(《中华本草》小茴香“品种考证”项下有记载)。《新修本草》以蘹香子为正名,将其列入草部,云:“叶似老胡荽,极细,茎粗,高五六尺,丛生。”《本草图经》云:“七月生花,头如伞盖,黄色。结实如麦而小,青色。”《本草蒙筌》云:“小茴香,家园栽种,类蛇床子,色褐轻虚。”《本草纲目》将其列入菜部,并云:“茴香宿根,深冬生苗作丛,肥茎丝叶。五六月开花,如蛇床花而色黄。结子大如麦粒,轻而有细棱,俗呼为大茴香,今惟以宁夏出者第一。其他处小者,谓之小茴香。”现今宁夏海原县大量种植茴香,茴香药食两用。

茴香

| 形态特征 | 多年生草本。全株无毛，高 0.4 ~ 2 m，具强烈香气。茎直立，具细纵棱，深绿色，上部分枝开展。基生叶丛生，具长柄，基部具抱茎的叶鞘，边缘膜质；叶片卵状三角形，3 ~ 5 回羽状全裂，最终裂片丝状，长 0.4 ~ 4 cm，宽约 0.5 mm，先端锐尖；茎生叶渐小并简化，叶柄全部或部分成叶鞘。复伞形花序，顶生或侧生，直径 3 ~ 15 cm，伞幅 7 ~ 30，长 1 ~ 6 cm，具细纵棱；无总苞片与小总苞片；小伞形花序直径 6 ~ 12 mm，具花 10 ~ 25，花梗长 1 ~ 4 mm；无萼齿，花瓣黄色，倒卵形，长约 1 mm，先端内折；雄蕊 5；雌蕊 1，子房下位。双悬果椭圆形，侧扁，长 4 ~ 8 mm，宽 2 ~ 3 mm，分果有 5 隆起的纵棱，每棱槽下有油管 1，合生面有油管 2。花期 6 ~ 7 月，果期 8 ~ 9 月。

| 栽培资源 | （1）栽培历史。我国茴香的栽培历史已有 1 000 多年，茴香喜湿润凉爽气候，耐严寒，忌水浸，以地势高燥向阳、土层深厚、透水性良好的松砂土或砂壤土为宜，不宜选择黏土地、盐碱地种植。

（2）栽培区域。茴香主产于宁夏海原县西安镇及其周边地区。宁夏海原县西安镇、甘肃民勤县是小茴香的道地产区，也是当前较大的小茴香主产区。全国各地均有栽培。

（3）栽培面积与产量。相关调查数据显示，宁夏海原县茴香的栽培面积最大时达近 10 万亩，但随着移民搬迁和种植户改种其他农作物，茴香的栽培面积有减少趋势，近年来茴香的栽培面积保持在 3.1 万亩左右，亩产 200 ~ 260 kg，总产量可达 7 500 t 左右，价格为 10 ~ 13 元 /kg。海原县茴香栽培区呈现出以西安镇为主，并向树台、关桥、史店、曹洼等乡镇辐射的特点。

（4）栽培技术。

1）生物学特性。茴香喜湿润凉爽气候，耐盐，适应性强，对土壤要求不严，但以地势平坦、肥沃疏松、排水良好的砂壤土和轻碱性黑土为宜，前茬以玉米、高粱及豆类等农作物改善土质，防止连作障碍及病虫害的发生。

2）繁殖方法。茴香的繁殖方法有种子繁殖和母根繁殖 2 种。宁夏产区茴香主要采用种子繁殖，以春播为主。其种子繁殖方法如下。①种子处理。在播种前要进行风选筛选，选择籽粒饱满、无病害及虫蛀、无霉烂变质、色泽灰黄、新鲜的良种。②播种时间。多在 4 月中下旬至 5 月上旬播种，最好在小麦播种完毕、大田作物播种之前进行茴香的播种。③播种方法。条播，按行距 25 cm 开沟，沟深 5 ～ 7 cm；亦可穴播，按行距 30 cm、株距 30 cm 开穴。将种子拌细土后均匀地散入沟或穴中，覆土 1.5 ～ 2.5 cm，稍镇压。每公顷用种量为 15 ～ 30 kg。10 ～ 15 天出苗。

3）田间管理。苗高 10 ～ 12 cm 时间苗，每穴留苗 2 株；苗高 20 ～ 23 cm 时，每穴留苗 1 株。生长初期中耕宜浅，以施氮肥为主；开花前期增施磷、钾肥，促进开花结实。天旱时要适时灌溉。

4）病虫害防治。茴香的病害有灰斑病，可于播种前将种子用 50 ℃水浸泡 3 ～ 5 分钟，晾干后播种。茴香的虫害有黄翅茴香螟、黄凤蝶，它们可危害果实，可用 Bt 生物杀虫剂防治其幼虫，有效率可达 87% ～ 99%。

｜采收加工｜ 小茴香：秋季果实初熟时采割植株，晒干，打下果实，除去杂质。

茴香茎叶：春、夏季割取地上部分，晒干或鲜用。

茴香根：7 月采挖，除去茎叶，留根，洗净，鲜用或晒干。

｜药材性状｜ 小茴香：本品双悬果呈圆柱形，有的稍弯曲，长 4 ～ 8 mm，直径 1.5 ～ 2.5 mm。表面黄绿色，两端略尖，先端残留有黄棕色凸起的柱基，基部有时有细小的果柄。分果呈长椭圆形，背面有纵棱 5，结合面平坦而较宽。横切面略呈五边形，背面 4 边约等长。有特异香气，味微甜、辛。

｜品质评价｜ 以粒大饱满、色绿、气味浓、无杂质者为佳。2020 年版《中华人民共和国药典》规定，杂质不得过 4%，总灰分不得过 10.0%，挥发油含量不得少于 1.5%（ml/g），

反式茴香脑不得少于 1.4%。

| 化学成分 | 小茴香的主要成分为挥发油类、香豆素类、脂肪油类、植物甾醇类、单萜糖苷类等。其中，挥发油类是其特征性成分和有效成分。

（1）挥发油类。小茴香果实挥发油是抑制黄曲霉素的有效成分。挥发油类含量为 3% ~ 6%，主要为反式茴香脑（占 65% ~ 78%），此外还有柠檬烯、葑酮、D-小茴香酮、草蒿脑、茴香醛、α- 蒎烯、α- 水芹烯、桉叶油醇、桧烯、萜品烯、樟脑、香芹酮等。

（2）香豆素类。小茴香的香豆素类成分有伞形花内酯、花椒毒素、欧前胡内酯、香柑内酯、印度枸橘素。

（3）脂肪油类。小茴香的脂肪油类成分主要为十八烯 -10- 酸（含量为 38%）、花生酸（含量为 31.3%）、棕榈酸（含量为 21.2%）、肉豆蔻酸（含量为 2.2%）。

（4）植物甾醇类。小茴香的植物甾醇类成分有植物甾醇基 -B- 呋喃果糖苷、Δ^7- 豆甾烯醇、豆甾醇、谷甾醇及菜油甾醇等。

（5）单萜糖苷类。小茴香的单萜糖苷类成分有 foeiniculosides Ⅰ、foeiniculosides Ⅱ、foeiniculosides Ⅲ、foeiniculosides Ⅳ、foeiniculosides Ⅴ、foeiniculosides Ⅵ、foeiniculosides Ⅶ、foeiniculosides Ⅷ、foeiniculosides Ⅸ，2- 羟基 -1,8- 桉叶素 β-D- 吡喃葡萄糖苷等十几种 1,8- 桉叶素糖苷类，顺 - 对蓋烷 -1,7,8- 三醇等 7 种蓋烷三醇糖苷类，无刺枣苄苷 Ⅰ，丁香苷，icoriside A_4，苏 - 茴香脑甘醇，赤 - 茴香脑甘醇。

| 药理作用 | （1）对消化系统的作用。小茴香可显著促进离体兔肠收缩活动。小茴香丙酮浸出物对鹌鹑离体直肠有兴奋作用，其有效成分是茴香脑。

（2）抗溃疡作用。小茴香经灌胃或十二指肠给药能抑制应激性胃溃疡，显著抑制胃酸的分泌。

（3）抑菌作用。小茴香挥发油可抑制大肠埃希菌、金黄色葡萄球菌、枯草芽孢杆菌、变形杆菌的生长。

（4）保肝、抗肝纤维化。小茴香挥发油对四氯化碳引起的小鼠肝损伤具有保护作用，可拮抗醛固酮受体，抑制肝星状细胞的活化和增殖，减少胶原纤维的生成。

（5）其他作用。小茴香还具有镇痛、抗炎、降血脂、降血糖、抗氧化、抗病毒、抗肿瘤、调节雌激素水平等作用。

| 功能主治 | 小茴香：辛，温。归肝、肾、脾、胃经。散寒止痛，理气和胃。用于寒疝腹痛，睾丸偏坠，痛经，少腹冷痛，脘腹胀痛，食少吐泻。盐小茴香：暖肾散寒止痛。

用于寒疝腹痛，睾丸偏坠，经寒腹痛。

茴香茎叶：甘、辛，温。理气和胃，散寒止痛。用于恶心呕吐，疝气，腰痛，痈肿。

茴香根：辛、甘，温。温肾和中，行气止痛，杀虫。用于寒疝，耳鸣，胃寒呕逆，腹痛，风寒湿痹，鼻疳，蛔虫病。

| 用法用量 | 小茴香：内服煎汤，3 ~ 6 g。

茴香茎叶：内服煎汤，10 ~ 15 g；或捣汁；或浸酒。外用适量，捣敷。

茴香根：内服煎汤，9 ~ 15 g，鲜品加倍；或鲜品捣汁；或浸酒。外用适量，捣敷；或煎汤洗。

| 市场信息 | （1）商品规格。小茴香药材的商品规格均为统货。

（2）价格信息。其平均市场价格为 10 ~ 14 元 /kg。

（3）收购量为 200 ~ 260 kg/ 亩，年收购量约为 250 万 kg。

（4）易混（伪）品等。具体内容见“附注”。

| 附　　注 | （1）茴香属 *Foeniculum* 植物全世界约有 4 种，分布于欧洲、美洲及亚洲西部。茴香属植物在中国有 1 种，其果实供药用，亦可作调味品，其茎叶可作为蔬菜食用。

（2）小茴香的道地产区为内蒙古托克托县、甘肃民勤县、宁夏海原县及山西太原。

（3）小茴香常见的混伪品有伞形科植物莳萝 *Anethum graveolens* L.、孜然芹 *Cuminum cyminum* L.、藏茴香 *Carum carvi* L. 的果实，分别称为“洋茴香”“孜然”及“葛缕子”，三者在性状及显微特征方面与小茴香有着明显差异。其性状特征如下。

1）外形。小茴香呈圆柱形；洋茴香呈椭圆形；孜然外形与小茴香相似，但较纵直，不弯曲；葛缕子呈细圆柱形。

2）表面。小茴香表面黄绿色或淡黄色；洋茴香表面棕黄色至棕灰褐色；孜然表面疏被绒毛；葛缕子表面棕褐色或棕色。

3）分果。小茴香分果呈长椭圆形，背面有纵棱 5，接合面平坦且宽；洋茴香分果呈扁平椭圆形，背面有 3 微凸起的棱，两侧肋线扩展成翅状，腹面中央有棱线 1；孜然分果不易分离或上部分离，背面在放大镜下可见 3 较明显的棱，接合面中央有 1 浅纹；葛缕子分果呈长椭圆形，背面有 5 棱线，色浅，接合面平坦且有浅沟纹。

参考文献

[1] 邢世瑞．宁夏中药志：下卷 [M]．银川：宁夏人民出版社，2006：92-95.
[2] 阴健．中药现代研究与临床应用 [M]．北京：中医古籍出版社，1997.
[3] 聂凌云，吴玫涵．小茴香的质量分析研究进展 [J]．解放军药学学报，2001，17（4）：198-200.
[4] 赵淑平．小茴香挥发油的成分 [J]．植物学报，1991，33（1）：82-84.
[5] 孙景琦，冯秀华，孙墨溪，等．小茴香果实挥发油化学成分的研究 [J]．内蒙古农牧学院学报，1993，14（1）：45-48.
[6] 吴玫涵，聂凌云，刘云，等．气相色谱—质谱法分析不同产地的小茴香药材挥发油成分 [J]．药物分析杂志，2001，21（6）：415-418.
[7] 刘密新，汪伟．小茴香挥发油的成分分析 [J]．中草药，1997，28（1）：14.
[8] 冯秀华，常英杰，李蜀眉，等．小茴香果实营养价值的研究 [J]．内蒙古农牧学院学报，1994，15（2）：39-42.
[9] 陈利国．小茴香的药理作用 [J]．中草药，1989，20（7）：41-42.
[10] 国家中医药管理局《中华本草》编委会．中华本草：第 5 册 [M]．上海：上海科学技术出版社，1999：950-954.
[11] 赵中振，肖培根．当代药用植物典：第一册 [M]．北京：世界图书出版公司，2007：380-383.
[12] 肖培根．新编中药志：第二卷 [M]．北京：化学工业出版社，2002：75-78.
[13] 南京中医药大学．中药大辞典 [M]．上海：上海科学技术出版社，2006：347-349.
[14] 黄璐琦，姚霞．新编中国药材学：第二卷 [M]．北京：中国医药科技出版社，2020：32-35.
[15] 彭成．中国道地药材 [M]．北京：中国中医药出版社，2011：4031.
[16] 吴震，蔡皓，秦昆明，等．气相色谱 - 质谱分析小茴香中挥发油成分 [J]．医药导报，2015（z1）：79-80.
[17] 王婷，苗明三，苗艳艳．小茴香的化学、药理及临床应用 [J]．中医学报，2015，30（6）：856-858.
[18] MA XIAO-DONG，MAO WEN-WEN，ZHOU PING，et al. Distinguishing Foeniculum vulgare fruit from two adulterants by combiwl microscopy and GC-MS analysis[J]．Microscopy Research and Technique，2015（78）：633-641.

撰稿人：余建强　王　勇

豆科 Fabaceae 黄芪属 *Astragalus* 凭证标本号 640423140807007LY

蒙古黄芪 *Astragalus mongholicus* Bunge

蒙古黄芪

药材名

黄芪（药用部位：根。别名：黄耆、戴糁、戴椹）。

本草综述

黄芪，亦称黄耆，始载于《神农本草经》，被列为上品。南北朝时期，有了明确的关于黄芪产地的记载，《名医别录》云："生蜀郡（今四川梓潼、成都一带）、白水（今四川松潘或甘肃碧口附近）、汉中（今陕西南郑）。"《本草经集注》云："第一出陇西洮阳（今甘肃临潭）……次用黑水宕县（在今甘肃）者……又有蚕陵白水者。"由此可以看出该时期黄芪的产地主要为四川、甘肃和陕西交界处，而以四川为主。

隋唐时期《新修本草》云："今出原州（今宁夏固原）及华原（今陕西铜川耀州区）者最良，蜀汉不复采用之。宜州（今四川茂县）、宁州（今甘肃庆阳宁县）者亦佳。"《四声本草》云："出原州、华原谷子山，花黄。"《药性论》云："生陇西（今甘肃陇西）者下，补五脏。蜀白水赤皮者，微寒。"由此可以看出，隋唐时期黄芪的产地进一步变迁，由甘肃中南部地区向东扩大至与之相邻的宁夏固原及陕西铜川。

宋代黄芪的产区在前朝的基础上又向东扩

展，增加了河东。《嘉祐本草》云："今原州者好，宜州（今四川茂县）、宁州（今甘肃庆阳宁县）亦佳。"《本草图经》云："今河东（今山西大部分地区）、陕西（今陕西大部分地区）州郡多有之。"

金元时期《汤液本草》云："生蜀郡山谷、白水、汉中，今河东陕西州郡多有之。……今《本草图经》只言河东者，沁州绵上是也，故谓之绵芪。味甘如蜜，兼体骨柔软如绵，世以为如绵，非也。《别说》云：黄芪本出绵上为良，故《图经》所绘者，宪水者也，与绵上相邻，盖以地产为'绵'。若以柔韧为'绵'，则伪者亦柔。但以干脆甘苦为别耳。"

明代没有关于黄芪新增产区的记载，《本草品汇精要》概括了此前历代关于黄芪的产地描述，继承了前朝关于道地产区的认识。《本草品汇精要》云："〔图经曰〕蜀郡山谷及白水、汉中，今河东、陕西州郡多有之。〔陶隐居云〕出陇西、叨阳、黑水、宕昌。〔道地〕宪州、原州、华原、宜州、宁州。"

清代延续明代的认识，即推崇山西产绵芪，并在原黄芪产区的基础上向北继续扩展，增加了内蒙古新产区，并认为内蒙古产者质佳。山西与内蒙古部分区域相接壤，生态环境亦较相似，因此，两地所产黄芪的性状及疗效相近。《本草崇原》云："黄芪生于西北……以出山西之绵上者为良，故世俗谓之绵黄芪。"《医林纂要探源》云："出绵上者佳，今汾州介休也。"《本草求真》云："出山西黎城（今山西长治市辖县）。"《药笼小品》云："西产为佳。"《本草述钩元》云："本出蜀郡、汉中，今惟白水、原州、华原山谷者最胜。宜、宁二州者亦佳。"吴其濬《植物名实图考》云："有数种，山西、蒙古产者佳，滇产性泻，不入用。"《植物名实图考》首次提到"蒙古"产黄芪，并认为"山西、蒙古"产黄芪质量好，为后世将山西、内蒙古黄芪作为道地药材提供了依据。

民国时期黄芪的产地向东北扩展至东北三省，该时期出现了多个区域的黄芪，如东北黄芪（正芪）、山西绵芪、川芪、禹州芪等。由于新增的东北产区土壤肥沃，其所产黄芪被认为是正芪。

｜形态特征｜ 多年生草本，高 50 ~ 100 cm。主根肥厚，木质，常分枝，灰白色。茎直立，上部多分枝，有细棱，被白色柔毛。羽状复叶有 13 ~ 27 小叶，长 5 ~ 10 cm；叶柄长 0.5 ~ 1 cm；托叶离生，卵形、披针形或线状披针形，长 4 ~ 10 mm，下面被白色柔毛或近无毛；小叶椭圆形或长圆状卵形，长 7 ~ 30 mm，宽 3 ~ 12 mm，先端钝圆或微凹，具小尖头或不明显，基部圆形，上面绿色，近无毛，下面被贴伏白色柔毛。总状花序稍密，有 10 ~ 20 花；总花梗与叶近等长或较长，

至果期显著伸长；苞片线状披针形，长 2 ～ 5 mm，背面被白色柔毛；花梗长 3 ～ 4 mm，连同花序轴稍密被棕色或黑色柔毛；小苞片 2；花萼钟状，长 5 ～ 7 mm，外面被白色或黑色柔毛，有时萼筒近无毛，仅萼齿有毛，萼齿短，三角形至钻形，长仅为萼筒的 1/5 ～ 1/4；花冠黄色或淡黄色，旗瓣倒卵形，长 12 ～ 20 mm，先端微凹，基部具短瓣柄，翼瓣较旗瓣稍短，瓣片长圆形，基部具短耳，瓣柄较瓣片长约 1.5 倍，龙骨瓣与翼瓣近等长，瓣片半卵形，瓣柄较瓣片稍长；子房有柄，被细柔毛。荚果薄膜质，稍膨胀，半椭圆形，长 20 ～ 30 mm，宽 8 ～ 12 mm，先端具刺尖，两面被白色或黑色细短柔毛，果颈超出萼外；种子 3 ～ 8。花期 6 ～ 8 月，果期 7 ～ 9 月。

| 野生资源 | 第三次全国中药资源普查资料、《宁夏植物志》（2007 年版）中均未查到野生蒙古黄芪的记载，此次普查也未采集到野生蒙古黄芪。蒙古黄芪产于东北、华北及西北等，生于林缘、灌丛或疏林下，亦见于山坡草地或草甸中。

| 栽培资源 | （1）栽培历史。现代随着黄芪用量的大幅度增加，单纯依靠野生药材已难以满足实际需要，因此，我国于 20 世纪 60 ～ 70 年代开始栽培黄芪，且所用药材也逐渐以栽培品为主。

宁夏栽培蒙古黄芪始于 20 世纪 70 年代初，由隆德县逐步向周边县域展开。根据第三次全国中药资源普查结果可知，当时宁夏地区（主要为固原地区）蒙古黄芪的种植面积为 1 300 亩，位列全区人工种植中药材（58 种）面积的第 3 位，仅次于宁夏枸杞、甘草；年产量达 22.3 万 kg，位列全区人工种植中药材（58 种）产量的第 2 位，仅次于宁夏枸杞。现今蒙古黄芪种植面积不断扩大，从固原隆德、彭阳、西吉，向北扩展到海原、同心、盐池、红寺堡等地，近几年蒙古黄芪的种植面积保持在 3 万～ 5 万亩，产量约 800 万 kg。如今宁夏是全国几大黄芪产区之一。

（2）栽培区域。在宁夏蒙古黄芪的栽培区域主要为固原，包括隆德（神林乡、沙塘镇、联财镇、观庄乡）、西吉（兴平乡、平峰镇及什字乡等）和彭阳（冯庄乡、孟塬乡、小岔乡及草庙乡等）及原州（彭堡镇、河川乡、张易镇）等地。

全国蒙古黄芪的栽培区域主要宁夏、内蒙古、甘肃、山西等地，河北、陕西也有少量分布。

目前黄芪的种植分为移栽芪种植和仿生芪种植，移栽芪种植的主流区域是甘肃、内蒙古；仿生芪种植的主流区域是山西（浑源及周边县市）、陕西（子洲）、内蒙古（武川）等地。仿生芪生长年限长，故其药材个体明显大于移栽芪，而

产量远低于移栽芪。

（3）栽培面积与产量。近年来，宁夏的黄芪种植面积在 3 万 ~ 5 万亩，产量为 600 万 ~ 1 000 万 kg。2020 年，主产区隆德的黄芪种植面积约为 2 万亩，彭阳的约为 1.5 万亩，西吉的约为 0.5 万亩，同心、红寺堡、盐池、海原等近 1 万亩，共计约 5 万亩。

（4）栽培技术。根据地区和栽培种类、栽培习惯，选择直播或育苗移栽，具体的栽培技术要点如下。

1）立地条件。蒙古黄芪自然分布较广，生产基地选择范围较宽，宁夏各地均可种植。适种土壤为可耕种的砂壤土、黄绵土等。不宜在土质黏重、排水不良及重度盐碱地的土壤中种植。

2）种植环境。育苗地和种植基地应选择大气、水质、土壤无污染的地区，并远离工矿厂区，确保育苗地和种植基地周围有防护林带隔离，3 km之内没有污染源。

3）种子质量。黄芪用种以 2020 年版《中华人民共和国药典》规定的豆科植物

蒙古黄芪 *Astragalus membranaceus* (Fisch.) Bge. var. *mongholicus* (Bge.) Hsiao 为物种来源。黄芪种子的分级标准见表蒙古黄芪 -1。

表蒙古黄芪 -1　黄芪种子分级标准

等级	净度 /%	千粒重 /g	含水量 /%	发芽率 /%
一级	≥ 95	≥ 7.14	≤ 9.0	≥ 90.0
二级	≥ 90	≥ 6.19	≤ 9.0	≥ 70.0
三级	≥ 80	≥ 5.46	≤ 9.0	≥ 60.0

注：种子质量标准应达到三级标准（含三级）以上，种子含水量≤ 9.0%。

4）育苗。①选地。育苗地宜选择有多年耕种史、病虫草害较轻、熟化土层厚、土壤肥力较好的土质为砂壤土或壤土的地块。②整地施肥。机械深翻 25 ～ 30 cm，精细耙耱。同时结合整地均施腐熟农家肥 45 ～ 75 m^3/hm^2、磷酸二铵或复合肥（15-15-15）450 ～ 750 kg/hm^2。③种子处理。破种皮：黄芪种子表皮为坚硬的蜡质层，须经破皮处理后才能吸水萌发。通常用谷物碾米机处理，即调整机器磨片到合适间隙，碾磨 2 ～ 3 遍，以划破种皮且不碾碎种子为宜。浸种：在水地或土壤墒情较好的育苗地，播前 10 小时左右，将 60 ～ 70 ℃热水倒入种子内，边倒边搅拌至常温，再浸泡 2 ～ 3 小时，滤干水分，放置 8 小时左右即可播种。在土壤墒情较差的育苗地，宜干籽播种，以避免因不能及时出苗致使浸过的种子“吊死”。④播期播量。播种期：春、夏、秋季均可播种。以夏末秋初覆膜播种最好。a. 利用 5 ～ 7 月的春夏轮歇地，在杂草种子成熟前耕翻，如此既增加了土壤有机质，又有效减少了土壤中杂草种子库数量，使药材田间杂草的防除率达到了 70% 以上。b. 秋季播种结合三伏天翻地，可以晒死虫卵、真菌孢子及杂草，减轻病虫草害的发生。c. 秋季播种可以充分利用当地的自然降雨（7 ～ 10 月的雨季），减轻灌溉压力，确保种子发芽及苗期墒情良好，有利于提高发芽率及保苗率。d. 秋覆膜加膜上覆土技术有利于土地保温保墒，可以保证来年春季膜的完整性，保证春季的地温及墒情，有利于黄芪初春尽早萌发，延长黄芪生育期，增加黄芪生长量。e. 春季蒙古黄芪返青快、封垄快，生长量大，同时可有效抑制杂草的生长。播种量：直播的播种量为 3 kg/ 亩，育苗移栽的播种量为 8 kg/ 亩。视种子质量可适当减少或增加播种量。⑤播种方法。a. 露地条播。选择小麦播种机，按照行距 10 ～ 20 cm 进行播种，播深为 1 cm，播后耱地，轻度镇压。b. 覆膜条播。选择小麦播种机，按照行距 10 ～ 20 cm 进行播种，播深为 1 cm，播后铺盖地膜。1 周左右，待苗出全时，逐步破膜放风练苗，3 ～ 5 天后将膜全部揭掉。c. 人工穴播。采用长 120 cm 的黑色地膜，按照 5 ～ 6 cm 直径做穴，行距 10 ～ 20 cm，穴距 10 cm。起 10 cm 高的垄，覆膜，人工点种，每穴 8 ~ 12 粒种子，覆盖砂土 1 cm，防止板结。d. 双膜覆盖。采用长 120 cm 的白色地膜，行距 10 ~ 20 cm，穴距 10 cm。机械覆膜，精量穴播，每穴 5 ~ 8 粒种子，膜上再覆盖地膜，以增温保墒，防止板结。1 周左右，待苗出全时，逐步破膜放风练苗，3 ~ 5 天后将最上面一层膜全部揭掉。⑥苗地管理。a. 灌水。根据土壤墒情和灌溉条件，于播种前或播种后选择漫灌、滴灌、喷灌，苗出齐后灌第 2 次水，苗高 10 cm 时灌第 3 次水。对于漏水漏肥的土地，应视干旱情况适时增加灌水次数。此外，还应注意灌水与降雨结合，控制灌水次数、灌水量。b. 追肥。结合灌水，在灌第 2 次水和第 3 次水时，每次每亩追施尿素或水溶性好的复合肥 15 ~ 20 kg。对于宁夏中南部干旱区，在肥料的选择上，应选择易溶解、吸收的复合肥，如硝酸磷复合肥。

5）杂草防除。①人工除草。应结合中耕进行人工除草。出苗期不宜除草，以免拔除杂草时，将黄芪幼苗带出。应在幼苗根扎深、扎稳时拔除杂草，并及时将拔除的杂草清理出苗地。这种方法适合于杂草密度较小的地块。②药剂除草。芽前除草适用于水地黄芪，可选择在当年第 1 次灌水时实施。适用药剂为乙草胺（芽前选择性除草剂），剂量为 50% 乳油 300 ml/ 亩，施用时期为杂草芽前，施用方法为喷雾或随水滴施。水地、旱地黄芪均可使用芽后除草。苗后化学除苗，适合于田间杂草密度较大地块的应急性除苗。黄芪的药剂除草方法见表蒙古黄芪 -2。③生态种植。生态种植的核心内容是“春发草库、伏耕除草，秋季精播、双膜覆盖，农机农艺、绿色种植”。即在 5 ~ 7 月，让杂草先生长，至 7 月下旬，在杂草种子成熟前伏耕伏晒，在立秋前采用“双膜覆盖”模式进行播种，如此可使杂草的防除率达到 80% 左右。这一种植模式适于黄芪的所有种植地区，且具有低成本、无农残、收入稳、效益高等优点。2018 年 12 月 10 日，在辽阳市召开的“国家中药材产业技术体系 2018 年度工作会议”上，该种植模式被总结为“黄芪种植宁夏模式”。

表蒙古黄芪 -2　黄芪药剂除草方法

药名	防除对象	剂量	施用方法	注意事项
豆草特	禾本科外一年生杂草	500 ml/ 亩	苗期杂草 4 叶期以前，水前、中、后均可喷雾	施用后 3 年不能种植粮食作物
精喹禾灵	禾本科杂草	150 ~ 200 ml/ 亩	灌水或者雨后喷雾，为提高药效，可加入有机硅助剂	
高效氟吡甲禾灵	禾本科杂草	5 ml/ 亩	灌水或者雨后喷雾，为提高药效，可加入有机硅助剂	

6）移栽。①移栽时间。春季移栽的适宜时间为土壤解冻至 5 月上旬，秋季移栽的适宜时间为种苗完全停止生长至土壤完全封冻之前。②苗龄和规格。在苗龄达到 1 年以上、生长量达到三级以上标准时方可采挖、移植黄芪种苗。黄芪种苗的质量分级标准见表蒙古黄芪 –3。③起苗。先贴苗开深沟，挖到黄芪苗根下端，再顺垄逐行采挖，不应拔苗，宜全苗、不断根。④分级打捆。将起出的黄芪苗，按种苗质量分级标准分级打捆，根头朝一个方向，每 200 株左右一捆。⑤运输与假植。长途运输中要遮盖篷布，防止风干失水；同时还应注意通风，以防止种苗发热烂根。种苗来不及运输或移栽时，不要长时间露天放置，应及时假植以防风干。假植方法为潮湿土覆盖，不露出芦头及根部；若用干土覆盖，应立即适量浇水。⑥种苗检疫。为防止异地种苗带病、虫传播，有效减少种苗病源、虫源，移栽前必须对种苗进行严格的植物检疫。⑦选地整地。a. 选地。宜选择有多年耕种史、病虫草害较轻、熟化土层厚、土壤肥力较好的砂壤土或壤土地。b. 整地。耕翻深度 35 ～ 50 cm，精细耙耱。水地田内高差小于 6 cm，滴灌和喷灌地无洼坑或土堆。c. 施肥。结合整地均施腐熟农家肥 3 ～ 5 m^3/ 亩、磷酸二铵或复合肥不超过 10 kg/ 亩，若化肥量过大，则会影响种苗返青。⑧移栽方法。进行开沟移栽。a. 铧犁开沟，种苗倾斜 35° ～ 40°，根头同方向摆放，根头部埋入土层下 15 ～ 25 cm，根尾部顺沟平放，不要打弯；对于个别外露的根头，人工覆土补压。b. 移栽机开沟，效率可提高 3 倍，适合于大面积田间操作。移栽密度为 1.8 万～ 2.4 万株 / 亩，行距 30 ～ 35 cm，株距约 12 cm，折合种苗量 80 ～ 120 kg/ 亩。

表蒙古黄芪 –3　黄芪种苗质量分级标准

种苗等级	种苗规格	
	主根长度 /cm	芦头横径 /cm
一级苗	≥ 40	＞ 0.8
二级苗	30 ～ 40	0.6 ～ 0.8
三级苗	20 ～ 30	0.4 ～ 0.6

注：种苗芦头横径＜ 0.4 cm、主根长度＜ 20 cm 者为不合格苗。

7）田间管理。a. 灌水。灌水方法同育苗地。b. 追肥。追肥方法同育苗地。c. 除草。除草方法同育苗地，提倡以生态防治为主，化学药剂应急性防除为辅。

8）病虫草害防治。①虫害防治。危害黄芪的主要虫害是蛴螬、蚜虫和黄芪蛀茎虫。蛴螬主要危害黄芪的根部，整地时用 40% 辛硫磷乳油拌细土制成毒土，或将 5% 辛硫磷颗粒剂或者 3% 毒死蜱颗粒剂按每亩 3 kg 顺垄条施入土壤进行防治；蚜虫主要危害黄芪的嫩叶，虫口密度达到 20 头 / 株时，选用 50% 吡蚜酮可湿性粉剂 15 g/ 亩或 0.3% 苦参碱可溶性液剂 0.3 g/ 亩进行叶面喷雾，连续防治 2 ~ 3 次，每次间隔 7 天；黄芪蛀茎虫主要危害黄芪的结荚，防治方法与蚜虫类同。②病害防治。危害黄芪的主要病害有白粉病和根腐病。白粉病主要危害黄芪的叶片。病害流行初期，可选用新高脂膜 60 g/ 亩进行叶面喷雾保护处理。若病情继续加重，喷洒百菌清 45 g/ 亩，连续叶面喷雾处理 2 次，每次间隔 7 天。根腐病主要危害黄芪的根部，主要由土壤潮湿积水、高温高湿所致，可用多菌灵、敌克松或多菌灵土壤处理杀菌。

| 采收加工 | （1）采收期与采收年限。采收时期以 9 ~ 10 月地上部分枯萎后为宜，此时黄芪皂苷含量最高。不同产区及种类的采收年限不同。内蒙古、山西的蒙古黄芪一般采用直播方式，2 ~ 3 年后采挖。甘肃、宁夏的蒙古黄芪一般采用集中育苗

后移栽一年生苗的方式，待苗生长 1 ～ 2 年后收获。

（2）采收与产地初加工。由于黄芪是深根系植物，采收比较困难，故可采用深松挖采机或大犁进行采收。也可以用人工刨挖的方法，在采收时，应注意尽量将根全部挖出，并应保持一定的长度，同时要防止损伤外皮及过早断根，以保证黄芪药材的质量。

黄芪采收后要进行产地初加工。将采挖回来的根，除去泥土，趁鲜除去残茎、须根，切去芦头，在场院进行晾晒，至六七成干时，除去须根和侧根，将根理直，按等级用麻绳捆成 5 kg 的小捆，晒干，即为生黄芪。按等级不同打好捆后，用竹篓、木箱等包装。打捆时要将黄芪条理顺，扎成小把，用绳子捆紧，再捆成每捆重 50 kg 的大捆。黄芪淀粉含量高，如果存放不当容易发生霉变或虫蛀。故贮藏期间应定期检查，发现轻度虫蛀、霉变后要及时摊晒。

| 药材性状 |

本品呈圆柱形，有的有分枝，上端较粗，长 30 ～ 90 cm，直径 1 ～ 3.5 cm。表面淡棕黄色或淡棕褐色，有不整齐的纵皱纹或纵沟。质硬而韧，不易折断，断面纤维性强，并显粉性，皮部黄白色，木部淡黄色，有放射状纹理和裂隙，老根中心偶呈枯朽状，黑褐色或呈空洞。气微，味微甜，嚼之微有豆腥味。

| 品质评价 |

黄芪药材以根条粗长、皱纹少、质地坚而绵、断面色黄白、粉性足、味甜者为佳。道地药材是经过中医临床长期应用优选出来，产在特定区域，受到特定生产加工方式的影响，较其他地区所产同种药材质量佳、疗效好，具有较高知名度的药材。基于这一定义，同时根据历史沿革，逐渐将品质较佳的膜荚黄芪及其变种蒙古黄芪定为黄芪药材的基原，并将以恒山山脉为中心的地区（今山西宁武、代县、应县、繁峙、山阴、浑源、灵丘等地）及其周边地区确定为黄芪的优质产区。从外形、颜色、气味及口感方面来看，各产区的黄芪（蒙古黄芪）存在区别：山西浑源黄芪皮厚，质地绵软，横切面木部黄色深、皮部厚，“金井玉栏”特征明显，气味清香，口感清甜醇厚，嚼之口感柔和，粉性足；内蒙古黄芪皮薄，光滑，质地脆而硬，木部浅黄色，气味清甜浓郁，豆腥味足，甜味足，略夹苦味，稍硬；甘肃黄芪与宁夏黄芪外形与内蒙古黄芪相似，但质地更硬，木部黄色更浅，气味淡，口感甜味一般。

化学成分研究表明：毛蕊异黄酮葡萄糖苷和多糖在传统多年生黄芪中的含量明显高于在 2 年速生栽培黄芪中的含量；对于不同绝对生长年限的黄芪，总黄酮含量以四年生者为最高，皂苷含量以二年生者为最高；黄芪有效成分黄芪甲苷主要存在于根形成层以外的韧皮部，所以，随着生长年限的增加，药材根部直径增加，皮部所占比例降低，黄芪甲苷的含量也随之降低，黄芪平均最窄直径和平均质量越大，黄芪甲苷含量越低。对于不同商品规格等级的黄芪药材来说，无论是黄酮类成分还是皂苷类成分，其在野生芪中的含量均高于在移栽芪中的含量。

药理学研究表明：豆腥味浓的浑源野生黄芪在补气、抗疲劳（延长力竭游泳时间、

减少血清尿素及血乳酸含量）、提高免疫器官指数及总 T 淋巴细胞数量等方面的作用明显高于甘肃栽培芪；野生芪对心力衰竭大鼠的干预作用显著优于移栽芪；野生芪和移栽芪均能延长疲劳大鼠的力竭游泳时间，改善组织病理学水平，但是野生芪组大鼠的力竭游泳时间明显长于移栽芪组，野生芪组肌酸激酶（CK）水平的回调效果也明显优于移栽芪组，这表明野生芪对疲劳大鼠的干预作用显著优于移栽芪。

| 化学成分 | 黄芪的化学成分主要有多糖类、黄酮类和皂苷类等。

（1）多糖类。黄芪多糖是黄芪中起决定性药理作用的一类大分子物质，主要作为参与机体免疫调节的生物活性成分，同时具有降血糖、抗病毒、抗肿瘤、抗衰老、抗辐射、抗应激、抗氧化等药理作用。黄芪多糖分为葡聚糖、杂多糖，其中，葡聚糖包含 α（$1\rightarrow6$）葡聚糖和 α（$1\rightarrow4$）葡聚糖，杂多糖多为水溶性酸性多糖，主要由葡萄糖、鼠李糖、阿拉伯糖和半乳糖组成，此外，还存在少量糖醛酸。研究发现蒙古黄芪根的水提取液中含有3种多糖成分——黄芪多糖Ⅰ、黄芪多糖Ⅱ、黄芪多糖Ⅲ。其中黄芪多糖Ⅰ是杂多糖，由D-葡萄糖、D-半乳糖和L-阿拉伯糖组成。黄芪多糖Ⅱ、黄芪多糖Ⅲ均为葡聚糖。

（2）黄酮类。目前从黄芪植株中已分离得到40多种黄酮类化合物，这些黄酮类化合物主要包括黄酮类、异黄酮类、异黄烷和紫檀烷。其中异黄酮主要包括毛蕊异黄酮葡萄糖苷、芒柄花素葡萄糖苷、毛蕊异黄酮和芒柄花素，是一种抗氧化、清除自由基的有效活性成分，同时具有显著的抗癌活性，能够阻止癌细胞的生长和扩散。

（3）皂苷类。黄芪皂苷类为黄芪的主要活性成分，该类成分除具有免疫调节作用外，还具有抗肿瘤、抗病毒、抗氧化、降血糖和治疗心血管疾病等广泛的生理活性。目前，从黄芪及其同属植物中分离得到的皂苷类化合物已达40多种，包括黄芪皂苷Ⅰ、黄芪皂苷Ⅱ、黄芪皂苷Ⅲ、黄芪皂苷Ⅳ、黄芪皂苷Ⅴ、黄芪皂苷Ⅵ、黄芪皂苷Ⅶ、黄芪皂苷Ⅷ、异黄芪皂苷Ⅰ、异黄芪皂苷Ⅱ、异黄芪皂苷Ⅳ、乙酰基黄芪皂苷和大豆皂苷Ⅰ，其中，黄芪皂苷Ⅳ即黄芪甲苷，具有增强机体免疫力、改善心肺功能的作用，常作为黄芪药材定性、定量分析的指标成分。

（4）其他成分。黄芪中所含有的氨基酸多达25种，如谷氨酸、甲硫氨酸、亮氨酸、异亮氨酸、丝氨酸、丙氨酸、脯氨酸、苏氨酸、精氨酸、天冬酰胺、γ-氨基丁酸等。

药理作用

现代药理研究表明，黄芪能增强机体的免疫功能，对机体中抗体的生成具有显著的促进作用，同时参与机体的免疫调节，能促进免疫因子的生成。黄芪多糖与人参总皂苷联用能明显增加小鼠外周血白细胞数量，升高小鼠免疫器官指数。另外，黄芪可增强心肌收缩功能，黄芪中所含的毛蕊异黄酮对血管内皮细胞有保护作用。黄芪还对肝脏、肾脏、胃及肺脏等器官具有一定的保护作用。例如，黄芪能阻止肝糖原减少，由于植株中含有微量元素硒，还可间接激活肝脏解毒酶，起到保护肝脏的作用。黄芪对肝癌、结肠癌、肺癌、乳腺癌等恶性肿瘤具有显著的抑制作用。黄芪还具有一定的保健作用，能消除体内自由基，延缓衰老。黄芪具有抗炎活性，黄芪总黄酮可抑制MAPKs通路关键蛋白p38和JNK的过度磷酸化以及iNOS和COX-2的表达，进而抑制炎症的形成。

黄芪和人参均可药食两用，属补气良药，人参偏重于大补元气、回阳救逆，常用于虚脱、休克等急症，效果较好，而黄芪则以补虚为主，常用于体衰日久、

言语低弱、脉细无力者。有些人一遇天气变化就容易感冒，中医称此病证为表虚不固证，可用黄芪来固表，常服黄芪可避免经常性的感冒。

功能主治 甘，微温。归肺、脾经。补气升阳，固表止汗，利水消肿，生津养血，行滞通痹，托毒排脓，敛疮生肌。用于气虚乏力，食少便溏，中气下陷，久泻脱肛，便血崩漏，表虚自汗，气虚水肿，内热消渴，血虚萎黄，半身不遂，痹痛麻木，痈疽难溃，久溃不敛。

用法用量 内服煎汤，9 ~ 30 g；或煎膏；或浸酒。

市场信息 （1）商品规格等级。根据《中药材商品规格等级标准汇编》（T/CACM 1021.4–2018），黄芪的商品规格分为栽培黄芪及仿野生黄芪。栽培黄芪外皮平滑，根皮较柔韧，断面致密，木心中央黄白色，质地坚实，分为大选、小选及统货 3 个等级，三者大小区别如下。大选长≥ 30 cm，头部斩口下 3.5 cm 处直径≥ 1.4 cm；小选长≥ 30 cm，头部斩口下 3.5 cm 处直径≥ 1.1 cm；统货长短不分，粗细不均匀，头部斩口下 3.5 cm 处直径≥ 1.0 cm。仿野生黄芪外皮粗糙，断面皮部有裂隙，木心黄，质地松泡，老根中心有的呈枯朽状、黑褐色或呈空洞状，分为特等、一等、二等和三等，其大小区别如下。特等长≥ 40 cm，头部斩口下 3.5 cm 处直径≥ 1.8 cm；一等长≥ 45 cm，头部斩口下 3.5 cm 处直径为 1.4 ~ 1.7 cm；二等长≥ 45 cm，头部斩口下 3.5 cm 处直径为 1.2 ~ 1.4 cm；三等长≥ 30 cm，头部斩口下 3.5 cm 处直径为 1.0 ~ 1.2 cm。

《中药材商品规格等级标准汇编》（T/CACM 1021.4–2018）就规格等级标准进行了说明：黄芪传统以野生资源供药用，无规格之分，等级划分较多。但现在主流商品为栽培黄芪，主产于内蒙古、甘肃。蒙古黄芪药材长度与直径较均匀，形状差异较小，划分选货和统货的方法基本一致。现阶段，野生黄芪和仿野生黄芪的市场流通量很少，野生黄芪和仿野生黄芪的长度明显大于栽培黄芪的。

（2）价格信息。野生黄芪与栽培黄芪的价格差异大。山西浑源三等野生黄芪的市场价格达 300 ~ 400 元 /kg，四等的也超过 200 元 /kg。市场上流通的多为栽培黄芪，其主产于内蒙古、甘肃，且内蒙古栽培黄芪的价格一直高于甘肃、宁夏栽培黄芪的。2021 年 11 月，国内内蒙古黄芪的市场价格为 20 ~ 22 元 /kg，甘肃黄芪的市场价格为 17 ~ 18 元 /kg。

（3）收购量、年销量。宁夏的黄芪作为中药材的收购量近两年较为稳定，约为 700 万 kg，其年销量约为 500 万 kg，这些中药材主要销往甘肃、河北和浙江。

｜传统知识｜ 黄芪临床多用于复方，具有补气升阳、固表止汗、利水消肿、生津养血、行滞通痹、托毒排脓、敛疮生肌的功能。用于气虚乏力，食少便溏，中气下陷，久泻脱肛，便血崩漏，表虚自汗，气虚水肿，内热消渴，血虚萎黄，半身不遂，痹痛麻木，痈疽难溃，久溃不敛。

（1）补气健脾，升阳举陷。黄芪善补脾肺之气，临床上以肺脾气虚为主的病证均可与之配伍。黄芪与党参配伍：党参健脾益气，黄芪补气升阳、益卫固表、利水消肿，二药合用，益气扶正、健脾利水消肿。黄芪与地龙配伍：黄芪益气，地龙通经活络，二药共用，有益气通经活络之功，常用于缺血性脑卒中，如补阳还五汤。黄芪与丹参配伍：可益气活血、化瘀通络、利尿；研究表明，黄芪、丹参的用量为2∶1时效果最好；现代药理学研究表明，黄芪、丹参能改善血液循环及心肌供血。黄芪与当归配伍：黄芪补脾肺之气、助当归生血，当归得黄芪之助而使血速生，二药合用，可使气血生化有源。

（2）益卫固表。黄芪有益气固表之功，用于体弱卫表不固而致的自汗时，可配伍防风、白术，如《丹溪心法》中的玉屏风散；用于阴虚盗汗时，可配伍生地、黄柏等滋阴降火药，如《兰室秘藏》中的当归六黄汤。黄芪与防风配伍：黄芪益气固表止汗，防风祛风解表，黄芪在防风的祛邪作用帮助下固表不留邪，而防风得黄芪益气作用而能祛邪不伤正，两药相辅相成。

（3）托毒生肌。黄芪可益气升阳、托毒生肌，有“疮家圣药”之称，临床常用于外科疮疡证属气血不足者。若日久脓成不溃，可用黄芪配伍当归、川芎、穿山甲、皂角刺，以托毒排脓，如透脓散；若溃疡久不收口，可用黄芪配伍人参、当归、肉桂、熟地、白术，以益气养血、托毒生肌。黄芪与升麻配伍：黄芪补气健脾、托毒生肌，升麻清热解毒、升阳举陷，二药合用，可治疗正气虚损不能托毒外出、创口不易愈合的疮疡。黄芪与金银花配伍：黄芪善补脾肺之气，益脾气而托疮毒外出，促进生肌，金银花清热凉血解毒、疏散风热，善清血中之毒，二药合用，可益气扶正、托毒外出、清热解毒，用于疮疡肿毒日久不愈。

（4）利水消肿。黄芪具有利水消肿之功，临床多配伍防己、白术。黄芪与防己配伍：黄芪益气健脾、利尿消肿，为治气虚水肿之要药，防己祛风除湿、利水消肿，二药合用，有益气利水之功，可改善心力衰竭、慢性肾病病人的心、肾功能。黄芪与白术配伍：黄芪益气、利水消肿，白术健脾燥湿，二药合用，能益气健脾、利水消肿，表里水湿均可用之。

｜资源利用｜ 据统计，以黄芪为原料的中成药有上百种，如黄芪注射液、参芪颗粒、芪蛭通

络胶囊、北芪片、参芪消渴胶囊、参芪膏、参芪十一味颗粒、复芪止汗颗粒和十全大补丸等。以黄芪为原料的除了药用产品外，还有黄芪养生保健食品、黄芪蛋白及优质动物蛋白饲料或蛋白饲料添加剂、黄芪蛋白水解组合肽等。

（1）保健产品。黄芪具有抗癌、调节血糖、增强免疫力、抗心肌缺血、抑菌、抗氧化、抗辐射、保肝护肾等保健功效。黄芪通常可与其他食材搭配做成一些药膳食品，其中比较有名的有黄芪蒸肥肠、黄芪蒸乌鸡、黄芪炖猪肚、黄芪桂心炖田螺。另外，也可以将黄芪做成黄芪粥或泡水喝。

（2）其他产品。研究表明，黄芪药渣残留有大量有效成分和营养成分，这些成分具有增强机体免疫功能、促进机体代谢、抗氧化、调节激素等作用，故黄芪药渣的利用价值较高。黄芪药渣具有十分广阔的应用前景。在工业领域，黄芪药渣可用于生产乙醇。在农业领域，黄芪药渣可用于制作有机肥、栽培真菌。畜牧业为中药药渣的主要应用领域之一，黄芪药渣多用于制备禽、畜饲料或饲料添加剂，通常具有提高禽类免疫力、增产、提高表观代谢率或改善肉质的作用。研究者在对黄芪药渣再利用进行研究的过程中，尤其是将其用于禽、畜饲料或饲料添加剂的制备时，发现黄芪药渣经发酵后，具有更广泛的药理作用和更强的生物活性。

附　注

（1）FOC 将膜荚黄芪与蒙古黄芪合并为一个物种，即蒙古黄芪，拉丁学名正名为 *Astragalus mongholicus* Bunge。

（2）第四次全国中药资源普查结果显示，宁夏的黄芪属野生物种共 29 种，其物种及分布见表蒙古黄芪 -4。

表蒙古黄芪 -4　宁夏黄芪属植物及其分布

序号	中文名	拉丁学名	分布区域
1	草珠黄芪	*Astragalus capillipes* Fisch. ex Bunge	海原、同心
2	荒漠黄芪	*Astragalus grubovii* Sanchir	海原
3	草木樨状黄芪	*Astragalus melilotoides* Pall.	彭阳、泾源、红寺堡、灵武
4	多枝黄芪	*Astragalus polycladus* Bur. et Franch.	海原、原州、灵武、
5	膜荚黄芪	*Astragalus membranaceus* (Fisch.) Bunge	彭阳、西吉、隆德、原州
6	斜茎黄芪	*Astragalus laxmannii* Jacquin	西吉、原州、泾源、西夏
7	边向花黄芪	*Astragalus moellendorffii* Bunge	盐池
8	灰叶黄芪	*Astragalus discolor* Bunge ex Maxim.	泾源
9	阿拉善黄芪	*Astragalus alaschanus* Bunge ex Maxim.	西夏
10	变异黄芪	*Astragalus variabilis* Bunge ex Maxim.	利通、中宁
11	单叶黄芪	*Astragalus efoliolatus* Hand.-Mazz.	红寺堡、中宁
12	乳白黄芪	*Astragalus galactites* Pall.	中宁

续表

序号	中文名	拉丁学名	分布区域
13	乌拉特黄芪	*Astragalus hoantchy* Franch.	红寺堡、同心
14	新巴黄芪	*Astragalus hsinbaticus* P. Y. Fu et Y. A. Chen	盐池、惠农
15	胀萼黄芪	*Astragalus ellipsoideus* Ledeb.	青铜峡、西夏
16	悬垂黄芪	*Astragalus dependens* Bunge	同心
17	短龙骨黄芪	*Astragalus parvicarinatus* S. B. Ho	贺兰山、青铜峡
18	鸡峰山黄芪	*Astragalus kifonsanicus* Ulbr.	六盘山、彭阳（新分布）
19	金翼黄芪	*Astragalus chrysopterus* Bge.	六盘山
20	中宁黄芪	*Astragalus ochrias* Bunge.	中宁天湖
21	地八角	*Astragalus bhotanensis* Baker	六盘山
22	马衔山黄芪	*Astragalus mahoschanicus* Hand.-Mazz.	南华山（新分布）
23	长毛荚黄芪	*Astragalus monophyllus* Bge. ex Maxim.	盐池
24	黑紫花黄芪	*Astragalus przewalskii* Bge.	六盘山（偶见）
25	莲山黄芪	*Astragalus leansanicus* Ulbr.	贺兰山、隆德
26	小果黄芪	*Astragalus zacharensis* Bunge	贺兰山、六盘山
27	糙叶黄芪	*Astragalus scaberrimus* Bge.	中宁、青铜峡
28	单蕊黄芪	*Astragalus monadelphus* Bunge	六盘山
29	头序黄芪	*Astragalus handelii* H. T. Tsai & T. T. Yu	海原

注：其中鸡峰山黄芪、马衔山黄芪为第四次全国中药资源普查宁夏新发现品种。

（3）随着社会的发展，黄芪用量增加，其野生药材难以满足实际需要，20世纪60～70年代，我国开始栽培黄芪，且药材来源逐渐以栽培资源为主，主流栽培区域为甘肃、内蒙古。

（4）在全国中药材市场中还有一部分仿野生黄芪（蒙古黄芪），其产区为山西浑源及周边县市、陕西子洲、内蒙古武川等，由于植株生长年限长，药材个体明显大于移栽黄芪，但产量有限，远低于移栽黄芪。另外，部分膜荚黄芪的流通也十分有限，膜荚黄芪质地坚硬，柴性大，不易折断，表皮呈棕褐色，俗称“黑皮芪”。据《中华本草》记载，膜荚黄芪主产于黑龙江、山西及陕西，质稍次，多自产自销。

（5）据文献报道，以蒙古黄芪药材优质道地产区山西大同为基点，运用中药材产地适宜性分析地理信息系统（TCM-GIS）对全国不同地区的热量因子、年平均日照时数、年平均降水量、相对湿度、土壤类型等因素进行提取和差异性分析，蒙古黄芪生态相似度90%～100%的区域在全国共涉及5个省份，从东至西依次为内蒙古、陕西、宁夏、甘肃、青海，宁夏南部地区正好在此区域。

（6）2020 年版《中华人民共和国药典》一部收载的中药材产地趁鲜加工品种约有 60 种之多，其中无有关黄芪产地加工的描述，但黄芪的产地加工十分普遍。由于加工场所、设备及贮藏等条件有限，加工技术参差不齐，且没有法定操作规程，黄芪的产地加工长时间处于监管外，所以黄芪药材产地加工质量难以得到保障。国家药品监督管理局综合司在给安徽、甘肃省药品监督管理局《关于中药饮片生产企业采购产地加工（趁鲜切制）中药材有关问题的复函》中要求：采购鲜切药材的中药饮片生产企业，应当将质量管理体系延伸到该药材的种植、采收、加工等环节，产地加工企业应当根据所在地省级药品监管部门公布的趁鲜切制加工指导原则，结合鲜切药材特点和实际，制定具体品种切制加工标准和规程。未来产地加工会逐步规范，药材产地加工质量将不断提升。

（7）野生黄芪和仿野生黄芪多产于山西（道地产区）、内蒙古等，颇为海外市场所认可，且价格昂贵，而野生黄芪的过度采挖，导致优质资源的破坏和流失。野生药用资源是国家中医药事业可持续发展的战略资源，要将之充分用于中国人民的大健康事业，应严格监管、重点保护、科学利用。

（8）黄芪属大宗、重点品种，历史悠久，疗效确切，应用广泛。规范化种植是保证黄芪质量的关键，应鼓励有实力、有责任的企业参与规范化种植，并积极建设“三无一全”［无硫加工、无黄曲霉毒素超标、无公害（重金属及有害元素、农药残留、生长调节剂）及全过程可追溯］品牌，践行中药材高质量发展。

参考文献

[1] 中国科学院中国植物志编辑委员会．中国植物志：第四十二卷 [M]．北京：科学出版社，1990：131.

[2] 邢世瑞．宁夏中药志 [M]．银川：宁夏人民出版社，2006：123-130.

[3] 国家药典委员会．中华人民共和国药典：一部 [M]．北京：中国医药科技出版社，2020：315-316.

[4] 国家中医药管理局《中华本草》编委会．中华本草 [M]．上海：上海科学技术出版社，1999：341-356.

[5] 万燕晴，李震宇，李科，等．蒙古黄芪药材多指标综合评价研究 [J]．山西医科大学学报，2015，46（3）：234-239.

[6] 黄文华，王国祥，索风梅，等．蒙古黄芪适生区划分及药材质量的差异性分析 [J]．今日药学，2019，29（1）：1-6.

[7] 熊一峰．黄芪皂苷检测规程建立与恒山黄芪成分积累分布规律研究 [D]．太原：山西大学，2017.

[8] 万燕晴．基于化学成分的黄芪药材质量评价研究 [D]．太原：山西大学，2015.

[9] 谢道生．黄芪药材豆腥味与品质关联性研究 [D]．太原：山西大学，2010.

[10] 高四云，李科，秦雪梅，等．基于绝对生长年限野生与移栽黄芪质量比较研究 [J]．中草药，2018，49（10）：2248-2257.

[11] 何盼. 基于核磁代谢组学技术的黄芪抗疲劳药效研究 [D]. 太原：山西大学，2015.
[12] 黄璐琦，詹志来，郭兰萍. 中药材商品规格等级标准汇编 [M]. 北京：中国中医药出版社，2019：35-41.

撰稿人：丁　锐　张福宝

伞形科 Umbelliferae 柴胡属 *Bupleurum* 凭证标本号 640425130720013LY

柴胡 *Bupleurum chinense* DC.

| 药 材 名 | 柴胡（药用部位：根。别名：北柴胡、硬柴胡）。

| 本草综述 | 柴胡始载于秦汉时期《神农本草经》，该书以“茈胡”为正名，将其列为上品，并首次记载其功效：“主心腹，去肠胃中结气，饮食积聚，寒热邪气，推陈致新。”张仲景《伤寒论》中的方剂大柴胡汤、小柴胡汤为柴胡最早的配方应用，但该书未单独论述柴胡的功效。唐慎微的《经史证类备急本草》将历代对柴胡功效的记载兼收并蓄，但这一时期对柴胡功效的认识有了一定的变化，这说明柴胡的药用品种可能有了一定的变化。

有关柴胡的生境分布始载于《神农本草经》，该书指出柴胡“生洪农及冤句，长安及河内并有之”。宋代《本草图经》记载：“柴胡，生洪农山谷及冤句，今关陕、江湖间近道皆有之，以银州者为胜。二月生苗，甚香。茎青紫，叶似竹叶，稍紧，亦有似斜蒿，亦有似

柴胡

麦门冬而短者。七月开黄花。生丹州，结青子，与他处者不类。”南北朝时期《雷公炮炙论》记载：“茎长软，皮赤，黄髭须。出在平州平县，即今银州银县也。”五代以后，随着西域药物的传入，关于银州柴胡的记载增多，苏颂《本草图经》载“今关陕江湖间近道皆有之，以银州者为胜……叶似竹叶而稍紧小，其根似芦头，有赤毛如鼠尾，独窠长者好”，至此银州柴胡为柴胡上品日久成习，而北柴胡的使用却一度减少。直至金元末期，古人才将银柴胡和柴胡二者区分并用于临床中。明代李时珍最早将柴胡分为北柴胡和南柴胡，他认为：“北地所产者，亦如前胡而软，今人谓之北柴胡是也，入药亦良，南土所产者不似前胡，正如蒿根，强硬不堪使用。”同时，明代南柴胡已在江南地区为医家所广泛使用。这一时期，北柴胡、南柴胡、银柴胡在临床上均有使用，且有所区别。清代出现了柴胡的混淆品，结合产地和药材性状描述推断，该品种应为现今使用的石竹科银柴胡的根。

综上所述，汉代至南北朝时期，柴胡为伞形科柴胡属或前胡属植物混杂入药，其正品基原难以明确；唐代，石竹科植物或已成为柴胡药材的基原；宋代，明确了柴胡的道地产区为银州，其正品基原为狭叶柴胡及其近缘种银州柴胡；明代以后，北柴胡逐渐成为主流，并已明确石竹科银柴胡与伞形科柴胡属植物功效有异，但仍将银柴胡归于柴胡类药材使用；清代，将银柴胡单列为一类药材，与柴胡区分开来。

如今，我国柴胡商品药材依其性状分为 3 大类，即北柴胡（柴胡、硬柴胡）、南柴胡（红柴胡、软柴胡）和黑柴胡。所涉及的柴胡基原种类复杂，除《中华人民共和国药典》规定的柴胡和狭叶柴胡外，各地习用的还有大叶柴胡、锥叶柴胡等 20 余种。有用根者，亦有用全草者。

| 形态特征 | 多年生草本。高 40 ~ 75 cm。主根较粗，棕褐色，质坚硬。茎直立，2 ~ 3 枝丛生，稀单一，表面有细纵槽纹，上部多回分枝，略呈“之”字形曲折。叶互生，基生叶倒披针形或狭椭圆形，先端渐尖，基部收缩成柄，早枯落；茎生叶倒披针形或广线状披针形，两端渐尖，长 4 ~ 12 cm，宽 6 ~ 15（~ 30）mm，先端渐尖或急尖，在基部收缩成叶鞘，稍抱茎，顶部叶较小而有时呈镰状弯曲，表面绿色，背面淡绿色，具平行脉（5 ~）7 ~ 9。复伞形花序顶生或腋生，花序梗细，不等长，常水平伸出，形成疏松的圆锥状；总苞片 2 ~ 3 或无，狭披针形，小总苞片 5 ~ 7，披针形，通常较花短，稀近等长；花瓣 5，黄色，上部向内折；雄蕊 5，插生于花柱基部之下；子房椭圆形，花柱 2。双悬果广椭圆形，长约 3 mm，宽约 2 mm，淡棕色，果棱明显，棱槽各具油管 3，稀 4，合生面具

油管 4。花期 7 ~ 9 月，果期 9 ~ 11 月。

| 野生资源 |

（1）生长环境。柴胡多生于干燥的山坡林缘、灌丛、林间草地、山地路旁、田埂等地，土壤多为棕色森林土、富含腐殖质的黑土和草原砂质土。喜温暖湿润气候，尤其在出苗期间需地表湿润和遮阴条件，成株后则耐旱，怕积水。排水不良的低洼地、盐碱地不适宜柴胡生长。

（2）分布区域。柴胡主要分布于宁夏六盘山、贺兰山、罗山等，生于向阳山坡、林缘或草丛中。在我国其他地区，主要分布于东北、华北、华中和华东及西北其他地区等。

（3）蕴藏量。宁夏柴胡的蕴藏量和年产量均较大，除供应本区内药用外，还向其他地区提供商品药材。经第四次全国中药资源普查测算，宁夏柴胡的蕴藏量可达 5 000 t。

栽培资源

（1）栽培历史。随着柴胡野生资源开发利用范围的扩大，国内外对柴胡的需求量不断增加。20 世纪 80 年代，我国北方一些地区开始进行柴胡野生变家种的试验，经过几十年的努力，柴胡栽培有了相当规模的发展，已形成规模化种植。柴胡种植面积较大的地区有甘肃、山西和陕西。宁夏地产柴胡药材有 10 余种，为发展优良品种、提高柴胡的品质、改变柴胡商品药材多种混杂和良莠不齐的情况，宁夏大力发展人工种植业，选择优良的柴胡品种进行人工种植，建立规范化、规模化和产业化生产基地，提高宁夏优质柴胡在商品药材中的比例，提升宁夏柴胡主产区的地位和声誉，使柴胡资源产生更好的经济效益。近年来，随着推广种植柴胡规模的不断扩大，宁夏隆德县针对柴胡育苗出苗率低，限制了柴胡种植业迅速发展的现状，研究出了“冬小麦套种柴胡”的方法，这一突破极大地促进了全县柴胡种植业的发展。柴胡喜温暖、湿润气候条件，适应性强，具有耐寒、耐旱、怕涝的特性。土壤以 pH 6.5 ～ 7.5 的夹砂土或砂壤土为宜。对于柴胡这一大宗中药材品种，宁夏各地采取“合作社 + 基地 + 农户”的运作模式，建立柴胡种植的示范村及示范基地以进行生产，同时利用退耕还林地，采用人工种子撒播的仿野生种植法进行种植。

（2）栽培区域。宁夏柴胡的种植主要集中在宁夏隆德、彭阳、原州和泾源，已经取得了较好的经济效益。原州、泾源等地以北柴胡种植为主，西吉、隆德、同心等地以红柴胡种植为主。

（3）栽培面积与产量。柴胡在中药材市场的需求量大，但柴胡亩产量不大，每亩一般约为 40 kg。宁夏柴胡种植的总面积达 4 万多亩，其中隆德的种植面积可达 3 万亩。

（4）栽培技术。柴胡的野生种子多不成熟，发芽率低，一般只能达到约 60%。其种子有生理后熟现象，层积处理能促进后熟，在干燥情况下经 4 ~ 5 个月才能完成后熟过程。柴胡种子的发芽适温为 15 ~ 20 ℃。其植物生长随气温的升高而加快，适宜生长温度为 20 ~ 25 ℃，但升至 35 ℃以上则生长受到抑制；地上部分以 6 ~ 9 月生长迅速，后期根生长速度加快。人工种植者需生长发育 2 年。花期 7 月上旬至 9 月下旬，果期 9 月上旬至 11 月下旬。若霜期较早，则果实不能成熟。柴胡种植采用种子直播和育苗移栽的方法，其中，种子直播的春播时间以 3 月下旬至 4 月中旬为宜，秋播时间在 9 月，均采用条播。柴胡病虫害的危害较轻，病害主要有锈病、根腐病、斑枯病，虫害主要有黄凤蝶、蚜虫、红蜘蛛、赤条蝽。

| 采收加工 | 春、秋季采挖，除去茎叶和泥沙，干燥。

| 药材性状 | 本品呈圆柱形或长圆锥形，长 6 ~ 15 cm，直径 0.3 ~ 0.8 cm，根头膨大，顶端残留 3 ~ 15 茎基或短纤维状叶基，下部分枝，表面黑褐色或浅棕色，具纵皱纹、支根痕和皮孔。质硬而韧，不易折断，断面显纤维性，皮部浅棕色，木部黄白色。气微香，味微苦。

| 品质评价 | 以根粗长、无茎苗、须根少者为佳。现今市场上流通的柴胡药材大多为栽培品种，由于品种、产地、栽培方式的差异，药材质量参差不齐。柴胡为 2020 年版《中华人民共和国药典》收载的品种，《中华人民共和国药典》规定柴胡药材及饮片的水分不得过 10.0%，总灰分不得过 8.0%，酸不溶性灰分不得过 3.0%，浸出物不得少于 11.0%，按干燥品计算，柴胡皂苷 a 和柴胡皂苷 d 的总含量不得少于 0.30%。目前普遍认为在《中华人民共和国药典》收载的 2 个柴胡基原品种中，柴胡（北柴胡）中皂苷类成分的含量较高，狭叶柴胡（南柴胡）中挥发油类成分的含量较高。

| 化学成分 |

柴胡主要含有皂苷、甾醇、挥发油、有机酸、多糖、黄酮、多元醇、香豆素和微量元素等成分。

（1）挥发油。柴胡根含挥发油约 0.15%，油中主成分为 2- 甲基环戊酮、柠檬烯、月桂烯、反式 - 葛缕醇、长叶薄荷酮、桃金娘烯醇、α- 萜品醇、芳樟醇、α- 荜澄茄油烯、反式 - 石竹烯、长叶烯、努特卡酮、六氢法尼基丙酮、十六酸、戊酸、己酸、庚酸、辛酸、壬酸、2- 庚烯酸、2- 辛烯酸、2- 壬烯酸、苯酚、邻甲氧基苯酚、甲苯酚、乙苯酚、百里酚、γ- 庚酸内酯、γ- 辛酸内酯、玛索依内酯、香草醛乙酸酯等。

（2）皂苷。柴胡中的皂苷类成分包括柴胡皂苷 a、柴胡皂苷 b、柴胡皂苷 c、柴胡皂苷 d 及柴胡皂苷元 E、柴胡皂苷元 F、柴胡皂苷元 G、龙吉苷元等。

（3）有机酸。柴胡中的有机酸类成分包括油酸、亚麻酸、棕榈酸、硬脂酸、廿四酸等。

（4）多糖。柴胡多糖的分子量为 8 000，由半乳糖、葡萄糖、木糖、核糖和鼠李糖组成。

（5）黄酮及其他。柴胡的茎、叶含有芸香苷。在开花、结果期，从柴胡的花、叶、茎中可得到槲皮素、异槲皮苷、芸香苷、异鼠李素和异鼠李素 -3- 芸香糖苷。此外，柴胡的根中还含有 α- 菠菜甾醇、Δ^7- 豆甾烯醇、Δ^{22}- 豆甾烯醇、豆甾醇、侧金盏花醇、白芷素。

| 药理作用 |

（1）对中枢神经系统的作用。柴胡具有一定的中枢神经抑制作用。研究表明，柴胡皂苷对大鼠海马神经元癫痫样放电具有明显的抑制作用。

（2）镇痛、抗炎作用。柴胡皂苷元 A 腹腔注射，对小鼠压尾、电击等所致的疼痛有抑制作用。柴胡皂苷对多种致炎剂所致踝关节肿和结缔组织增生性炎症均有抑制作用，可抑制角叉菜胶、5- 羟色胺、组胺引起的大鼠足跖肿胀，抑制大鼠棉球肉芽肿，同时可使肾上腺肥大、胸腺萎缩，抑制炎症组织组胺释放及白细胞游走。

（3）对心血管系统的作用。柴胡具有抗氧化、降血脂、改善胆固醇代谢及调节凝血机制等作用。

（4）对消化系统的作用。柴胡皂苷能促进小鼠肠道内容物的移动，增强兔离体小肠的收缩。柴胡复方制剂对乙酰胆碱、组胺、氯化钡引起的肠道痉挛有抑制作用，能抑制胃蛋白酶的分泌，增强胃肠黏膜的防御功能。

（5）抗微生物的作用。体外实验结果表明，柴胡对金黄色葡萄球菌、溶血性链球菌、结核杆菌等有抑制作用。同时，对流感病毒、肝炎病毒及疟原虫等均有对

抗作用。

（6）其他作用。柴胡对体液免疫及细胞免疫均有增强作用；柴胡皂苷肌内注射，对实验性高脂血症动物有降低血脂的作用；柴胡可抗过敏，抑制变态反应中组胺、5-羟色胺、前列腺素的合成和释放；柴胡煎剂有溶血、升高血糖等作用。

| 功能主治 | 辛、苦，微寒。归肝、胆、肺经。解表退热，疏肝解郁，升举阳气。用于感冒发热，寒热往来，胸胁胀痛，月经不调，子宫脱垂，脱肛。

| 用法用量 | 内服煎汤，3 ~ 10 g。

| 饮片炮制 | 柴胡：除去杂质和残茎，洗净，润透，切厚片，干燥。

醋柴胡：取净柴胡片，用醋拌匀，闷润至醋吸尽，文火炒干，取出，晾凉。每 100 kg 柴胡用醋 20 kg。

| 市场信息 | （1）商品规格。古代文献对柴胡的规格等级划分强调产地质量。现代，中华中医药学会发布了《中药材商品规格等级 柴胡》（T/CACM 1021.71—2018）团体标准，在标准中根据市场流通情况，按生长模式的不同，将柴胡药材分为“栽培北柴胡”和“野生北柴胡”2 个规格。栽培北柴胡“规格”项下根据直径、残茎情况再分为选货和统货 2 个等级。

（2）价格信息。目前，柴胡市场购销正常，商家关注力度一般，行情较为平稳，市场上柴胡药厂货价格约为 60 元，能切片货价格为 70 ~ 75 元，切好的统货价格为 90 元，选货价格为 125 ~ 130 元。

（3）收购量、年销量。柴胡是大宗常用中药，目前，其使用量在所有中药中位列前三，正常用量在 5 000 t 以上，单是以柴胡为君药的中成药产品便多达 1 000 多种。近年来，由于我国经济触角的不断延伸，柴胡作为出口商品广销东南亚地区，年出口量已超过 1 万 t，且随着以柴胡为主要原料的药品的不断开发上市而快速递增。然而，近年来野生柴胡资源逐渐枯竭，产地生态环境持续恶化，采挖量逐年减少，加之出口量不断增加，而国内又没有较大规模、能够持续量产的柴胡规范化种植基地，导致柴胡的供应日趋紧张，价格已从 2005 年的约 15 元 /kg 飙升到目前的 40 ~ 70 元 /kg。

（4）易混（伪）品。柴胡属植物在我国约有 30 余种，很多种在各地均可入药，而《中华人民共和国药典》收载的正品柴胡为柴胡 *Bupleurum chinense* DC. 或狭叶柴胡 *Bupleurum scorzonerifolium* Willd.。柴胡药材中有时混有石竹科蝇子草属植物旱麦瓶草或丝石竹属植物的根，应注意鉴别。柴胡基原复杂，且种植后由于环境条件的不同导致药材性状发生一定的变化，使得柴胡品种的使用比较混乱。此外，由于近年来人们对柴胡产量的盲目追求，在市场上出现了以窄竹叶柴胡 *Bupleurum marginatum* Wall. ex DC. var. *stenophyllum* (Wolff) Shan et Y. Li（俗称藏柴胡）为主的柴胡非《中华人民共和国药典》品种，需加以重视。

| 资源利用 | （1）生产特色新药。柴胡有明显的解热作用，在临床上用于抑制流感病毒，如柴胡注射液等。以柴胡为原料的中成药品种多、产量大，如平肝舒络丸、加味逍遥丸、柴胡舒络丸、清宫丸、清瘟解毒丸、黄胆肝炎丸、舒肝止痛丸等。近年来又发现柴胡在治疗由流行性感冒引起的发热咳嗽及降血脂、保肝等方面效果很好，含柴胡成分的多种口服液、针剂及片剂等新药或新产品疗效显著。随着科学技术的深入发展，一些含柴胡成分的新药、特药将会应运而生。

（2）发展特色产业。柴胡是大宗中药材，用量较大，一般全年均畅销。近年来，柴胡野生资源逐年减少，特别是我国北方部分适宜柴胡生长的草原，被人们乱垦和无节制放牧，其生态环境和植被遭到十分严重的破坏，基于此，一系列保护生态环境的政策和法规相继出台，以限制人们对柴胡的无度采挖。同时，只依靠野生柴胡资源已很难满足中药事业发展的需求，因此，应大力发展柴胡的人工栽培。

（3）在饲料领域的应用。柴胡是多年生草本植物，其茎、叶部分均含有丰富的粗蛋白、粗脂肪、粗纤维和矿质元素。柴胡的根药用后，其地上部分往往被弃之不用。如果将其茎、叶制作成一种高营养的饲料或配方饲料，将促进当地的畜牧业发展，具有潜在的开发前景。

（4）保护生态环境。柴胡生于海拔 2 600 m 以上的山坡草地、灌丛、河滩及高山草甸等，其根系非常发达，耐雨水冲刷，对水土保持和遏制草场的沙漠化起到了重要作用。因此，为了加大西部地区生态建设措施落实的力度，应选用优良的柴胡品种，进行大面积人工栽培和培育新品种方面的探索，以实现柴胡资源药用和生态建设的双丰收。

| 附　　注 | 资源分布：世界上伞形科柴胡属植物共有 100 余种，主要分布于北半球温带地区。我国有 36 种 17 变种，分布于东北、华北、西北、西南地区。宁夏柴胡属植物的种类较多，有 6 种 6 变种 1 变型，其分布存在一定的交叉和过渡，尤其是一些近缘种之间过渡性明显。宁夏柴胡主要分布于中南部山区各县，其中，南部的暖温带湿润区，主要包括固原泾源、隆德等部分区域，柴胡种类较多，主要为狭叶柴胡（红柴胡）*Bupleurum scorzonerifolium* Willd.、黑柴胡 *Bupleurum*

smithii Wolff、窄竹叶柴胡 *Bupleurum marginatum* Wall. ex DC. var. *stenophyllum*（Wolff）Shan et Y. Li，此外，紫花大叶柴胡 *Bupleurum longiradiatum* Turcz. var. *porphyranthum* Shan et Y. Li、空心柴胡 *Bupleurum longicaule* Wall. ex DC. var. *franchetii* de Boiss. 也可见。温带半干旱区，主要包括彭阳、西吉、海原、同心及盐池等县，几乎全区的柴胡品种均有分布，且资源丰富，主要品种为柴胡 *Bupleurum chinense* DC.、狭叶柴胡（红柴胡）*Bupleurum scorzonerifolium* Willd.、小叶黑柴胡 *Bupleurum smithii* Wolff var. *parvifolium* Shan et Y. Li，此外，线叶柴胡 *Bupleurum angustissimum* (Franch.) Kitag.、短茎柴胡 *Bupleurum pusillum* Krylov、黄花鸭跖柴胡 *Bupleurum commelynoideum* de Boiss. var. *flaviflorum* Shan et Y. Li、密花柴胡 *Bupleurum densiflorum* Rupr. 也有稀疏分布。温带干旱区，主要包括宁夏平原及贺兰山地区，有少量的柴胡品种分布，如银州柴胡 *Bupleurum yinchowense* Shan et Y. Li、短茎柴胡 *Bupleurum pusillum* Krylov、锥叶柴胡 *Bupleurum bicaule* Helm，此外，还有少量小叶黑柴胡 *Bupleurum smithii* Wolff var. *parvifolium* Shan et Y. Li 分布。宁夏柴胡属植物多喜阳，多生于干燥的山坡草地、草丛中，只有少数品种如黑柴胡、紫花大叶柴胡等喜阴，多生于高山地区的阴坡林下或草丛中，小叶黑柴胡多生于砂壤土中，耐寒、耐旱性均较强。宁夏产柴胡按药材性状也分为 3 大类，即北柴胡（原植物为柴胡、窄竹叶柴胡、空心柴胡）、红柴胡（原植物为红柴胡、线叶柴胡和锥叶柴胡）、黑柴胡（原植物为小叶黑柴胡、空心柴胡和短茎柴胡等）。

宁夏的柴胡资源有 13 种（包括变种和变型），具体名称见表柴胡 -1，有时在同一地域生长着多种柴胡属植物，因植物形态相近，采药者分辨不清，往往均作为柴胡采挖，因此宁夏商品柴胡常以一种柴胡为主而混有他种。产于固原原州区的柴胡以硬柴胡为主，产于西吉的柴胡以红柴胡为主，产于海原的柴胡以黑柴胡为主，产于泾源、隆德的柴胡则为硬柴胡、软柴胡和黑柴胡的掺杂品，有时在一批柴胡药材中可拣出 3 ~ 4 种柴胡属药用植物的根。小叶黑柴胡分布较广，在宁夏全区商品柴胡药材中占有一定比例，而《中华人民共和国药典》收载的柴胡（硬柴胡）和狭叶柴胡（软柴胡）分布较少。

表柴胡 -1　宁夏的柴胡资源

序号	中文名	拉丁学名
1	柴胡	*Bupleurum chinense* DC.
2	狭叶柴胡	*Bupleurum scorzonerifolium* Willd.
3	小叶黑柴胡	*Bupleurum smithii* Wolff var. *parvifolium* Shan et Y. Li
4	黑柴胡	*Bupleurum smithii* Wolff
5	银州柴胡	*Bupleurum yinchowense* Shan et Y. Li

续表

序号	中文名	拉丁学名
6	锥叶柴胡	*Bupleurum bicaule* Helm
7	空心柴胡	*Bupleurum longicaule* Wall. ex DC. var. *franchetii* de Boiss.
8	窄竹叶柴胡	*Bupleurum marginatum* Wall. ex DC. var. *stenophyllum* (Wolff) Shan et Y. Li
9	线叶柴胡	*Bupleurum angustissimum* (Franch.) Kitag.
10	短茎柴胡	*Bupleurum pusillum* Krylov
11	紫花大叶柴胡	*Bupleurum longiradiatum* Turcz. var. *porphyranthum* Shan et Y. Li
12	黄花鸭跖柴胡	*Bupleurum commelynoideum* de Boiss. var. *flaviflorum* Shan et Y. Li
13	密花柴胡	*Bupleurum densiflorum* Rupr.

附：宁夏分布的其他柴胡属植物资源

（一）红柴胡

（二）黄花鸭跖柴胡

（三）线叶柴胡

（四）紫花大叶柴胡

参考文献

[1] 国家药典委员会. 中华人民共和国药典：一部 [M]. 北京：中国医药科技出版社，2020：293.

[2] 邢世瑞. 宁夏中药资源 [M]. 银川：宁夏人民出版社，1987：46.

[3] 邢世瑞. 宁夏中药志：下卷 [M]. 2 版. 银川：宁夏人民出版社，2006：65-79.

[4] 赵佳琛，翁倩倩，张悦，等. 经典名方中柴胡药材的本草考证 [J]. 中国中药杂志，2020，45（3）：697-703.

[5] 彭成. 中华道地药材（上）[M]. 北京：中国中医药出版社，2011：552-580.

[6] 金世元. 金世元中药材传统鉴别经验 [M]. 北京：中国中医药出版社，2010：22-24.

[7] 徐国钧，徐珞珊，王铮涛. 常用中药材品种整理和质量研究　南方协作组：第三册 [M]. 福州：福建科学技术出版社，1999：1-42.

[8] 林飞武，王自善，戎珍，等. 柴胡的药理作用、化学成分及开发利用研究 [J]. 亚太传统医药，2020，16（10）：202-205.

[9] 黄璐琦，詹志来，郭兰萍. 中药材商品规格等级标准汇编 [M]. 北京：中国中医药出版社，2019：573-580.

撰稿人：王　庆

龙胆科 Gentianaceae 龙胆属 *Gentiana* 凭证标本号 640423140807008ZPLY

秦艽 *Gentiana macrophylla* Pall.

|药 材 名| 秦艽（药用部位：根。别名：秦糺、秦爪、秦胶）。

|本草综述| 秦艽味辛、苦，性平，具有祛风除湿、舒筋止痛的功效，是我国重要的传统中药。不同历史时期秦艽的名称有所不同。《雷公炮炙论》根据纹理将秦艽分为2种："左文列为秦……右文列为艽。"《本草经集注》称之为"秦胶"，《四声本草》等以"秦爪"名之。《新修本草》为秦艽正名："本作札，或作纠，作膠，正作艽也。"《本草纲目》从产地和形态特征的角度对药名"秦艽"做了解释："秦艽出秦中（今陕西、甘肃等地），以根作罗纹交纠者佳，故名秦艽、秦糺。"又纠正雷公的说法："秦艽但以左文者为良，分秦与艽为二名，谬矣。"关于秦艽植物形态的描述最早见于《本草图经》，该书记载："根土黄色而相交纠，长一尺已来，粗细不等；枝秆高五六寸；

秦艽

叶婆娑连茎梗，俱青色，如莴苣叶；六月中开花紫色，似葛花，当月结子。”同时，该书附有秦州秦艽、石州秦艽、齐州秦艽、宁化军秦艽植物图 4 幅。《植物名实图考》记载秦艽“叶如莴苣，梗叶皆青”，书中所绘秦艽基部被枯存的纤维状叶鞘包裹，支根多条，扭结或黏结成圆柱形的根，基生叶莲座状，茎生叶椭圆状披针形或狭椭圆形，先端钝或急尖，边缘平滑，叶脉明显。以上均比较符合龙胆科龙胆属秦艽的植物形态特征。历代本草对秦艽的记载大致相同，与现今药用的秦艽基本一致。

在秦艽产地方面，《本草经集注》记载秦艽“生飞乌山谷”，同时又做了解释：“飞乌或是地名。今出甘松（在今四川境内）、龙洞（今陕西宁强）、蚕陵（今四川松潘），长大黄白色为佳。”《新修本草》曰：“今出泾州（今甘肃泾川）、鄜州（今陕西富县）、岐州（今陕西凤翔）者良。”《本草品汇精要》引《本草图经》曰：“生飞乌山谷及石州（今山西离石）、宁化军（今山西宁武）、秦州（今甘肃天水）、齐州（今山东济南），今河（今甘肃临夏）、陕州军（今河南三门峡及山西运城等地）多有之。”《植物名实图考》曰：“今山西五台山所产，形状正同。”综上所述，今甘肃、陕西、山西、四川等省区应为历史上秦艽的道地产区。

对于秦艽的炮制方法和功效，历代本草也有记述。秦艽常用的炮制方法有童便制、炒制、酒制等。《雷公炮炙论》曰：“凡用秦，先以布拭上黄肉毛尽，然后用还元汤浸一宿，至明出，日干用。”《本草纲目》对还元汤做了解释：“尿……方家谓之轮回酒、还元汤。”又引寇宗奭言：“人溺，须童子者佳。”可见，还元汤即童便。《雷公炮炙论》中秦艽炮制法与《本草经解》所载“便浸晒”相吻合。《小儿药证直诀》曰：“去芦头，切，焙。”《疮疡经验全书》《仁术便览》《医宗说约》等均以酒制，但方法各异，有酒拌晒、酒洗浸、酒洗切片等。秦艽辛、苦，平。童便性寒，制之增其苦寒之气；炒焙取其芳香之性，缓和苦味及寒性，适于脾胃虚弱者及小儿服用；酒制升提，浸之除其燥烈之性，洗者取其中正之性，缓其寒性，并增祛风、除湿、通筋络之功效。

《神农本草经》曰：“秦艽……主寒热邪气，寒湿风痹，肢节痛，下水，利小便。”《本草经集注》曰：“治风无问久新，通身挛急。”《本草蒙筌》曰：“养血荣筋，除风痹肢节俱痛，通便利水，散黄疸遍体如金，除头风，解酒毒，止肠风下血，去骨蒸传尸。”《本草求真》曰：“能除风湿牙痛。为风药中润剂，散药中补剂。”《本草分经》曰：“凡风湿痹症、筋脉拘挛，无论新久，偏寒偏热均用，为三痹必用之药。”可见，秦艽为祛风除湿、舒筋止痛之要药，在后世的临床应用中，其功效得到了进一步的验证。

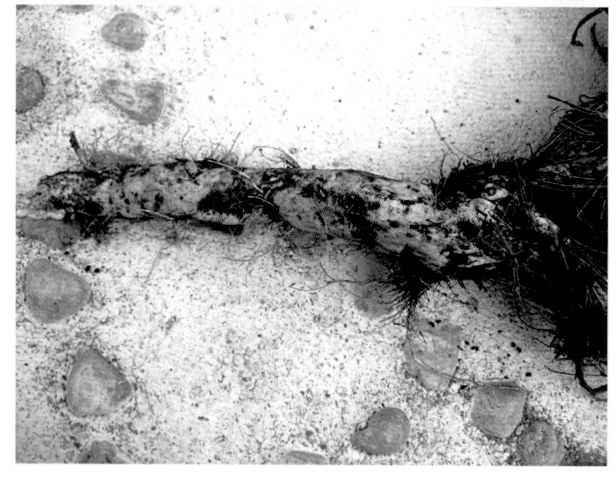

| 形态特征 | 多年生草本，高 30 ~ 60 cm。全株光滑无毛，基部被枯存的纤维状叶鞘包裹。须根多条，扭结或粘结成一圆柱形的根。枝黄绿色，有时上部带紫红色，近圆形。莲座丛叶卵状椭圆形或狭椭圆形，长 6 ~ 28 cm，宽 2.5 ~ 6 cm，叶脉 5 ~ 7；茎生叶椭圆状披针形或狭椭圆形，长 4.5 ~ 15 cm，宽 1.2 ~ 3.5 cm，叶脉 3 ~ 5。花多数，无花梗，呈头状簇生于枝顶或轮状腋生；萼筒膜质，黄绿色或有时带紫色，长 7 ~ 9 mm，萼齿 4 ~ 5，稀 1 ~ 3，甚小，锥形，长 0.5 ~ 1 mm；花冠筒部黄绿色，冠檐蓝色或蓝紫色，壶形，长 1.8 ~ 2 cm，裂片卵形或卵圆形，长 3 ~ 4 mm，先端钝或钝圆，全缘，褶整齐，三角形，长 1 ~ 1.5 mm 或截形，全缘；雄蕊着生于花冠筒中下部，整齐，花丝线状钻形，长 5 ~ 6 mm，花药矩圆形，长 2 ~ 2.5 mm；子房无柄，椭圆状披针形或狭椭圆形，长 9 ~ 11 mm，先端渐狭，花柱线形，连柱头长 1.5 ~ 2 mm，柱头 2 裂，裂片矩圆形。蒴果内藏或先端外露，卵状椭圆形，长 15 ~ 17 mm；种子红褐色，有光泽，矩圆形，长 1.2 ~ 1.4 mm，表面具细网纹。花果期 7 ~ 10 月。

| 野生资源 | （1）生长环境。秦艽多生于海拔 1 700 ~ 2 800 m 的河滩、林缘、山坡草地等。

喜冷凉湿润气候，有较强的耐寒性。生态环境适应幅度较宽，耐强光，怕积水。对土壤条件要求不严，但在土壤较湿润、腐殖质较丰富的地方生长较好。

（2）分布区域。龙胆属植物在中国植物区系中属于世界分布类型，而秦艽主要分布于我国及蒙古、俄罗斯的西伯利亚（模式标本产地）地区。秦艽在我国的分布：北起大兴安岭，经内蒙古草原，沿祁连山北麓到天山一线，东界太行山脉，向南到云贵高原西北缘，西达青藏高原东部。秦艽药材主产于我国的新疆、青海、宁夏、陕西、河北及东北等地区。多生长于河滩、路旁、水沟边、山坡草地、草甸林下及林缘。在祁连山区，秦艽主要分布于海拔 1 450 ～ 3 000 m 的亚高山或高山草甸、山地草场、山地林草场及亚高山或高山灌丛中；在甘肃，秦艽主要分布于陇东、陇中黄土高原地带，主产于甘肃庆阳的环县、华池、正宁，平凉的庄浪、华亭，天水的麦积、清水，临夏的东乡、积石山等地；在新疆，秦艽主要分布于和静、温泉、察布查尔、木垒、奇台、阜康等地；在陕西，秦艽主产于陕北的富县、吴起、志丹、麟游、靖边及关中的陇县、太白和凤县，另外在陕西的黄龙、黄陵、洛川、宜川和甘泉等地亦有分布。

在宁夏，秦艽主要分布于六盘山（泾源、隆德、原州）、贺兰山（贺兰、平罗）、罗山（同心、红寺堡）及西吉、彭阳等，泾源、隆德、原州其他地区也有分布。

（3）蕴藏量。作为重要的中药材，秦艽在宁夏各分布区县长期被当地群众采挖。1946 年，罗时宁、梅白逵主编的《宁夏资源志》记载，贺兰山年产秦艽 400 kg；20 世纪 80 年代，宁夏中药资源普查数据显示，宁夏秦艽的蕴藏量达 615 800 kg。据第四次宁夏中药资源普查，秦艽的蕴藏量约为 290 550 kg。总体而言，秦艽资源（秦艽、达乌里秦艽资源）在宁夏分布较多，储量较为丰富。

| 栽培资源 |

（1）栽培历史。秦艽在宁夏早有栽培，六盘山区早在 20 世纪 80 年代就开始了秦艽的人工驯化研究，但多为当地药农零星种植，分散不集中，且技术力量薄弱，种植粗放，产量不高。2005 年，宁夏大学在隆德县开展了国家科技攻关计划课题“宁夏六盘山道地中药材资源修复、再生与可持续发展关键技术研究与示范”研究，进行了秦艽人工补植、自然修复再生和秦艽规范化种植关键技术研究，为六盘山区秦艽的产业化种植奠定了基础。此后，宁夏西北药材科技有限公司、宁夏明德中药饮片有限公司、隆德县康鲜中药材科技有限责任公司等当地企业大力开展秦艽种植和加工研究，对秦艽进行大规模栽培。2013 年，六盘山秦艽成为农产品地理标志产品，标志地域保护范围包括隆德县城关镇、沙塘镇、神林乡、联财镇、好水乡、观庄乡、凤岭乡、温堡乡、奠安乡、山河乡、陈靳乡、张程乡、杨河乡等 13 个乡镇 127 个行政村组，区域内人工种植面积达

235 hm^2，年产量为 700 t。

（2）栽培区域。当前，宁夏秦艽的栽培区域主要集中在宁夏隆德县的沙塘镇、陈靳乡、城关镇、神林乡、联财镇、好水乡、观庄乡、凤岭乡、温堡乡、奠安乡、山河乡、张程乡、杨河乡等。

（3）栽培面积与产量。2013 年，隆德县秦艽的种植面积达 3.6 万余亩，2017 年的种植面积为 1 万亩。2017—2018 年，隆德县开展以秦艽为主的渝河北塬林下药材间作，面积达 8 万亩，截至 2020 年，秦艽林药间作面积共计 12 万亩。

（4）栽培技术。

1）产地环境。秦艽宜种植在海拔 2 000 ~ 2 200 m、年降水量 450 ~ 600 mm 的阴湿地区，以土质疏松、肥沃的壤土为好。

秦艽种植地区环境质量应满足以下要求：大气环境质量应符合 GB 3095—2012 中二级标准的规定；灌溉水质量应符合 GB 5084—2005 中二级标准的规定；土壤环境质量应符合 GB 15618—2008 中二级标准的规定。

2）选种。秦艽种植以种子播种为主。种子成熟时，选择生长健壮、无病虫害的优良植株，割下带部分茎秆的果实，置于通风处，待干后抖出种子，除去杂质。

3）仿野生栽培。①地块的选择。选择土层厚 25 cm 以上、质地为壤土、坡度小于 15° 的林下地块或山坡地块。②播种期。选择秋末进行，秋天雨量充足，有利于提高秦艽种子的发芽率。③播种量。山坡地块的种子用量为 7.5 kg/hm^2，林下地块的种子用量为 15 kg/hm^2。④播种。将种子撒播在山地土层较厚处，用钉耙适当耙搂。

4）直播栽培。①整地施肥。整地前施入腐熟的农家肥 30 ~ 45 t/hm^2，普通过磷酸钙 750 ~ 1 200 kg/hm^2；用旋耕机深翻 20 ~ 30 cm，耙耱平整。②播种期。可于 4 月上旬至 5 月，或于 8 ~ 9 月进行播种。秋季雨量充足，有利于提高秦艽种子的发芽率。③播种量。直播用种量为 15 ~ 30 kg/hm^2。④种子的处理。播种前用 200 mg/L 赤霉素溶液浸泡种子约 24 小时，除去浮在水面上的瘪籽，捞出用清水洗净。⑤播种。按行距 20 ~ 30 cm 开沟，沟深 1 ~ 2 cm，将种子用细河沙拌匀，撒入播种沟内，浅覆土，镇压。秦艽种子的萌发需要遮阴条件，播种后可用长麦草覆盖，厚 1 ~ 2 cm，进行遮阴保墒，防止土壤板结。

5）田间管理。①苗期管理。视降雨情况和土壤墒情，及时浇水，保持土壤湿润，直至出苗。齐苗后分 2 ~ 3 次揭去覆盖的麦草。②中耕除草。根据杂草的生长情况每年中耕除草 2 ~ 3 次。于 5 月中下旬进行第 1 次除草，此时幼苗易受伤，须小心操作，除草应在杂草的开花期或结实期前进行，以减少杂草种子的撒播。③追肥。每年结合中耕除草于 6 月中下旬追施磷酸二铵 225 ~ 300 kg/hm^2。④病害防治。a. 秦艽斑枯病。秦艽斑枯病的病原为小孢壳针孢 *Septoria microspora* Spegazzini。该病的农业防治方法主要是及时清除田间杂草，加大通风排湿力度；化学防治方法主要按照 GB 4285—1989 的规定和要求执行；物理防治方法主要是选用新高脂膜 900 g/hm^2 进行叶面喷雾隔离处理。b. 秦艽锈病。秦艽锈病的病原为龙胆柄锈菌 *Puccinia gentianae* Rohling.。该病的农业防治方法为及时除草间苗，做好田间通风排湿；化学防治方法按照 GB 4285—1989 的规定和要求执行。

（5）采收加工。

1）采收期。秦艽生长 3 年后，于 10 ~ 11 月植株地上部分开始枯黄时采挖。

2）采挖。采挖深度以深于秦艽根为宜，挖出后剪去茎叶，除去泥土。

3）晾晒。在半遮光条件下散开晾至须根完全干燥，主根基本干燥、稍带柔韧性。继续堆放 3 ~ 7 天，至表面呈灰黄色或黄色时，再摊开晾至完全干燥。

| 采收加工 | 春、秋季采挖，除去泥沙，晒软，堆置“发汗”，至表面呈红黄色或灰黄色时，摊开晒干，或不经“发汗”直接晒干。

| 药材性状 | 本品呈类圆柱形，上粗下细，扭曲不直，长 10 ~ 30 cm，直径 1 ~ 3 cm。表面黄棕色或灰黄色，有纵向或扭曲的纵皱纹，先端有残存茎基及纤维状叶鞘。质硬而脆，易折断，断面略显油性，皮部黄色或棕黄色，木部黄色。气特异，味苦、微涩。

| 化学成分 |

秦艽的主要化学成分有环烯醚萜类、三萜和甾体类、黄酮类、苯甲酸及其衍生物、挥发油类等。

（1）环烯醚萜类。环烯醚萜类是龙胆科植物的特征性成分，也是其主要活性成分和苦味成分。迄今为止，已从秦艽中分离出环烯醚萜苷和裂环烯醚萜苷 2 种类型。环烯醚萜苷主要有哈巴苷和马钱甘酸。裂环烯醚萜苷主要有龙胆苦苷、秦艽苷、獐牙菜苦苷（当药苦苷）、獐牙菜苷（当药苷）、三叶苷、大叶苷 A、大叶苷 B 等。其中，龙胆苦苷作为重要的活性成分，在根内的含量为 1.5% ~ 2.0%，具有显著的保肝、抗菌、抗炎等生物活性，一般采用大孔树脂法进行分离提取。

（2）三萜和甾体类。这类成分在龙胆属植物中普遍存在。张益军从西藏秦艽的非药用部位花中分离得到 2 个新的 A 环带 4 个羟基的五环三萜 1α,2α,3β,24-tetrahydroxyolean-12-en-28-oicacid 和 1α,2α,3β,24-tetrahydroxyursa-12,20 (30) -dien-28-oicacid，此外还有乌苏酸及其衍生物 2α-hydroxylursoticacid。此后，近藤嘉和等从秦艽的氯仿提取液中分离得到栎瘿酸、褐煤酸、褐煤酸甲酯、α-

香树醛、β- 谷甾醇 -β-D- 葡萄糖醇和β- 谷甾醇，其中，A 环开裂的五环三萜栎瘿酸是首次分离的产物。

（3）黄酮类。研究表明，秦艽中主要含有苦参素、苦参酚、异牡荆苷、甲氧基鳝藤酸及大叶苷 C 和大叶苷 D、异荭草素等。

（4）苯甲酸及其衍生物。该类成分主要有红白金花酸、秦艽酰胺、苯甲酰胺和苯甲酸等。

（5）挥发油类。秦艽药材富含挥发油成分而具有一定的芳香气味，这一特性常被用于自身品质的鉴定。秦艽所含挥发油成分富含醛类、酚类化合物。何希瑞等采用超临界流体萃取法（SFE）提取了秦艽的挥发油成分，并用气相色谱 - 质谱（GC-MS）联用技术进行了分析和鉴定。

（6）其他成分。其他成分主要有正三十一碳烷、正三十二碳烷乙酯、正三十二碳酸己酯、龙胆二糖、褪黑素，以及钙、镁、钾、锰等。

| 药理作用 | 秦艽的主要活性成分是龙胆苦苷、獐牙菜苦苷、獐牙菜苷。龙胆苦苷具有抗炎、抗过敏、镇静、镇痛、退热、升血糖、抗菌、利尿等作用。据实验观察，龙胆苦苷能减轻二甲苯所致的小鼠耳肿胀，抑制冰醋酸所致的小鼠腹腔毛细血管通透性增加，减轻角叉菜胶、酵母多糖 A 所致的大鼠足跖肿胀。此外，獐牙菜苦苷具有明显的镇痛（其镇痛作用大于氨基比林），抑制中枢神经，抗炎，退热，抗惊厥及消除胃肠道、胆道平滑肌痉挛性疼痛的作用；还能促进毛发生长，用于脱发症。獐牙菜苷具有退热、抗惊厥作用。

传统中医临床上，秦艽一直用于风湿痹痛、筋脉拘挛、手足不遂及骨蒸潮热、湿热等。随着现代科学技术的进步，秦艽的临床应用得到进一步拓展。目前，除传统的临床应用外，秦艽还用来治疗急性缺血性中风，急性脑出血，特发性面神经麻痹、眼肌麻痹，内痔出血，黄疸等。

| 功能主治 | 辛、苦，平。归胃、肝、胆经。祛风湿，清湿热，止痹痛，退虚热。用于风湿痹痛，中风半身不遂，筋脉拘挛，骨节酸痛，湿热黄疸，骨蒸潮热，小儿疳积发热。

| 用法用量 | 内服煎汤，3 ～ 10 g。

| 市场信息 | （1）商品规格。

1）规格。根据基原及来源的不同，市场上将秦艽药材分为“野生萝卜艽”“野生麻花艽”“野生小秦艽”“栽培萝卜艽”“栽培麻花艽”“栽培小秦艽”6 个规格，并在秦艽药材的流通过程中，用作区分不同交易品类的依据。

2）等级。在秦艽药材各规格下，根据芦下直径将秦艽分为统货和选货，其中选货又分为一等和二等。

①野生萝卜艽。统货，一般不分等级。②野生麻花艽。a. 一等，干货。芦下直径≥ 1.0 cm。b. 二等，干货。芦下直径为 0.3 ～ 1.0 cm。③野生小秦艽。a. 一等，干货。芦下直径≥ 0.8 cm。b. 二等，干货。芦下直径为 0.2 ～ 0.8 cm。④栽培萝卜艽。a. 一等，干货。芦下直径≥ 1.8 cm。b. 二等，干货。芦下直径为 1.0 ～ 1.8 cm。⑤栽培麻花艽。a. 一等，干货。芦下直径≥ 1.8 cm。b. 二等，干货。芦下直径为 0.5 ～ 1.8 cm。⑥栽培小秦艽。a. 一等，干货。芦下直径≥ 1.0 cm。b. 二等，干货。芦下直径为 0.2 ～ 1.0 cm。

（2）价格信息。栽培秦艽的价格波动较大，以栽培麻花艽为例，2017 年 8 ～ 9 月，栽培麻花艽的价格约为 45 元 /kg，2019 年同期一度上涨至 125 元 /kg，2020 年 6 月又回落至约 55 元 /kg。野生秦艽的价格比较稳定，甘肃、青海所产麻花艽的价格约为 180 元 /kg，内蒙古产小秦艽的价格约为 220 元 /kg。总体来看，近 5 年来，秦艽的价格稳中有升，偶现大幅震荡。

（3）收购量、年销量。野生秦艽在宁夏的收购量下降较多，20 世纪 80 年代在隆德、泾源和原州的年收购量约为 500 t，2019 年已不足 50 t；栽培秦艽主要在隆德、泾源、原州，2019 年的种植总面积约为 1 500 亩，产量约为 200 t。

（4）易混（伪）品。市场上常见的秦艽混淆品有同属植物长梗秦艽 *Gentiana waltonii* Burkill；伪品主要有龙胆科植物黄秦艽 *Veratrilla baillonii* Franch.、毛茛科植物牛扁 *Aconitum ochranthum* C. A. Mey. 等。

附：宁夏龙胆属其他药用植物

作为秦艽入药的植物除秦艽本种外，宁夏地区还有本属的达乌里秦艽 *Gentiana dahurica* Fisch. 和麻花艽 *Gentiana straminea* Maxim.，凭证标本号分别为 640522140819004LY 和 640423140701014LY。

（一）达乌里秦艽 *Gentiana dahurica* Fisch.

别名：小秦艽、达乌里龙胆、小叶秦艽。

多年生草本，高达 25 cm。枝丛生。莲座丛叶披针形或线状椭圆形，长 5 ～ 15 cm，先端渐尖，基部渐窄，叶柄宽扁，长 2 ～ 4 cm；茎生叶线状披针形或线形，长 2 ～ 5 cm。聚伞花序顶生或腋生，花序梗长达 5.5 cm；花梗长达 3 cm；萼筒膜质，黄绿色或带紫红色，长 0.7 ～ 1 cm，不裂，稀一侧开裂，裂片 5，不整齐，线形，绿色，长 3 ～ 8 mm；花冠深蓝色，有时喉部具黄色斑点，

长 3.5 ~ 4.5 cm，裂片卵形或卵状椭圆形，长 5 ~ 7 mm，先端钝，全缘，褶整齐，三角形或卵形，长 1.5 ~ 2 mm，先端钝，全缘或边缘啮蚀状。蒴果内藏，椭圆状披针形，长 2.5 ~ 3 cm，无柄；种子具细网纹。花果期 7 ~ 9 月。

产于宁夏盐池南部、同心、原州、隆德、彭阳、西吉、海原、泾源及香山（中卫）、罗山（红寺堡）。多生于海拔 1 500 ~ 2 500 m 的山坡草地、山沟、地埂、路边等。

（二）麻花艽 *Gentiana straminea* Maxim.

多年生草本，高达 35 cm。枝丛生。莲座丛叶宽披针形或卵状椭圆形，长 6 ~ 20 cm，两端渐窄，叶柄长 2 ~ 4 cm；茎生叶线状披针形或线形，长 2.5 ~ 8 cm，叶柄宽，长 0.5 ~ 2.5 cm。聚伞花序顶生或腋生，花序疏散，花序梗长达 9 cm；花梗长达 4 cm；萼筒膜质，黄绿色，长 1.5 ~ 2.8 cm，一侧开裂，萼片 2 ~ 5，钻形，稀线形，花冠黄绿色，喉部具绿色斑点，有时外面带紫色或蓝灰色，漏斗形，长（3 ~ ）3.5 ~ 4.5 cm，裂片卵形或卵状三角形，长 5 ~ 6 mm，先端钝，全缘，褶偏斜，三角形，长 2 ~ 3 mm，先端钝，全缘或边缘啮蚀状。蒴果内藏，椭圆状披针形；种子具细网纹。花果期 7 ~ 10 月。

产于宁夏南华山（海原）、月亮山（西吉）及隆德等。生于海拔 1 700 ~ 2 200 m 的林间空地、山沟、山坡及河滩等。

参考文献

[1] 南京中医药大学. 中药大辞典 [M]. 2 版. 上海：上海科学技术出版社，2009：2467-2470.
[2] 国家中医药管理局《中华本草》编委会. 中华本草 [M]. 上海：上海科学技术出版社，1994：231-236.
[3] 国家药典委员会. 中华人民共和国药典：一部 [M]. 北京：中国医药科技出版社，2020：282.
[4] 马潇，罗宗煜，翟进斌，等. 秦艽本草溯源 [J]. 中医药学报，2009，37（5）：70-71.
[5] 夏光成，萧培根，马毓泉. 中药秦艽原植物的研究 [J]. 药学学报，1965（6）：399-411.
[6] 邢世瑞. 宁夏中药志 [M]. 2 版. 银川：宁夏人民出版社，2006：145-149.
[7] 权宜淑. 中药秦艽的本草学研究 [J]. 西北药学杂志，1997（3）：113-114.
[8] 中国科学院中国植物志编辑委员会. 中国植物志：第六十二卷 [M]. 北京：科学出版社，1988：73-74.
[9] 吴征镒. 中国种子植物属的分布区类型 [J]. 云南植物研究，1991（增刊Ⅳ）：1-139.
[10] 朱强，李小龙，郑紫燕，等. 药用植物秦艽的研究概述 [J]. 农业科学研究，2008（3）：62-65，80.
[11] 魏立萍，王富胜. 秦艽标准化栽培技术规程 [J]. 甘肃农业科技，2020（1）：79-82.
[12] 晋玲，黄璐琦，郭兰萍，等. 中药材商品规格等级　秦艽：T/CACM 1021.76—2018[S]. 北京：中华中医药学会，2018：611-617.
[13] 李锟，徐小菊，何聪俐，等. 秦艽的化学成分和药理作用研究进展 [J]. 广东化工，2016，43（5）：107-108，116.

撰稿人：朱　强

旋花科 Convolvulaceae 菟丝子属 *Cuscuta* 凭证标本号 640402140912013LY

南方菟丝子 *Cuscuta australis* R. Br.

| 药 材 名 | 菟丝子（药用部位：种子。别名：菟芦、菟缕、玉女）。

| 形态特征 | 一年生寄生草本。茎缠绕，金黄色，纤细，直径约 1 mm，无叶。花序侧生，少花或多花簇生成小伞形或小团伞花序，总花序梗近无；苞片及小苞片均小，鳞片状；花梗稍粗壮，长 1 ~ 2.5 mm；花萼杯状，基部联合，裂片 3 ~ 4 ~ 5，长圆形或近圆形，通常不等大，长 0.8 ~ 1.8 mm，先端圆；花冠乳白色或淡黄色，杯状，长约 2 mm，裂片卵形或长圆形，先端圆，约与花冠管近等长，直立，宿存；雄蕊着生于花冠裂片弯缺处，比花冠裂片稍短；鳞片小，边缘短流苏状；子房扁球形，花柱 2，等长或稍不等长，柱头球形。蒴果扁球形，直径 3 ~ 4 mm，下半部为宿存花冠所包，成熟时不规则开裂，不为周裂；通常有 4 种子，淡褐色，卵形，长约 1.5 mm，表面粗糙。

南方菟丝子

| 栽培资源 | 南方菟丝子在宁夏主要以栽培为主，已有 20 多年的种植历史，种植面积较大，约有 60 079 亩，集中分布于兴庆和平罗。

南方菟丝子主要以种子繁殖，一般栽培寄主以大豆为主，通常于当年 4 月下旬播种大豆，待大豆出苗后，于 5 月底至 6 月初播种菟丝子于大豆带内，尽量靠近大豆植株。出苗期应注意保持土壤湿度在 60% 以上。

南方菟丝子在宁夏虽然已有 20 多年的种植历史，但是，目前尚未实施规范化管理，仍处于农户自采自种自销的状态。

| 采收加工 | 当菟丝子果壳变黄、有 1/3 的豆苗已干枯时进行采收，以 10 月为最佳。最好在早晨有露水时收割。晒干后用筛子将菟丝子筛出，除净果壳和杂质。

| 药材性状 | 本品呈卵球形，腹棱线不明显。大小变化幅度大，长径 0.7 ~ 2 mm，短径 0.5 ~ 1.2 mm。种皮表面淡褐色至棕色。一端有喙状突起而偏向一侧。种脐微凹陷，位于种子先端靠下侧。

| 品质评价 | 以干燥、色黄棕、颗粒饱满、无尘土及杂质者为佳。

根据《中药材商品规格等级标准汇编》，依据生长模式的不同，将菟丝子分为“栽培菟丝子”和“野生菟丝子”2 个规格，而根据种子成熟、饱满程度，将“栽培菟丝子”进一步分为“选货”和“统货”2 个等级，“野生菟丝子”仅“统货”1 个等级。具体情况见表南方菟丝子 –1。

表南方菟丝子 –1　菟丝子规格等级

规格	等级	性状描述	
		共同点	区别点
栽培菟丝子	选货	类球形，直径 1 ~ 2 mm，表面黄棕色至棕褐色，粗糙，腹棱线不明显，一端有近圆形、微凹陷的种脐，种喙凸出。质坚实，不易以指甲压碎。气微，味淡	籽粒饱满，均匀。杂质率 ≤ 1%
	统货		籽粒较饱满，大小不一。杂质率≤ 3%
野生菟丝子	统货	类球形、卵形，直径 1 ~ 1.8 mm，表面土黄色至棕黄色，粗糙，腹棱线明显，一端有微凹陷或近圆形的种脐，种喙略凸出。质坚实，不易以指甲压碎。气微，味淡	

| 化学成分 | 南方菟丝子中已报道的化学成分涉及甾类、萜类、黄酮、多糖等成分，其中黄酮是其主要的活性成分。目前已分离得到的黄酮类成分有槲皮素、紫云英苷、金丝桃苷、山柰酚、槲皮素 -3-*O*-*β*-D- 半乳糖（2-1）-*β*-D- 芹糖苷。

| 药理作用 | 南方菟丝子中已报道的药理作用有免疫增强作用、促性腺激素样作用及保肝明目作用。

| 功能主治 | 辛、甘，平。归肝、肾、脾经。补益肝肾，固精缩尿，安胎，明目，止泻；外用消风祛斑。用于肝肾不足，腰膝酸软，阳痿遗精，遗尿尿频，肾虚胎漏，胎动不安，目昏耳鸣，脾肾虚泻；外用于白癜风。

| 用法用量 | 内服煎汤，6 ~ 12 g；或入丸、散。外用适量，炒研调敷。

| 市场信息 | 目前，市售菟丝子主要以宁夏货源最多，其次为内蒙古货源和东北货源。宁夏货源按质量又分为通贵货、平罗货、银南货，其中通贵货质量最优，银南货质量最差。从 20 世纪 90 年代末至今，由于产区大量使用农药，野生菟丝子长势不佳或难以生存，资源近乎枯竭，市场缺口增大，在此背景下，人工种植菟丝子应运而生。但由于缺乏规范的菟丝子种植指导，农民种植菟丝子的积极性主要随市场价格涨跌而变。当医药市场对菟丝子的需求量下降，菟丝子的市场售价与产地收购量均会出现下滑，导致产地农民少种或弃种，进而导致连年消耗大量的库存，使库存快速减少。目前，菟丝子的市场需求迅速增长，供需矛盾较大。

| 资源利用 | 药材菟丝子的 2 个基原植物菟丝子 *Cuscuta chinensis* Lam. 和南方菟丝子 *Cuscuta australis* R. Br. 在宁夏均有分布。但是市场流通品主要为南方菟丝子的种子。南方菟丝子主要是栽培种，菟丝子为野生分布种。南方菟丝子在宁夏的种植规模已达 6 万多亩，并且已有 20 多年的种植传统，但是由于缺乏规范化种植管理，菟丝子的药材产量和品质均受到影响，种植户的种植热情也同时受到影响，严重制约了该地区菟丝子种植业的良性发展。菟丝子在宁夏分布广泛，储量丰富，但是目前并未受到重视，处于未利用的状态。因此，为促进宁夏菟丝子产业的长足发展，保证生产出优质、高产的菟丝子药材，建议尽快制定菟丝子种子的地方标准及其检验规程，进一步规范南方菟丝子的种植，筛选优良种质，进而规范菟丝子药材的采收、加工、销售等环节，实现菟丝子产业的可持续发展。

附：菟丝子 *Cuscuta chinensis* Lam.

（1）凭证标本号：640324140819009LY。

（2）药材名：菟丝子（药用部位：种子。别名：黄藤子、菟芦、吐丝子）。

（3）本草综述：菟丝子始载于《神农本草经》，被列为上品。该书记载：“菟丝子，味辛，平。主续绝伤，补不足，益气力，肥健。汁去面皯。久服明目，轻身延年。一名菟芦。生川泽。”

菟丝子药用历史悠久，分布广，种类多，历代文献所记载的性状多有不同，因此其异名较多。《名医别录》记载："味甘，无毒。主养肌，强阴，坚筋骨，主治茎中寒，精自出，溺有余沥，口苦，燥渴，寒血为积。一名菟缕，一名蓎蒙，一名玉女，一名赤网，一名菟累。生朝鲜田野，蔓延草木之上，色黄而细为赤网，色浅而大为菟累。"《吴普本草》记载："菟丝子一名玉女，一名赤网，生山谷。"《李氏草秘》记载："缠豆藤一名豆马黄，无叶有花，子即菟丝子。"《日华子本草》记载："菟丝子……苗茎似黄麻线，无根株，多附田中，草被缠死，或生一丛如席阔。开花结子不分明，如碎黍米粒。"此处描述了菟丝子无根和生长在田野中的特性，认为其子实为小粒。李时珍在《本草纲目》中引宁献王《庚辛玉册》云："火焰草，即菟丝子，阳草也。多生荒园古道，其子入地，初生有根，及长延草物，其根自断。无叶有花，白色微红，香亦袭人。结实如秕豆而细，色黄，生于梗上尤佳。"该记载表明了菟丝子的寄生特点。《植物名实图考》记载："金灯藤，一名毛芽藤，南赣皆有之，寄生树上，无枝叶。"此处的"金灯藤"是日本菟丝子，是对大粒菟丝子的记载。清代赵学楷《百草镜》记载："无根金丝草一名大焰草，即菟丝苗也，生毛豆茎上者佳。"

谢宗万《中药材品种论述》考证了菟丝子的地区异名，依据菟丝子种子的大小，将商品菟丝子分为大粒菟丝子和小粒菟丝子，其中小粒菟丝子包括中国菟丝子、欧洲菟丝子、南方菟丝子，大粒菟丝子包括红菟丝子、大花菟丝子。在我国不同地区，菟丝子的叫法也不相同，故其名称颇多，但大多根据其外观形状和特点来命名。如中国菟丝子，东北称黄丝子、龙须子、黄藤子，河北称兔儿须、黄腊须，河南称缠龙子、无根草、豆阎王，山东称无根藤、黄弯子、豆须子、黄乱丝种子，江苏称金丝草，浙江称飞来藤、金丝龙门草、有头无根草、无根有头草，江西称金丝藤，广东称无娘藤、金织窝、飞扬藤，甘肃称叩先草，台湾称豆虎。南方菟丝子，山东称豆寄生、盘死豆。红菟丝子，即日本菟丝子，四川称金灯笼（或金灯藤），江苏称罗丝种子，河南称树阎王。

自古菟丝子入药便区分大粒和小粒。《本草品汇精要》记载，菟丝子以"色土黄，如蚕子而细，子坚实细者为好"，认为小粒菟丝子的质量较优。1995 年版《中华人民共和国药典》收载入药的正品菟丝子来源仅菟丝子一种，2010 年版《中华人民共和国药典》收载入药的正品菟丝子来源增补了南方菟丝子。

（4）形态特征：一年生寄生草本。茎缠绕，黄色，纤细，直径约 1 mm，无叶。花序侧生，少花或多花簇生成小伞形或小团伞花序，总花序梗近无；苞片及小苞片小，鳞片状；花梗稍粗壮，长仅 1 mm；花萼杯状，中部以下联合，裂片三角状，长约 1.5 mm，先端钝；花冠白色，壶形，长约 3 mm，裂片三角状卵形，先端锐尖或钝，向外反折，宿存；雄蕊着生于花冠裂片弯缺微下处；鳞片长圆形，边缘长流苏状；子房近球形，花柱 2，等长或不等长，柱头球形。蒴果球形，直径约 3 mm，几乎全为宿存的花冠所包围，成熟时整齐地周裂；种子 2 ~ 4，淡褐色，卵形，长约 1 mm，表面粗糙。

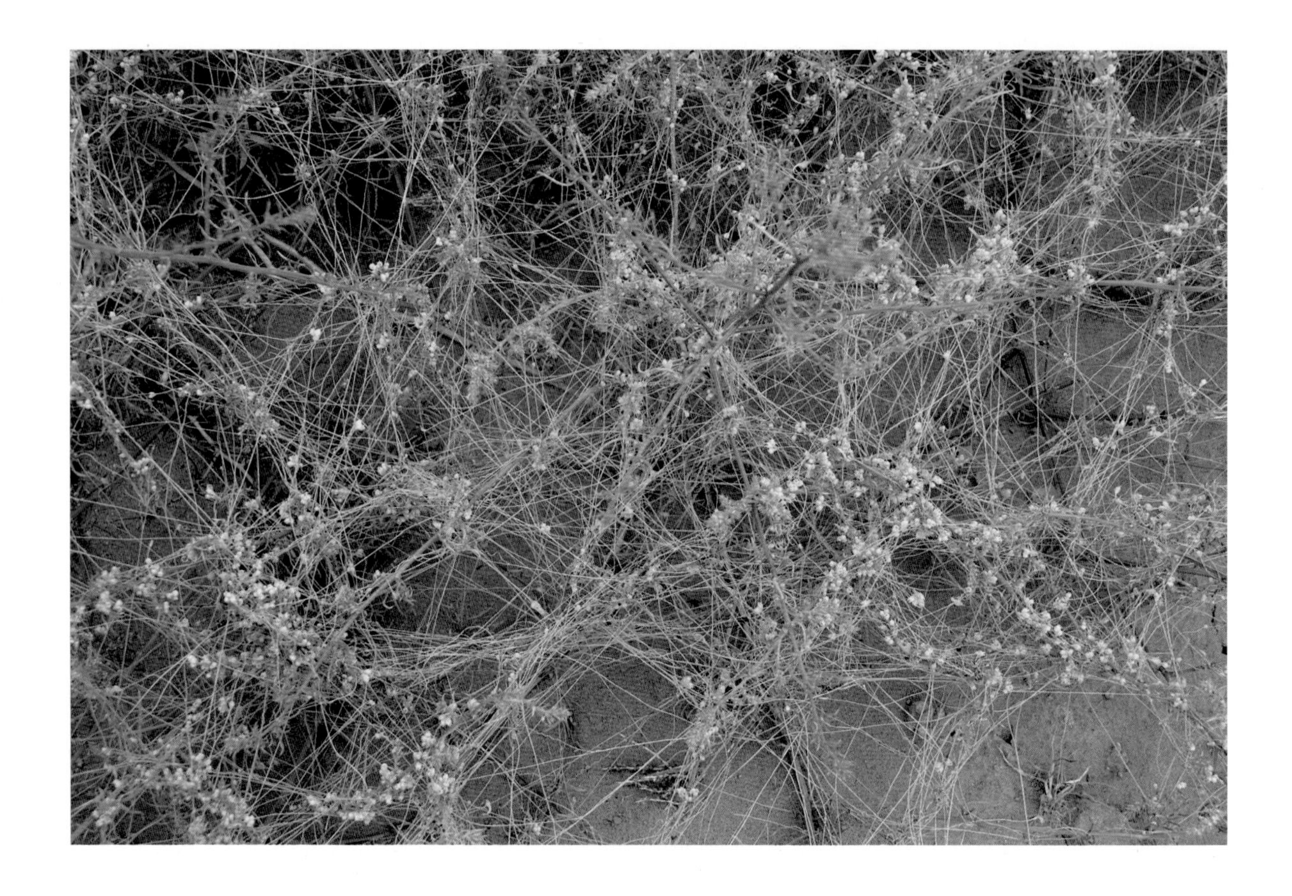

（5）野生资源：菟丝子主要集中分布于宁夏中北部广大的荒漠草原地带，通常被认作草原草害而加以清除。其寄主植物广泛，包括菊科、豆科、藜科等 10 个科的植物。据调查，菟丝子的野生储量达 46.293 万 kg，如果能作为药材加以利用，将会带来可观的经济效益。

（6）采收加工：秋季果实成熟时，连同寄主一起割下，晒干，打下种子，除去杂质。

（7）药材性状：本品呈近球形或卵球形，腹棱线明显，两侧常凹陷。长径 1.4 ~ 1.6 mm，短径 0.9 ~ 1.1 mm。表面黄色或黄褐色，种喙不明显，具有细密小点，并有不均匀分布的白色丝状条纹；种脐近圆形，位于种子先端。种皮坚硬，不易破碎。用沸水浸泡，种皮表面有黏性物，煮沸至种皮破裂，可露出黄白色、细长、卷旋状的胚。

（8）化学成分：菟丝子中的化学成分，已报道的涉及甾醇类、挥发油类、生物碱类、木脂素类、黄酮类、多糖类等，其中黄酮类是其主要的活性成分。目前已分离得到的黄酮类成分主要有槲皮素、紫云英苷、金丝桃苷、山柰酚、槲皮素 -3-*O*-*β*-D- 半乳糖 -（2→1）-*β*-D- 芹糖苷、槲皮素 -3-*O*-*β*-D- 半乳糖 -7-*O*-*β*-D- 葡萄糖苷、异鼠李素、山柰酚 -3-*O*-*β*-D- 葡萄糖苷、槲皮素 -3-*O*-（6″- 没食子酰基）-*β*-D- 葡萄糖苷、紫云英苷 -6″-*O*- 没食子酸酯、山柰酚 -3-*O*-*β*-D- 吡喃葡萄糖苷、4′,4,6- 三羟基橙酮等。

（9）药理作用。

1）改善男性不育。一方面，菟丝子黄酮可通过调节生精细胞周期、凋亡和相关蛋白而对雷公藤多苷片造成的生精细胞损伤产生影响，对生殖损伤起到较好的保护作用。另一方面，菟丝子总黄酮能够减缓氢化可的松对睾丸生精细胞凋亡的影响，促使凋亡基因 Fas、Fasl 的表达下调，抑制死亡受体通路，从而抑制生精细胞凋亡，可用于治疗少弱精子症。

2）降血糖。近年来的相关研究结果显示，菟丝子多糖可通过改善糖尿病实验动物的氧化应激状态、抑制 α – 淀粉酶的活性和增强免疫功能等多靶点作用发挥降血糖作用。

3）保护内皮细胞。刘海云、崔艳茹等研究发现，菟丝子黄酮对 H_2O_2 诱导的人脐静脉内皮细胞（HUVECs）损伤具有保护作用。

4）改善卵巢早衰。研究发现，菟丝子总黄酮（TFSC）对卵巢早衰大鼠的卵巢功能具有明显的恢复作用，可增加卵巢早衰大鼠的卵巢重量及卵泡数量，提高雌激素水平，对卵巢早衰具有明显的疗效。

5）安胎。研究发现，高、低剂量的菟丝子提取物含药血清均可增强早孕绒毛细胞滋养层细胞（CTB）的增殖活性，减少细胞凋亡的发生。

（10）功能主治：辛、甘，平。归肝、肾、脾经。补益肝肾，固精缩尿，安胎，明目，止泻；外用消风祛斑。用于肝肾不足，腰膝酸软，阳痿遗精，遗尿尿频，肾虚胎漏，胎动不安，目昏耳鸣，脾肾虚泻；外用于白癜风。

（11）用法用量：内服煎汤，6 ～ 12 g；或入丸、散。外用适量，炒研调敷。

（12）传统知识。

1）用于肾虚腰痛，阳痿遗精。菟丝子、枸杞、金樱子各 12 g，莲须、韭菜子、五味子各 6 g，水煎服。

2）用于胎动不安。菟丝子、桑寄生、女贞子、续断各 12 g，水煎服。

参考文献

[1] 中国科学院中国植物志编辑委员会. 中国植物志 [M]. 北京：科学出版社，2004.

[2] 国家药典委员会. 中华人民共和国药典：一部 [M]. 北京：中国医药科技出版社，2015.

[3] 宁夏中药志编写组. 宁夏中药志 [M]. 银川：宁夏人民出版社，2008.

[4] 邢世瑞. 宁夏中药资源 [M]. 银川：宁夏人民出版社，1987.

[5] 王旭鹏，党维霞，张文懿. 宁夏栽培南方菟丝子适宜采收期的研究 [J]. 时珍国医国药，2015，26（2）：463-464.

[6] 李寅菲，李克昌，黄文广，等. 宁夏草原首次大面积发生菟丝子危害 [J]. 植物保护，34（3）：151-153.

[7] 郭澄，张芝玉，郑汉臣，等. 中药菟丝子的本草考证和原植物调查 [J]. 中国中药杂志，1990，15（3）：10-12.

[8] 管雁丞，何中平，黄长盛，等. 菟丝子总提物对雷公藤多苷 POF 大鼠模型影响的探讨 [J]. 江西中医药，2018，49（7）：63-65.

[9] 郭澄，王雅君，张剑萍. 菟丝子的化学成分和药理活性研究 [J]. 时珍国医国药，2005，16（10）：1035-1036.

[10] 张玉萍. 神农本草经 [M]. 福州：福建科学技术出版社，2012.

[11] 思源. 四库全书精华 [M]. 南昌：江西美术出版社，2018.

[12] 谢宗万. 中药材品种论述：中册 [M]. 上海：上海科学技术出版社，1984：338-343.

[13] 吴夏丽，白冬雪，宋成，等. 菟丝子正异名本草考证 [J]. 中国中医药图书情报杂志，2020，44（5）：73-76.

撰稿人：牛东玲

列当科 Orobanchaceae 肉苁蓉属 *Cistanche* 凭证标本号 640121150520015ZPLY

肉苁蓉 *Cistanche deserticola* Ma

药材名 肉苁蓉（药用部位：全草。别名：苁蓉、肉松蓉、纵蓉）。

本草综述 肉苁蓉始载于《神农本草经》，位列上品。《名医别录》记载肉苁蓉“生河西及代郡雁门”。河西，指黄河以西，包括今甘肃西部、内蒙古西部及陕西和宁夏西北部；代郡、雁门，在今山西省。南北朝时期在《本草经集注》一书对肉苁蓉的道地产区有下列描述：“今第一出陇西，形扁广，柔润，多花而味甘；次出北国者，形短而少花。”该书认为肉苁蓉第一等产于内蒙古至甘肃西部一带；第二等产于山西北部、内蒙古中部等北方地区，体型小，花序少，与盐生肉苁蓉 *Cistanche salsa* (C. A. Mey.) G. Beck 的特征吻合。唐代《千金翼方》记载，原州（今甘肃镇原）、灵州（今宁夏吴忠、中卫）产苁蓉，

肉苁蓉

兰州（今甘肃皋兰）、肃州（今甘肃酒泉）产肉苁蓉。宋代《本草图经》对肉苁蓉的产地也有阐述："今陕西州郡多有之，然不及西羌界中来者，肉厚而力紧。"该书认为内蒙古至甘肃西部、青海东北部的肉苁蓉质量较好。明代《本草蒙筌》记载："陕西州郡（今陕西、甘肃、宁夏各地，以及青海、新疆和内蒙古一些地区）俱有。"因此，历代本草所载的肉苁蓉产地包括今山西、陕西、宁夏、甘肃及内蒙古西部、青海东北部等。由于大量采挖和生态变化，今山西和陕西已不产肉苁蓉。目前，肉苁蓉主要分布在内蒙古西部、新疆北部、宁夏、青海和甘肃等地，以内蒙古阿拉善为道地产区。1969—1979年，阿拉善左旗行政区划曾属宁夏。综上，肉苁蓉一直是宁夏地区的重要中药资源。

| 形态特征 |

肉苁蓉主要寄生于藜科植物梭梭 *Haloxylon ammodendron* (C. A. Mey.) Bunge 的根部。茎肉质肥厚，扁圆柱形，稍弯曲，高 40 ~ 160 cm，不分枝或从基部分 2 ~ 5 枝；下部直径 5 ~ 10（~ 15）cm，向上逐渐变细，直径 2 ~ 5 cm。被多数肉质鳞片状叶，黄色至淡黄白色，无叶柄，覆瓦状排列，茎下部叶较短且排列紧密，宽卵形或三角状卵形，长 0.5 ~ 1 cm，宽 1 ~ 2 cm，上部叶稀疏，线状披针形，长 1 ~ 4 cm，宽 0.5 ~ 1 cm。穗状花序长 10 ~ 80 cm；每花基部有 1 大苞片和 2 对称的小苞片，大苞片线状披针形、披针形或卵状披针形，长 2 ~ 4 cm，宽 0.5 ~ 0.8 cm，被疏绵毛或近无毛，小苞片卵状披针形或披针形，与花萼等长或

稍长，被疏绵毛或无毛；花萼钟状，淡黄色或白色，长 1 ~ 1.5 cm，5 浅裂，裂片近圆形，无毛或多少被绵毛；花冠管状钟形，黄白色、淡紫色或边缘淡紫色，管部白色，干时变浅棕色或棕褐色，长 3 ~ 4 cm，5 浅裂，裂片近圆形，管内有 2 纵向的鲜黄色突起；雄蕊 4，2 强，近内藏，花丝上部稍弯曲，基部被皱曲长柔毛，花药倒卵圆形，先端有骤尖头，密被长柔毛；子房上位，基部有黄色蜜腺，花柱细长，先端内折，柱头近球形。蒴果椭圆形，2 瓣裂，成熟后呈褐色或深褐色；种子多数，微小，椭圆状卵形或椭圆形，表面网状，有光泽。花期 5 ~ 6 月，果期 6 ~ 7 月。

| 栽培资源 | （1）栽培历史。肉苁蓉适宜在我国内蒙古、宁夏、甘肃、新疆、青海等省区海拔 150 ~ 3 000 m 的荒漠和半荒漠地区种植，包括北纬 36° ~ 48° 范围内的乌兰布和沙漠、腾格里沙漠、巴丹吉林沙漠、河西走廊沙地、塔克拉玛干沙漠和古尔班通古特沙漠及其边缘地区。以气候干旱，年平均降水量 250 mm 以下，年蒸发量 1 800 ~ 3 600 mm，日照时数长，昼夜温差大，年太阳总辐射量 130 ~ 150 kcal/cm^2，年平均气温 2 ~ 10 ℃，年有效活动积温 2 500 ~ 3 300 ℃的地区最为适宜。肉苁蓉的人工种植研究始于 20 世纪 80 年代，在人工接种技术及栽培技术等方面取得了一些成果。但由于肉苁蓉生长环境恶劣、生长周期长、影响因素多，且有关肉苁蓉的研究多在野生区域进行，可控性差，试验缺乏系

统性和重复性，研究成果的推广应用效果不稳定。2001 年，戈建新在永宁县甘草种植场（今永宁县本草苁蓉种植基地）申请了“肉苁蓉的人工种植方法”专利，包括种床的制备和开沟施肥等一系列接种方法和栽培技术，但在以后的生产实践中不断发现新的问题，种植技术和配套机械装置也需不断地改进和完善。由于对肉苁蓉生长发育相关的基础问题缺乏深入、系统的研究，在生产中缺乏成熟有效的解决对策，导致种植见效慢，产量仍不稳定，很大程度上影响和制约了肉苁蓉种植产业的发展和种植者积极性的提高，造成近年来仍未能形成满足市场需求的肉苁蓉人工种植规模。为了有效保护野生肉苁蓉资源，加速肉苁蓉人工种植产业化发展，国家科学技术部在“十五”至“十三五”科技攻关和支撑计划中，资助了一系列与濒危中药材肉苁蓉繁育和规范化种植相关的研究课题。由于国家的政策导向和肉苁蓉产品的开发需求，近年来新疆、内蒙古、宁夏、甘肃等地纷纷结合生态建设进行肉苁蓉的人工种植和野生抚育基地的建设。经过多年研究与示范，宁夏永宁县本草苁蓉种植基地与中国医学科学院药用植物研究所合作，在贺兰山东麓的沙荒地上种植肉苁蓉寄主植物梭梭 400 hm^2，按照

国家中药材生产质量管理规范（GAP）的要求，对肉苁蓉的生产环境、种子种苗、栽培技术、采收加工等进行科学管理，被宁夏授予“肉苁蓉规范化种植基地”称号。

（2）栽培区域。在宁夏，肉苁蓉主要分布于永宁县，为人工引种栽培，种植面积约为 400 hm^2。

（3）栽培面积与产量。永宁县肉苁蓉的种植面积约为 400 hm^2，年产量约为 20 000 kg。

（4）栽培技术。

1）地块选择。应选择轻度盐渍化、地下水位较高、光照充足、排水良好的固定或半固定沙地、荒漠沙地。适宜土壤类型为棕钙土、灰棕漠土、灰漠土、半荒漠土、灌漠土和盐渍土等各类荒漠土，土壤结构以砂壤较佳，应具备灌溉条件。

2）种子要求。种子，须鉴定物种来源为肉苁蓉，可采自野生或种植基地自繁，应成熟、有活力，经检验符合相应标准。

3）寄主育苗及种植。3 月下旬至 5 月上旬可进行梭梭的播种，土壤温度稳定在 10 ℃左右时最为适宜。播种前将地浅翻细耙，锄去杂草，灌足底水。每公顷播种量为 30 ~ 120 kg，播种后覆土不超过 1 cm，稍加镇压，喷灌或小水漫灌，保持苗床湿润。可在当年 10 月中下旬或翌年春季 3 月下旬至 4 月上旬起苗，若秋季起苗，需假植越冬。3 ~ 4 月在梭梭苗萌芽前进行移栽种植，株距 1 m 左右，行距 3 ~ 4 m。种植后及时浇水，随时检查成活率，适时进行补栽。

4）肉苁蓉接种。选择长势良好的三年生及以上的寄主植物，在距离树干 30 ~ 50 cm 处开 40 ~ 60 cm 的深沟，接种肉苁蓉种子，或在采挖肉苁蓉时，随采随播。春季到秋季均可接种。每公顷接种量为 150 ~ 300 g。接种后及时浇透水 1 次，之后视土壤墒情灌溉 1 ~ 2 次 / 年。浇水后或雨后及时除草。

5）病虫害防治。肉苁蓉及其寄主梭梭的主要病害有肉苁蓉茎腐病、梭梭白粉病、根腐病、锈病，主要虫害有肉苁蓉蛀蝇、黄褐丽金龟、草地螟和漠尺蛾等。针对肉苁蓉茎腐病、梭梭白粉病、锈病等病害宜采用生防菌剂、低毒化学农药和人工剪除等管理措施；针对肉苁蓉蛀蝇、黄褐丽金龟、草地螟等害虫宜选用低毒化学农药、充分腐熟的有机肥、物理防治和保护天敌等综合防治方法。采用化学防治时，应当符合国家有关规定，优先选用高效、低毒的生物农药，尽量避免使用除草剂、杀虫剂和杀菌剂等化学农药，不使用国家规定的禁限用农药。

| 采收加工 | 接种后第 2 年开始采收，春、秋季均可，春季在 3 ~ 5 月肉苁蓉肉质茎先端未出土或花序端刚出土时采收，秋季在 10 ~ 11 月冻土前采收。采收时从寄生点处全部采收或采大留小，寄生点处有小芽的肉质茎可在距寄生点 5 ~ 10 cm 处

使用非金属刀具切断或用手扳断。春季采收的肉苁蓉，应除去花序或茎尖。有条件的基地可先将鲜肉苁蓉用高压水快速淋洗，除去泥沙，置通风处及时吹干表面多余水分，之后可整株晾晒，或切片干燥，杀酶后晾晒干燥或 60 ℃左右烘干，注意翻动以防止霉变，直到含水量在 10% 以下。

| 药材性状 | 本品呈长圆柱形或下部稍扁，略弯曲，长 10 ~ 60 cm；下部较粗，直径 3 ~ 9 cm，向上渐细，直径 2 ~ 5 cm。表面灰棕色或棕褐色，密被覆瓦状排列的肉质鳞片，鳞片菱形或三角形，通常鳞叶先端已断，鳞片脱落后留下的叶迹呈弯月形。质坚硬，微有柔性，不易折断。断面黄褐色或棕褐色，有淡黄棕色点状维管束，深波状或锯齿状环列；木部约占 4/5。气微，味甜、微苦。传统认为肥大、肉质、黑棕色、油性大、质柔润者为佳。

| 品质评价 | 2020 年版《中华人民共和国药典》规定肉苁蓉药材水分不得过 10.0%，总灰分不得过 8.0%。照醇溶性浸出物测定法项下的冷浸法测定，用稀乙醇作溶剂，浸出物不得少于 35.0%。照高效液相色谱法测定，按干燥品计算，肉苁蓉含松果菊苷（$C_{35}H_{46}O_{20}$）和毛蕊花糖苷（$C_{29}H_{36}O_{15}$）的总量不得少于 0.30%。此外，对肉苁蓉中苯乙醇总苷的含量进行测定的方法有硝酸铝 - 比色法、重氮盐 - 比色法、紫外分光光度法等。苯酚 - 硫酸法是测定肉苁蓉多糖含量最常用的方法。单糖含量测定最常用的方法为色谱法，其他还有分光光度法、毛细管电泳法等。经测定，永宁县栽培肉苁蓉药材的各项品质指标均高于《中华人民共和国药典》标准。

| 化学成分 | 苯乙醇苷类成分为肉苁蓉抗衰老、提高学习记忆能力、抗阿尔茨海默病的主要活性成分，主要包括松果菊苷、毛蕊花糖苷、2- 乙酰基毛蕊花糖苷、肉苁蓉苷 A ~ E 等，是肉苁蓉属植物中研究最多的一类化合物。糖类及其衍生物类成分包括肉苁蓉多糖、果胶多糖、半乳甘露聚糖、葡聚糖等，具有抗氧化、抗衰老、镇静止痛、免疫调节及润肠通便等多种功效。此外，肉苁蓉中还含有甜菜碱等生物碱、黄酮类、环烯醚萜类等活性成分，具有抗炎、抗突变、抗骨质疏松等功效。环烯醚萜及其苷类主要包括肉苁蓉素、肉苁蓉氯素、6- 去氧梓醇、8- 表马钱子酸、8- 表去氧马钱子酸和京尼平苷酸等。

| 药理作用 | 现代药理研究表明，肉苁蓉具有抗疲劳、增强体力、调节免疫、改善记忆力、改善心血管功能、抗阿尔茨海默病、抗衰老、保肝、抗炎、抗辐射等药理作用。

苁蓉总苷可改善 D- 半乳糖所致脑老化模型小鼠海马超微结构，延缓衰老；还可以提高正常小鼠及由东莨菪碱、亚硝酸钠、乙醇及氢化可的松等导致的学习记忆功能障碍模型小鼠和阿尔茨海默病（AD）小鼠的学习记忆能力，起到防治阿尔茨海默病的作用；对辐射损伤小鼠的免疫功能也具有防护作用。松果菊苷可改善 AB25-35 所致 AD 大鼠的学习记忆能力。松果菊苷及毛蕊花糖苷等均可改善 1- 甲基 -4- 苯基 -1,2,3,6- 四氢吡啶（MPTP）诱导的帕金森（PD）小鼠的行为学缺陷。苁蓉总苷、松果菊苷对脑缺血及脑缺血再灌注损伤均具有保护作用。肉苁蓉多糖及毛蕊花糖苷具有增强机体免疫力的作用。

| 功能主治 | 甘、咸，温。归肾、大肠经。补肾阳，益经血，润肠通便。用于肾阳不足，精血亏虚，阳痿，不孕，腰膝酸软，筋骨无力，肠燥便秘等。

| 用法用量 | 内服煎汤，6 ~ 10 g。

| 市场信息 | （1）商品规格。1984 年，国家医药管理局和中华人民共和国卫生部联合制定的《七十六种药材商品规格标准》中，将肉苁蓉分成甜苁蓉和咸苁蓉 2 个规格。甜苁蓉即未经盐水浸泡直接晒干的肉苁蓉。因肉苁蓉含水量较高，难以干燥，在运输过程中易发霉腐败，因而旧时常用盐水浸泡，如今随着干燥工艺的改善和交通运输的便利，目前各产地和市场已无咸苁蓉销售。2018 年，中华中医药学会颁布了《中药材商品规格等级　肉苁蓉》（T/CACM 1021.39—2018）标准，将肉苁蓉分为软苁蓉（软大芸）和硬苁蓉（硬大芸）2 个规格，即分别来源于肉苁蓉和管花肉苁蓉的药材。以肉质茎形状、长度和直径等指标，将肉苁蓉选货规格分为 2 ~ 3 个等级。

（2）价格信息。自 2018 年以后，肉苁蓉的价格波动较小，价格指数稳定。内蒙古作为肉苁蓉的道地产区，所产肉苁蓉价格最高，选货高达 150 元 /kg；其次是资源蕴藏量最高的新疆产区；青海产区的价格最低，仅为 60 元 /kg。2020 年四大药材市场肉苁蓉批发价格见表肉苁蓉 -1。

（3）收购量、销售量。相关数据显示，2015 年，我国肉苁蓉的供应量为 2 810 t，而需求量为 5 380 t，呈严重供不应求态势；市场规模达 17.2 亿元，且年增长率近 50%。

（4）易混（伪）品。肉苁蓉的易混（伪）品主要包括来源于肉苁蓉属其他植物盐生肉苁蓉 *Cistanche salsa* (C. A. Mey.) G. Beck、沙苁蓉 *Cistanche sinensis*

G. Beck 和管花肉苁蓉 *Cistanche tubulosa* (Schenk) Wight 的药材，以及草苁蓉 *Boschniakla rossica* Fledtseh. et Flemv 和锁阳 *Cynomorium songaricum* Rupr. 等。

表肉苁蓉 –1　2020 年四大药材市场肉苁蓉批发价格

规格等级	产地价格 /（元 /kg）				
	新疆	内蒙古	青海	甘肃	进口
野生	140	—	—	—	125
栽培选	130	150	—	100	—
栽培统	95	130	60	—	—

信息来源：中药材天地网、康美中药网、药通网。

资源利用

（1）濒危情况。近年来，由于全球变暖，气温升高，降水量逐年减少，加之过度开发地下水，地下水位下降，大片梭梭林和沙生植物因水分不足而干枯死亡。寄主梭梭资源减少造成肉苁蓉的分布面积减少。同时，作为常用补益中药，肉苁蓉需求量巨大，滥采乱挖现象愈演愈烈，野生资源濒临枯竭，西北地区脆弱的生态环境也遭到极大破坏。为此，国家将肉苁蓉列为二级保护植物，并收入《国际野生植物保护名录》，同时列入《濒危野生动植物种国际贸易公约》（CITES）附录二，对其进出口贸易进行申报管制。

（2）资源利用。肉苁蓉是历代补肾壮阳和增力处方中使用频度最高的药物；在抗衰老延年类方剂中，出现频率仅次于人参。历代医家对肉苁蓉的药用价值均有极高的评价。李时珍曰："此物补而不峻，故有苁蓉之号。"《本草汇言》称"肉苁蓉，养命门、滋肾气、补精血"。肉苁蓉近年来也称作荒漠肉苁蓉，与管花肉苁蓉相比，其生长年限长、产量低、质地软、价格相对较高，已被列入既是食品又是中药材的物质名单。用于食疗，小剂量服用后能增力解乏。随着我国老年人口的增加，肉苁蓉及其药用产品的需求量逐年增大。肉苁蓉在疾病治疗和养生保健领域的开发前景十分广阔，已被开发为提高性功能、抗阿尔茨海默病、保肝、通便、肿瘤辅助治疗、抗辐射等的药物，同时还被各种增强体力、抗疲劳和延缓衰老的保健品选作原料。目前以肉苁蓉为原料（复方配伍）的传统中药处方约有数百种，以肉苁蓉为原料的中成药有 196 种，已开发研制的肉苁蓉相关药品和保健品也达上百种。另外，肉苁蓉还可以作为食品或果蔬鲜食，并且用来烹煮各种药膳，不仅味道鲜美、独特，且兼具滋补功用。肉苁蓉市场规模巨大，预计 10 年内年产值将突破百亿元。肉苁蓉还是我国出口创汇的重要商品之一，日本、韩国、俄罗斯、东南亚各国每年都从我国进口大量的干品肉苁蓉和肉苁蓉提取物。

（3）资源可持续发展。进行肉苁蓉人工种植，开展规模化、规范化肉苁蓉种植基地建设，既可解决肉苁蓉资源的紧缺问题，实现肉苁蓉产业的可持续发展，

又可大面积治理荒漠地区，最终实现经济、生态、社会效益的统一。但目前肉苁蓉人工种植仍存在种植周期长、成本高、产量不稳定和缺乏优良品种等问题，无法满足市场需求，尚不能完全替代野生资源。因此，需要继续加强肉苁蓉栽培技术研究，同时对肉苁蓉和寄主植物的种质资源进行评价和保护，选育优质高产品种，提高种植效率，从根本上缓解野生资源的压力。

附　注

1960 年，马毓泉教授通过比较肉苁蓉标本花冠颜色和生长习性的差异，认定肉苁蓉属在内蒙古分布有 4 种，并发表新种肉苁蓉 *Cistanche deserticola* Ma。《中国植物志》依据肉苁蓉花萼形状、苞片形状及其与花长的比值、寄主植物类型等将肉苁蓉分为 2 组（中国肉苁蓉组和肉苁蓉组），中国肉苁蓉组包括沙苁蓉 *Cistanche sinensis* G. Beck 与兰州肉苁蓉 *Cistanche lanzhouensis* Z. Y. Zhang，肉苁蓉组包括肉苁蓉 *Cistanche deserticola* Ma、管花肉苁蓉 *Cistanche tubulosa* (Schenk) Wight 和盐生肉苁蓉 *Cistanche salsa* (C. A. Mey.) G. Beck。目前国内学者普遍认为我国肉苁蓉属植物有肉苁蓉、盐生肉苁蓉、管花肉苁蓉和沙苁蓉 4 种。肉苁蓉属植物的分种鉴定检索表如下。

1. 花萼钟状，4 ~ 5 深裂，裂片线形或长圆状披针形，先端渐尖；花冠筒近基部雄蕊着生处有一圈长柔毛（组 1. 中国肉苁蓉组）。
    2. 花萼 4 深裂，裂片近等大；花冠裂片干后常变墨蓝色…………………沙苁蓉
    2. 花萼 5 深裂，裂片不等大，后面的中间 1 枚裂片最小，两侧的裂片最大，裂片上部有时又再 2 齿裂或 2 浅裂；花冠裂片干后常变浅褐黄色…兰州肉苁蓉
1. 花萼筒状或钟状，先端 5 浅裂，裂片卵形、半圆形或近圆形，先端钝，极稀渐尖；花冠筒内近基部无一圈长柔毛，仅花丝基部被长柔毛（组 2. 肉苁蓉组）。
    3. 药室基部钝圆，不具小尖头，花药卵形或长圆形，长 4 ~ 5 mm；花冠筒部常黄白色，裂片带紫色；常寄生于柽柳属 *Tamarix* 植物根上……管花肉苁蓉
    3. 药室基部具小尖头。
        4. 花序下半部或全部苞片较长，线状披针形或披针形，与花等长或稍长；花萼长度约为花的 1/2；花冠筒淡黄白色，裂片颜色有变异，淡黄白色、淡紫色或边缘紫色，干后常变棕褐色；常寄生在梭梭属 *Haloxylon* 植物根部…………………………………………………………肉苁蓉
        4. 花序全部苞片较短，卵状披针形，长度约为花的 1/2；花萼长度约为花的 1/3；花冠筒淡黄白色，裂片紫色或淡紫色，干后常保持原色不变；寄主有盐爪爪属 *Kalidium* 等植物………………………………盐生肉苁蓉

除上述特征外，还可根据肉苁蓉属肉质茎的性状和断面维管束的排列方式进行

区分。肉苁蓉和盐生肉苁蓉的肉质茎为圆柱形或扁圆柱形，断面维管束排列成波状或星状圆环；管花肉苁蓉的肉质茎为纺锤形或扁纺锤形，断面维管束呈点状散生。上述鉴别特征中肉苁蓉与盐生肉苁蓉最为相似，区别仅寄主植物种类差异明显，其他均为区别不明显的数量性状，比如长度比值和颜色变化。由于肉苁蓉个体之间差异较大，在加大观测样本量后，发现这些数量鉴别特征变异范围太大，不同居群间有重合，从形态结构到遗传基因均很难区分肉苁蓉与盐生肉苁蓉，而盐生肉苁蓉在宁夏盐池、灵武、平罗、海原、同心等地均有野生分布，目前主要从寄主植物差别来鉴别。此外，宁夏盐池、陶乐、中卫、海原等地分布有野生沙苁蓉，其肉质茎呈鲜黄色，与肉苁蓉和盐生肉苁蓉区别明显。

参考文献

[1] 李代晴，徐荣，何秀丽，等. 肉苁蓉药材市场调查及规格等级标准 [J]. 中国现代中药，2021，23（3）：7-14.

[2] 李旻辉，黄璐琦，郭兰萍，等. 道地药材　第 59 部分：肉苁蓉：T/CACM 1020.59—2019 [S]. 北京：中华中医药学会，2019.

[3] 苏颂. 本草图经 [M]. 尚志钧辑校. 合肥：安徽科学技术出版社，1994：118.

[4] 中国科学院中国植物志编辑委员会. 中国植物志：第六十九卷 [M]. 北京：科学出版社，1990：83-89.

[5] 陈君，于晶，徐荣，等. 肉苁蓉生殖生物学初步研究Ⅰ——出土与开花 [J]. 中国中药杂志，2007，32（17）：1729-1732.

[6] 徐荣. 濒危药用植物肉苁蓉（*Cistanche deserticola*）的引种保育研究 [D]. 北京：中国协和医科大学，2009.

[7] 邢世瑞. 宁夏中药志：上卷 [M]. 2 版. 银川：宁夏人民出版社，2006：106-116，384-392.

[8] 陈君，徐荣，刘同宁，等. 肉苁蓉种植技术规程：DB 64/T 933—2013[S]. 宁夏回族自治区地方标准，2013.

[9] 戈建新. 肉苁蓉的人工种植方法：中国，CN01132486.4 [P]. 2001.

[10] 陈君，徐荣，刘同宁，等. 肉苁蓉种子：DB64/T 934—2013[S]. 宁夏回族自治区地方标准，2013.

[11] 徐荣，陈君，王夏，等. 肉苁蓉及其寄主梭梭主要病虫害发生与防治 [J]. 中国现代中药，2015（4）：81-86.

[12] 彭芳. 肉苁蓉产地加工及质量评价研究 [D]. 北京：北京协和医学院，2016：128-130.

[13] 国家药典委员会. 中华人民共和国药典：一部 [M]. 北京：中国医药科技出版社，2020：140-141.

[14] 黄璐琦，姚霞. 新编中国药材学：第二卷 [M]. 北京：中国医药科技出版社，2020：132-133.

[15] 李旻辉，黄璐琦，郭兰萍，等. 中药材商品规格等级　肉苁蓉：T/CACM 1021.39—2018[S]. 北京：中华中医药学会，2018：321-327.

[16] 郭元亨．荒漠肉苁蓉资源的综合利用 [D]．北京：中国科学院大学（中国科学院过程工程研究所），2017：115-116．

[17] 沈亮．肉苁蓉（*Cistanche deserticola*）寄主植物种质资源评价及其寄生关系研究 [D]．北京：北京协和医学院，2015：107-108．

[18] 彭芳，徐荣，徐常青，等．肉苁蓉药用及其食疗历史考证 [J]．中国药学杂志，2017，52（5）：377-383．

[19] XU R，CHEN J，CHEN S L，et al. *Cistanche deserticola* Ma cultivated as a new crop in China[J]. Genetic Resources & Crop Evolution， 2009，56（1）：137-142．

[20] SHEN L，XU R，LIU S，et al. Parasitic relationship of *Cistanche deserticola* and host-plant *Haloxylon ammodendron* based on genetic variation of host[J]．Chinese herbal medicines，2019，11（3）：267-274．

撰稿人：徐　荣　陈　君　刘同宁　沈　亮

锁阳科 Cynomoriaceae 锁阳属 *Cynomorium* 凭证标本号 640221170430020LY

锁阳 *Cynomorium songaricum* Rupr.

| 药 材 名 | 锁阳（药用部位：肉质茎。别名：琐阳、不老药、锈铁棒）。

| 本草综述 | 锁阳始载于元代朱丹溪的《本草衍义补遗》，该书记载："锁阳，味甘，可啖，煮粥弥佳。补阴气，治虚而大便燥结者用，虚而大便不燥结者勿用，亦可代苁蓉也。"锁阳"补阴气""治虚而大便燥结"的功效与《本草纲目》中肉苁蓉的功效类似。关于锁阳的来源，最早陶宗仪有"马沥生成说"，他在《南村辍耕录》写道："锁阳，鞑靼田地野马或与蛟龙交，遗精入地，久之，发起如笋，上丰下俭，鳞甲栉比，筋脉联络，其形绝类男阴，名曰锁阳，即肉从容之类，或谓里妇之淫者就合之，一得阴气，勃然怒长。土人掘取，洗涤去皮，薄切晒干，以充药货，功力百倍于从容也。"由于锁阳产于中国西北部荒漠地区，古人未见实物，故此说法可能是古人臆测而来。

锁阳

明代李时珍《本草纲目》对锁阳进行了详细的本草考证，将锁阳单列，纠正了前人对肉苁蓉、锁阳和列当的混淆认知，并对前人认为锁阳是“野马或与蛟龙交，遗精入地”而生，提出了“时珍疑此自有种类。如肉苁蓉、列当，亦未必尽是遗精所生也”的观点；首次绘制了锁阳药材图，描述了锁阳的产地、生长环境和加工，并对其功效进行了验证，明确了锁阳是可替代肉从蓉入药的同类药材。之后历代著作，如《本草述钩元》《重纂靖远卫志》《肃州新志》《镇番县志》对锁阳的产地、来源、生长习性、性状特征、加工及功效均有记载，逐步纠正了人们对锁阳的错误认知。

第三次全国中药资源普查结果表明，宁夏有大量的锁阳分布。基于第三次全国中药资源普查数据编写的《宁夏中药志》（2006年版）明确记载，锁阳资源丰富，产于银川、中卫、平罗、盐池、灵武、陶乐、同心等县（市），生于半固定沙丘中，除供应宁夏药用外，亦销至外省区。第四次全国中药资源普查结果表明，锁阳在宁夏有分布，可作为宁夏野生药用植物资源。

| 形态特征 | 多年生肉质寄生草本，高 10 ~ 100 cm，全株红棕色。茎圆柱状，直立，棕褐色，直径 3 ~ 6 cm，埋于沙中的茎具有细小须根。茎上着生螺旋状排列的脱落性鳞片叶，中部或基部较密集，向上渐疏；鳞片叶卵状三角形，先端尖。肉穗花序生于茎顶，棒状，长 5 ~ 16 cm，直径 2 ~ 6 cm；小花密集，雄花、雌花和两性花相伴杂生，花序中散生鳞片状叶。雄花：花长 3 ~ 6 mm；花被片通常 4，离生或稍合生，倒披针形或匙形，下部白色，上部紫红色；雄蕊 1；雌蕊退化。雌花：花长约 3 mm；花被片 5 ~ 6，条状披针形；花柱棒状，上部紫红色；柱头平截；子房半下位，内含 1 顶生下垂胚珠；雄蕊退化。两性花少见，花被片披针形；雄蕊 1，着生于雌蕊和花被之间下位子房的上方；花丝极短，花药同雄花；雌蕊同雌花。果实为小坚果状，多数非常小，近球形或椭圆形，果皮白色，先端有宿存的浅黄色花柱；种子近球形，深红色，种皮坚硬而厚。花期 5 ~ 7 月，果期 6 ~ 7 月。

| 野生资源 | （1）生长环境。锁阳生于荒漠草原、草原化荒漠与荒漠地带的河边、湖边、池边等。寄生于白刺属 *Nitraria* 和红砂属 *Reaumuria* 等植物的根上。锁阳生于沙漠地带，对稳定生态环境具有重要的意义。

（2）分布区域。锁阳分布于宁夏银川、中卫、平罗、盐池、灵武、陶乐、同心、海原、惠农、青铜峡等地。主产于中国内蒙古、宁夏、甘肃、青海。

（3）蕴藏量。锁阳在宁夏的蕴藏量约为 463 170 kg。

| 采收加工 | 春、秋季采收，以春季采收质量为佳，开花后质量较次。春季解冻至5月采挖全草，除去花序，切段，晒干。

| 药材性状 | 本品呈扁圆柱形，微弯曲，长5 ~ 15 cm，直径1.5 ~ 5 cm。表面棕色或棕褐色，粗糙，具明显纵沟及不规则凹陷，有的残存三角形的黑棕色鳞片。体重，质硬，难折断，断面浅棕色或棕褐色，有黄色三角状维管束。气微，味甘而涩。

| 品质评价 | 锁阳以茎块饱满、体重坚实、红褐色、断面显油润、无花序、不带碎块、味甜者为佳。2020年版《中华人民共和国药典》规定：杂质不得过2%，水分不得过12.0%，总灰分不得过14.0%，浸出物不得少于14.0%。

| 化学成分 | 全草含锁阳萜、乙酰熊果酸、熊果酸。尚含脂肪油类成分，如链烷烃混合物（0.07%）、甘油酯（0.79%）；脂肪酸类，如棕榈酸、油酸、亚油酸；甾醇类（0.01%），如β-谷甾醇、菜油甾醇、β-谷甾醇棕榈酸酯、胡萝卜甾醇。此外，还含有鞣质（约7%）；以天冬氨酸、脯氨酸、丝氨酸、丙氨酸等为主的15种氨基酸；29种无机元素，其中含量较高的有锌、锰、铜、镁、锶、氟等；β-谷甾醇胡萝卜苷、没食子酸、原儿茶酸、儿茶素、柑橘素4'-*O*-吡喃葡萄糖、5α-豆甾-9（11）-烯-3β-醇、5α-豆甾-9（11）-烯-3β-醇-二十四碳三烯酸酯、蔗糖和缩合鞣质；2种呋喃果糖苷，即n-丁基-α-D-呋喃果糖苷、n-丁基-β-D-呋喃果糖苷。栽培锁阳与野生品的主要化学成分和含量无明显差异。

| 药理作用 | （1）治疗男科疾病。锁阳固精丸常用于肾阳不足所引起的遗精、早泄、头晕、耳鸣等，现在常用来治疗慢性前列腺炎、男性不育、精囊炎等。另外，锁阳与淫羊藿等配伍可用来治疗肾阳虚所导致的性欲减退、身体虚弱、精神疲乏等。

（2）治疗妇科疾病。女性疾病的治疗多以补肾阳最为重要。长期应用龟龄集可用于妇科肾阳虚弱、冲任虚寒等症。研究表明，龟龄集联合六味地黄丸长期使用，可用于妇女围绝经期月经紊乱。锁阳可以调节妇女促性腺激素及雌激素水平，治疗妇女围绝经期月经紊乱。

（3）润肠通便作用。对锁阳口服液的临床调查结果表明，锁阳对于老年便秘的治疗较为理想。

（4）预防运动性疲劳作用。参姜锁阳益气片能提高人体耐寒、抗缺氧能力，具有抗运动性疲劳的作用，能够改善组织供氧，维持微循环血流通畅，提高抗缺氧能力。

（5）其他作用。锁阳水煎剂具有良好的抗急性脑缺血缺氧的作用。锁阳多糖具有抗骨质疏松的作用。

| 功能主治 | 甘，温。归肝、肾、大肠经。补肾阳，益精血，润肠通便。用于肾阳不足，精血亏虚，腰膝痿软，阳痿滑精，肠燥便秘。

| 用法用量 | 内服煎汤，5 ~ 10 g。

| 市场信息 | 锁阳是传统名贵中药材，具有滋补强壮、抗衰老、抗应激、清除自由基、抑制血小板聚集、增强免疫功能和抗人类免疫缺陷病毒蛋白酶活性等作用，这是锁阳开发利用的基础。另外，锁阳无毒，无致突变性，可以药食两用。近年来，锁阳系列产品的开发已取得突破性进展，主要涉及医药、食品、保健等方面，产品主要有锁阳冲剂、锁阳饮片、锁阳胶囊、锁阳精、锁阳茶等，尤其是锁阳

保健酒、锁阳啤酒、锁阳保健饮料和锁阳口服液已实现了产业化生产。

当前，锁阳的开发仍偏重于药用产品，而功能性和精深加工保健品的开发尚未真正开展。这主要是因为锁阳还未实现人工栽培，仍主要来源于野生资源，而野生资源有限是限制锁阳开发利用的最大瓶颈；同时，已实现产业化的锁阳液态产品稳定性不好，保质期内会出现不同程度的混浊、失光和沉淀等现象，大大降低了产品的商业价值。因此，完善人工栽培技术和增强液态产品稳定性是开发利用锁阳亟待解决的问题。

| 传统知识 |

（1）用于肾虚精亏诸证。锁阳具有补肾壮阳、益精固涩的作用。若治疗肾阳虚弱，阳痿早泄，常配伍肉苁蓉、桑螵蛸、菟丝子、熟地等。若治疗肾虚骨痿，腰膝无力，可配伍熟地、龟甲、虎骨，如《丹溪心法》中的虎潜丸，现亦用于小儿麻痹后遗症。

（2）用于虚人便秘。锁阳具有温阳益血、润肠通便的作用。治疗阳虚血枯之肠燥便秘，可单用取效；如与肉苁蓉、当归配伍，其效益彰；也可与麻仁、栝楼仁、柏子仁等同用，以增强润肠通便之功。

| 资源利用 |

锁阳主要分布于生态系统脆弱的荒漠地带，野生资源匮乏，蕴藏量很低，加之锁阳药食两用，随着其开发利用价值的提升，锁阳仍处于自生自灭乃至被掠夺性采挖的状态，这不仅影响了锁阳种群的恢复，同时还对寄主植物白刺造成破坏，严重破坏了该地区的生态环境。锁阳已于 2021 年被列为国家二级保护植物，故目前迫切需要制定有效措施，定期开展野生资源调查，掌握锁阳的数量、分布情况、生长状况、破坏程度等，并建立野生锁阳档案，掌握野生锁阳的生长动态，严格限制野生锁阳的采收量，根据野生锁阳的蕴藏量进行合理利用，并制定相应种群的恢复措施。

应加大锁阳繁育技术的研究投入，解决锁阳药材不足的现状；加快锁阳的商品化和基地化培育。虽然以锁阳为主要原料的系列产品开始步入产业化、规模化的轨道，但相关产品的质量与技术含量偏低，致使其难以达到国际标准而进入国际市场，仅限于国内消费。同时，应加强分子学、生理学、生态学等基础性理论研究，基于其活性成分和药理作用开发高端的保健品，以满足人们的健康需求，使其产生更大的社会效益与经济效益。

参考文献

[1] 国家中医药管理局《中华本草》编委会．中华本草 [M]．上海：上海科学技术出版社，1999：722-724．

[2] 邢世瑞．宁夏中药志：下卷 [M]．银川：宁夏人民出版社，2006：32-35．

[3] 浙江省中医药研究院文献研究室．丹溪医集 [M]．北京：人民卫生出版社，2001：69．

[4] 陶宗仪．南村辍耕录 [M]．北京：中华书局，1959：127-128．

[5] 李时珍．本草纲目 [M]．北京：人民卫生出版社，2004：729．

[6] 杨时泰．本草述钩元 [M]．上海：上海科学技术出版社，1985：205．

[7] 康熙．重纂靖远卫志 [M]．南京：凤凰出版社，2008：126．

[8] 光绪．肃州新志 [M]．南京：凤凰出版社，2008：509．

[9] 乾隆．镇番县志 [M]．南京：凤凰出版社，2008：31．

[10] 中国科学院中国植物志编辑委员会．中国植物志：第五十三卷 [M]．北京：科学出版社，2000：152．

[11] 赵中振，肖培根．当代药用植物典：第一册 [M]．北京：世界图书出版公司，2007：294-297．

[12] 国家药典委员会．中华人民共和国药典：一部 [M]．北京：中国医药科技出版社，2020：360-361．

[13] 杨烨烨，李伟民，徐容，等．化学发光法研究锁阳提取液消除 O2 的功能 [J]．华东师范大学学报（自然科学版），2000（4）：101-103．

[14] 张延英，李广远，师霞，等．锁阳蜜对衰老模型小鼠抗应激及血清和脑组织 SOD、MDA 的影响 [J]．中国医药学报，2004，19（3）：179-180．

[15] 张百舜，李向红，秦林，等．锁阳清除自由基的作用 [J]．中药材，1993，16（10）：32-35．

[16] 马超美，中村宪夫，服部征雄，等．锁阳的抗艾滋病毒蛋白酶活性成分（2）- 齐墩果酸丙二酸半酯的分离和鉴定 [J]．中国药学杂志，2002，37（5）：336-338．

[17] 张喜峰，罗光宏，王春晖．大孔树脂法分离纯化锁阳总黄酮 [J]．中国酿造，2015，34（10）：106-110．

[18] 张丙云，相炎红，周青钰．锁阳的研究现状及开发 [J]．酿酒，2002，29（4）：72-73．

[19] 吴瑕．中药锁阳的作用与功效及其开发利用 [J]．时珍国医国药，2015，26（10）：2492-2494．

[20] 罗燕燕，马毅，张勋，等．锁阳的研究进展 [J]．中医研究，2017（5）：77-79．

[21] 陈锐．锁阳固精丸临床应用解析 [J]．中国社区医师，2011（14）：14．

[22] 张颖，苗明三．常用补肾助阳中药治疗更年期综合征的探讨 [J]．中医学报，2011，26（9）：1084-1087．

[23] 曹利萍，尚春羿，寇耀时．龟龄集合六味地黄丸治疗妇女围绝经期月经紊乱 90 例 [J]．陕西中医学院学报，2009，32（2）：33-34．

[24] 赵文远，李志龙．复方锁阳口服液治疗小儿便秘 38 例 [J]．陕西中医，2007，28（7）：787．

[25] 李春杰，贾丹兵，李乃民，等．参姜锁阳益气片抗缺氧临床研究 [J]．中医药学报，2014，42（1）：76-77．

[26] 胡艳丽，王志祥，肖文礼．锁阳的抗缺氧效应及抗实验性癫痫的研究 [J]．石河子大学学报（自然科学版），2005，23（3）：302-303．

[27] 史平，朱薇，李晓鸣．锁阳多糖对去卵巢大鼠骨质疏松的改善作用 [J]．第三军医大学学报，2015，37（23）：2360-2363．
[28] 南京中医药大学．中药大辞典：下册 [M]．2 版．上海：上海科学技术出版社，2006：3346-3347．
[29] 黄璐琦，姚霞．新编中国药材学：第二卷 [M]．北京：中国医药科技出版社，2020：346-349．

撰稿人：李小伟

鼠李科 Rhamnaceae 枣属 *Ziziphus* 凭证标本号 640381140808034LY

酸枣 *Ziziphus jujuba* Mill. var. *spinosa* (Bunge) Hu ex H. F. Chow.

酸枣

药材名

酸枣仁（药用部位：种子。别名：枣仁、酸枣人、山枣）。

本草综述

《神农本草经》将“酸枣”列为上品，记载其“主心腹寒热，邪结气聚，四肢酸疼，湿痹，久服安五脏，轻身延年”。作为药材名或药名，酸枣仁始见于《金匮要略方论》，酸枣（仁）汤以酸枣仁为君药，主治“虚劳虚烦不得眠”。《新修本草》认为，“《本经》唯用实……今方用其仁，补中益气……此为酸枣仁之功能”。《政和本草》中记载的“味酸，平，无毒……烦心不得眠，脐上下痛，血转久泄，虚汗烦渴，补中，益肝气”等，实际上包含了酸枣仁、酸枣实的功用。《本草纲目》明确区分了酸枣仁、实的功能主治：“酸枣实，味酸性收，故主肝病……其仁甘而润，故熟用疗胆虚不得眠、烦渴虚汗之症，生用疗胆热好眠，皆足厥阴、少阳药也。”《本草述钩元》中称“《本经》用实，今皆用仁”，该书所载影响至今，临床上逐渐广泛使用酸枣仁，而不再使用酸枣实。

《名医别录》记载酸枣“生河东川泽”，即今山西一带。《政和本草》援引《本草拾遗》

云："嵩阳子曰：余家于滑台，今酸枣县，即滑之属邑也。其地名酸枣焉……其枣圆小而味酸，其核微圆，其仁稍长，色赤如丹。此医之所重。"《本草图经》则记载"酸枣，生河东川泽，今近京及西北州郡皆有之"，这说明酸枣在北方广泛分布。《本草衍义》认为"天下皆有之，但以土产宜与不宜"。《本草原始》梳理了酸枣仁的产地变迁："始生河东川泽，今近京及西北州郡皆有之。"《药物出产辨》明确了酸枣仁"产直隶顺德府，山东清宁府"，直隶顺德府即今河北邢台。由此可见，古代本草中北方地区是酸枣仁的主产地，河南滑县所产酸枣仁质量较好。自民国时期开始，河北邢台成为酸枣仁的道地产区。

| 形态特征 | 落叶灌木或小乔木，高 1 ~ 3 m。老枝褐色，幼枝绿色；小枝常呈"之"字形弯曲，灰褐色，具刺，刺分 2 种，一种为细长针形刺，长达 3 cm，另一种为短刺，呈弯钩状。单叶互生，长椭圆状卵形至卵形，长 2.5 ~ 5 cm，宽 1.2 ~ 3 cm，先端钝，有时微凹，基部圆形，偏斜，边缘有锯齿，齿间具腺点，基部三出脉，上面绿色，下面灰绿色，沿脉有柔毛；叶柄极短，长约 2 mm，被柔毛。聚伞花序叶腋生，具 2 ~ 3 花；萼裂片 5，卵形或卵状三角形，腹面中肋上有棱状突起；花瓣 5，小，膜质，勺形；雄蕊 5，与花瓣对生，稍长于花瓣；子房椭圆形，2 室，埋于花盘中，花柱短，柱头 2 裂。核果近球形，长 0.7 ~ 1.5 cm，先端钝，成熟时暗红色，有酸味。花期 5 ~ 6 月，果期 9 ~ 10 月。

野生资源

（1）生长环境。酸枣常生于向阳干燥山坡、丘陵、岗地或平原，耐干旱，常形成灌丛。

（2）分布区域。酸枣在我国多数地区均有分布，主产区位于太行山一带，以河北南部的邢台为主，是中国最大的酸枣产业基地。陕西延安建有酸枣仁标准化种植基地。此外，酸枣在辽宁、内蒙古、山东、山西、河南、甘肃、新疆、江苏、安徽等地亦有分布。

酸枣主要分布于宁夏贺兰山东麓的银川及大武口、青铜峡、中宁、沙坡头、红寺堡、盐池、同心等地，多生于干旱石质滩地或山谷，野生资源较丰富。

采收加工

秋末冬初采收成熟果实，除去果肉和核壳，收集种子，晒干。

药材性状

本品呈扁圆形或扁椭圆形，长 5 ~ 9 mm，宽 5 ~ 7 mm，厚约 3 mm。表面紫红色或紫褐色，平滑，有光泽，有的有裂纹。有的两面均呈圆隆状凸起；有的一面较平坦，中间有一隆起的纵线纹，另一面稍凸起。一端凹陷，可见线形种脐；

另一端有细小凸起的合点。种皮较脆，胚乳白色，子叶 2，浅黄色，富油性。气微，味淡。

| 品质评价 |

酸枣仁以粒大、饱满、有光泽、外皮红棕色、种仁色白黄者为佳。2020 年版《中华人民共和国药典》规定，酸枣仁以干燥品计，含酸枣仁皂苷 A（$C_{58}H_{94}O_{26}$）不得少于 0.030%，斯皮诺素（$C_{28}H_{32}O_{15}$）不得少于 0.080%。

此外，《中华人民共和国药典》还对酸枣仁中的重金属元素和黄曲霉毒素的限量做了规定。

| 化学成分 |

近现代植物化学研究已经从酸枣仁中分离鉴定了 130 多种化合物，包括三萜皂苷类、黄酮类、生物碱类、有机酸类、氨基酸类等。

（1）三萜皂苷类。三萜皂苷是酸枣仁的主要有效成分，在已经分离鉴定的化合物中，四环三萜类皂苷的母核大都为达玛烷型三萜皂苷，其中酸枣仁皂苷 A 和酸枣仁皂苷 B 在酸枣仁中的含量最高，且为酸枣仁治疗失眠的有效成分，因此二者已成为《中华人民共和国药典》中控制酸枣仁质量的指标性成分。羽扇豆烷型三萜皂苷是酸枣仁中主要的五环三萜类皂苷，此外，从酸枣仁中发现的五环三萜类皂苷的结构类型还有齐墩果烷型、乌苏烷型和 ceanothane 型。

（2）黄酮类。酸枣仁中的黄酮类成分主要是黄烷酮、黄烷醇和黄酮醇的苷类，其中黄酮醇的二糖苷斯皮诺素是《中华人民共和国药典》中控制酸枣仁质量的指标性成分。

（3）生物碱类。酸枣仁中含有异喹啉类生物碱和环肽类生物碱，包括欧鼠李叶碱、酸枣仁环肽等。

（4）有机酸类。酸枣仁中含有丰富的有机酸，包括 23 种脂肪酸和 1 种芳香酸，这些有机酸可能是酸枣仁酸味的来源。

（5）氨基酸类。目前，从酸枣仁中共检测到 17 种氨基酸，其中 8 种为人体必需氨基酸。

| 药理作用 | 现代药理研究表明，酸枣仁对神经系统和心脑血管系统等表现出多种药理活性。

（1）对神经系统的作用。

1）镇静催眠。从《神农本草经》开始，酸枣仁即是治疗“不得眠”的要药。现代药理研究发现，酸枣仁皂苷、黄酮类、生物碱等活性成分，可通过调控脑中神经递质 γ- 氨基丁酸（GABA）、5- 羟色胺（5-HT）等提高睡眠质量。酸枣仁皂苷 A 通过调控糖代谢，明显减少动物的自主活动，加快动物入睡速度，延长睡眠时间，改善睡眠质量；酸枣仁皂苷 B 可能是酸枣仁皂苷 A 的肠道代谢产物，通过调节脂肪酸代谢来发挥治疗失眠的作用。斯皮诺素与酸枣仁皂苷 B 具有协同效应，可诱发睡眠；6‴- 阿魏酰斯皮诺素可改善实验动物的入睡数量和延长睡眠时间。酸枣仁碱 A（sanjoinine A）是钙调素抑制剂，通过增强谷氨酸合成 GABA 的过程，间接影响睡眠。

2）抗抑郁。酸枣仁抗抑郁与其含有的皂苷、黄酮和总生物碱类成分有关。皂苷可以通过减少前额叶 5-HT 和多巴胺的含量来发挥抗抑郁作用，总黄酮可以增强实验动物的应激耐受性，总生物碱能有效拮抗利血平引起的小鼠体温下降。

3）抗焦虑。酸枣仁醇提物对甲状腺片造成的小鼠阴虚模型具有明显的抗焦虑作用，其机制可能与总黄酮类化合物能提高小鼠脑内 GABA 的含量、增强 $GABA_AR_1$ 的表达等有关。

4）改善记忆。酸枣仁皂苷对酒精引起的小鼠记忆障碍有改善作用，总黄酮能降低实验小鼠的记忆错误率。

（2）对心血管系统的作用。酸枣仁皂苷可以通过上调 B 淋巴细胞瘤 -2 基因（Bcl-2）和下调 Bax 蛋白表达，降低缺血再灌注心肌细胞的损失，改善心律失常，降低血小板黏附率，改善血液流变学，降低心肌细胞凋亡率，改善心功能，

延缓动脉粥样硬化进程。

（3）其他作用。酸枣仁提取物能提高果蝇体内 SOD 的活性，延长果蝇的寿命；酸枣仁多糖能增强实验动物免疫功能和抗辐射作用，还能通过抑制自由基脂质过氧化而发挥保肝作用。

| 功能主治 | 甘、酸，平。归肝、胆、心经。养心补肝，宁心安神，敛汗，生津。用于虚烦不眠，惊悸多梦，体虚多汗，津伤口渴。

| 用法用量 | 内服煎汤，10 ~ 15 g；或研末，每次 3 ~ 5 g；或入丸、散。

| 市场信息 | （1）商品规格。2018 年，中华中医药学会首次发布了《中药材商品规格等级　酸枣仁》（T/CACM 1021.70—2018）标准，按照饱满度、碎仁率、核壳率及有无黑仁等对流通过程中的酸枣仁划分了规格等级（表酸枣 -1）。

表酸枣 -1　酸枣仁规格等级

规格	等级	性状描述	
		共同点	区别点
选货	一等	干货。呈扁圆形或扁椭圆形。表面紫红色或紫褐色，平滑，有光泽，有的有裂纹。有的两面均呈圆隆状凸起；有的一面较平坦，中间有一隆起的纵线纹，另一面稍凸起。一端凹陷，可见线形种脐；另一端有细小凸起的合点。种皮较脆，胚乳白色，子叶 2，浅黄色，富油性。气微，味淡	饱满。核壳≤ 2%，碎仁率≤ 2%。无黑仁
	二等		较饱满。核壳≤ 5%，碎仁率≤ 5%
统货	—	干货。呈扁圆形或扁椭圆形，饱满度、碎仁率不一，核壳率≤ 5%	

（2）价格信息。酸枣仁是野生果实类药材，需求刚性，每年生产的不稳定性导致酸枣仁行情波动频繁，且变化幅度较大。相关数据显示，从 2020 年 1 月到 2021 年 11 月，酸枣仁的价格从约 200 元 /kg 上涨至 400 ~ 450 元 /kg。

（3）收购量和年销量。酸枣仁是大宗中药材品种，目前年需求量约为 7 000 t。

（4）易混（伪）品。酸枣仁常见的伪品有滇枣仁（又称理枣仁）、枳椇子、兵豆等。

1）滇枣仁（理枣仁）。滇枣仁为鼠李科植物滇刺枣 *Ziziphus mauritiana* Lam. 的干燥成熟种子，是云南习用药材。滇枣仁呈扁球形或扁椭圆形，长 4 ~ 8 mm，宽 4 ~ 6 mm，厚 1 ~ 3 mm。外表面黄棕色至棕色，或红棕色，平滑，有光泽。一面平坦，中央无隆起的纵线纹。气微，味微酸。

2）枳椇子。枳椇子为鼠李科植物枳椇 *Hovenia acerba* Lindl. 的干燥成熟种子。呈扁平圆形，背面稍隆起，腹面较平坦，直径 3 ~ 5 mm，厚 1 ~ 1.5 mm。表面红棕色、棕黑色、绿棕色或红褐色，有光泽，于放大镜下可见散在凸点。基部凹陷处有点状淡色种脐，先端有微凸的合点，背面稍隆起，腹面平坦，有纵行隆起的种脊。种皮坚硬，胚乳乳白色，子叶淡黄色，肥厚，均富油性。气微，味微苦、涩。

3）兵豆。兵豆为豆科植物兵豆 *Len culinaris* Medic. 炒熟的种子。呈扁圆形或近扁圆形，直径 4 ~ 5 mm，厚约 2 mm。表面褐色，无光泽。中间向边缘渐薄。种脐线形，黑色，在边缘线上，长 2 mm，合点为 1 黑色圆点，距种脐 1 mm。种皮脆，无胚乳，子叶 2，浅褐色，无油性。气微，具豆香味。

4）紫荆子。紫荆子为豆科植物紫荆 *Cercis chinensis* Bunge 的干燥成熟种子。呈扁椭圆形或扁卵圆形，长 4 ~ 5 mm，宽 3.5 ~ 4 mm，厚约 2 mm。表面棕褐色或紫褐色，平滑，有光泽。两面微隆起，先端有细小凸起的合点，下端有微凹陷的圆形种脐，种脊位于边缘一侧。种皮坚硬，胚乳白色，子叶 2，浅黄色，油润，基部有短小的胚根。气微，味淡，嚼之有豆腥气。

5）水红花子。水红花子为蓼科植物红蓼 *Polygonum orientale* L. 的干燥成熟果实。呈扁圆形，直径 2 ~ 3 mm，厚 1 ~ 1.5 mm。表面棕黑色，有的红棕色，有光泽，两面微凹，中部略有纵向隆起。先端有刺状凸起的柱基，基部有浅棕色略凸起的果柄痕，有的有膜质花被残留。果皮厚而坚硬，剖开内有扁圆形种子，种皮浅棕色，膜质，胚乳粉质、类白色，胚细小弯曲，略呈环状。内有黄白色种子 1。气微，味淡。

6）辣蓼草子。辣蓼草子为蓼科植物酸模叶蓼 *Polygonum lapathifolium* L. 或绵毛酸模叶蓼 *Polygonum lapathifolium* L. var. *salicifolium* Sibth. 的干燥成熟果实。呈扁卵圆形或扁圆形，直径 1 ~ 1.5 mm，厚不及 1 mm。暗棕色或红棕色，两面凹陷，凹陷处各具 1 小纵棱，顶部具花柱基突起，偶见柱头 2，基部有花被残基，有光泽。果皮厚而硬，细小弯曲的胚位于一侧，呈半环状。气微，味淡、微涩。

7）大枣仁。大枣仁为鼠李科植物枣 *Ziziphus jujuba* Mill. 的干燥成熟种子。呈长椭圆形，个较大，比酸枣仁大 1 倍，表面褐色，光泽显著，纵纹较多。

| 资源利用 |

（1）对酸枣的开发利用。酸枣在我国多数地区均有分布，酸枣仁是药食同源的中药之一。近年来，对酸枣或酸枣仁的开发利用，主要集中在保健品、中药等领域，如与其他具有安神作用的中药配伍制成代用茶或熬制成膏滋等。

（2）对酸枣叶的开发。酸枣叶含有与酸枣仁相似的成分。酸枣叶可以作为提取芦丁的原料，也可以加工为茶叶。

附　注　（1）酸枣药用部位考证。酸枣在我国历史悠久，《诗经》中就有相关记载。《神农本草经》中，酸枣被列为上品，"主心腹寒热，邪结气聚，四肢酸疼，湿痹，久服安五脏，轻身延年"。由于《神农本草经》没有明确说明使用的是酸枣实还是酸枣仁，后世医家对酸枣的药用部位多有争议。酸枣仁始见于《金匮要略方论》，酸枣（仁）汤以酸枣仁为君药，主治"虚劳虚烦不得眠"。《中华本草》和《中药大辞典》结合《雷公炮炙论》中有酸枣仁的炮制方法，认为《神农本草经》记载的酸枣应为酸枣仁。近年来，有学者认为，《金匮要略方论》原文已佚，现存本多为宋人所辑，可能受到宋代用药经验的影响，将酸枣汤作酸枣仁汤，而《神农本草经》中应为酸枣实，而非酸枣仁。

实际上，《新修本草》记载："《本经》唯用实，疗不得眠，不言用仁，今方用其仁，补中益气。自补中益肝已下（坚筋大骨，助阳气），此为酸枣仁之功能。"同时，该书还记载了陶弘景对酸枣"疗不得眠"的质疑，并提出"今注陶云醒睡，而《经》云疗不得眠，盖其子肉味酸，食之使人不思睡，核中仁，服之疗不得眠"。《千金翼方》中"用药处方湿痹腰脊"中用酸枣，"用药处方坚筋骨"中用酸枣仁，治疗口干燥方用去核酸枣，说明至少从唐代开始，医家已认识到酸枣实与酸枣仁的药理作用存在一定的差异，而治疗睡眠障碍应该用酸枣仁而非酸枣实。值得注意的是，《神农本草经》并未说明酸枣仁可以"疗不得眠"，而后世本草著作均认为这一临床药效源于《神农本草经》。《本草纲目》明确区分了酸枣仁、实的功能主治："酸枣实，味酸性收，故主肝病，寒热结气，酸痹久泄，脐下满痛之症。其仁甘而润，故熟用疗胆虚不得眠、烦渴虚汗之症，生用疗胆热好眠，皆足厥阴、少阳药也。"《本草述钩元》中称"《本经》用实，今皆用仁"，该书所载影响至今，临床上逐渐广泛使用酸枣仁，而不再使用酸枣实。

现代研究比较了酸枣种子、果肉、叶片、根等不同部位中三萜皂苷的含量，发现与治疗睡眠障碍相关的达玛烷型三萜皂苷，如酸枣仁皂苷A和酸枣仁皂苷B，主要分布在酸枣的种仁中，而在酸枣的果肉、叶片中分布极少。由此推测，在唐代以前，酸枣入药可能以实、仁共同入药，之后，随着医家对酸枣仁认识的增加以及对临床经验的总结，逐渐以酸枣仁入药，而不再使用酸枣实。

（2）地方用药。

1）酸枣根。《宁夏中草药手册》记载酸枣根可入药。全年均可采挖树根，洗净，鲜用，或切片，晒干。味涩，性温。可安神，用于失眠、神经衰弱。

2）酸枣树皮。宁夏、陕西、甘肃、青海等地还以酸枣树皮入药。全年均可采剥树皮，洗净，晒干。树皮味涩，性平。可敛疮生肌，解毒止血，用于便血、烫火伤、月经不调、崩漏。

参考文献

[1] 国家中医药管理局《中华本草》编委会. 中华本草：第 5 册 [M]. 上海：上海科学技术出版社，1999：261-267.

[2] 吴巧敏，赵艺初，韩艺凡，等. 基于古今医家论著对酸枣仁汤中“酸枣仁”实质的思考 [J]. 辽宁中医杂志，2016，43（2）：262-264.

[3] 尚志钧.《本草拾遗》辑释 [M]. 合肥：安徽科学技术出版社，2003：159.

[4] 刘福祥，上官福来，马辛云，等. 酸枣仁出典存疑 [J]. 中国中药杂志，1991，16（7）：444-445.

[5] 张机. 金匮要略方论 [M]. 长春：时代文艺出版社，2008：34.

[6] 苏敬. 唐·新修本草（辑复本）[M]. 尚志钧辑校. 合肥：安徽科学技术出版社，1981：317.

[7] 唐慎微. 重修政和经史证类备用本草 [M]. 尚志钧，郑金生，尚元藕，等校点. 北京：华夏出版社，1993：352.

[8] 李时珍. 本草纲目：36 卷 [M]. 影印版. 北京：中国书店，1988：89-90.

[9] 杨时泰. 本草述钩元 [M]. 上海：上海科学技术出版社，1958：523.

[10] 陶弘景. 名医别录（辑校本）[M]. 尚志钧辑校. 北京：中国中医药出版社，2013：36.

[11] 苏颂. 本草图经 [M]. 尚志钧辑校. 合肥：安徽科学技术出版社，1994：352-353.

[12] 寇宗奭. 本草衍义 [M]. 颜正华点校. 北京：人民卫生出版社，1990：83.

[13] 李中立. 本草原始 [M]. 北京：学苑出版社，2011：275.

[14] 陈仁山. 药物出产辨（十五）[J]. 蒋森，陈思敏，梁飞整理. 中药与临床，2013，4（1）：64-65.

[15] 中国科学院中国植物志编辑委员会. 中国植物志：第四十八卷 [M]. 北京：科学出版社，1982：135.

[16] 马德滋，刘惠兰. 宁夏植物志：上卷 [M]. 2 版. 银川：宁夏人民出版社，2007：553.

[17] 邢世瑞. 宁夏中药志：上卷 [M]. 2 版. 银川：宁夏人民出版社，2006：592-595.

[18] 彭成. 中华道地药材：下 [M]. 北京：中国中医药出版社，2011：3592.

[19] 国家药典委员会. 中华人民共和国药典：一部 [M]. 北京：中国医药科技出版社，2020：382-383.

[20] 赵中振，肖培根. 当代药用植物典：第 2 册 [M]. 上海：世界图书出版公司，2007：272-275.

[21] 解玉军，李泽，崔小芳，等. 酸枣化学成分及药理作用研究进展 [J]. 中成药，2021，43（5）：1269-1275.

[22] 杜晨晖，崔小芳，裴香萍，等. 酸枣仁皂苷类成分及其对神经系统作用的研究进展 [J]. 中草药，2019，50（5）：1258-1268.

[23] 王自善，田春雨，张国伟，等. 酸枣仁的化学成分、药理作用及开发利用 [J]. 亚太传统医药，2020，16（7）：202-205.

[24] 刘莹，管彤，梁昊都，等. 酸枣仁改善睡眠药理作用及其机制 [J]. 中医药信息，2021，38（3）：82-86.

[25] 左军，王海鹏，柴剑波，等. 酸枣仁抗抑郁作用现代药理研究进展 [J]. 辽宁中医药大学学报，2017，19（7）：179-180.

[26] 韩鹏，李冀，胡晓阳，等．酸枣仁的化学成分、药理作用及临床应用研究进展 [J]．中医药学报，2021，49（2）：110-114．

[27] 郑玉光，黄璐琦，郭兰萍，等．中药材商品规格等级　酸枣仁：T/CACM 1021.70—2018[S]．北京：中华中医药学会，2018．

[28] 欧德明．酸枣仁及其伪品的鉴别 [C]// 重庆市中医药学会学术年会论文集，2010：138-140．

[29] 张凌云．酸枣仁及其混伪品的鉴别 [J]．中国药业，2006，15（19）：57．

[30] 张瑞鹏，赵仁邦，刘子慷，等．酸枣仁的功能作用及其产品开发 [J]．中国食物与营养，2018，24（10）：26-30．

[31] 闫艳，付彩，杜晨晖．酸枣叶的营养成分、保健功能及产品开发研究进展 [J]．食品工艺科技，2018，39（20）：330-336．

[32] 李丹，柴福珍．酸枣小考 [J]．农业考古，2017（1）：186-189．

[33] 南京中医药大学．中药大辞典 [M]．2 版．上海：上海科学技术出版社，2014：3103．

[34] 孙思邈．千金翼方 [M]．影印版．北京：人民卫生出版社，1992：7，9，125．

撰稿人：杨　晋

蔷薇科 Rosaceae 李属 *Prunus* 凭证标本号 640205170501028LY

山杏 *Prunus sibirica* L.

|药 材 名| 苦杏仁（药用部位：成熟种子。别名：杏仁）。

|本草综述| 杏之名始载于《名医别录》，该书记载："杏生晋川山谷，五月采之。"《本草纲目》记载："诸杏，叶皆圆而有尖，二月开红花，亦有千叶者，不结实。甘而有沙者为沙杏，黄而带酢者为梅杏，青而带黄者为柰杏。其金杏大如梨，黄如橘。"该书记载与现今杏有多基原的情况相一致。关于杏的采收加工及应用，《名医别录》记载："凡用杏仁，以汤浸去皮尖，炒黄，或用面麸炒过。"《雷公炮炙论》记载："凡使，须以沸汤浸少时，去皮膜，去尖，擘作两片，用白火石并乌豆、杏仁三件于锅子中，下东流水煮，从巳至午，其杏仁色褐黄，则去尖，然用。"《本草纲目》记载："治风寒肺病药中，亦有连皮尖用者，取其发散也。"关于杏的毒性，《本草衍义》云：

山杏

“有数种皆热，小儿尤不可食，多致疮痈及上膈热。”《本草纲目》载“凡杏、桃诸花皆五出，若六出必双仁，为其反常，故有毒也”，然而“治疮杀虫，用其毒也”。

| 形态特征 | 灌木或小乔木，高 2 ~ 5 m。树皮暗灰色；小枝无毛，稀幼时疏生短柔毛，灰褐色或淡红褐色。叶片卵形或近圆形，长 4 ~ 5 cm，宽 3 ~ 4 cm，先端短骤尖或渐尖，基部宽楔形，边缘具细钝浅锯齿，两面无毛，稀下面脉腋间具短柔毛；叶柄长 1 ~ 2 cm，无毛，有或无小腺体。花常 2 生于小枝先端，先于叶开放；花梗长 1 ~ 2 mm；花萼紫红色；萼筒钟形，基部微被短柔毛或无毛；萼片长圆状椭圆形，先端尖，花后反折；花瓣近圆形或倒卵形，白色或粉红色；雄蕊几与花瓣近等长；子房被短柔毛。果实扁球形，直径 1.5 ~ 2 cm，黄色或橘红色，有时具红晕，被短柔毛；果肉较薄而干燥，成熟时开裂，味酸、涩，不可食，成熟时沿腹缝线开裂；核扁球形，易与果肉分离，两侧扁，先端圆形，基部一侧偏斜，不对称，表面较平滑，腹面宽而锐利；种仁味苦。花期 3 ~ 4 月，果期 6 ~ 7 月。

| 野生资源 | （1）生长环境。山杏生于海拔 700 ~ 2 000 m 干燥向阳的山坡及丘陵草原，或与落叶乔灌木混生。

（2）分布区域。山杏分布于宁夏、黑龙江、吉林、辽宁、内蒙古、甘肃、河北、山西等。

| 栽培资源 |

（1）栽培区域。分布于宁夏各地，宁夏彭阳、西吉、原州、贺兰、平罗、惠农、中宁、红寺堡、同心等地均有栽培。其中以彭阳的栽培面积最大。多栽培于丘陵、山地。

（2）栽培面积与产量。宁夏彭阳位于东经 106°32′ ~ 106°58′，北纬 35°41′ ~ 36°17′，海拔高度 1 248 ~ 2 418 m。该地气候干燥，降雨量少，蒸发强烈，属于全国水土流失重点治理县，而山杏是一种可以控制水土流失的经济树种。2000 年，彭阳被国家林业局授予“中国名特优经济林之乡”之“中国仁用杏之乡”的称号。截至 2019 年，彭阳山杏资源面积达 38 万亩，使彭阳在宁夏乃至西北地区都是杏资源的大县。一般每年可产鲜杏 3 500 t，杏仁 1 200 t。

（3）栽培技术。适应性强，耐旱，耐寒，抗盐碱。可栽种于平地或坡地，对土壤要求不严。宜栽培于土层深厚的砂质偏碱性土壤（pH 值 6.5 ~ 8.0）。主要有播种和嫁接 2 种繁殖方式，以种子繁育为主。一般在 6 月下旬到 7 月中旬采种，在 4 月中下旬春播，在 10 月中下旬秋播。杏树枝干较脆，因此在早春萌芽前应使用伞状吊枝法，以避免盛果期大枝压折、劈裂等现象的发生。

| 采收加工 | 夏季果实成熟后采收，除去果肉，用石碾或机器轧除外壳，取出种子，晒干（不可烘干，否则易出油而酸坏）；或收集果核后置于通风干燥处，使其自然干燥（经伏天干燥），破壳取仁，再阴干即可。

| 药材性状 | 本品呈扁心形，长 1 ~ 1.9 cm，宽 0.8 ~ 1.5 cm，厚 0.5 ~ 0.8 cm。表面黄棕色至深棕色，一端尖，另一端钝圆，肥厚，左右不对称，尖端一侧有短线形种脐，圆端合点处向上具多数深棕色的脉纹。种皮薄，子叶 2，乳白色，富油性。气微，味苦。

| 化学成分 | 苦杏仁主要含有苦杏仁苷（约占 3%）、脂肪油（约占 50%）及苦杏仁酶等成分。此外，还含有蛋白质、氨基酸、雌酮、α- 雌二醇、维生素和微量元素等。

苦杏仁苷经酶或酸水解产生氢氰酸、苯甲醛及葡萄糖。脂肪油主要为棕榈酸、硬脂酸、油酸、亚油酸等多种不饱和脂肪酸。挥发油类成分主要包含苯甲醛、苯乙醇腈（扁桃腈）、苯甲酸等。苦杏仁酶包括苦杏仁苷酶、樱叶酶、醇腈酶。

| 药理作用 | （1）镇咳平喘作用。少量口服苦杏仁，其所含有的苦杏仁苷经消化酶或胃酸水解而产生的微量氢氰酸对呼吸中枢有一定的抑制作用，可使呼吸运动趋于安静。苦杏仁苷亦可促进患有油酸型呼吸窘迫症的动物肺表面活性物质的合成。

（2）抗炎镇痛作用。苦杏仁苷对脂多糖（LPS）诱导的 RAW 264.7 细胞中的肿瘤坏死因子（TNF）-α 和白细胞介素（IL）-1β 的产生有抑制作用，且可以缓解角叉菜胶诱发的小鼠踝关节肿胀。苦杏仁苷在小鼠热板法和醋酸扭体法等研究中被证实具有一定的镇痛作用，并且不会产生耐药性。

（3）抗肿瘤作用。苦杏仁苷可通过影响细胞周期、诱导细胞凋亡、细胞毒作用，调节机体的免疫功能等，发挥抗肿瘤作用，如肺癌、膀胱癌、肾细胞癌等实体肿瘤。

（4）对消化系统的作用。脂肪油能提高黏膜对肠内容物的润滑作用。苦杏仁苷具有较好的抗胃溃疡作用，且对二甲基亚硝胺（DMNA）诱导的大鼠肝纤维化有明显改善作用。

（5）对心血管系统的作用。杏仁蛋白有显著的降血脂作用，且其水解产物的降血脂作用更为显著。不饱和脂肪酸能降低血液中的胆固醇和甘油三酯，有效控制人体血脂浓度，提高高密度脂蛋白的含量。

（6）其他作用。苦杏仁苷可促进机体产生非特异性免疫应答，增强人体免疫功能。苦杏仁苷还可促使人肾纤维细胞凋亡，具有显著的抗肾纤维化作用。

（7）毒副作用。古籍中记载苦杏仁有小毒。现代研究证实苦杏仁酶可分解苦杏仁苷而产生氢氰酸，少量氢氰酸能抑制呼吸中枢而起到镇咳平喘作用，而过量氢氰酸则会引起窒息。成人食用苦杏仁 55 枚（约 60 g）即可致死。临床证实，成人对苦杏仁的用量限制在 10 ~ 20 g，为“无毒”，而超过 20 g，为“有毒”。

| 功能主治 | 苦，微温；有小毒。归肺、大肠经。降气止咳平喘，润肠通便。用于咳嗽气喘，胸满痰多，肠燥便秘。

| 用法用量 | 内服煎汤，5 ~ 10 g，生品入煎剂后下。

| 市场信息 | 山杏分布于彭阳县 12 个乡镇，面积达 75 万亩，因每年不同区域受冻害影响而产量不稳定，平均年产 6 000 t，产值为 3 000 万元。加工后的杏仁被销往广东、亳州等地。2021 年，彭阳山杏的总面积为 35.2 万亩，挂果面积为 28.2 万亩，产量为 7 050 t，产值达 2 820 万元。

| 传统知识 | （1）用于鼻中生疮。捣杏仁乳敷患处。

（2）用于小儿疳积。杏仁、皮硝、山栀各 9 g，研末，加葱白 3 根，面粉、白酒适量，同捣为泥，睡前敷于脐部。

（3）用于足癣。苦杏仁 100 g，陈醋 300 ml，以文火煎 15 ~ 20 分钟，药液浓缩至 150 ml 为宜，冷却后密封备用。用时将患处以温水洗净，拭干，再涂药液即可。

| 附　　注 | （1）《中国植物志》（英文版）记载本种已由杏属 *Armeniaca* 修订为李属 *Prunus*，且拉丁学名已由 *Armeniaca sibirica* (L.) Lam. 修订为 *Prunus sibirica* L.。2020 年版《中华人民共和国药典》记载山杏的拉丁学名为 *Prunus armeniaca* L. var. *ansu* Maxim.。《中国植物志》（英文版）中修订后的山杏拉丁学名 *Prunus sibirica* L. 与 2020 年版《中华人民共和国药典》记载的西伯利亚杏的拉丁学名 *Prunus sibirica* L. 一致。

（2）苦杏仁的基原。2020 年版《中华人民共和国药典》规定苦杏仁来源于蔷薇科植物山杏 *Prunus armeniaca* L. var. *ansu* Maxim.、西伯利亚杏 *Prunus sibirica* L.、东北杏 *Prunus mandshurica* (Maxim.) Koehne 或杏 *Prunus armeniaca* L. 的干燥成熟种子。①杏 *Prunus armeniaca* L.，落叶乔木，高 5 ~ 8（~ 12）m。树皮暗灰褐色，纵裂；多年生枝浅褐色，皮孔大而横生；一年生枝浅红褐色，有光泽，无毛，

具多数皮孔。叶互生，叶片宽卵形或圆卵形，长 5 ～ 9 cm，宽 4 ～ 8 cm，先端急尖至短渐尖，基部圆形至近心形，边缘具圆钝锯齿，两面无毛或下面脉腋间具柔毛；叶柄长 2 ～ 3.5 cm，无毛。花单生于小枝先端，直径 2 ～ 3 cm，先于叶开放，花梗短，长 1 ～ 3 mm，被短柔毛；花萼圆筒状，外面基部被短柔毛，裂片 5，卵形至卵状长圆形，先端急尖或圆钝，长 4 ～ 6 mm，花后反折；花瓣 5，卵形至倒卵形，长 7 ～ 10 mm，具短爪，白色或带红色，具 3 ～ 5 紫红色脉纹；雄蕊多数，稍短于花瓣；子房被短柔毛，花柱长 8 ～ 10 mm，柱头头状。果实心状卵圆形，略扁，侧面具 1 浅凹槽，直径 2.5 ～ 3 cm，黄色至黄红色，常具红晕，微被短柔毛，果肉多汁，成熟时不开裂；果核卵形或椭圆形，两侧扁平，先端圆钝，基部对称，稀不对称，表面稍粗糙或平滑，腹棱较圆，常稍钝，背棱较直，腹面具龙骨状棱；沿腹缝有沟；种子 1，扁心形，种皮红棕色。花期 3 ～ 4 月，果期 6 月。产于宁夏各地，多栽培于丘陵、山地。宁夏彭阳、西吉、原州、平罗、中宁、红寺堡、大武口等地均有栽培。②西伯利亚杏 *Prunus sibirica* L.，叶长 3 ～ 7 cm，宽 3 ～ 5 cm，先端尾状长渐尖，尾部长达 2.5 cm；叶柄长 2 ～ 3 cm。果实扁球形，直径 2 ～ 2.5 cm，果肉薄，熟时开裂，味酸、涩，不可食。花期 4 月，果期 7 ～ 8 月。常生于海拔 2 400 m 左右的山坡灌丛中。分布于我国东北、华北各地。③东北杏 *Prunus mandshurica* (Maxim.) Koehne，叶片宽卵形至宽椭圆形，先端渐尖至尾尖，基部宽楔形至圆形，有时心形，叶边具不整齐的细长尖锐重锯齿。花单生，先于叶开放；花梗长 7 ～ 10 mm，花萼带红褐色；萼筒钟形；萼片长圆形或椭圆状长圆形，先端圆钝或急尖，边缘常具不明显细小锯齿。果实近球形，黄色，有时向阳处具红晕或红点，被短柔毛；果核近球形或宽椭圆形，两侧扁，先端圆钝或微尖，基部近对称，表面微具皱纹，腹棱钝，侧棱不发育，具浅纵沟，背棱近圆形。主产于吉林、辽宁。生于海拔 400 ～ 1 000 m 的向阳山坡灌木林或杂木林下。

（3）甜杏仁为同属植物杏或山杏的部分栽培品种味淡的干燥种子，味微甜、细腻，多用作副食品。甜杏仁中苦杏仁苷的含量甚微，约为 0.1%。甜杏仁和苦杏仁的脂肪酸、甘油三酯的组成相同，仅在含量上有所区别。甜杏仁味甘、性平，滋润养肺，用于肺虚咳嗽、大便燥结。现代药理研究表明，甜杏仁具有增强免疫力、抗肝细胞毒性、调节血脂、改善应激性肠道症状等多种药理作用。

参考文献

[1] 中国科学院中国植物志编辑委员会．中国植物志：第三十八卷 [M]．北京：科学出版社，1986：27.
[2] 任卫华，刘冰，张艳霞，等．浅析杏树栽培技术 [J]．种子科技，2019，37（12）：69-72.
[3] 国家药典委员会．中华人民共和国药典：一部 [M]．北京：中国医药科技出版社，2015：201.
[4] 王均秀，吴鹏，张学兰，等．苦杏仁炮制的现代研究进展 [J]．山东中医杂志，2016，35（9）：840-842.
[5] 张清安，姚建莉．苦杏仁资源加工与综合利用研究进展 [J]．中国农业科学，2019，52（19）：3430-3447.
[6] 杨国辉，魏丽娟，王德功，等．中药苦杏仁的药理研究进展 [J]．中兽医学杂志，2017（4）：75-76.
[7] 史佳民，范理宏．苦杏仁苷抗肿瘤机制的研究进展 [J]．生命的化学，2019，39（1）：147-152.
[8] 李露，戴婷，李小龙，等．苦杏仁苷药理作用的研究进展 [J]．吉林医药学院学报，2016，37（1）：63-66.
[9] 张晓莉，朱诗萌，何余堂，等．我国杏仁油的研究与开发进展 [J]．食品研究与开发，2013，34（16）：133-136.
[10] 国家中医药管理局《中华本草》编委会．中华本草：第 4 册 [M]．上海：上海科学技术出版社，1999：98.
[11] 程鹏，李薇红，华剑，等．甜杏仁的药理作用研究进展 [J]．现代药物与临床，2011，26（5）：365-369.
[12] HYUN-HEE LEE，JEONG-HYUN AHN，AE-RAN KWON，et al．Chemical Composition and Antimicrobial Activity of the Essential Oil of Apricot Seed[J]．Phytotherapy Research，2014，28（12）：1867-1872.

撰稿人：董　琳

蔷薇科 Rosaceae 桃属 *Amygdalus* 凭证标本号 640415240805041LY

山桃 *Amygdalus davidiana* (Carr.) C. de Vos

|药材名| 桃仁（药用部位：种子。别名：桃核人、桃核、桃人）、碧桃干（药用部位：幼果。别名：桃枭、鬼髑髅、桃奴）、桃花（药用部位：花）、桃叶（药用部位：叶）、山桃枝（药用部位：幼枝）、桃茎白皮（药用部位：除去栓皮的树皮。别名：桃皮、桃白皮）、桃根（药用部位：根。别名：桃树根）、桃胶（药用部位：树脂）。

|本草综述| 桃仁始载于《神农本草经》，名为"桃核人"，被列于果部下品，"主瘀血，血闭瘕邪，杀小虫"。《本草图经》提出"大都佳果多是圃人以他木接根上栽之……此等药中不可用之"，认为以非嫁接的桃的种子入药为佳，并收载了"疗妇人产后百病诸气"的桃仁煎。《政和本草》记载桃仁可"止咳逆上气，消心下坚，除卒暴击血，破癥

山桃

瘕，通月水，止痛”。《本草衍义》指出“山中一种正是《月令》中桃始华者……惟堪取仁……入药惟以山中自生者为正”，认为《礼记·月令》中所载之桃为入药之山桃。《本草乘雅半偈》记载：“《尔雅》所谓榹桃者，小而多毛，其仁充满多脂，可入药用。”《救荒本草》记载：“山中有一种桃，正是《月令》中桃始华者，谓山桃，不堪食啖，但中入药。”可见至少在明代，医家认为山桃即桃仁的来源之一。《本草纲目》对此进行了总结：“惟山中毛桃……可入药用。”同时，丰富了桃仁的功能主治，即“主血滞风痹，骨蒸，肝疟寒热，鬼注疼痛，产后血病”。从《神农本草经》开始，桃仁就是传统的活血祛瘀药物，且其主治涉及内科、外科、妇科等的多种疾病。

碧桃干、桃花均始见于《神农本草经》，附于“桃核人”的记述中，“桃枭，微温”“桃花……令人好颜色”。后世医家多有发挥，如《政和本草》记载碧桃干“疗中恶腹痛……五毒不详”，桃花“主除水气，破石淋，利大小便，下三虫”。《本草纲目》认为碧桃干“治小儿虚汗，妇人妊娠下血，破伏梁结气，止邪疟”，桃花“利宿水痰饮积滞”。

桃叶、桃茎白皮、桃胶始载于《名医别录》，列于“桃核人”项下，“其叶，味苦，平，无毒……出疮中虫”“其茎白皮，味苦，辛，无毒……腹痛，去胃中热”“胶，炼之，主保中不饥，忍风寒”。《本草图经》在记述桃仁时，云“桃核人，并花、实等”，并详细记载了桃仁、碧桃干、桃花、桃叶、桃茎白皮、桃胶的功能主治及医案。

《政和本草》记载“《伤寒类要》治黄疸……取东引桃根”。《本草纲目》认为桃根可以治疗“黄疸身目如金”。

山桃枝于《本草纲目》中与桃茎白皮同列，同时李时珍认为“树皮、根皮皆可用”。其功效与桃茎白皮相似。2020 年版《中华人民共和国药典》一部收载的桃枝来源于山桃同属植物桃 *Prunus persica* (L.) Batsch。因此，山桃不是桃枝的法定基原植物。

| 形态特征 | 灌木或小乔木，高 1 ~ 2 m。树冠开展，树皮暗紫红色；小枝纤细，紫红色，无毛。叶片卵状披针形或披针形，长 7 ~ 15 cm，宽 1.5 ~ 4.5 cm，先端长渐尖，基部宽楔形，叶边具细锐锯齿，两面无毛，或背面沿主脉被稀疏柔毛；叶柄长 1 ~ 2 cm，无毛，常具腺体。花单生，先于叶开放；花梗短；花萼无毛；萼筒钟形，长 7 ~ 10 mm；萼片卵形或长圆状卵形，长 3 ~ 5 mm，先端急尖或圆钝；花瓣倒卵形，长 12 ~ 14 mm，宽 8 ~ 12 mm，粉红色或白色；雄蕊多数，几与花瓣等长或稍短；子房密被柔毛，花柱长于雄蕊，基部被柔毛。果实椭圆形，

稍扁，直径 2 ~ 2.5 cm，宽 1.5 ~ 1.8 cm，淡黄色，外面密被短柔毛，果柄短而深入果洼；果肉薄而干，不可食；核球形或近球形，两端圆钝，表面具纵、横沟纹和孔穴，与果肉分离；种子 1，棕红色。花期 4 月，果期 7 ~ 8 月。

| 野生资源 | （1）生长环境。山桃喜光，在半阴处也能生长，耐寒，耐旱。生于海拔 800 ~ 1 200 m 的山坡、山谷沟底或荒野疏林及灌丛中。

（2）分布区域。山桃主要分布于宁夏贺兰山、六盘山、南华山等地的向阳干旱山坡或干河床。在我国其他地区，主要分布或栽培于山东、河北、河南、陕西、山西、甘肃、四川、云南等地，栽培者多用作桃的砧木。

（3）蕴藏量。2001 年，宁夏固原地区退耕还林，在彭阳、西吉、隆德、原州等地种植山桃约 30 万亩，平均年产桃仁约 2 000 t。

| 栽培资源 | 宁夏彭阳、隆德、原州、西吉等地有栽培，栽培资源丰富。

| 采收加工 | 桃仁：果实成熟后采收，取出果核，除净果肉及核壳，取出种子，晒干。

碧桃干：4 ~ 6 月摘取未成熟的果实，刷去果皮上的绒毛，干燥。

桃花：3 ~ 4 月花将开放时采摘，阴干或置于干燥处。

桃叶：夏、秋季枝叶茂盛时采收，除去杂质，晒干。

山桃枝：夏季采收，切段，晒干，或随剪随用。

桃茎白皮：夏、秋季剥取，除去栓皮，切碎，晒干或鲜用。

桃根：全年采挖，洗净，切段，晒干。

桃胶：夏、秋季分泌旺盛时采收，除去杂质，晒干。

| 药材性状 | 桃仁：本品呈卵圆形，基部扁斜，较小而肥厚。长 0.9 ~ 1.5 cm，宽约 7 mm，厚约 5 mm。种皮红棕色或黄棕色，表面颗粒较粗而密，有纵皱。种皮薄，子叶 2，类白色，富油性。

碧桃干：本品呈矩圆形或卵圆形，长 1.8 ~ 3 cm，直径 1.5 ~ 2 cm。先端渐尖，呈鸟喙状，基部不对称，有的留有少数棕红色的果柄。表面黄绿色，具网状皱缩纹理，并密被黄白色柔毛。质坚硬，不易折断。破开后，断面内果皮厚而硬化，腹缝线凸出，背缝线不明显。含未成熟种子 1。气微弱，味微酸、涩。

桃花：本品单生，花萼 5，淡棕色，基部合生成短萼筒，外被绒毛。花冠 5，粉红色至白色，倒卵形或阔倒卵形，离生。雄蕊多数，分离；雌蕊 1，子房上位。气微，味微苦。

桃叶：本品多皱缩、破碎。完整者有柄，叶柄长 0.5 ~ 2 cm。叶片展平后呈椭

圆状披针形或倒卵状披针形，长 8 ～ 15 cm，宽 2 ～ 4 cm。先端渐尖或长尖，基部楔形，边缘具细锯齿。表面绿色、黄绿色至黄棕色。质轻、脆。气微，味微苦。

山桃枝：本品呈圆柱形，长短不一，直径 0.5 ～ 1 cm。表面红褐色，较光滑，有类白点状皮孔。质脆，断面黄白色，木部占大部分，中央有白色髓部。气微，味微苦、涩。

桃根：本品呈圆柱形，常弯曲或多切成段状，长约 5 cm。根皮暗紫色，有横向凸起的棕色皮孔，皮部暗紫色，易剥落，略呈纤维状。木部占大部分，红棕色，具年轮及放射状纹理。质坚硬。气微，味淡。

桃胶：本品呈卵圆形、类球形、泪滴状、不规则块状或颗粒状，直径 0.5 ~ 3 cm。表面红棕色、黄棕色或类白色，有的表面具有多个瘤状突起，有的附有树皮。质脆，易断裂。断面呈颗粒性，具玻璃样光泽，透明或半透明。气微，味微甘，嚼之黏牙。

| 品质评价 |

（1）桃仁。以粒饱满、种仁白、完整者为佳。2020 年版《中华人民共和国药典》规定，桃仁以干燥品计，含苦杏仁苷（$C_{20}H_{27}NO_{11}$）不得少于 2.0%；酸值不得超过 10.0，羰基值不得超过 11.0。此外，《中华人民共和国药典》还对桃仁中的重金属元素和黄曲霉毒素的限量做了规定。

（2）碧桃干。以干燥、实大、坚硬、色黄绿者为佳。2018 年版《湖北省中药材质量标准》规定其水溶性浸出物不得少于 6.0%。

（3）桃花。2018 年版《宁夏中药材标准》规定桃花的醇浸出物不得少于 27.0%。

（4）桃胶。2020 年版《甘肃省中药材标准》中规定，鉴别桃胶的薄层色谱应与对照药材显相同的荧光斑点。

| 化学成分 |

（1）桃仁。桃仁中含有多种化学成分，主要包括脂肪酸类、挥发油类、苷类、甾醇及其苷类、黄酮及其苷类、氨基酸和蛋白质类等。

1）脂肪酸类。桃仁中富含不饱和脂肪酸，主要包括油酸、亚油酸、9- 十六碳烯酸、9- 十八碳烯酸、9,12- 十八碳二烯酸、9,17- 十八碳二烯酸、亚麻酸等。

2）挥发油类。桃仁挥发油中的芳香族小分子化合物以苯甲醛为主，还包括维生素 E 等。

3）苷类。苷类是桃仁中的重要化合物，其中苦杏仁苷和野樱苷等氰苷是主要有效成分。此外，还从桃仁中分离得到了一系列的芳香苷类，如Prupersin A、B、C、D、E、4–羟甲基–2–甲氧基苯基–6–*O*–苯甲酰基–*β*–D–吡喃葡萄糖苷、苄基–*β*–龙胆二糖苷、扁桃酸酰胺–*β*–龙胆二糖苷、扁桃酸–*β*–D–吡喃葡萄糖苷等。

4）甾醇及其苷类。桃仁中含有的甾醇及其苷类化合物有24–亚甲基环木菠萝烷醇、柠檬甾二烯醇、7–去氢燕麦甾醇、岩藻甾醇、*β*–谷甾醇–3–*O*–*β*–D–吡喃葡萄糖苷、菜油甾醇–3–*O*–*β*–D–吡喃葡萄糖苷等。

5）黄酮及其苷类。在桃仁中发现的黄酮及其苷类化合物有槲皮素、柚皮苷、儿茶素、山柰酚、山柰酚–3–*O*–芸香糖苷等。

6）氨基酸和蛋白质类。作为种子类药材，桃仁中含有天冬氨酸、丙氨酸、缬氨酸、酪氨酸、赖氨酸等16种常见氨基酸，还含有分子量为3×10^6的活性白蛋白PR–A、PR–B及蛋白质F、蛋白质G、蛋白质B等。

（2）桃花。桃花中主要含有黄酮类化合物，包括山柰酚–3–鼠李糖苷、槲皮素、柚皮素、橙皮素、柚皮素–5–*β*–D–吡喃葡萄糖苷、橙皮素–5–*O*-*β*–D–吡喃葡萄糖苷等，以及蔷薇苷A、蔷薇苷B、绿原酸。

（3）桃胶。桃胶中的化学成分以多糖为主，其组成单糖主要为半乳糖和阿拉伯糖，此外还有少量的甘露糖、鼠李糖和葡萄糖等。

｜药理作用｜

（1）桃仁。现代药理研究表明，桃仁作为常用的活血类中药材，具有多种药理作用。

1）心脑血管保护、抑制动脉粥样硬化。桃仁提取物通过阻断NF–κB/COX–2通路，抑制炎症因子表达来改善血脂水平，减轻心肌损伤，对冠心病模型大鼠具有一定的保护作用。桃仁、大黄药对可以调节花生四烯酸代谢途径中关键蛋白的降解，减轻脑缺血再灌注损伤。桃仁油可以抑制动脉粥样硬化斑块的形成。

2）抗凝血作用和抗血栓形成。

3）神经保护。桃仁可以降低糖尿病大血管纤维化小鼠的血管病变，有利于糖尿病周围神经病变的恢复；乙醇提取物通过保护D–半乳糖所致衰老大鼠中枢胆碱能神经功能而改善学习记忆障碍；苦杏仁苷可能是主要的神经保护成分。

4）抗炎、抗肿瘤。桃仁中的蛋白质具有抗炎、抗肿瘤活性。桃仁PR–A和PR–B蛋白表现出抗肉芽肿形成的作用；桃仁PSP蛋白能抑制体内肉瘤的生长，诱导肿瘤细胞凋亡。此外，苦杏仁苷有抑制HT–29结肠癌细胞生长的活性；岩藻甾醇可以抑制卵巢癌细胞增殖和细胞周期进展，进而抑制人卵巢癌的进展；岩藻甾醇还可以对人肺癌细胞产生抗增殖作用，抑制人早幼粒白血病细胞

（HL-60）的生长并诱导其凋亡。

5）免疫调节。桃仁提取物对急性胰腺炎大鼠的肠道屏障功能具有保护作用，并能显著改善其免疫功能。

6）肝肾保护。苦杏仁苷具有抗纤维化作用，参与抗肝纤维化细胞因子网络的调控，抑制肝星状细胞（HSC）的激活和增殖；桃仁乙醇提取物能降低四氯化碳和乙醇所致急性肝损伤小鼠血清中谷丙转氨酶等的活性，提高超氧化物歧化酶活性等，对急性肝损伤有一定的保护作用。桃仁还可以改善肾小管上皮细胞转分化，减缓肾间质的纤维化。

7）毒副作用。桃仁有一定的毒性。桃仁水煎液的半数致死量（LD_{50}）为（222.5 ± 7.5）g/kg，灌胃 LD_{50} 为（42.81 ± 0.02）g/kg。另外，据报道，桃仁有一定的致畸作用，故孕妇不能食用桃仁。

（2）桃花。

1）对胃肠道的影响。桃花提取物可有效促进大鼠的胃肠道运动。

2）美白作用。桃花甲醇提取物有较强的抑制酪氨酸酶的作用，与古代本草中“令人好颜色”的记载相符。

3）抗氧化活性。桃花多酚和黄酮等成分具有清除自由基和超氧阴离子的作用。

4）抗抑郁。桃花多酚对抑郁小鼠模型有抗抑郁作用，且呈量效关系。

5）抗阿尔茨海默病。桃花多酚可通过抗氧化活性，提高阿尔茨海默病大鼠的学习记忆能力。

（3）桃根。

1）抗炎。桃根水提物有抑制非细菌性前列腺炎的作用。

2）提高免疫功能。桃根提取物可促进刀豆蛋白诱导的脾淋巴细胞增殖，增强小鼠对刚果红的吞噬功能和碳粒廓清功能。

3）抗肿瘤。桃根乙醇浸出液在体外对人肝癌细胞株 SMMC7721 和 SK-HEP-1 有细胞毒作用。

（4）桃胶。

1）降血糖。桃胶多糖能降低糖尿病小鼠的血糖，并改善症状。

2）免疫调节。桃胶多糖可以提高小鼠的免疫水平，增强抗氧化能力。

3）降血脂。桃胶粉灌胃可以改善糖尿病大鼠的血脂水平，调节血脂紊乱。

4）增强肠蠕动。桃胶中的多糖类物质可以增强肠道功能，有利于新陈代谢。

| 功能主治 | 桃仁：苦、甘，平。归心、肝、大肠经。活血祛瘀，润肠通便，止咳平喘。用于经闭痛经，癥瘕痞块，肺痈，肠痈，跌仆损伤，肠燥便秘，咳嗽气喘。

碧桃干：酸、苦，平。归肺、肝经。敛汗涩精，活血止血，止痛。用于盗汗，遗精，吐血，心腹痛，妊娠下血。

桃花：苦，平。归心、肝、大肠经。利水通便，活血化瘀。用于小便不利，水肿，痰饮，脚气，石淋，便秘，癥瘕，闭经，癫狂，疮疡。

桃叶：苦，平。归脾、肾经。清热解毒，祛风止痒，杀虫。用于痈肿疮疡，湿疹湿疮，疥癣，头风头痛，风湿痹痛，疟疾，蛔虫病，蛲虫病，阴道滴虫病。

山桃枝：苦，平。活血通络，解毒，杀虫。用于心腹疼痛，风湿关节痛，腰痛，跌打损伤，疮癣。

桃茎白皮：苦、辛，平。清热利湿，解毒，杀虫。用于水肿，痧气腹痛，风湿关节炎，肺热喘闷，喉痹，牙痛，疮痈肿毒，瘰疬，湿疮，湿癣。

桃根：苦，平。清热利湿，活血止痛，消痈肿。用于黄疸，痧气腹痛，腰痛，跌打劳伤疼痛，风湿痹痛，闭经，吐血，衄血，痈肿，痔疮。

桃胶：甘，平。归大肠、膀胱经。和血益气，清热止痛，养颜。用于石淋，血淋，虚热作渴等。

|用法用量| 桃仁：内服煎汤，5 ~ 10 g，用时打碎；或入丸、散。制霜用须包煎。

碧桃干：内服煎汤，6 ~ 9 g；或入丸、散。外用适量，研末调敷；或烧烟熏。

桃花：内服煎汤，3 ~ 6 g；研末，1.5 g。外用适量，捣敷；或研末调敷。

桃叶：内服煎汤，5 ~ 10 g。外用适量。

山桃枝：内服煎汤，9 ~ 15 g，鲜品加倍。外用适量，煎汤含漱；或洗浴。

桃茎白皮：内服煎汤，9 ~ 15 g。外用适量，研末调敷；或煎汤洗；或含漱。

桃根：内服煎汤，15 ~ 30 g。外用适量，煎汤洗；或捣敷。

桃胶：内服煎汤，5 ~ 30 g；或入丸、散。

|市场信息| （1）商品规格。2018 年，中华中医药学会首次发布了《中药材商品规格等级 桃仁》（T/CACM 1021.52—2018）的团体标准，根据该团体标准，桃仁可分为“桃仁”和“山桃仁”2 个规格，其中，按照种仁大小、整仁率等划分山桃仁的规格等级，见表山桃 -1。

表山桃 -1 山桃仁规格等级划分

规格	等级	性状描述	
		共同点	区别点
山桃仁	一等	干货。山桃仁的性状与桃仁类同，呈类卵圆形，较小而肥厚	种仁饱满，长≥ 1.3 cm，宽≥ 0.8 cm。整仁率≥ 95%
	二等		种仁饱满，长≥ 1.1 cm，宽≥ 0.7 cm。整仁率≥ 90%
	三等		长≥ 0.9 cm，宽≥ 0.5 cm。整仁率≥ 80%

（2）价格信息。相关数据显示，从2020年1月至今，山桃仁统货的价格基本平稳，安国、亳州、荷花池、玉林等中药材市场的价格均在42～50元/kg上下波动。根据宁夏中药资源普查结果，桃仁的产地价格约为41元/kg。

虽然碧桃干属于偏冷品种，市场货源不多，但相关数据显示，近2年来，碧桃干的价格均为15元/kg。

桃花多为茶花行销售，市场行情保持平稳。相关数据显示，近2年来，安国中药材市场的价格略有波动，维持在70～80元/kg范围内，亳州中药材市场的价格平稳，为60元/kg。

桃胶作为养生品，近年来较受市场欢迎，近期市场行情非常稳定，价格为50元/kg。

（3）收购量和年销量。宁夏每年可供应桃仁约2 000 t，除部分供当地企业用外，其余销往安徽亳州中药材市场。

（4）易混（伪）品。桃仁与苦杏仁外形相似，二者时有混淆，且随着二者价格的涨跌，常互为混淆品。桃仁与苦杏仁的性状鉴别特征见表山桃-2。

表山桃-2　桃仁、苦杏仁性状鉴别特征

	桃仁	苦杏仁
形状	呈卵形或扁椭圆形，先端尖，中部略肥厚，基部略钝圆而偏斜，左右多不对称，边缘较薄。尖端一侧有1线状种脐，基部有合点，并自该处分散出多数棕色脉纹	呈扁心形，一端尖，另一端钝圆、肥厚，左右多对称。尖端一侧有短线形种脐，圆端合点处向上具多数深棕色的脉纹
种皮	呈红棕色或黄棕色，表面较粗糙。种皮较厚，温水浸泡后，较易脱落，内面贴有较薄、白色、半透明的膜质胚乳	呈黄棕色至深棕色，表面光滑。种皮薄，温水浸泡后，易脱落，内面有很薄、白色、半透明的膜质胚乳
大小	长1.2～1.8 cm，宽0.8～1.2 cm，厚0.2～0.4 cm	长1～1.9 cm，宽0.8～1.5 cm，厚0.5～0.8 cm
子叶质地	子叶2，乳白色，富油质，油性大	子叶2，乳白色，富油质，油性较小
气味	气香，味微苦	气微香，味苦

| 附　注 |

（1）桃仁及相关药材的基原考证。桃和山桃是我国原产植物，桃有3 000多年的栽培历史，而山桃多为野生。已知最早的中药学著作《神农本草经》中就收载了桃仁（桃核人）、桃花、碧桃干（桃枭）等药物及其功能主治。在历代本草典籍中，碧桃干、桃花、桃叶、桃茎白皮、桃根、桃胶等通常列于“桃仁”项下。

清代以前，关于桃仁基原的记载大多语焉不详。《神农本草经》列桃仁于果部下品。《本草经集注》记载：“今处处有……当取解核种之为佳。”遗憾的是，宋代以前的本草中未见对桃仁基原植物的详细描述。《本草图经》提出“京东、

陕西出者尤大而美。大都佳果多是圃人以他木接根上栽之，遂至肥美，殊失本性，此等药中不可用之，当以一生者为佳”，认为以非嫁接的桃的种子入药为佳。据该书所载附图仅能分辨下列植物学特征：叶对生，叶片狭长，果实表面有毛。由于该书缺乏植物形态的具体描述，故难以确定其品种。《本草衍义》指出“桃品亦多……山中一种正是《月令》中桃始华者，但花多子少，不堪啖，惟堪取仁。……入药惟以山中自生者为正”，认为《礼记·月令》中所载之桃为入药之山桃。《本草乘雅半偈》记载：“《尔雅》所谓褫桃者，小而多毛，其仁充满多脂，可入药用。”《救荒本草》记载：“山中有一种桃，正是《月令》中桃始华者，谓山桃，不堪食啖，但中入药。”同时该书描述桃树“树高丈余，叶状似柳叶而阔大，又多纹脉，开花红角，结实品类甚多”。《植物名实图考》的附图中画有桃的花、叶、成熟果实和幼果，《本草便读》的附图则更为详细。《和汉药百科图鉴》按照现代植物分类学对古人所用桃仁的植物来源进行考证，并规范了桃仁的植物来源为山桃 *Prunus davidiana* (Carr.) C. de Vos［《中国植物志》定名为 *Amygdalus davidiana* (Carr.) C. de Vos］。

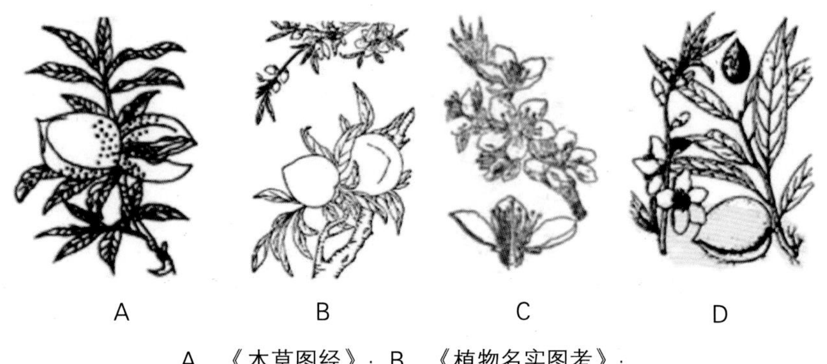

A.《本草图经》；B.《植物名实图考》；
C.《本草便读》；D.《和汉药百科图鉴》。

近代以来，桃的品种仍未明确。1963 年版《中华人民共和国药典》规定桃仁为蔷薇科植物桃 *Prunus persica* (L.) Batsch 或山桃 *Prunus davidiana* (Carr.) Franch. 的干燥成熟种子，并一直沿用至 2020 年版《中华人民共和国药典》中。值得注意的是，《中国植物志》和《中华本草》所载桃和山桃的拉丁学名分别为 *Amygdalus persica* L. 和 *Amygdalus davidiana* (Carr.) C. de Vos。《中华人民共和国药典》认为桃和山桃在植物学分类上属于李属 *Prunus*，而《中国植物志》和《中华本草》认为二者应归属于桃属 *Amygdalus* 。

关于桃和山桃在植物界的分类，几百年来不断发生着变化，给研究者的品种鉴定和命名带来了不便。根据植物分类学，蔷薇科植物分为 4 个亚科，其中李亚

科 *Prunoideae* Focke 的分类颇具争议。《中华人民共和国药典》采用英国人 J. H. Hutchinson 的分类方法，将桃和山桃归属于李属。《中国植物志》将核果类分为以下 6 属：桃属、杏属、李属、樱属、稠李属和桂樱属。这样的排列次序表示桃属在核果类中发展到了较高级的阶段。随着现代分子生物学的发展，学者结合相关技术对桃及其近缘种的归属问题进行了系统研究，随机扩增多态性 DNA（RAPD）指纹图谱、过氧化物酶同工酶谱型和染色体核型及吉姆萨显带等研究结果均支持《中国植物志》的分类方法。因此，为了统一和规范药用植物学名，采用更为科学、合理的分类系统，建议《中华人民共和国药典》采用与《中国植物志》一致的命名方式来规范桃和山桃基原植物的学名。

（2）关于桃的果实和桃毛。《中华本草》和《中药大辞典》中将桃子（桃的果实）和桃毛（桃子上的毛）列为中药材。

桃子始见于《名医别录》，该书记载："多食令人有热。"之后历代医家均认为桃子不宜多食，很少记述其功能主治。《滇南本草》记载桃子"能解邪气、美颜色"，明确了桃子的功效，后世多以此为基础而进一步发挥。但该书记载的桃子来源于"西竺种"，目前无法判断其基原植物是何种。在近现代中药材著作和标准中未见记载，因此未作为药材列于本书正文。

桃毛始载于《神农本草经》，该书记载："主下血瘕，崩漏，带下。"在近现代中药材著作和标准中亦未见收载，因此未列入本书正文。

（3）民间药用。同属植物甘肃桃 *Amygdalus kansuensis* (Rehd.) Skeels 和陕甘山桃 *Amygdalus davidiana* var. *potaninii* (Batal.) Yü et Lu 的种子在甘肃作桃仁药用；光核桃 *Amygdalus mira* (Koehne) Yü et Lu 的种子在四川、云南、西藏等地作桃仁药用；西康扁桃 *Amygdalus tangutica* (Batal.) Korsh. 的种子在四川西北部和甘肃南部作桃仁药用。

参考文献

[1] 国家中医药管理局《中华本草》编委会．中华本草：第 4 册 [M]．上海：上海科学技术出版社，1999：75-86.

[2] 易腾达，秦梦琳，王莎莎，等．桃仁的本草考证 [J]．中国实验方剂学杂志，2021，27（8）：142-150.

[3] 苏颂．本草图经 [M]．尚志钧辑校．合肥：安徽科学技术出版社，1994：551-552.

[4] 唐慎微．重修政和经史政类备用本草 [M]．尚志钧，郑金生，尚元藕，等校点．北京：华夏出版社，1993：566-568.

[5] 寇宗奭．本草衍义 [M]．颜正华，常章富，黄幼群点校．北京：人民卫生出版社，1990：137.

[6] 卢之颐．本草乘雅半偈（校点本）[M]．冷方南，王齐南校点．北京：人民卫生出版社，1986：219.

[7] 周静．救荒本草彩色药图 [M]．贵阳：贵州科技出版社，2017：241.
[8] 李时珍．本草纲目：29 卷 [M]．影印版．北京：中国书店，1988：45-53.
[9] 尚志钧．名医别录（辑校本）[M]．北京：中国中医药出版社，2013：250-252.
[10] 国家药典委员会．中华人民共和国药典：一部 [M]．北京：中国医药科技出版社，2020：290-291.
[11] 中国科学院中国植物志编辑委员会．中国植物志：第三十八卷 [M]．北京：科学出版社，1986：1，20.
[12] 马德滋，刘惠兰，胡福秀．宁夏植物志：下卷 [M]．2 版．银川：宁夏人民出版社，2007：401.
[13] 邢世瑞．宁夏中药志：上卷 [M]．2 版．银川：宁夏人民出版社，2006：592-595.
[14] 宁夏食品药品监督管理局．宁夏中药材标准（2018 年版）[M]．银川：阳光出版社，2018：83，118.
[15] 吉林省药品监督管理局. 吉林省中药材标准（2019 年版）：第 2 册 [M]. 长春: 吉林科学技术出版社，2020：201.
[16] 上海市卫生局．上海市中药材标准（1994 年版）[M]．上海：上海市卫生局，1993：166-167.
[17] 甘肃省药品监督管理局．甘肃省中药材标准（2020 年版）[S]．兰州：兰州大学出版社，2021：553-556.
[18] 谢勇，范志平，施伽，等．苦杏仁苷的分析及生物功能研究进展 [J]．北方园艺，2017（6）：190-195.
[19] 许筱凰，李婷，王一涛，等．桃仁的研究进展 [J]．中草药，2015，46（17）：2649-2655.
[20] 颜永刚．桃仁质量研究 [D]．成都：成都中医药大学，2008.
[21] 湖北省药品监督管理局．湖北省中药材质量标准（2018 年版）[M]．北京：中国医药科技出版社，2019：150-152.
[22] 赵中振，肖培根．当代药用植物典：第 2 册 [M]．上海：世界图书出版公司，2007：272-275.
[23] 张妍妍，韦建华，卢澄生，等．桃仁的化学成分、药理作用及质量标志物（Q-marker）的预测分析 [J/OL]．中华中医药学刊：1-20[2021-06-01]．http：//kns.cnki.net/kcms/detail/21. 1546.r.20210511.0949.006.html.
[24] 肖培根．新编中药志：第 2 卷 [M]．北京：化学工业出版社，2002：526.
[25] 崔璐璐．桃花的质量控制方法研究 [D]．石家庄：河北医科大学，2017.
[26] 明瑶，王洪连，沈宏春．中药桃树根研究概况 [J]．中医药导报，2017，23（14）：73-75.
[27] 郑依玲，董鹏鹏，梅全喜．桃胶特性化学成分药理作用及临床应用研究进展 [J]．时珍国医国药，2017，28（7）：1728-1730.
[28] 王娟，李霞，高文远，等．中药材商品规格等级　桃仁：T/CACM　1021.52—2018[S]．北京：中华中医药学会，2018.
[29] 杨伟丽，马媛媛，赵金珠．中药桃仁、杏仁、郁李仁的鉴别研究 [J]．甘肃科技，2021，37（5）：129-131.
[30] 问婧．中药调剂中易混淆中药饮片鉴别方法探究 [J]．中西医结合心血管病杂志，2019，7（22）：21.
[31] 侯士良，崔瑛，贾玉梅，等．植物名实图考校注 [M]．郑州：河南科学技术出版社，2015：782.
[32] 张秉成．本草便读 [M]．上海：科技卫生出版社，1957：73.
[33] 难波恒雄．和汉药百科图鉴 [M]．钟国跃译．北京：中国医药科技出版社，2001：235.

[34] 中华人民共和国卫生部药典委员会．中华人民共和国药典：一部 [M]．北京：人民卫生出版社，1964：232.
[35] 梁颖，裴瑾，万德光．从李属植物的分类进展看几种重要药用植物学名的修订 [J]．中药与临床，2010，1（3）：7-9，52.
[36] 南京中医药大学．中药大辞典 [M]．2 版．上海：上海科学技术出版社，2014：2202.
[37] 兰茂．滇南本草 [M]．于乃义，于兰馥整理．昆明：云南科技出版社，2004：111.
[38] 宋平顺，杨平荣，赵建帮．甘肃道地药材志 [M]．兰州：甘肃科学技术出版社，2016：421.
[39] 王永强．全国中草药汇编：卷 1[M]．3 版．北京：人民卫生出版社，2014：489.

撰稿人：杨　晋

鼠李科 Rhamnaceae 枣属 *Ziziphus* 凭证标本号 640181180616003LY

枣 *Ziziphus jujuba* Mill.

| 药材名 | 大枣（药用部位：果实。别名：红枣、干枣、良枣）、枣核（药用部位：果核）、枣叶（药用部位：叶）、枣树皮（药用部位：树皮）、枣树根（药用部位：根。别名：枣根）。

| 本草综述 | 大枣始载于《神农本草经》，被列为上品。《本草纲目》中记载"大曰枣，小曰棘。棘，酸枣也。枣性高，故重朿"，指出枣树具刺的特征。据《本草蒙筌》描述，"诸果只载其名，惟枣独加大字故云"，故而现今枣的入药名称为大枣。大枣在秋季果实成熟时为红色，故又称"红枣"。宋代《本草图经》记载"大枣，干枣也。生枣并生河东，今近北州郡皆有，以青、晋、绛州者特佳"，指出以山东和山西境内的大枣为佳品。今大枣主产于中国山东、河南、河北、新疆、山西、陕西、四川及贵州等地。《名医别录》曾记载"一名干枣，一名美枣，

枣

一名良枣”。因此，大枣又享有良枣、美枣的雅称。

东晋时期郭璞对《尔雅》中提到的 11 种枣进行了考证和注释：壶枣、腰枣和稔枣均为大枣的品系之一；白枣是大枣几近成熟的鲜品，即食用的青枣；羊枣的基原并非大枣，而是君迁子 *Diospyros lotus* L. 。《本草图经》中增补的“波斯枣”，经与原描述对比，应为棕榈科海枣 *Phoenix dactylifera* L. 的果实，而不是大枣。《本草图经》中所描述的大枣特征与《中国植物志》中鼠李科枣属枣 *Ziziphus jujuba* Mill. 及无刺枣 *Ziziphus jujuba* Mill. var. *inermis* (Bunge)Rehd. 的形态描述较为吻合。《本草品汇精要》记载：“木高三五丈，枝上多刺如针。四月发萌，渐生叶，至五月开花，黄白色，七八月结实，熟则紫赤。”除了植株高度存在差异外，该书的其他描述均与《中国植物志》中的枣 *Ziziphus jujuba* Mill. 相符。1937 年，《中国药学大辞典》中记载大枣的学名是 Jujubae。1959 年，首版《中药志》将枣的拉丁学名记载为 *Ziziphus jujuba* (*Ziziphus sativa*)。1977 年版《中华人民共和国药典》记载枣的拉丁学名为 *Ziziphus jujuba* Mill.。后来，《中华本草》《新编中药志》及各版《中华人民共和国药典》等都采用了枣的拉丁学名 *Ziziphus jujuba* Mill.。

《神农本草经》中记载：“大枣，主心腹邪气，安中养脾，助十二经，平胃气，通九窍，补少气，少津液，身中不足，大惊，四肢重，和百药，久服轻身长年。”对大枣应用较多的是汉代医圣张仲景。在《伤寒论》中，应用大枣的方剂多达 58 首，在这些方剂中，大枣常作为辅佐药，用量较大，达 10 ~ 30 枚，主要取其补脾生津、调和营卫之功及药性缓和之特点。唐宋时期，大枣的应用侧重于补益脾肺方面；金元明清时期，大枣的应用范围缩小，为方剂中的辅佐药，且仍以补中益气的功效为主，常用于补益心神。大枣还作为方剂中重要的配伍之一用于各型传染性肝炎，有降酶、退黄、恢复肝功能的功效。现代研究证实，大枣除了具有以上经典著作中记述的药用价值外，还具有多种药理作用，主要表现在免疫调节、保肝降脂、抗氧化及抗肿瘤等方面。

| 形态特征 | 落叶小乔木或灌木，高 5 ~ 12 m；树皮褐色或灰褐色；有长枝、短枝和无芽小枝，紫红色或灰褐色，呈“之”字形曲折，具 2 托叶刺，长刺可长达 3 ~ 4 cm，粗直，短刺下弯，长 4 ~ 6 mm；短枝短粗，矩状，自老枝发出；当年生小枝绿色，下垂，单生或 2 ~ 7 簇生于短枝上。叶纸质，卵形、卵状椭圆形或卵状矩圆形；长 3 ~ 7 cm，宽 1.5 ~ 3.5 cm，先端钝或圆形，稀锐尖，具小尖头，基部稍不对称，近圆形，边缘具圆齿状锯齿，上面深绿色，无毛，下面浅绿色，无毛或仅沿脉多少被疏微毛，基生三出脉；叶柄长 0.3 ~ 1 cm，无毛或有疏微毛；托叶刺纤细，后期常脱落。花黄绿色，两性，5 基数，无毛，具短总花梗，单生或 2 ~ 8

密集成腋生聚伞花序；花梗长 2 ~ 3 mm；萼片卵状三角形；花瓣倒卵圆形，基部有爪，与雄蕊等长；花盘厚，肉质，圆形，5 裂；子房下部藏于花盘内，与花盘合生，2 室，每室有 1 胚珠，花柱 2 半裂。核果矩圆形或长卵圆形，长 2 ~ 3.5 cm，直径 1.5 ~ 2 cm，成熟时红色，后变红紫色，中果皮肉质，厚，味甜。花期 5 ~ 7 月，果期 8 ~ 9 月。

栽培资源

（1）栽培历史。近年来，宁夏大枣产业发展迅速。2007 年，据初步统计，宁夏大枣的栽培面积达 45 万亩，其中幼龄枣园的面积为 35 万亩，是 2003 年的 4.4 倍，总产量达 4.5 万 t，产值超过 1 亿元。2008 年，宁夏人民政府印发了《宁夏农业特色优势产业发展规划（2008—2012 年）》，明确规划了宁夏大枣产业的主要栽培区：以中卫环香山地区和吴忠干旱风沙区为主的制干中宁圆枣、同心圆枣的栽培基地；以灵武为主，辐射中宁和青铜峡等地的鲜食枣生产基地。2011 年，宁夏大枣栽培基地的面积达 98 万亩，年总产量达 6.6 万 t，年总产值超过 1.8 亿元。截至 2016 年年底，宁夏大枣的总栽培面积达 78 万亩，年总产量达 4.4 万 t，年总产值达 2 亿元，重点培育了灵武长枣、同心圆枣、中宁圆枣 3 个地方特色优良品种，并获得国家地理标志产品保护，其中，灵武长枣荣获中国驰名商标。2017 年，中卫市大枣的栽培面积为 36 万亩，年总产量为 4.51 万 t，年总产值达 5 956 万元，平均产量为 1 876.5 kg/hm^2，平均产值为 2 478 元 /hm^2；中宁县大枣的栽培面积为 19.65 万亩，年总产量为 3 760 t，年总产值达 4 456 万元，平均

产量为 2 877 kg/hm^2，平均产值为 3 709 元 /hm^2。2019 年，宁夏全区的大枣产业稳中有进，栽培面积达 56.6 万亩，灵武长枣和同心圆枣获全国枣业大会金奖，并获得国家地理标志产品保护。其中，灵武长枣荣获中国驰名商标，其产业成为区域经济发展和农民脱贫致富的优势产业。

（2）栽培品种及栽培规模。

1）灵武长枣。果实中大，长椭圆形，纵径 5.1 cm，横径 2.9 cm，平均单果重 18.1 g，最大单果重 26.8 g。果面不光滑，果皮紫红色。果皮薄，果肉绿白色，肉质致密酥脆。汁多味甜略带酸，酸甜可口，鲜枣含糖量为 30%，含酸量为 0.25%，可食率达 95.6%，品质极佳。灵武长枣是宁夏名贵稀有主栽品种，主要分布在灵武市，宁夏其他地区零星栽培。2018 年，灵武长枣的挂果面积为 6 万亩，产量为 4 434 kg/hm^2，其中露地长枣的产量为 4 340.5 kg/hm^2，设施长枣的产量为 93.5 kg/hm^2。

2）同心圆枣。果实近圆形，个大，平均单果重 19.7 g 左右，最大单果重 25 g。鲜果皮薄肉厚，可溶性固形物含量为 25%；干果含糖量为 52.3%，含酸量为 0.86%，维生素 C 含量为 20.5 mg/100 g。本品种可鲜食，也可制干，味美醇香，是干果中的上乘之品。同心圆枣的主要栽培地为宁夏同心县，地处鄂尔多斯台地南部黄土高原，属于丘陵沟壑区，大陆性中温带半干旱区向干旱区过渡气候。2010 年，同心县在 10 个乡镇 38 个行政村建成了 3 个 5 000 亩的大枣示范基地、10 个千亩圆枣种植示范基地、20 个同心圆枣种植推广村，种植总面积累计达 10.6 万亩，现今年总产量达 600 万 kg，产值达 1 200 万元。

3）青铜峡大枣。青铜峡市是宁夏鲜食灵武大枣的生产基地，也是“灵武 – 同心 – 海原”大枣产业的重要区域。2008 年，该市发展的产业基地达 5.5 万亩，其中 8 个镇和 1 个林场的大枣栽培面积达 5 000 亩。到 2011 年，该市建成良种基地 540 亩，其中种质资源保护区 150 亩，示范区 120 亩，试验区 90 亩，种质资源收集区 45 亩，繁殖圃 60 亩，采穗圃 45 亩。

4）中宁圆枣。中卫市所管辖的一区两县（沙坡头区、海原县和中宁县）均产大枣，其品种以中宁圆枣和同心圆枣为主。近年来，初步形成了黄河以北地区长 18 km、宽 5 km 的中宁圆枣高效高密生产带和黄河以南沿山地带的枣草、枣粮、枣瓜、枣药间作生产带及山区乡镇节水栽培的生产格局，种植面积超过 10 万亩。

5）海原大枣。海原县县政府出台相关政策，鼓励农民发展枣业，并制定了枣业发展规划，形成了以县中部乡镇压沙地和高崖乡旱作节水枣树产业为中心，辐射周边乡镇的产业基地。2012 年，海原县大枣的种植面积达 7.95 万亩，产值约

90 万元。

6）南长滩大枣。南长滩大枣是中卫市沙坡头区南长滩村的特色枣类，具有抗变态反应、保肝、增加肌力、镇静、催眠和降血压的作用。南长滩村有 1 000 余株树龄达 200 年以上的枣树。由于日照充足，昼夜温差大，该地所产大枣的含糖量高，经检测，鲜枣含糖量为 20% ~ 36%，干枣含糖量为 55% ~ 80%。同时，其富含丰富的维生素 C 和维生素 P，为地道的天然果品。

（3）栽培技术。

1）选园栽植。春、秋季均可栽植，常以春季为佳。通常在萌芽前 1 周内进行。栽植密度：连片枣园株行距 4 m×6 m 或 5 m×5 m，每亩定植 22 ~ 33 株；枣粮间作行距 8 ~ 15 m，株距 4 ~ 6 m，南北行向。定植穴的直径一般为 80 ~ 100 cm，并基施 10 kg 以上的厩肥或有机肥。栽植深度和根颈相齐，边回填边踏实，扶正苗木，栽后立即灌水。栽植时苗木根蘸磷肥泥浆，有利于成活。

2）繁殖方法。①嫁接。嫁接方法主要有嵌芽接和劈接。其技术要点可归纳为六字要领："鲜"，接穗保持新鲜，无失水；"平"，接穗削面要平；"准"，接穗和砧木形成层要对准；"紧"，接好后要缠严绑紧；"快"，操作速度要快；"湿"，嫁接后要埋土或套塑料袋以保持湿度。同时，在嫁接前 5 ~ 7 天，对砧木苗圃进行灌水，使之易于离皮。②断根。选择优良品种的自根植株，发芽前在树冠外围挖宽 30 ~ 40 cm、深 50 cm 的沟，切断直径 2 cm 以下的根，在断根沟内施有机肥，随即回填。生长季节可发出根蘖苗，翌年春季挖出根蘖苗，采用 ABT 生根粉或其他激素进行处理，归圃栽植，培育壮苗。③根插。秋末结合秋耕从健壮枣树上采根，剪成长 20 ~ 30 cm、直径 1 ~ 4 cm 的根穗，在地窖内沙藏。翌年春季开沟育苗，根穗以倾斜 45° 角插入沟内，上露地面 2 cm，插后随即浇水。根穗采用生根激素进行处理，用塑料薄膜覆盖，效果更好。④组织培养。离体快繁的外植体为早春水培的嫩枝茎段，启动培养基为"H94+IBA 0.1 mg/L+NG 15 mg/L"固体培养基中加入 H66 营养液的固液两相培养基。继代培养基为"H66+NG 20 mg/L+IBA 0.1 mg/L"培养基，继代培养 30 天，平均增殖系数为 4。生根培养基为"H94+NG 3 ~ 8 mg/L+IBA 0.1 mg/L"培养基，生根率为 90%。在组织培养室内培养 20 天后，置于日光温室再培养 10 天左右，然后打开瓶塞炼苗 3 ~ 4 天，用青河沙过渡移栽法移栽，成活率可达 96%。⑤扦插。扦插前，先将沙床湿润，湿润标准为沙床打孔后孔不塌，扦插时一边用小木棒在沙床上打孔，一边将插穗蘸浆扦插，小孔直径要大于插穗蘸浆后的直径，以免药液被小孔壁挤掉而降低药性。扦插深度约为 3 cm，太深，易造成基部腐烂；过浅，易造成插穗倾倒和生根后根系外露。扦插后插孔要挤紧，使河沙和插穗紧密结合。

3）水肥管理。①土壤解冻后在枣树周围 2 m 范围内进行深翻，以改善土壤的通气状况。同时，及时松土除草，春翻宜浅，秋翻宜深。②秋末封冻前施基肥，春季发芽前追施肥，一般单株产 50 kg 鲜枣者施粗肥 100 kg 或氮肥、磷肥各 1.5 kg，钾肥 0.5 kg 混合沟施。施肥时，在距树干 1 ~ 1.5 m 处挖 40 cm × 40 cm 的环状沟。在花期和幼果生长期，每株采取放射沟法追施尿素 0.5 ~ 1 kg。③枣树灌水与施肥相结合，1 年内灌水 5 ~ 6 次。4 月下旬枣树萌芽时灌萌芽水；6 月中旬结合追肥灌水，以提高坐果率，防止出现“焦花”现象；7 月中旬灌水，补足果实发育所需水分；8 月中旬灌水，以促进果实膨大；9 月上旬灌水，可增加果实水分和糖分含量；10 月下旬结合施基肥进行冬灌。

4）整形修剪。定干高度：成片枣园 1 m 左右，枣粮间作 1.5 m 左右。修剪一般在冬、春季进行，前 3 年掌握以轻剪为主、促控结合、多留枝的原则，使其尽快形成树冠。同时，积极培养丰产树形。主要有主干疏散分层形、多主枝自然圆头形和开心形。结果树修剪时要控制徒长枝，保留正常枝，剪除病枯枝。以短截为主，除去病枝、枯枝、重叠枝、直立枝，控制徒长枝，更新衰老枝。夏季修剪可采取摘心、疏枝、除萌蘖、调整枝位等方法，以调节营养分配，从而实现冠内通风透光。

①修剪时机。枣树的修剪一般分为冬剪和夏剪。冬剪一般在落叶后至翌年枝液流动前均可进行，但因枣树休眠时间长，愈合能力差，为了避免剪口风干开裂，冬剪一般以 3 ~ 4 月为宜。冬剪主要是短截、疏枝、回缩和刻伤。夏剪主要是抹芽、打枣头、疏枝、环割或环剥等。②修剪方法。a. 疏枝，是指将树冠内的干枯枝，不能利用的徒长枝、下垂枝及过密枝从基部除掉的修剪方法。疏枝能起到使树体养分集中、疏密适度、通风透光、平衡枝势的作用。b. 回缩，是指对多年生延长枝、结果枝的缩剪。它可以抬高枝头角度，增加生长势，有利于枝组的复壮和老树更新。c. 短截，是指将较长的枝条剪短。其作用是增加下部养分，刺激主芽萌发，促进抽生新枝，保证树体健壮和结果正常。d. 摘心，是指在生长季节将新生枣头顶芽摘掉。它可以使枣头加长生长，提高坐果率。e. 刻伤，是指在主芽上方 1 cm 处刻伤。其作用是促进萌发新枝，一般不用，为便利，以短截为主。

5）病虫害防治。枣树的病害主要有枣锈病、枣疯病、缩果病、炭疽病、轮纹病、褐腐病、苦痘病等，虫害主要有枣瘿蚊、枣粘虫、枣步曲、介壳虫、蝽象、叶壁虱、

红蜘蛛、刺蛾等。宁夏地区干旱少雨，枣树病虫害的发生相对较少，通常以预防为主，可加强枣园管理，合理修剪，增强树势，雨季及时排水，防止果园过湿；秋末要彻底清除落叶，并集中烧毁。

| 采收加工 |

（1）采收时期。大枣果实的成熟期分为白熟期、脆熟期和完熟期。鲜果宜在白熟期和脆熟期采收，此时果皮中的叶绿素大量减少，呈现乳白色或绿白色，果肉较松，质地脆，可溶性固形物含量高；干果宜在完熟期采收，此时果实的可溶性固形物继续增加，果肉黄褐色，质地松软，含水量降低。一般采收时间为9 ~ 10月。

（2）采收方法。大枣：秋季果实成熟时采收，晒干。

枣核：加工枣肉食品时进行收集。

枣叶：春、夏季采收，鲜用或晒干。

枣树皮：全年均可采收，春季最佳，用月牙形镰刀从枣树主干上将老皮刮下，晒干。

枣树根：秋后采挖，鲜用，或切片，晒干。

| 药材性状 |

大枣：本品呈椭圆形或球形，长2 ~ 3.5 cm，直径1.5 ~ 2 cm。表面暗红色，略带光泽，有不规则皱纹。基部凹陷，有短果柄。外果皮薄，中果皮棕黄色或淡褐色，肉质，柔软，富糖性而油润。果核纺锤形，两端锐尖，质坚硬。气微香，味甜。

品质评价 以个大、色紫红、肉厚、油润者为佳。2020年版《中华人民共和国药典》规定：本品每1 000 g含黄曲霉毒素B_1不得过5 μg，黄曲霉毒素G_2、黄曲霉毒素G_1、黄曲霉毒素B_2和黄曲霉毒素B_1的总量不得过10 μg。

化学成分 （1）糖类。大枣中含有果糖、蔗糖，以及由果糖和葡萄糖组成的低聚糖、阿拉伯聚糖、半乳糖醛酸聚糖等。其多糖类成分主要分为中性多糖和大枣果胶两类。大枣果胶的单糖组成有D-半乳糖醛酸、L-鼠李糖、L-阿拉伯糖、D-半乳糖及D-甘露糖。大枣多糖是参与免疫调节的主要活性物质。

（2）三萜酸类。大枣的三萜酸类成分主要有羽扇豆烷型，如白桦脂酮酸、麦珠子酸及白桦脂酸；齐墩果烷型，如齐墩果酸、马斯里酸及齐墩果酮酸；乌苏烷型，如熊果酸、2*α*-羟基乌苏酸、乌苏酮酸；美洲茶烷型，如美洲茶酸等。此外，还含有山楂酸-3-*O*-反式对香豆酰酯、山楂酸-3-*O*-顺式对香豆酰酯、3-*O*-反式对香豆酰麦珠子酸及3-*O*-顺式对香豆酰麦珠子酸。

（3）黄酮类。大枣的黄酮类成分有6,8-二葡萄糖基-2（*S*）-柚皮素、6,8-二葡萄糖基-2（*R*）-柚皮素、当药黄素、芦丁。此外，还含有斯皮诺素、6′-芥子酰斯皮诺素、6′-阿魏酰斯皮诺素及6′-对香豆酰斯皮诺素。

（4）核苷和皂苷类。大枣的核苷类成分有环腺苷酸（cAMP）、环鸟苷酸（cGMP）、鸟苷、尿苷、胞苷、次黄嘌呤、鸟嘌呤、腺嘌呤等；皂苷类成分有大枣皂苷Ⅰ、大枣皂苷Ⅱ、大枣皂苷Ⅲ、酸枣皂苷B。

（5）生物碱类。大枣的生物碱类成分有光千金藤碱、*N*-去甲基荷叶碱、巴婆碱11、斯特法灵、*N*-降荷叶碱、阿西米诺宾及吡咯烷生物碱A。

（6）其他成分。大枣还含有谷甾醇、豆甾醇、链甾醇，以及维生素B_2、维生素B_1、胡萝卜素、烟酸、维生素E等，其中，鲜枣中维生素C的含量可超过243 mg/100 g。

药理作用 （1）免疫调节作用。大枣提取液及其多糖可显著提高小鼠腹腔细胞的吞噬功能，促进溶血素和溶血空斑的形成，促进小鼠脾细胞增殖和自然杀伤细胞（NK细胞）活性，防止脾脏萎缩，激发小鼠腹腔巨噬细胞的吞噬功能并使钙离子浓度升高，诱导肿瘤坏死因子-α（TNF-α）、白细胞介素-1（IL-1）、一氧化氮（NO）的分泌功能；大枣三萜酸类成分的抗补体作用，能促进淋巴细胞增殖和增强巨噬细胞的功能。

（2）护肝作用。大枣提取液及其多糖对四氯化碳造成的小鼠肝损伤有一定的预防作用；大枣煎剂能显著降低小鼠升高的血清谷丙转氨酶、乳酸脱氢酶及谷草转氨酶，降低肝脏丙二醛（MDA）水平，改善食欲，介导自由基活性，从而有效起到护肝的作用。

（3）抗氧化及延缓衰老作用。大枣多糖可明显延缓小鼠衰老，提高衰老模型小鼠血液中超氧化物歧化酶（SOD）及过氧化氢酶（CAT）的活力，降低脑匀浆、肝匀浆及血浆中脂质过氧化物（LPO）的水平；同时，具有清除自由基的作用，其活性大小与多糖的用量呈正相关，在全血生理环境下，具有较强的活性氧清除能力。大枣黄酮类及糖苷类成分的自由基清除作用在于抑制生物膜上多不饱和脂肪酸的过氧化作用，其皂苷类成分有预防雀斑、瑕疵和增白皮肤的效果。

（4）抗肿瘤、抗突变作用。大枣提取液可明显降低胃腺癌的发生率及胃肠道恶性肿瘤的总发生率。长期食用大枣可降低胃肠道恶性肿瘤的发生率。姐妹染色单体互换（SCE）小鼠灌服大枣煎剂能明显降低环磷酰胺所致的SCE值升高，这表明其有抗突变作用。大枣的多糖类成分能够促进小鼠腹腔巨噬细胞分泌肿瘤坏死因子及其mRNA的表达，增强小鼠腹腔巨噬细胞的细胞毒作用，诱导肿瘤坏死因子、白细胞介素-1、一氧化氮的产生，其中一氧化氮是杀伤肿瘤细胞的重要效应分子之一。

（5）补血作用。大枣多糖能够升高气血两虚型小鼠血清粒细胞-巨噬细胞集落刺激因子水平，改善造血功能和红细胞能量代谢，提高血清钙和血糖水平。

（6）其他作用。大枣多糖能够改善胃肠道环境，减少肠黏膜与氨类有毒物质的接触；大枣的三萜酸类成分不仅在H9淋巴细胞中对人类免疫缺陷病毒（HIV）的复制有一定的抑制作用，而且具有抗菌、消炎作用；大枣的黄酮类及生物碱类成分具有一定的镇静作用。此外，大枣的黄酮类及糖苷类成分对舒张心脑血管和拮抗血小板活化因子有一定的作用。

|功能主治|

大枣：甘，温。归脾、胃、心经。补中益气，养血安神。用于脾虚食少，乏力便溏，妇人脏躁。

枣核：苦，平。解毒，敛疮。用于痈疮，牙疳。

枣叶：甘，温。清热解毒。用于小儿发热，疮疖，热痛，烂脚，烫火伤。

枣树皮：苦、涩，温。涩肠止泻，镇咳止血。用于泄泻，痢疾，咳嗽，崩漏，外伤出血，烫火伤。

枣树根：甘，温。调经止血，祛风止痛，补脾止泻。用于月经不调，不孕，崩漏，吐血，胃痛，痹痛，脾虚泄泻，风疹，丹毒。

| 用法用量 | 大枣：内服煎汤，6 ~ 15 g。

枣核：外用适量，烧后研末敷。

枣叶：内服煎汤，3 ~ 10 g。外用适量，煎汤洗。

枣树皮：内服煎汤，6 ~ 9 g；研末，1.5 ~ 3 g。外用适量，煎汤洗；或研末撒。

枣树根：内服煎汤，10 ~ 30 g。外用适量，煎汤洗。

| 市场信息 | 全国的大枣产业发展呈东退西进的趋势，大枣的主要产区分布于山西、陕西、河北、山东、河南等。宁夏的大枣产业形成了“灵 – 同 – 红 – 海产业带”，2008 年的种植面积达 3.54 万 hm^2，总产量达 2.7 万 t。近年来，宁夏全区的大枣流通和加工企业在逐年增长，主营鲜枣和干果食品营销链，建成了多座大枣保鲜冷藏室，可贮存大枣 40 多万 kg，灵武长枣、同心圆枣和中宁圆枣销往四川、上海等地，其中灵武长枣供不应求。宁夏大枣的市场价格一直有所波动，受产地和品种的影响，2018—2019 年，宁夏大枣的价格在 4 ~ 18 元 /kg 不等。据相关报道，2020 年，通过线上和线下销售，设施大棚内收获的灵武长枣的最高售价达 300 元 /kg。总之，宁夏大枣的主栽品种在品质、品牌宣传及产量方面有待改善和突破，从而更好地发挥其市场竞争优势。

| 资源利用 | （1）药用价值。大枣的药用价值较高，其果实含有黄酮类、环腺苷酸和环鸟苷酸等药用活性物质。具有健脾养胃、益血壮神的功效，对贫血、神经衰弱、肺虚咳嗽、高血压等均有良好的疗效。另外，大枣的叶、花、根、树皮均可入药，如树皮可治疗眼疾，根水煎服可通经脉等。

（2）生态价值。枣树在干旱、半干旱地区生长良好。近年来，枣树成为改造荒山、涵养水源、治理生态不可多得的经济造林树种之一。枣树在干旱环境中的适应能力较强，具有重要的生态价值。

（3）其他价值。枣树花期较长，芳香多蜜，是一种优良的蜜源植物。同时，其木材坚硬，纹理细密，也是雕刻和制作家具的优质木材之一。

参考文献

[1] 国家中医药管理局《中华本草》编委会. 中华本草（精选本）：上册 [M]. 上海：上海科学技术出版社，1996：1143-1148.

[2] 肖培根. 新编中药志 [M]. 北京：化学工业出版社，2002：22-30.

[3] 黄璐琦，姚霞. 新编中国药材学 [M]. 北京：中国医药科技出版社，2020：11-14.

[4] 赵中振，肖培根. 当代药用植物典 [M]. 上海：世界图书出版社，2008：536-540.
[5] 邢世瑞. 宁夏中药志 [M]. 2 版. 银川：宁夏人民出版社，2006：829-833.
[6] 钱锦秀，孟武威，刘晖晖，等. 经典名方中大枣的本草考证 [J/OL]. 中国实验方剂学杂志：1-12[2021-11-14]. https://doi.org/10.13422/j.cnki.syfjx.20211455.
[7] 刘西建，张艳. 大枣药用历史沿革 [J]. 陕西中医，2011，32（3）：352-353.
[8] 马德滋，刘慧兰，胡福秀. 宁夏植物志 [M]. 2 版. 银川：宁夏人民出版社，2007：552-553.
[9] 杨海中，王新才，徐娟，等. 枣故乡：红枣历史起源 [M]. 北京：中国林业出版社，2014：19-24，159-163.
[10] 王文举，李小伟. 经济林栽培学 [M]. 银川：宁夏人民出版社，2008：211-226.
[11] 国家药典委员会. 中华人民共和国药典：一部 [M]. 北京：中国医药科技出版社，2020：23-24.
[12] 郭盛，段金廒，唐于平，等. 中国枣属药用植物资源化学研究进展 [J]. 中国现代中药，2012，14（8）：1-5.
[13] 郭盛. 中国大枣资源化学研究 [D]. 南京：南京中医药大学，2009：7-9.

撰稿人：刘王锁

唇形科 Lamiaceae 黄芩属 *Scutellaria* 凭证标本号 640425140807016ZPLY

黄芩 *Scutellaria baicalensis* Georgi

| 药 材 名 | 黄芩（药用部位：根。别名：腐肠、子芩、条芩）、黄芩子（药用部位：果实）。

| 本草综述 | 黄芩始载于《神农本草经》，该书记载黄芩“一名腐肠”，并将其列为草部中品。黄芩子始载于《名医别录》。《吴普本草》云：“二月生赤黄叶，两两四四相值，其茎中空或方圆，高三四尺，四月花紫红赤，五月实黑，根黄。二月、九月采。与今所有小异。”《新修本草》云：“叶细长，两叶相对，作丛生，亦有独茎者。”《本草图经》云：“苗长尺余，茎秆粗如箸，叶从地四面作丛生，类紫草，高一尺许，亦有独茎者，叶细长，青色，两两相对。六月开紫花，根黄，如知母粗细，长四五寸，二月、八月采根，曝干。”以上文献中描述的黄芩的植物特征与黄芩属 *Scutellaria* 植物特征基本

黄芩

相符。但古用黄芩并非一种，《本草纲目》提到“西芩多中空而色黔，北芩多内实而深黄”，所谓“西芩”“北芩”应是根据产地而得名。从古代本草记载的内容来看，历代使用的黄芩药材至少有 4 种原植物。产于山西、陕西、山东的黄芩应为黄芩 *Scutellaria baicalensis* Georgi；产于四川及云南的黄芩主要是滇黄芩 *Scutellaria amoena* C. H. Wright 和丽江黄芩 *Scutellaria likangensis* Diels；产于甘肃泾川的黄芩可能是甘肃黄芩 *Scutellaria rehderiana* Diels 和黄芩 *Scutellaria baicalensis* Georgi。

关于黄芩的产地，《神农本草经》仅记载黄芩“生川谷”，川谷，即两山之间的河谷地带，但该书未记载黄芩的具体产地。《范子计然》云：“黄芩出三辅，色黄者，善。”三辅，即今陕西中部地区。《名医别录》云：“黄芩生秭归川谷及冤句。”秭归，即今湖北宜昌秭归县；冤句，即今山东荷泽牡丹区。《本草经集注》云：“秭归属建平郡。今第一出彭城，郁州亦有之。”彭城即今江苏徐州铜山区，郁州即今江苏灌云县东北部，二者皆在江苏。《新修本草》云：“今出宜州、鄜州、泾州者佳，兖州者大实亦好，名豚尾芩也。”宜州即今湖北宜昌，鄜州即今陕西富县，泾州即今甘肃泾川，兖州即今山东西南部及河南东部，这些地区属于我国的华中地区、华东地区及西北地区，位于长江以北、黄河以南。以山东西南部及河南东部地区所产黄芩质量为佳。《本草图经》云：“今川蜀、河东、陕西近郡皆有之。”川蜀即今四川，河东即今山西西南部，陕西近郡即今陕西富县、富平、耀州及汉中。这说明当时陕西中北部、山西西南部和四川已成为黄芩的主产区。该书附有潞州黄芩图和耀州黄芩图，潞州即今山西长治，耀州即今陕西铜川耀州区。《药性粗评》云：“生川蜀、河陕川谷，今荆湘州郡亦有之，以西北出者为胜。”该书指出黄芩在四川、山西、陕西均有分布，在湖北中南部、湖南北部也有分布，以陕西地区所产黄芩质量为佳。《植物名实图考》云：“黄芩以秭归产著，后世多用条芩，滇南多有，土医不他取也。”该书指出最初秭归（即今湖北秭归县）所产黄芩质量较优，但后来该地所产黄芩的质量下降。《药物出产辨》云：“山西、直隶、热河一带均有出。”山西即今太行山中北部五台、灵丘等地，直隶即今河北中南部及北京、天津等地，热河即今河北东北部、辽宁西部及内蒙古赤峰、通辽。该书指出黄芩的产地主要为燕山—阴山地区。一言以蔽之，自古以来，黄芩的产地遍及除华南以外的全国多数省区。

| 形态特征 | 多年生草本。主根粗壮，略呈圆锥状，折断面鲜黄色。茎自基部多分枝而细，钝四棱形，具细条纹，无毛或被上曲至开展的微柔毛，绿色或常带紫色。叶交

互对生；叶片卵状披针形、披针形至线状披针形，长 1.5 ～ 4.5 cm，宽 0.3 ～ 1.2 cm，先端钝或急尖，基部近圆形，全缘；上面深绿色，无毛或疏被贴生至开展的微柔毛；下面淡绿色，无毛或沿中脉疏被微柔毛，密被黑色下陷的腺点；无柄或几无柄。总状花序顶生或腋生，长 7 ～ 15 cm，常于茎顶聚成圆锥花序，花偏向一侧；花梗长 3 mm，与花序轴均被微柔毛；苞片下部者叶状，上部者较小，卵圆状披针形至披针形，长 4 ～ 11 cm，近无毛；花萼二唇形，紫绿色，上唇背部有盾状附属物，果时增大，腊质；花冠紫色、紫红色至蓝色，长 2 ～ 3 cm；冠檐二唇形，上唇盔状，先端微缺，下唇宽，中裂片三角状卵圆形，宽 7.5 mm，两侧裂片向上唇靠合；花冠筒近基部明显膝曲；雄蕊 4，前对较长，伸出，具半药，后对较短，内藏，具全药，药室裂口具白色髯毛；雌蕊 1，子房 4 深裂，

褐色，无毛，生于环状花盘上；花柱细长，先端微裂。小坚果 4，卵球形，长 1.5 mm，直径 1 mm，黑褐色，具瘤，包于宿存花萼中；腹面近基部具果脐。花期 6 ~ 9 月，果期 8 ~ 10 月。

| 野生资源 | 宁夏无本种的野生资源分布。甘肃黄芩 *Scutellaria rehderiana* Diels，主要分布于宁夏南部六盘山区、北部贺兰山区及原州、海原、西吉等地，生于向阳山坡草地，资源较为丰富，是 20 世纪 90 年代以前宁夏地区主要采收、流通和使用的“黄芩”药材的基原。

| 栽培资源 | （1）栽培历史。从 20 世纪 90 年代开始，由于国内的野生黄芩资源不能满足市场需求，黄芩的栽培得到了较大的发展，目前黄芩已成为家种大宗药材之一，其栽培非常容易，对栽培所需土壤的要求也不高。2000 年以后，黄芩的栽培发展迅速，陕西、山西、甘肃、山东、河南、内蒙古等多个省区均有栽培。如今我国的黄芩栽培主要集中在山西、陕西、甘肃一带，内蒙古、河南三门峡有少量栽培；河北承德是野生和家种枯芩的传统产区，历史上十年生以上的枯芩被称为“芩王”。

《乾隆宁夏府志》卷四“地理（三）”之“物产”项“药之属”、《嘉庆宁夏府志》卷四“物产”项“药之属”、民国时期《豫旺县志》卷之一“疆域志”之“物产”项“药类”、民国时期《朔方道志》卷之三“舆地志”之“物产”项“药类”、《嘉庆灵州志迹》卷一“风俗物产第七”之“药之属”中均明确记载有黄芩。民国时期《朔方道志》在脚注中明确标注黄芩“内实者名子芩、条芩，中空者名枯芩”。民国时期《宁夏资源志》（1946 年版）记载：“其宿根外黄内黑者称‘片芩’，新根内黄者曰‘条芩’，采之晒干即为药。本省产地在贺兰山、罗山，磴口（注：今内蒙古磴口县）亦有之，年产量约二千五百斤。”这说明最迟至清乾隆年间，今宁夏中北部地区便已出产黄芩药材，民国时期以子芩、条芩、枯芩 3 种商品规格供应市场，但产量很低。结合《宁夏植物志》的记载，推测以上文献中所载黄芩药材的基原应为甘肃黄芩 *Scutellaria rehderiana* Diels。

分布于宁夏地区的野生黄芩主要是甘肃黄芩 *Scutellaria rehderiana* Diels，其资源较为丰富，主要分布于宁夏南部六盘山区、北部贺兰山区及原州、海原、西吉等，生于向阳山坡草地。截至目前，尚没有在宁夏地区发现黄芩 *Scutellaria baicalensis* Georgi 的野生资源。20 世纪 70—90 年代，宁夏市场上供应的黄芩药材的来源主要是甘肃黄芩野生资源。由于长期被采挖利用，至 20 世纪 90 年代，宁夏甘肃黄芩野生资源供应量明显减少。随着药品监管力度的加大和市场供求

关系的变化，20 世纪 90 年代初，宁夏固原地区的中药材种植企业开始从山西引种栽培黄芩 *Scutellaria baicalensis* Georgi（《中华人民共和国药典》收载的正品品种），至 2005 年前后，已在宁夏隆德、泾源、原州及吴忠等地形成了一定的栽培规模，市场上供应的野生甘肃黄芩已基本被人工种植的正品黄芩所取代。经过多年的栽培，宁夏栽培黄芩具有很强的抗旱性、抗寒性及抗逆性，适应性较强。

（2）栽培区域。黄芩在宁夏各地均可栽培，尤以南部六盘山区、北部贺兰山区、固原各地（原州、西吉、隆德、泾源、彭阳）及与固原毗邻的吴忠同心、中卫海原等地最为适宜。近 20 多年来，固原原州清河镇东郊村及十里铺村，固原隆德沙塘镇、陈靳乡、丰台乡、神林乡新坪村、城关镇咀头村、联财镇联合村，固原泾源六盘山镇、香水镇米岗村，固原西吉，固原彭阳红河镇，中卫海原，吴忠同心，吴忠红寺堡，银川永宁等地均栽培黄芩。现种植区主要分布于隆德、彭阳、西吉、原州、海原与同心等县（区）。

（3）栽培面积与产量。2020 年，宁夏全区黄芩的种植总面积达 1 015 hm^2，每公顷黄芩药材干货的产量可达 2 250 kg 以上。

（4）栽培技术。

1）生物学特性。黄芩在春季播种，在高燥、向阳、雨量中等、排水良好、土层深厚肥沃、中性至微碱性的砂质或腐殖质壤土中生长良好，在雨水过多或排水不良、易积水的土壤中生长不良，容易烂根死亡。忌连作。地温 15 ~ 18 ℃时，10 天左右出苗，3 ~ 5 天出齐。于 6 月开花，花期较长，可达 3 个月之久，直至霜枯期。果实 8 ~ 9 月成熟，成熟期不一致。翌年 4 月中下旬返青，生长发育过程与第 1 年基本一致。二年生、三年生植株的开花期和结果期比一年生者提前几天，黄芩的植株高度、单株地上鲜重随生长年限增加而增加，根长、根粗和鲜根重也随生长年限增加而增加。生长 2 ~ 3 年的黄芩的根称条芩，条芩性状较好，而生长 4 年以上的黄芩，虽然植株地上部分和根系的重量有所增加，但根头中心部分易枯朽。

2）选地、整地、施肥。选择地势高燥、阳光充足、土壤肥沃、耕层深厚、排水良好、地下水位较低、中性至微碱性的砂壤土或腐殖质壤土地块，也可在向阳荒坡地、休荒地及幼龄林间种植，不宜在积水洼地或重黏土地上种植。忌连作。选好地后，结合整地，进行如下处理。

①种植地。施腐熟有机肥 37 500 kg/hm^2、过磷酸钙 750 kg/hm^2，深翻土壤 30 cm 以上。播前将地整细耙平，开厢，厢宽 1.2 m，厢沟深 15 ~ 20 cm，厢沟

宽 20 cm，或做宽 60 cm 的高垄。在种植地四周开排水沟，沟深底平，以使排水畅通。②育苗地。施腐熟有机肥 30 000 ~ 45 000 kg/hm^2，深耕 20 cm，将地耙细整平，开厢做床，床宽 1.2 m 左右，床高 15 cm，将床面整平，浇足底水。在育苗地四周开好排水沟。

3）繁殖。黄芩的繁殖方式有种子繁殖和无性繁殖，生产中常采用种子繁殖方式。种子繁殖有种子直播法和种子育苗移栽法 2 种方式，其中以种子直播法为好，该法可节省劳力，且培育出的黄芩根条长、支根少、质量好、产量高。无性繁殖可采用分根直播法及扦插育苗移栽法等方式。

①种子直播法。a. 种子处理。将种子按 200 ∶ 1 的比例用 50% 多菌灵拌种，堆闷 5 ~ 7 天。再将拌过 50% 多菌灵的种子按 1 ∶ 5 的比例与硫酸铵混合。b. 播种期。分为春播或秋播，春播在 4 月中下旬，秋播在 8 月中旬。c. 播种方法。一般采用条播法，按行距 25 ~ 30 cm 开深 2 ~ 3 cm 的浅沟，将拌有肥料、农药的种子均匀地撒入沟内，覆土 2 cm，耙平，稍加镇压，浇水，隔 10 天再浇 1 次水，保持厢面湿润，约 15 天出苗。1 hm^2 用种量约为 15 kg。②种子育苗移栽法。a. 种子处理。将种子用 40 ~ 45 ℃温水浸种 6 小时，捞出，置室温下保温保湿进行催芽，待多数种子裂口后，即可播种。也可采用与种子直播法相同的种子处理方法。b. 播种期。为春播，于 3 月下旬至 4 月上旬播种。c. 育苗。在整平耙细的苗床上，按行距 20 ~ 27 cm 开深 2 ~ 3 cm 的浅沟。将处理好的种子均匀地播入沟内，覆土 2 cm。1 hm^2 用种量约为 30 kg。播后用细孔喷壶洒水，畦面盖草以保温和保持土壤湿润，当气温在 15 ~ 20 ℃时，7 ~ 10 天出苗。出苗后，及时揭开盖草，进行中耕除草和间苗，并及时追肥和灌溉。d. 移栽。在幼苗长至 6 ~ 8 cm 高时，选择阴雨天进行移栽，或于秋末封冻前、春季萌芽前起苗和移栽。在整平耙细的畦面上，按行距 25 ~ 30 cm 开沟，按株距 12 ~ 15 cm 将苗垂直或横卧地栽入沟内，以根头在土下 3 cm 为度。栽后填土压紧，及时浇水，再盖土与畦面齐平。定植后 7 ~ 10 天即可萌芽，结合除草松土，可向幼苗四周适当培土，保持表土疏松、无杂草，以利于植株正常生长。③分根直播法。在 3 月下旬或 4 月上旬，黄芩尚未萌发新芽之前，将全株挖起，切取主根以供药用。然后依据根茎生长的自然形状将剩余部分用刀切成若干块，使每块均具有 2 ~ 3 个芽眼，将其作为繁殖材料，按株行距 10 cm × 30 cm 栽种于田间，每穴 1 块，埋土 3 cm 厚。采用分根直播法可以缩短种植年限。栽种前，将繁殖材料用生根剂处理（用 100 ppm 赤霉素溶液浸泡 24 小时），植株生长较好。④扦插育苗移栽法。a. 育苗。在 3 ~ 4 月，当黄芩地上部分开始萌动时，剪取生长健壮的茎梢

（先端带芽梢部分），去掉下半部叶片，使每个茎梢保留具有萌发能力的芽节3～4个，用100 mg/L吲哚乙酸处理3小时，按株行距6 cm×8 cm扦插于苗床，浇水，搭荫棚保湿，不用盖膜。以后根据天气和湿度情况决定喷水次数和喷水量，不宜过湿，防止插条腐烂。b. 移栽定植。扦插后15～20天，当幼苗长出2～3片新叶时，或于秋末封冻前、春季萌芽前，按照种子育苗移栽法的移栽定植方法将苗定植于大田中。

4）田间管理。①间苗补苗。种子直播者需要间苗定苗，待幼苗出齐，苗高5 cm时，分2～3次间苗，保持株距12～15 cm。遇有缺株，及时带土移栽补苗。栽后浇水。②中耕除草、松土。出苗期适时松土、除草。移栽后于4月返青时进行中耕除草1次，以后每隔2个月中耕除草1次，直至田间封行。做到畦内表土层松软、无杂草。育苗地的管理要更加精细，特别要注意避免草荒。③施肥。6～7月为幼苗生长发育旺盛期，根据苗情追肥，每亩施磷酸二铵15 kg、尿素15 kg、硫

酸钾 10 kg、硫酸锌 1 kg。追肥后应及时浇水。6 月黄芩未抽穗前，每亩喷 0.5% 磷酸二氢钾溶液 100 kg，连喷 2 次，2 次相隔 8 ~ 10 天，可抑制黄芩茎徒长，促进根膨大。开花前对留种田地应多施肥，以使花朵旺盛、结籽饱满。④灌溉排水。黄芩出苗期应保持土壤湿润。由于苗期黄芩生长缓慢，根系浅，怕旱，故遇干旱要及时浇水。苗稍大之后，若不是特别干旱，一般不用再浇水，以利蹲苗，促根深扎。黄芩怕涝，雨季应及时清除田间积水，避免烂根。⑤剪花枝。二年生苗在 4 月开始返青，6 ~ 7 月抽薹开花。若不需要采种，应在抽出花序之前将花枝剪掉，以减少养分消耗，促进根部生长，增加药材产量，提高药材质量。⑥越冬。冬季要割除干枯的地上部分，清除枯落叶，顺苗所在行施一层土杂肥越冬。第 2 年除草、施肥和灌溉的方法同第 1 年。

5）病虫害防治。①病害。a. 叶枯病。该病可危害主根。发病初期地上部分叶片正常，根部出现褐色病斑，其上长有灰白色菌丝体，后期主根皮层全部腐烂，根周围及土壤中产生许多褐色粒状菌核。防治方法为选择地势高、通风好、土壤疏松的地块种植；与禾本科作物进行 3 ~ 5 年轮作；秋后清园，除净带病的枯枝落叶，消灭越冬菌源；及时挖除病株，并在病穴撒石灰粉消毒；发病初期用 50% 多菌灵 1 000 倍液喷雾处理，每隔 7 ~ 10 天喷药 1 次，连续喷洒 2 ~ 3 次。b. 根腐病（枯萎病）。栽植 2 年以上者易发病，该病危害根部。多于 8 ~ 9 月发病。主要症状为发病初期个别支根和须根变褐色、腐烂，之后主根呈现黑褐色病斑以致腐烂，全株枯死。防治方法为注意中耕、翻晒土壤；雨季注意排水，降低田间湿度；忌重茬；发病初期用 50% 托布津 1 000 倍液浇灌病株，或用 1% 硫酸亚铁液或石灰水在病穴消毒。c. 菟丝子病。6 ~ 10 月菟丝子缠绕黄芩茎秆，吸取养分，造成茎叶早期枯萎。防治方法为：播前净选种子；发现菟丝子随时拔除；喷洒生物农药“鲁保 1 号”。②虫害。黄芩舞蛾 *Prochoreutis* sp. 是黄芩的主要害虫。黄芩舞蛾幼虫可危害叶片，幼虫在叶背做薄丝巢，虫体在丝巢内取食叶肉，仅留叶片上表皮。防治方法为秋后清洁田园，处理枯枝落叶，消灭越冬虫蛹；发生期用 90% 美曲磷酯 1 000 ~ 1 500 倍液或 40% 乐果乳油 1 000 ~ 2 000 倍液喷杀。

| 采收加工 | （1）黄芩。

1）采收。采用种子直播法和分根直播法进行繁殖的，播种后第 2 ~ 3 年采收；采用种子育苗移栽法和扦插育苗移栽法进行繁殖的，移栽后第 2 年采收。早春萌发前或秋后茎叶枯黄时，选择晴朗天气将根挖出，去掉茎叶，抖落泥土，返回加工。以生长 3 年采收的药材质量最佳，产量最高。因黄芩主根深长，采收时要深挖，小心操作，挖取全根，避免伤根和断根。

2）产地加工。将新采收的鲜根除去杂质、泥沙等，晾晒至半干，放于箩筐或桶中来回撞击，撞掉须根和栓皮，使根呈棕黄色。继续晒或烘至全干，再撞净栓皮，使外表光滑、呈黄白色。在晾晒过程中，应避免因曝晒过度而使根条发红，同时还要防止雨淋或水洗，因受雨淋或水洗后，黄芩根条会先变绿色，然后发黑，进而影响药材质量。

（2）黄芩子。夏、秋季果实成熟后采摘，晒干。

｜药材性状｜ 黄芩：本品呈圆锥形，扭曲，长 8 ~ 25 cm，直径 1 ~ 3 cm。表面棕黄色或深黄色，有稀疏的疣状细根痕，上部较粗糙，有扭曲的纵皱纹或不规则的网纹，下部有顺纹和细皱纹。质硬而脆，易折断，断面黄色，中心红棕色；老根中心呈枯朽状或中空，暗棕色或棕黑色。气微，味苦。栽培品较细长，多有分枝。表面浅黄棕色，外皮紧贴，纵皱纹较细腻。断面黄色或浅黄色，略呈角质样。味微苦。

黄芩子：本品呈卵球形，长约 1.5 mm，直径约 1 mm，黑褐色，具瘤；腹面近基部具果脐。

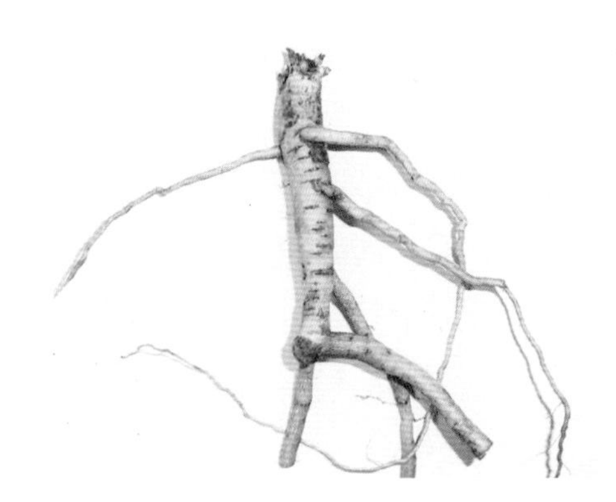

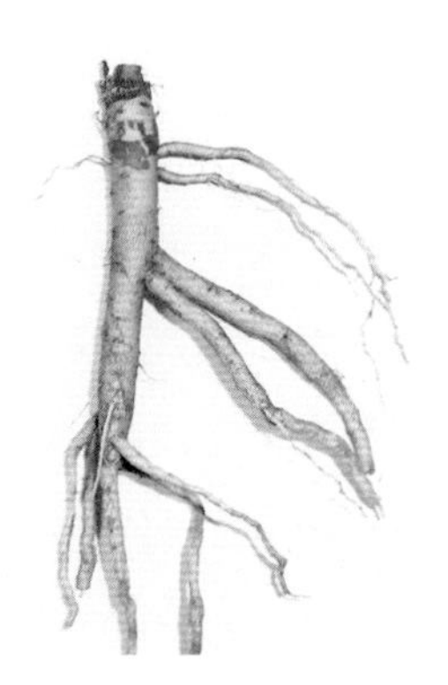

｜品质评价｜ 黄芩以条粗长、质坚实、色黄、除净外皮者为佳。栽培黄芩生长 3 年后采收质量最佳。

《七十六种药材商品规格标准》将黄芩分为条芩和枯碎芩 2 个规格。该标准明确规定，条芩即枝芩、子芩，系内部充实的新根、幼根；枯碎芩系枯老腐朽的老根和破头块片根。其中，条芩分为一等、二等 2 个质量等级。

中华中医药学会团体标准《中药材商品规格等级　黄芩》（T/CACM 1021.18—2018）根据市场流通情况，将黄芩分为栽培黄芩和野生黄芩 2 个规格，用于在流通过程中区分不同交易品类的依据。同时，根据形状、直径和长度，将栽培黄芩选货规格分为一等、二等和三等 3 个等级，用于区分黄芩的品质。黄芩规格等级划分见表黄芩 -1。

表黄芩 -1　黄芩规格等级划分

<table>
<tr><th colspan="2" rowspan="3">规格</th><th rowspan="3">等级</th><th colspan="4">性状描述</th></tr>
<tr><th rowspan="2">共同点</th><th colspan="3">区别点</th></tr>
<tr><th>形状</th><th>直径</th><th>长度</th></tr>
<tr><td rowspan="4">栽培黄芩</td><td rowspan="3">选货</td><td>一等</td><td rowspan="3">呈圆锥形，上部皮较粗糙，有明显的网纹及扭曲的纵皱纹。下部皮细，有顺纹或皱纹。表面棕黄色或深黄色，断面黄色或浅黄色。质坚脆。气微，味苦。去净粗皮</td><td>上端中央出现黄绿色、暗棕色或棕褐色的枯心</td><td>≥ 1.5 cm</td><td>≥ 10 cm</td></tr>
<tr><td>二等</td><td>—</td><td>1.0 ~ 1.5 cm</td><td>≥ 10 cm</td></tr>
<tr><td>三等</td><td>—</td><td>0.7 ~ 1.0 cm</td><td>5 ~ 10 cm</td></tr>
<tr><td>统货</td><td>—</td><td colspan="4">性状同选货。不分大小</td></tr>
<tr><td>野生黄芩</td><td>统货</td><td>—</td><td colspan="4">多为枯芩。表面较粗糙，棕黄色或深黄色。中心多呈暗棕色或棕黑色，枯朽状或已成空洞。气微，味苦。去净粗皮</td></tr>
</table>

2020 年版《中华人民共和国药典》一部规定：照高效液相色谱法测定，按干燥品计算，黄芩含黄芩苷（$C_{21}H_{18}O_{11}$）不得少于 9.0%。

化学成分

黄芩的主要成分有黄酮和黄酮醇类、二氢黄酮和二氢黄酮醇类、黄烷酮类、查尔酮类、苯乙醇苷类、挥发油类及微量元素等，其中，黄酮和黄酮醇类是其主要活性成分。

（1）黄酮和黄酮醇类。主要有黄芩苷、黄芩素、汉黄芩苷、汉黄芩素、黄芩新素、白杨素、芹菜素、鼠尾草素、木蝴蝶素 A、高山黄芩素、野黄芩苷等。

（2）二氢黄酮和二氢黄酮醇类。主要有二氢黄芩苷、7,2′,6′- 三羟基 -5- 甲氧基二氢黄酮、5,7,2′,6′- 四羟基二氢黄酮、5,7,4′- 三羟基 -6- 甲氧基二氢黄酮、3,6,7,2′,6′- 五羟基二氢黄酮、红花素、二氢粘毛黄芩素等。

（3）黄烷酮类。主要有 4′,5,7- 三羟基 -6- 甲氧基黄烷酮、7,2′,6′- 三羟基 -5- 甲氧基黄烷酮、2′,6′,3,5,7- 五羟基黄烷酮、2′,6′,5,7- 四羟基黄烷酮等。

（4）查尔酮类。主要有 2,6,2′,4′- 四羟基 -6′- 甲氧基查尔酮等。

（5）苯乙醇苷类。主要有天人草苷 A、毛蕊花糖苷、异地黄苷、2-（3- 羟基 -4- 甲氧基苯基）乙基 -1-*O*-*α*-L- 鼠李糖基 -[（1 → 3）-*β*-D-4- 阿魏酰基]- 葡萄糖苷、红景天苷等。

（6）挥发油类。主要有 *β*- 广藿香烯、*α*- 愈创木烯、薄荷酮、番薄荷酮、癸基 - 已基 - 邻苯二甲酸二酯、邻苯二甲酸二异已酯等。

（7）微量元素。黄芩中含有丰富的微量元素，其中铁、铜、锌、锰的含量均很高。此外，黄芩中尚含有 *β*- 谷甾醇、豆甾醇、菜油甾醇和苯甲酸、黄芩酶等。

药理作用 黄芩主要具有抗病原微生物、解热、抗炎、调节免疫功能、抗过敏、保护心脑血管系统、降血压、降血脂、抗凝血、保肝、抗肿瘤、抗氧化等作用。

（1）抗病原微生物。

1）抗菌。黄芩水煎液在体外对葡萄球菌、溶血链球菌、白喉杆菌、伤寒杆菌、霍乱弧菌、肺炎链球菌、痢疾杆菌、大肠杆菌、副伤寒杆菌、变形杆菌、铜绿假单胞菌和幽门螺杆菌均有抑制作用。

2）抗病毒。黄芩苷对 HepG 2.2.15 细胞的半数毒性浓度大于 15 mg/ml，在该浓度下对乙型肝炎表面抗原（HBsAg）、乙型肝炎 E 抗原（HBeAg）的抑制率分别达 100% 和 88% 以上，且对 HepG 2.2.15 细胞的破坏率较低。

3）抗真菌。黄芩煎剂在体外对大小芽孢菌、堇色毛癣菌、许兰黄癣菌及其蒙古变种、足趾发癣菌、共心性毛癣菌及铁锈色毛癣菌有抑制作用。

4）抗肺炎衣原体及抗寄生虫。黄芩苷灌胃可抑制感染肺炎衣原体小鼠的炎症反应，也可抑制肺炎衣原体感染所致的免疫反应。

（2）解热。黄芩苷对正常体温大鼠无致低温作用，但对皮下注射 2,4- 二硝基酚致热大鼠有明显的解热作用，且其作用具有一定的量效关系。

（3）抗炎。体内实验表明，黄芩苷可抑制血管内皮细胞由大肠杆菌脂多糖（LPS）诱导的前列腺素 E（PGE）和一氧化氮（NO）的增加，对肺炎衣原体感染血管内皮细胞引起的炎症反应也有一定的抑制作用。

（4）调节免疫功能。体内实验表明，黄芩苷对小鼠腹腔巨噬细胞具有双向调节作用，低剂量黄芩苷可明显促进巨噬细胞吞噬中性红和溶菌酶，高剂量黄芩苷则起抑制作用。

（5）抗过敏。黄芩苷小鼠局部给药可明显降低小鼠皮肤毛细血管的通透性，还可显著拮抗磷酸组胺引起的豚鼠离体回肠收缩，其机制与阻止过敏介质释放、稳定肥大细胞膜有关。

（6）保护心脑血管系统。

1）对心脑缺血再灌注的保护。黄芩苷静脉注射能改善心肌缺血后再灌注大鼠的心功能，减小心肌梗死面积，减少梗死后心肌丙二醛（MDA）的含量，提高梗死后心肌中超氧化物歧化酶（SOD）和乳酸脱氢酶（LDH）的活性。

2）对心脑缺氧的保护。黄芩苷体外可显著提高缺氧性大鼠心肌细胞中 SOD 的活性，抑制 MDA 的生成，对缺氧缺糖心肌细胞有一定的保护作用。

3）预防脑线粒体损伤。黄芩所含的黄芩苷等黄酮类成分体外对 Fe^{2+}- 半胱氨酸（Fe^{2+}-Cys）、Fe^{2+}- 抗坏血酸（Fe^{2+}-AA）、烷过氧自由基、还原型辅酶Ⅱ（NADPH）

等诱导的大鼠脑线粒体过氧化损伤有不同程度的预防作用。

（7）降血压、利尿及扩张血管。静脉注射黄芩苷可使麻醉犬尿量增加。给慢性肾性高血压犬灌服黄芩浸剂可使血压下降、心率变慢。黄芩苷能降低体外培养主动脉平滑肌细胞静息钙离子（Ca^{2+}）浓度，并显著抑制去甲肾上腺素和高钾引起的细胞钙离子浓度的升高，从而产生降血压作用。

（8）降血脂。黄芩苷 100 mg/kg 灌胃能降低大鼠血浆中总胆固醇、甘油三酯、高密度脂蛋白胆固醇、低密度脂蛋白胆固醇的含量，从而起到降血脂的作用。

（9）抗凝血。黄芩可阻止由内毒素引起的弥散性血管内凝血（DIC），其主要作用机制为黄芩苷及黄芩素可有效抑制人体内的纤维蛋白原转化为纤维蛋白。

（10）保肝。黄芩苷可通过抗炎抗氧化等途径对肝衰竭、酒精肝、肝纤维化、肝炎、肝癌等肝性疾病具有一定的治疗作用。

（11）抗肿瘤。黄芩素能诱导胃癌细胞 SGC-7901 的凋亡，汉黄芩素可诱导卵巢癌细胞 A2780 的凋亡。

（12）抗氧化。黄芩乙酸乙酯部位、黄芩正丁醇部位和黄芩苷具有较好的抗氧化作用，并能显著降低小鼠血清中谷草转氨酶（GOT）和谷丙转氨酶（GPT）的含量，显著降低肝组织中 MDA 的含量，显著升高肝组织中 SOD 的含量。

（13）改善记忆学习能力。黄芩苷 100 mg/kg、200 mg/kg 灌胃，能提高 D-半乳糖致亚急性衰老小鼠的学习记忆能力，在一定程度上提高组织或血浆中 SOD、谷胱甘肽过氧化物酶（GSH-Px）的活性，提高血浆中过氧化氢酶（CAT）的活性，并可降低 MDA 的含量。

（14）安全性研究。小鼠腹腔注射黄芩苷的半数致死量（LD_{50}）为 3 081 mg/kg，用药后动物俯伏不动，闭眼，翻正反射不消失，呼吸慢，因窒息、抽搐死亡，心脏仍跳。

| 功能主治 | 黄芩：苦，寒。归肺、胆、脾、大肠、小肠经。清热燥湿，泻火解毒，止血，安胎。用于湿温、暑湿，胸闷呕恶，湿热痞满，泻痢，黄疸，肺热咳嗽，高热烦渴，血热吐衄，痈肿疮毒，胎动不安。

黄芩子：止痢。用于痢下脓血。

| 用法用量 | 黄芩：内服煎汤，3 ~ 10 g。

黄芩子：内服煎汤，5 ~ 10 g。

| 市场信息 | （1）价格信息。近 20 年来，黄芩药材的价格总体呈上涨趋势。2002 年，黄芩药材的价格基本稳定在 5 元 /kg 左右。2003 年 1 ~ 4 月，在严重急性呼吸

综合征（SARS）疫情暴发的情况下，黄芩药材的价格一度快速上涨，最高达15元/kg左右，之后迅速回落。自2003年5月至2010年，黄芩药材的价格一直在5～10元范围内波动。2010年年初至2011年上半年，黄芩药材的价格迎来了一波震荡上涨行情，至2011年7～8月，黄芩大货价格达22元/kg，之后一路震荡下行，至2015年年底价格回落至10元/kg。自2016年3月开始，黄芩药材的价格迎来了新一波震荡上涨行情，此次上涨时间长达近5年。2020年，新冠疫情突然来袭，因黄芩具有清热燥湿、泻火解毒、抗菌、抗病毒、抗炎等功效，在抗疫工作中发挥了重要作用，故其需求量陡然增加，价格从21元迅速拉升至28元，虽然2020年秋季鲜货上市时，新货价格出现小幅下滑，但是依然保持在23元左右。2021年1月至4月上旬，其价格约为24元/kg，大货价格高达26元/kg。2021年4月中旬以后，其价格有所回落，7月中旬至11月上旬，其价格基本稳定在18元/kg左右。本轮长达5年的黄芩药材价格上涨行情的主要原因有：黄芩生长期长（多在2～3年），产区种植户的积极性得不到快速提升，生产未得到大面积恢复；多年陈货消耗殆尽；天气因素导致减产；新冠疫情导致黄芩药材市场需求量增加。

（2）市场需求。陈朝阳、尹悦在《2017年黄芩产供销情况调研》中指出，家种黄芩供给量占总供给量的90%以上。目前，黄芩提取物在国外市场十分畅销，用于提取的黄芩年需求量达1.2万～1.4万t，加上饮片厂、兽药厂等渠道，目前，黄芩的年总需求量应在1.85万～2.2万t。

| 传统知识 |

（1）用于肠炎，痢疾。黄芩、白芍、葛根各9g，甘草5g，煎汤服。

（2）用于肺热咳嗽，鼻衄。黄芩9g，茅根30g，煎汤服。

（3）用于高血压。黄芩9g，夏枯草12g，煎汤服。

（4）用于孕妇内热，胎动不安。黄芩、白术各9g，煎汤服。

（5）用于痈肿疔毒。黄芩12g，蒲公英、紫花地丁各30g，煎汤服。

（6）用于湿疹。黄芩、黄柏各等分，共研细末，浓茶或油调外敷。

| 资源利用 |

黄芩属植物约有300余种，除非洲南部外，广布于世界各地。我国约有100种，全国各地均有分布，宁夏地区分布有3种1变种，其中，多毛并头黄芩 *Scutellaria scordifolia* Fisch. ex Schrank var. *villosissima* C. Y. Wu et W. T. Wang 为并头黄芩 *Scutellaria scordifolia* Fisch. ex Schrank 的变种，产于宁夏六盘山、贺兰山及隆德、海原等，生于山坡草地、路边、沟渠旁；细花黄芩 *Scutellaria tenuiflora* C. Y. Wu 产于宁夏六盘山，生于山谷林下；滇黄芩 *Scutellaria amoena*

C. H. Wright 产于宁夏六盘山，生于向阳山坡；甘肃黄芩 *Scutellaria rehderiana* Diels 产于宁夏贺兰山，生于向阳山坡。

20 世纪 90 年代以前，宁夏地区没有人工栽培的黄芩。根据《宁夏中药志》的记载，宁夏地区的黄芩野生药用资源有 2 种，一种为甘肃黄芩 *Scutellaria rehderiana* Diels，甘肃黄芩主要分布于宁夏南部六盘山区、北部贺兰山区及原州、海原、西吉等，生于向阳山坡草地，资源较为丰富，是 20 世纪 90 年代以前宁夏地区主要使用的黄芩药材的基原，另一种为同属植物阿拉善黄芩（《宁夏中药志》称为“贺兰山黄芩”）*Scutellaria alaschanica* Tschem.，阿拉善黄芩产于宁夏贺兰山，生于向阳山坡、路边，为贺兰山特有种。但阿拉善黄芩在《中国植物志》中没有收载，内蒙古大学生态与环境科学系赵一之及内蒙古医科大学药学院乔俊缠通过考证及标本鉴定认为，阿拉善黄芩 *Scutellaria alaschanica* Tschem. 与甘肃黄芩 *Scutellaria rehderiana* Diels 应为同种，其正式拉丁学名为 *Scutellaria rehderiana* Diels。《宁夏植物志》（第二版）中也记载阿拉善黄芩 *Scutellaria alaschanica* Tschem. 与甘肃黄芩 *Scutellaria rehderiana* Diels 为同一物种。

甘肃黄芩并非《中华人民共和国药典》所载的黄芩药材的正品基原，但 20 世纪 90 年代以前，宁夏地区曾长期将其作为黄芩药材来采挖利用，并将其作为黄芩收载入 1993 年版《宁夏中药材标准》。由于长期被采挖利用，甘肃黄芩野生资源日渐匮乏，20 世纪 90 年代初，宁夏开始引种栽培黄芩 *Scutellaria baicalensis* Georgi（《中华人民共和国药典》收载的正品品种）。目前，宁夏中药材市场上流通的黄芩药材大多来源于栽培黄芩 *Scutellaria baicalensis* Georgi。甘肃黄芩如今已不再作为药用资源使用，曾作为黄芩替代品使用的甘肃黄芩在宁夏市场上已很难见到。

20 世纪 90 年代初，宁夏启元国药有限公司（原宁夏中药厂）曾取得黄芩苷的药品注册批准文号，从事黄芩苷原料药的提取生产，后放弃生产。目前，栽培黄芩 *Scutellaria baicalensis* Georgi 主要用于临床调剂及中药复方制剂生产，用量较大。

| 附　　注 |　（1）野生黄芩分布于我国黑龙江、吉林、辽宁、河北、河南、山东、山西、陕西、甘肃、内蒙古、四川等地。俄罗斯、朝鲜、日本、蒙古亦有分布。江苏有栽培。内蒙古宁城、扎鲁特旗、鄂伦春自治旗、额尔古纳、牙克石，山西昔阳、五台、和顺，河北承德、围场、丰宁、赤城、隆化、阜平、抚宁、青龙，黑龙江杜尔伯特、林甸、龙江、甘南、富裕，吉林洮南、龙井、乾安、通榆，辽宁阜新、义县、兴城，山东栖霞、海阳、乳山、博山、文登，甘肃漳县、渭源，陕西韩城等地均适合其生长，其中以河北承德最为适宜。黄芩生长于海拔 60 ~ 2 000 m 的草原、向

阳草坡、高燥砾质山坡或荒地上，常分布于中温带海拔 600 ～ 1 500 m 的半湿润半干旱向阳山坡或草原等处，林下阴湿地不多见。在中心分布区黄芩常以优势种群与一些禾草、蒿类或其他杂草共生。黄芩喜温暖凉爽气候，喜阳光，耐严寒，耐干旱，耐瘠薄。成年植株的地下根部能耐受 −30 ℃的低温，地上部分能耐受 35 ℃左右的高温，但不能耐受 40 ℃以上的连续高温。

（2）同属植物滇黄芩 *Scutellaria amoena* C. H. Wright 分布于四川、贵州、云南、宁夏等地；粘毛黄芩 *Scutellaria viscidula* Bunge 分布于河北、山西、内蒙古、吉林、山东等地；丽江黄芩 *Scutellaria likiangensis* Diels 分布于四川南部、云南西北部；甘肃黄芩 *Scutellaria rehderiana* Diels 分布于山西、陕西、甘肃、宁夏等地。它们的根均含有黄芩素、汉黄芩素、黄芩苷、汉黄芩苷等功效成分，在我国一些地区亦作为黄芩入药。

（3）历版《中华人民共和国药典》均未收载黄芩子。《中华本草》记载黄芩子药材的基原除本种外，还有同属植物滇黄芩、粘毛黄芩和丽江黄芩。

（4）《中华本草・蒙药卷》记载，蒙药黄芩以本种及粘毛黄芩的根入药，其蒙语名为“浑钦”，味苦，性寒，效钝、轻，可清热解毒，用于毒热症，内服煮散剂，3 ～ 5 g，或入丸、散。

（5）宁夏栽培黄芩品质优良。2004 年中国医学科学院药用植物研究所丁万隆、陈君报道，宁夏中部所产黄芩药材断面黄色，中心红棕色，气微，味苦，黄芩苷含量明显高于《中华人民共和国药典》设定的标准。每公顷栽培地产黄芩药材 1 800 kg，产值 13 500 元。栽培黄芩适应性强。宁夏固原市药品检验所张学良等人按照《中华人民共和国药典》对黄芩的标准要求，对宁夏西吉移栽 2 年、泾源六盘山镇直播 3 年、固原十里铺直播 3 年、吴忠红寺堡直播 2 年、彭阳红河直播 2 年这 5 个不同产地及生长年限的黄芩种植药材样品进行检验，结果发现 5 个被测黄芩药材样品的浸出物平均含量为 50.7%，黄芩苷平均含量为 16.9%，符合《中华人民共和国药典》的要求。宁夏人工种植的黄芩色黄、条粗、质坚实，浸出物和黄芩苷含量明显高于 2005 年版《中华人民共和国药典》一部的要求，这表明该品种在中药材市场上具有一定的竞争优势，可大面积推广种植。2011 年宁夏药品检验研究院王英华报道，宁夏栽培黄芩面积约 5 300 亩，所产黄芩中黄芩苷的含量在 11.81% ～ 18.56%，符合 2005 年版《中华人民共和国药典》关于黄芩苷含量不得低于 9.0% 的规定；泾源县米岗村三年生不同月份的栽培黄芩样品，黄芩苷、黄芩素、汉黄芩苷和汉黄芩素的总含量在 18.48% ～ 22.34%，以 10 月采收者为最高；宁夏不同产地栽培黄芩的黄芩苷、黄芩素、汉黄芩苷和汉黄芩素的总含量在 14.59% ~ 23.29%，均高于对照药材（12.84%），以原州区东郊乡和泾源县米岗村栽培黄芩的 4 种成分总含量为最高；隆德中药材种植基地一年生、二年生、三年生黄芩的黄芩苷、黄芩素、汉黄芩苷和汉黄芩素的总含量差别不明显，三年生者略高。2014 年宁夏同心县农业推广服务中心常凤萍等人报道，处于宁夏中部干旱带的同心县的黄芩种植面积达 5 000 亩左右，产值为 2 500 ~ 3 000 元 / 亩。

（6）2015 年 12 月 31 日，宁夏隆德县六盘山中药资源开发有限公司的黄芩种植基地通过了国家食品药品监督管理总局食品药品审核查验中心的现场检查和技术审核，并获得了《中药材生产质量管理规范（试行）》认证证书。通过认证的订单种植区域为隆德县联财镇、好水乡、关堡乡、陈靳乡、山河镇、温堡乡、奠安乡、神林乡、凤岭乡。

（7）历版《宁夏植物志》及《宁夏中药志》中均没有关于宁夏地区野生黄芩 *Scutellaria baicalensis* Georgi 分布的记载，但 2014 年 9 月有人在隆德县罗家峡海拔 2 350 m 处采集到了野生黄芩，这可能是大面积栽培种子逃逸的结果。

参考文献

[1] 彭成. 中华道地药材：中 [M]. 北京：中国中医药出版社，2011：1995-2018.

[2] 曾燕，赵润怀，兰青山，等. 中药材商品规格等级　黄芩：T/CACM 1021.18—2018[S]. 北京：中华中医药学会，2018：1-8.

[3] 中国科学院中国植物志编辑委员会. 中国植物志：第六十五卷第二分册 [M]. 北京：科学出版社，1977：195.

[4] 国家中医药管理局《中华本草》编委会. 中华本草：第 7 册 [M]. 上海：上海科学技术出版社，1999：200-210.

[5] 国家药典委员会. 中华人民共和国药典：一部 [M]. 北京：人民卫生出版社，2020：314-315.

[6] 国家医药管理局，中华人民共和国卫生部. 七十六种药材商品规格标准 [S]. 北京：国家医药管理局，1984：132.

[7] 楼之岑，秦波. 常用中药材品种整理和质量研究（北方编）：第 2 册 [M]. 北京：北京医科大学、中国协和医科大学联合出版社，1995：795-838.

[8] 张奉学，汪晓军，刘妮，等. 黄芩甙对 HBsAg 和 HBeAg 的体外抑制作用 [J]. 中西医结合肝病杂志，2003，13（5）：267-269.

[9] 刘煜德，吴伟，王嵩. 黄芩苷抗肺炎衣原体致动脉内皮细胞损伤研究 [J]. 辽宁中医杂志，2006，33（12）：1645-1648.

[10] 范书铎，赵红艳，王翠花，等. 黄芩甙对发热大鼠解热作用的实验研究 [J]. 中国医科大学学报，1995，24（4）：358-360.

[11] 邝枣园，吴伟，黄衍寿，等. 黄芩苷对 E- 选择素和一氧化氮的影响研究 [J]. 中医药学刊，2005，

23（2）：276-277.
[12] 邝枣园，黄衍寿，吴伟，等．黄芩苷对肺炎衣原体诱导的内皮细胞黏附因子表达的影响 [J]．广州中医药大学学报，2004，21（6）：454-456.
[13] 孙迅．黄连黄芩等煎液抗皮癣真菌作用的研究 [J]．中华医学杂志，1955，41（6）：536.
[14] 杨新建，王雷．黄芩苷局部皮肤给药对小鼠血管通透性及豚鼠离体回肠收缩的影响 [J]．中草药，2004，35（7）：800-801.
[15] 刘桦，吴晓冬，王红兰，等．黄芩苷对大鼠心肌缺血再灌注损伤的保护作用 [J]. 中国药理学通报，2002，18（2）：198-200.
[16] 刘桦，吴晓冬，闫倩，等．黄芩苷对缺氧缺糖性心肌细胞的保护作用 [J]．中国药科大学学报，2003，34（1）：55-57.
[17] 李兴泰，陈瑞．黄芩苷对活性氧引起鼠脑线粒体损伤的保护作用 [J]．中华医学研究与实践，2004，2（11）：7-9.
[18] 高中洪，黄开勋，卞曙光，等．黄芩黄酮对自由基引起的大鼠脑线粒体损伤的保护作用 [J]．中国药理学通报，2000，16（1）：81-83.
[19] 刘国声，蒋景仪，陈鸿珊，等．中药的抗流感病毒作用 [J]. 微生物学报，1960，8（2）：164-169.
[20] 黑爱莲，孙颂三，王泽生，等．黄芩甙对培养的大鼠主动脉平滑肌细胞内游离钙浓度的影响 [J]．中药药理与临床，1998，14（4）：6.
[21] 于昕，刘向群，陈焕芹，等．黄芩苷对动脉粥样硬化大鼠凝血酶激活纤溶抑制物水平及血脂、凝血纤溶指标的影响 [J]．中国老年学杂志，2010，30（22）：3299-3301.
[22] 汪晓军，马赞，张奉学，等．黄芩苷对 ConA 致肝损伤小鼠肝细胞核 DNA 的影响 [J]．新中医，2006，38（3）：91-93.
[23] 谢建伟，黄昌明，张祥福，等．黄芩素诱导胃癌细胞凋亡 [J]．福建医科大学学报，2006，40（1）：35-36，43.
[24] 黎丹戎，侯华新，张玮，等．汉黄芩素诱导人卵巢癌细胞 A2780 凋亡及对细胞端粒酶活性的影响 [J]．肿瘤，2003，22（8）：801-805.
[25] 康辉，李强，王丽．黄芩提取物、黄芩苷抗氧化和保肝作用研究 [J]．中医研究，2010，23（4）：27-30.
[26] 文晓丽，李华，李杨，等．黄芩苷对 D- 半乳糖致亚急性衰老小鼠生理机能的影响 [J]. 药学服务与研究，2010，10（5）：347-349.
[27] 《宁夏中草药手册》编写组．宁夏中草药手册 [M]．银川：宁夏人民出版社，1971：75-76.
[28] 马德滋，刘惠兰，胡福秀．宁夏植物志：下册 [M]．2 版．银川：宁夏人民出版社，2007：137-140.
[29] 邢世瑞．宁夏中药志：下册 [M]．2 版．银川：宁夏人民出版社，2006：297-305.
[30] 赵一之，乔俊缠．关于阿拉善黄芩 [J]．西北植物学报，1999，19（1）：166-168.
[31] 国家中医药管理局《中华本草》编委会．中华本草：蒙药卷 [M]．上海：上海科学技术出版社，2004：342-344.
[32] 丁万隆，陈君，李彤，等．宁夏中部干旱地带中药材资源利用及保护 [J]．干旱区研究，2004，21（12）：399-402.
[33] 张学良，王霞英，张文懿，等．宁夏五个产地黄芩的质量检测 [J]．宁夏医学杂志，2007，29（7）：653-654.

[34] 陈佩，张文懿，张学良，等. 宁夏栽培黄芩中 4 种黄酮类成分的含量比较研究 [J]. 宁夏医学杂志，2011，33（1）：18-21.

[35] 常风萍，孙发国，高勇. 宁夏同心县黄芩无公害优质高产栽培技术 [J]. 农民致富之友，2014（16）：171.

[36] TAKAYUKI NAGAI，YUKINORI MIYAICHI，Tsuyoshi TOMIMORI，et al. Inhibition of influenza virus sialidase and anti-influenza virus activity by plant flavonoids[J]. Chem Pharm Bull，1990，38（5）：1329-1332.

[37] 江田昭英，永井博弌，和田浩 . Baicalin および Baicalein の薬理作用（第 1 報）—能動的アナフィラキシー反応に及ぼす影響 [J]. 日薬理誌，1970，66（2）：194-213.

撰稿人：丁建宝　李艳萍

十字花科 Brassicaceae 菘蓝属 *Isatis* 凭证标本号 640423140807015ZPLY

菘蓝 *Isatis indigotica* Fortune

| 药 材 名 |

板蓝根（药用部位：根。别名：靛青根、蓝靛根）、大青叶（药用部位：叶。别名：蓝叶、蓝菜）。

| 本草综述 |

板蓝根始载于《太平圣惠方》，宋代的其他方书如《圣济总录》《小儿药证直诀》中均有用到板蓝根的方剂。但是，由于古代本草著述不详，以“蓝”为名的中药繁杂。《神农本草经》载有“蓝实”，《政和本草》引陶弘景注解蓝“至解毒，人卒不能得生蓝汁，乃浣緤布汁以解之，亦善。……尖叶者为胜”。《新修本草》认为“按《经》所用，乃是蓼蓝实也……此草汁疗热毒，诸蓝非比”。《本草纲目》认为“蓝凡五种，各有主治”。至明代，诸蓝入药依旧以叶为主流，《本草纲目》附方 17 首中，仅 1 首为板蓝根。清代，随着温病学说的兴起，板蓝根逐渐成为治疗温病的常用中药，并沿用至今。

大青叶之名，始见于宋代方书，之前多以“大青”为名。大青始载于《名医别录》，最初以茎入药，“味苦，大寒，无毒，主治时气头痛，大热，口疮”。唐代《新修本草》记载“大青用叶兼茎，不独用茎也”。清代医

菘蓝

家认为“蓝叶与茎，即名大青”，或认为大青“气味性质，皆与蓝草近似，故功用亦相等”。《本草述钩元》记载可“以大蓝叶代”大青，这一观点对后世大青叶的使用影响极大，加之诸蓝作为染料，较大青更为常见、易得，因此蓝叶逐渐替代了大青，此后大青不再入药。

| 形态特征 | 二年生草本，高 40 ~ 100 cm。主根深长，直径 1 ~ 2.5 cm，长 20 ~ 50 cm，外表皮黄棕色，具短横纹及少数须根。茎直立，绿色，顶部多分枝，植株光滑无毛，带白粉霜。基生叶莲座状，长圆形至宽倒披针形，长 5 ~ 20 cm，宽 1.5 ~ 6 cm，先端钝尖，全缘或稍具波状齿，具柄，基部叶耳不明显或为圆形；茎生叶椭圆状披针形或椭圆形，长 7 ~ 20 cm，宽 1 ~ 6 cm，全缘，无柄，抱茎。总状花序顶生或腋生，呈圆锥形；花梗细长，长 5 ~ 10 mm；萼片 4，宽卵形或宽披针形，直径约 5 mm；花瓣 4，黄色，倒卵状披针形，长约 4 mm，先端圆形，基部楔形；雄蕊 6，4 强；雌蕊 1。短角果矩圆形，扁平，平滑无毛，长 1 ~ 1.5 cm，宽 3 ~ 5 mm，边缘具宽翅，果柄细长，微下垂；种子 1，长圆形，淡褐色。花期 5 ~ 6 月，果期 6 ~ 7 月。

栽培资源

（1）栽培历史。据《中华本草》记载，板蓝根主产于河北安国，这与本草典籍中记载的蓝“生河内平泽”相符。菘蓝主要分布于我国东北、华北、西北等地，除河北外，甘肃、新疆及东北等地多有栽培。

《宁夏中药资源》记载，早在 20 世纪 80 年代初，宁夏平罗、原州、海原等地就已栽培菘蓝。发展至今，从宁夏北部的平罗到南部的六盘山区，均有菘蓝的种植区域，已经形成了板蓝根和大青叶的新兴产区。

（2）栽培区域。菘蓝主要栽培于宁夏的平罗、红寺堡、盐池、同心、隆德、西吉、彭阳、原州等地。

（3）栽培面积。截至 2020 年年底，宁夏菘蓝的栽培面积近 60 000 亩。

（4）栽培技术。

1）选地整地。菘蓝喜温暖环境，耐寒、怕涝，宜选排水良好、疏松肥沃的砂质壤土种植。种植前，深翻土地 30 ~ 45 cm，以充分熟化土壤。

2）播种。采用种子繁殖。4 月上旬播种，播种前将种子用 40 ~ 50 ℃温水浸泡 4 小时。播种时，采用条播，行距 20 cm，播深 2 ~ 3 cm，覆土 2 cm，稍加镇压。

用种量为 1 ~ 2 kg/ 亩。或选用覆膜穴播，用专用播种机播种。

3）田间管理。①定苗。出苗后按株距 7 ~ 10 cm 定苗。②中耕除草。应及时除草，根据田间作物及杂草长势进行中耕除草、松土。③浇水。一般以天然降水为主，干旱时结合追肥进行适量灌溉。④追肥。结合灌水，在灌第 2 次水和第 3 次水时，每次追施尿素或水溶性好的复合肥 15 ~ 20 kg/ 亩。在宁夏中南部干旱区，应选择施用易溶解、易吸收的复合肥。⑤采收。春播菘蓝可在 7 月上旬前后收割大青叶。割茬距地面 3 ~ 4 cm，避免高温季节收割。10 月下旬地上茎叶枯萎前采挖板蓝根。采挖时在畦一侧开挖深 50 cm 的沟，然后按顺序依次向前挖取。

4）病虫害防治。菘蓝的病害有霜霉病，主要表现为发病初期茎及茎叶呈水浸状，有不明显的病斑，直到腐烂。在发病初期用 80% 代森锰锌可湿性粉剂 1 000 倍液或 15% 粉锈宁可湿性粉剂 1 000 倍液喷雾防治，每周 1 次，连续 3 次。

| 采收加工 | 板蓝根：秋季采挖，除去泥沙，晒干。

大青叶：夏、秋季分 2 ~ 3 次采收，除去杂质，晒干。

| 药材性状 | 板蓝根：本品呈圆柱形，稍扭曲，长 10 ～ 20 cm，直径 0.5 ～ 1 cm。表面淡灰黄色或淡棕黄色，有纵皱纹、横长皮孔样突起及支根痕。根头略膨大，可见暗绿色或暗棕色、轮状排列的叶柄残基和密集的疣状突起。体实，质略软，断面皮部黄白色，木部黄色。气微，味微甜，后苦、涩。

大青叶：本品多皱缩卷曲，有的破碎。完整叶片展平后呈长椭圆形至长圆状倒披针形，长 5 ～ 20 cm，宽 2 ～ 6 cm；上表面暗灰绿色，有的可见颜色较深、稍凸起的小点；先端钝，全缘或微波状，基部狭窄，下延至叶柄，呈翼状；叶柄长 4 ～ 10 cm，淡棕黄色。质脆。气微，味微酸、苦、涩。

| 品质评价 | （1）板蓝根。以条长、粗大、体实者为佳。2020 年版《中华人民共和国药典》规定，板蓝根中应能检出精氨酸，并与对照药材具有相同的薄层色谱行为，且板蓝根以干燥品计，含（*R,S*）- 告依春（C_5H_7NOS）不得少于 0.020%。

（2）大青叶。以叶大、色绿者为佳。2020 年版《中华人民共和国药典》规定，大青叶以干燥品计，含靛玉红（$C_{16}H_{10}N_2O_2$）不得少于 0.020%。

| 化学成分 | 2020 年版《中华人民共和国药典》规定，板蓝根是十字花科植物菘蓝的干燥根，大青叶是其干燥叶，二者在化学成分上有相似之处。

（1）生物碱类。生物碱类成分是菘蓝属植物的特征性成分，按照化学结构可分为吲哚类、喹唑啉类和喹啉类，这类成分也是板蓝根和大青叶抗流感病毒的主要有效成分。其中，靛玉红、（*R,S*）- 告依春分别是控制大青叶和板蓝根质量的指标性成分。吲哚类生物碱的结构多样，至今从菘蓝中分离鉴定的成分中，除了游离的单聚体，还有吲哚苷和二聚体、三聚体。

（2）木脂素类。木脂素是菘蓝中重要的次生代谢产物，目前已发现的结构类型有四氢呋喃类、芳基四氢萘类、新木脂素等，这是一类具有广泛生物活性的化合物，也是板蓝根抗流感病毒的有效成分。

（3）多糖类。研究者在基于抗流感病毒的板蓝根有效成分筛选中发现，板蓝根中的多糖有抑制流感病毒的作用，有望开发为疫苗佐剂。

（4）其他类化合物。在板蓝根和大青叶中还发现了芥子苷类、黄酮类、蒽醌类、甾醇类、有机酸类等化合物。

| 药理作用 | 目前，对板蓝根和大青叶的药理作用研究主要集中在抗流感病毒和抗炎活性上。

（1）抗病毒作用。板蓝根和大青叶传统上就是治疗温病的重要药物，现代药理研究表明，二者具有确切的抗流感病毒作用。其中，吲哚类生物碱、木脂素、多糖是抗流感病毒的主要活性成分。板蓝根中的多糖可以抑制流感病毒的内吞及流感病毒神经氨酸酶的活性，（*R,S*）- 告依春和靛玉红可抑制病毒复制等，这是其抗病毒的作用机制。

（2）抗菌作用。板蓝根和大青叶具有广谱抗菌作用。板蓝根和大青叶的水提取物、乙醇提取物等均有很好的抗菌作用，其中，对金黄色葡萄球菌的抑制作用最强，且与黄连、鱼腥草等有协同作用。

（3）抗炎作用和免疫调节作用。板蓝根醇提取物灌胃和腹腔注射对实验动物表现出一定的抗炎作用。大青叶中的靛玉红可以通过抑制干扰素 $-\gamma$ 的生成来发挥抗炎作用，色胺酮能改善小鼠的大肠炎症。大青叶水煎剂可以上调实验动物的免疫功能，这种免疫调节活性可能是板蓝根和大青叶抗流感病毒和抗炎活性的作用机制之一。

（4）抗内毒素作用。大青叶不同化学部位对实验动物具有抗内毒素作用，这可能与其中含有的有机酸、氨基酸等有关，这些成分通过直接灭活内毒素、抑制毒性生物活性效应或增强机体免疫功能来发挥作用。

（5）抗肿瘤作用。靛玉红具有一定的抗癌活性，能够治疗慢性粒细胞白血病。

（6）抗氧化作用。板蓝根多糖具有清除自由基作用。

（7）保肝作用。板蓝根多糖对肝功能及肝细胞损伤具有一定的保护作用。

| 功能主治 | 板蓝根：苦，寒。归心、胃经。清热解毒，凉血利咽。用于温疫时毒，发热咽痛，

温毒发斑，痄腮，烂喉丹痧，大头瘟疫，丹毒，痈肿。

大青叶：苦，寒。归心、胃经。清热解毒，凉血消斑。用于温病高热，神昏，发斑发疹，痄腮，喉痹，丹毒，痈肿。

用法用量

板蓝根：内服煎汤，9 ～ 15 g；或入丸、散。外用适量，煎汤熏洗。

大青叶：内服煎汤，9 ～ 15 g；或捣汁服。外用适量，捣敷；或煎汤洗。

市场信息

（1）商品规格。

1）板蓝根。2018 年，中华中医药学会首次发布了《中药材商品规格等级　板蓝根》（T/CACM　1021.146—2018）的团体标准，规定板蓝根在市场流通中分为“选货”和“统货”2 种规格，不分等级（表菘蓝 –1）。

表菘蓝 –1　板蓝根规格等级

规格	等级	性状描述	
		共同点	区别点
选货	—	本品呈圆柱形，稍扭曲，长 5 ～ 20 cm，直径 0.5 ～ 1.5 cm。表面淡灰黄色或淡棕黄色，有纵皱纹、横长皮孔样突起及支根痕。根头略膨大，可见暗绿色或暗棕色、轮状排列的叶柄残基和密集的疣状突起。体实，质略软，断面皮部黄白色，木部黄色。气微，味微甜，后苦、涩。无虫蛀、无霉变	中部直径 0.8 cm 以上，长度 10 cm 以上。几乎不带根头
统货	—		中部直径 0.5 ～ 1.5 cm，长度 5 ～ 20 cm。多带根头

2）大青叶。2018 年，中华中医药学会首次发布了《中药材商品规格等级　大青叶》（T/CACM 1021.173—2018）的团体标准，规定大青叶在市场流通中的规格为“统货”，不分等级（表菘蓝 –2）。

表菘蓝 –2　大青叶规格等级

规格	等级	性状描述
统货	—	干货。本品多皱缩卷曲，有的破碎。完整叶片展平后呈长椭圆形至长圆状倒披针形，长 5 ～ 20 cm，宽 2 ～ 6 cm；上表面暗灰绿色，有的可见颜色较深、稍凸起的小点；先端钝，全缘或微波状，基部狭窄，下延至叶柄，呈翼状；叶柄长 4 ～ 10 cm，淡棕黄色。质脆。气微，味微酸、苦、涩。无虫蛀、无霉变

（2）价格信息。板蓝根和大青叶是典型的疫情品种，自新冠疫情发生后，二者的价格均有上涨。相关数据显示，2021 年年底，板蓝根的价格由 2020 年的 14 元 /kg 上涨至 22 ～ 25 元 /kg，大青叶由 2020 年的 2.4 元 /kg 上涨至 3.5 ～ 4 元 /kg。

（3）易混（伪）品。

1）板蓝根。板蓝根易与南板蓝根发生混淆。板蓝根、南板蓝根的鉴别特征见表菘蓝 –3。

表菘蓝 –3　板蓝根、南板蓝根的鉴别特征

	板蓝根	南板蓝根
基原	十字花科植物菘蓝 *Isatis indigotica* Fortune	爵床科植物板蓝 *Strobilanthes cusia* (Nees) O. Kuntze
性状	本品呈圆柱形或长钝圆形，稍扭曲，长 10 ~ 20 cm，直径 0.5 ~ 1 cm。表面淡灰黄色或淡棕黄色，有纵皱纹、横长皮孔样突起，并有支根或支根痕。根头略膨大，可见暗绿色或暗棕色、轮状排列的叶柄残基和密集的疣状突起。体实，质略软，断面皮部黄白色，木部黄色，习称“金井玉栏”	本品根茎呈弯曲的类圆形，多有分枝，长 10 ~ 30 cm，直径 0.1 ~ 1 cm。表面灰棕色，外皮（栓皮）易剥落，剥落后露出浅蓝灰色的内皮。木部表面具细纵纹理；膨大的节上长有细根或茎残基；根茎质硬实而脆，易折断，断面不平坦，皮部蓝灰色，木部灰蓝色至淡黄褐色，中央有髓。细根细长、稍柔韧，根粗细不一，弯曲，有分枝，表面粗糙，灰棕色至墨绿色，具疣点状皮孔，嫩枝密被白色短茸毛
气味	气微，味微甜，后苦、涩	气微，味淡

2）大青叶。大青叶有可能与来自蓼科植物蓼蓝 *Polygonum tinctorium* Ait. 的叶（习称蓼大青叶）及来自爵床科植物板蓝 *Strobilanthes cusia* (Nees) O. Kuntze、唇形科植物大青 *Clerodendrum cyrtophyllum* Turcz. 的叶相混淆。大青叶及其易混淆品的鉴别特征见表菘蓝 –4。

表菘蓝 –4　大青叶及其易混淆品的鉴别特征

	大青叶	蓼大青叶	板蓝的叶	大青的叶
外观	多皱缩卷曲，叶长椭圆形至长圆状披针形	皱缩，破碎，完整者展平后呈卵形或椭圆形	多皱缩成不规则团块，叶呈椭圆形或倒卵圆状长圆形	叶片微折皱，呈长椭圆形
表面颜色	暗灰绿色	蓝绿色或黑蓝色	黑绿色或暗棕黑色	棕黄色或棕绿色
叶片	全缘或微波状，基部狭窄，下延至叶柄，呈翼状	全缘，叶脉浅黄棕色，于下表面略凸起	叶缘有细小的浅钝锯齿，先端渐尖，基部渐窄	全缘，先端渐尖，基部钝圆
叶柄	叶柄呈翼状	扁平，偶带膜质托叶鞘	—	叶柄呈细圆柱形
气味	气微，味微酸、苦、涩	气微，味微涩而稍苦	气微，味淡	气微，味淡

附：板蓝根和大青叶的基原考证与青黛

（一）板蓝根和大青叶的基原植物

“板蓝根”作为中药名，最早见于宋代。由于古代本草著述不详，以“蓝”为名的中药繁杂，在相当长一段时间内，板蓝根的基原植物究竟为何种，一直比较混乱。

早在先秦时期，我国就有使用蓝的记载，如《荀子・劝学篇》中“青，取之于蓝，而青于蓝”。《神农本草经》载有“蓝实”，《政和本草》引陶弘景注解“（蓝）即今染縹碧所用者。至解毒，人卒不能得生蓝汁，乃浣縹布汁以解之，亦善。……尖叶者为胜”，但没有明确具体为何种植物。

唐代《新修本草》认为“蓝实有三种”，并推测“如陶所引，乃是菘蓝，其汁抨为淀者。按《经》所用，乃是蓼蓝实也，其苗似蓼，而味不辛者。此草汁疗热毒，诸蓝非比……菘蓝为淀，惟堪染青，其蓼蓝不堪为淀，惟作碧色尔”。该书指出《本草经集注》中所载蓝可能为十字花科植物菘蓝，而《神农本草经》所载蓝为蓼科植物蓼蓝 *Polygonum tinctorium* Ait.，菘蓝能做出“蓝淀”，而蓼蓝不能做出“淀”，且蓼蓝的功效较优。《本草图经》对历代本草所述蓝的植物形态进行了描述：“三月、四月生苗，高三二尺许，叶似水蓼，花红白色，实亦若蓼子而大，黑色，五月、六月采实。”该书与《新修本草》对蓼蓝的植物描述相近，说明至少到宋代，医家所用蓝实的主流为蓼科植物蓼蓝 *Polygonum tinctorium* Ait.；但是《本草图经》中所绘的蓝的植物，却非蓼科植物，似是十字花科植物菘蓝 *Isatis indigotica* Fortune，可能此时蓼蓝与菘蓝就有混用现象。《本草图经》还记载：“蓝有数种，有木蓝，出岭南，不入药；有菘蓝，可以为淀者，亦名马蓝，《尔雅》所谓葴，马蓝是也；有蓼蓝，但可染碧，而不堪做淀，即医方所用者也；又福州有一种马蓝……治妇人败血甚佳；又江宁有一种吴蓝……去热解毒，止吐血。”《本草纲目》记载：“蓝凡五种，各有主治……蓼蓝，叶如蓼，五、六月开花，成穗细小，浅红色，子亦如蓼，岁可三刈……菘蓝，叶如白菘；马蓝，叶如苦荬，即郭璞所谓大叶冬蓝，俗中所谓板蓝者。……吴蓝，长茎如蒿而花白……木蓝，长茎如决明……苏恭以马蓝为木蓝，苏颂以菘蓝为马蓝，宗奭以蓝实为大叶蓝之实，皆非也。”但是，根据文献考证，《尔雅》中所载大叶冬蓝，应为十字花科植物菘蓝 *Isatis indigotica* Fortune。根据《植物名实图考》，马蓝应为爵床科植物板蓝 *Strobilanthes cusia* (Nees) O. Kuntze。《本草便读》记载“板蓝根即靛青根……一云即马兰根”，按《本草纲目》，诸蓝皆可为淀，说明清代板蓝根的来源可能不止限于菘蓝和马蓝。《全国中草药汇编》认为板蓝根来源于十字花科植物菘蓝 *Isatis indigotica* Fortune 和爵床科植物板蓝 *Strobilanthes cusia* (Nees) O. Kuntze［原书为马蓝 *Baphicacanthus cusia*，现按照《中国植物志》（英文版）修订的学名进行记述］。自 1985 年版《中华人民共和国药典》开始，历版《中华人民共和国药典》将板蓝根的基原植物确定为十字花科植物菘蓝 *Isatis indigotica* Fortune；1995 年版《中华人民共和国药典》中新增南板蓝根，确定其基原植物为爵床科植物板蓝 *Strobilanthes cusia* (Nees) O. Kuntze。自此，板蓝根专指十字花科菘蓝的干燥根。

大青叶之名也始见于宋代，但早在《名医别录》中即载有“大青”，以茎入药。唐代《新修本草》“大青用叶兼茎，不独用茎也”，是对叶为药用部位的首次记载。《本草图经》将大青的植物形态描述为“春生青紫茎，似石竹苗、叶，花红紫色，似马蓼，亦似芫花，根黄”。《本草纲目》记载大青的植物形态为“高二三尺，茎圆；叶长三四寸，面青背淡，对节而生；八月开小花，红色成簇；结青实大如椒颗，九月色赤”。结合附图，推测其原植物为唇形科植物大青 *Clerodendrum cyrtophyllum* Turcz.。至清代，《本草求真》提出“蓝叶与茎，即名大青，大泻肝胆实火”，认为大青与蓝为同一药物。《本草正义》不同意此观点，但认为大青“气味性质，皆与蓝草近似，故功用亦相等”。《本草述钩元》建议“凡证宜用大青者，如无，即以大蓝叶代之，或真青黛亦可”。这一观点对后世大青叶的使用影响极大，加之诸蓝作为染料，较大青更为常见、易得，因此蓝叶逐渐替代了大青。《全国中草药汇编》中将唇形科植物大青 *Clerodendrum cyrtophyllum* Turcz. 与十字花科植物菘蓝 *Isatis indigotica* Fortune、爵床科植物板蓝 *Strobilanthes cusia* (Nees) O. Kuntze 共同作为大青叶的基原植物。为规范用药，1985 年版《中华人民共和国药典》将大青叶的基原植物规定为十字花科植物菘蓝 *Isatis indigotica* Fortune，此后大青不再入药。

由于菘蓝 *Isatis indigotica* Fortune 和欧洲菘蓝 *Isatis tinctoria* L. 在形态上具有多样性，存在种间过渡，故《中国植物志》将菘蓝并入了欧洲菘蓝。通过对二者染色体的比较，研究者发现菘蓝的染色体数 $2n=14$，欧洲菘蓝 $2n=48$，二者的化学成分也存在差异；聚合酶链式反应（PCR）直接测序技术结果也提示，菘蓝与欧洲菘蓝是 2 个独立的物种。故板蓝根和大青叶的基原植物应为十字花科植物菘蓝 *Isatis indigotica* Fortune。

（二）青黛

青黛为爵床科植物板蓝 *Strobilanthes cusia* (Nees) O. Kuntze、蓼科植物蓼蓝 *Polygonum tinctorium* Ait. 或十字花科植物菘蓝 *Isatis indigotica* Fortune 的叶或茎叶经加工制得的干燥粉末、团块或颗粒。

青黛始载于《本草拾遗》。按《本草图经》所载，青黛是由波斯等地中海沿岸国家进口而来，是贝类的提取物，由于路途遥远，获取困难，逐渐为“染淀瓮上沫紫碧色者”代替，“与青黛同功”。

青黛为深蓝色的粉末，体轻，易飞扬；或为不规则多孔性的团块、颗粒，用手搓捻即成细末。微有草腥气，味淡。2020 年版《中华人民共和国药典》规定，本品应能检出靛蓝和靛玉红，且以干燥品计，含靛玉红（$C_{16}H_{10}N_2O_2$）不得少于 0.13%。

青黛，味咸，性寒。归肝经。清热解毒，凉血消斑，泻火定惊。用于温毒发斑，血热吐衄，胸痛咯血，口疮，痄腮，喉痹，小儿惊痫。用量为 1 ～ 3 g，宜入丸、散；外用适量。

参考文献

[1] 国家中医药管理局《中华本草》编委会．中华本草：第 3 册 [M]．上海：上海科学技术出版社，1999：709-715．

[2] 唐璇．板蓝根药用史考 [J]．环球中医药，2014，7（11）：869-871．

[3] 唐慎微．重修政和经史证类备用本草 [M]．尚志钧，郑金生，尚元藕，等校点．北京：华夏出版社，1993：185-186．

[4] 苏敬．唐·新修本草（辑复本）[M]．尚志钧辑校．合肥：安徽科学技术出版社，1981：185，210．

[5] 李时珍．本草纲目：16 卷 [M]．影印版．北京：中国书店，1988：43，126-128．

[6] 王艺涵，金艳，陈周全，等．蓝草类药材的本草考证 [J]．中国中药杂志，2020，45（23）：5819-5828．

[7] 陶弘景．名医别录（辑校本）[M]．尚志钧辑校．北京：中国中医药出版社，2013：101.
[8] 黄宫绣．本草求真 [M]．北京：人民卫生出版社，1987：183.
[9] 张山雷．本草正义 [M]．程东旗点校．福州：福建科学技术出版社，2006：115.
[10] 杨时泰．本草述钩元 [M]．上海：科学卫生出版社，1958：262.
[11] 中国科学院中国植物志编辑委员会．中国植物志：第三十三卷 [M]．北京：科学出版社，1987：65.
[12] 肖培根．新编中药志：第 1 卷 [M]．北京：化学工业出版社，2002：562.
[13] 马德滋，刘惠兰．宁夏植物志：上卷 [M]．2 版．银川：宁夏人民出版社，2007：279.
[14] 邢世瑞．宁夏中药志：上卷 [M]．2 版．银川：宁夏人民出版社，2006：592-595.
[15] 邢世瑞．宁夏中药资源 [M]．银川：宁夏人民出版社，1987：54.
[16] 宋平顺，丁永辉，杨平荣．甘肃道地药材志 [M]．兰州：甘肃科学技术出版社，2016：305-306.
[17] 李明，张新慧．宁夏栽培中药材 [M]．银川：阳光出版社，2019：345-346.
[18] 国家药典委员会．中华人民共和国药典：一部 [M]．北京：中国医药科技出版社，2020：22，208，214.
[19] 赵中振，肖培根．当代药用植物典：第 1 册 [M]．上海：世界图书出版公司，2007：475-479.
[20] 杨立国，王琪，苏都那布其，等．菘蓝属植物化学成分及药理作用研究进展 [J]．中国现代应用药学，2021，38（16）：2039-2048.
[21] 邓九零，陶玉龙，何玉琼，等．板蓝根抗流感病毒活性成分及其作用机制研究进展 [J]．中国中药杂志，2021，46（8）：2029-2036.
[22] 黄远，李菁，徐科一，等．板蓝根抗流感病毒有效成分研究进展 [J]．中国现代应用药学，2019，36（20）：2618-2623.
[23] 崔伟亮，李慧芬，刘江亭．大青叶抗病毒抑菌作用研究进展 [J]．山东中医杂志，2014，33（5）：410-411.
[24] 武彦文，高文远，肖小河．大青叶的研究进展 [J]．中草药，2006，37（5）：793-796.
[25] 中华中医药学会．中药材商品规格等级　板蓝根：T/CACM 1021.146—2018[S]．北京：中华中医药学会，2018.
[26] 郑玉光，黄璐琦，郭兰萍，等．中药材商品规格等级　大青叶：T/CACM 1021.173—2018[S]．北京：中华中医药学会，2018.
[27] 孙保明，周红超．2010 年版《中华人民共和国药典》（一部）中五组易混中药材的辨析 [J]．中国实用医药，2011，6（22）：235-236.
[28] 高宾，宋大丽．蓼大青叶和大青叶的鉴别 [J]．首都医药，2010（4）：51.
[29] 腾杰，李庆．4 种大青叶的鉴别要点 [J]．时珍国医国药，2006，17（4）：612.
[30] 苏颂．本草图经 [M]．尚志钧辑校．合肥：安徽科学技术出版社，1994：130-131，166.
[31] 滕炯．青黛及蓝的本草研究 [J]．中草药，1996，27（2）：110-111.
[32] 侯士良，崔瑛，贾玉梅，等．植物名实图考校注 [M]．郑州：河南科学技术出版社，2015：287，328.
[33] 张秉成．本草便读 [M]．上海：科技卫生出版社，1957：28.
[34]《全国中草药汇编》编写组．全国中草药汇编：上册 [M]．北京：人民卫生出版社，1975：59.
[35] 中国科学院中国植物志编辑委员会．中国植物志：第七十卷 [M]．北京：科学出版社，2002：113.
[36] 中华人民共和国卫生部药典委员会．中华人民共和国药典：一部 [M]．北京：人民卫生出版社，1985：169.

[37] 中华人民共和国卫生部药典委员会. 中华人民共和国药典：一部 [M]. 广州：广东科技出版社，1995：207.
[38] 李园园，方建国，王文清，等. 大青叶历史考证及现代研究进展 [J]. 中草药，2005，36（11）：1750-1753.
[39] 乔传卓，崔熙. 菘蓝和欧洲菘蓝的鉴别研究 [J]. 中国科学院大学学报，1984，22（3）：237-242.
[40] 孙稚颖，庞晓慧. 基于 DNA 条形码技术探讨板蓝根及大青叶基原物种问题 [J]. 药学学报，2013，48（12）：1850-1855.

撰稿人：杨　晋

毛茛科 Ranunculaceae 金莲花属 *Trollius* 凭证标本号 640423140629001ZPLY

金莲花 *Trollius chinensis* Bunge

|药 材 名| 金莲花（药用部位：花。别名：金莲、旱金莲花、旱金莲）。

|本草综述| 据清代刘灏《广群芳谱》考证，最早记载金莲花的书籍是宋代周师厚的《洛阳花木记·草花凡八十九种》，该书云："金莲花出嵩山顶。"历代本草中，金莲花最早记载于清代赵学敏《本草纲目拾遗》。据唐代日僧圆仁《入唐求法巡礼行记》记载，开成五年（840）五月二十日，其在五台山中台顶见"奇花异色满山而开，从谷至顶，四面皆花犹如铺锦，香气芬馥薰人衣裳。人云'今此五月犹寒，花开未盛，六七月间花开更繁'"。沈志平认为上书中所载与《山西通志》（按：应为《五台山志》）中的"山有旱金莲，如真金，挺生陆地，相传是文殊圣迹"相符，二书所载花的花期亦相同，圆仁所见就是金莲花。但纵览《入唐求法巡礼行记》全书，并无金莲花名或其别

金莲花

名的记载，亦无关于金莲花形态的描述，且沈氏关于“二书所载花的花期相同”的观点亦无确切依据，故将此处记载认定为对金莲花的描述，过于牵强。

元代脱脱《辽史》三十二卷记载：“道宗每岁先幸黑山，拜圣宗、兴宗陵，赏金莲，乃幸子河避暑。”圣宗、兴宗陵在今内蒙古东南部的巴林右旗。这是可以见到的有关金莲花的较早文献记载。该书还记载“黑山在庆州北十三里，上有池，池中有金莲”，对此，学界存在争议。一种观点认为该“金莲”指金色的荷花，而非金莲花，因为金莲花不能长在水中。另一种观点认为，金莲生于池中等描述很可能是牵强附会之论，因为莲（莲花、荷花）在我国已有 3 000 多年的栽培历史，《诗经》《楚辞》《说文》等古籍早有记载，历代文人吟咏的诗文更是极其丰富，有芙蕖、芙蓉、芰荷、菡萏、玉环、净客、泽芝、水芝、水华、六月春等别名，却未发现以“金莲”作其别称者，而且莲花多为粉红色，也有少数红色或白色的品种，但绝无黄色者，也不可能以“金莲”名之。

元末文学家周伯琦《上都纪行诗注》记载：“上都草多异花，有名金莲花者，似荷而黄。”明代释镇澄《五台山志》记载：“山有旱金莲，如真金，挺生绿地，相传是文殊圣迹。”上述著作对金莲花的形状、颜色有简单的描述，而“金莲花”之名也很可能是依据其色黄如金、形如莲花而得来的。

清代文献对金莲花产地及植物形态有较为详细的描述。《广群芳谱》记载：“金莲花，出山西五台山，塞外尤多，花色金黄，七瓣两层，花心亦黄色，碎蕊平正有尖，小长狭，黄瓣环绕其心，一茎数朵，若莲而小。六月盛开，一望遍地，金色烂然。至秋，花干而不落，结子如粟米而黑。其叶绿色，瘦尖而长，五尖或七尖。”这些形态描述与《中国植物志》（第二十七卷）中金莲花 *Trollius chinensis* Bunge 的相关记载基本相符。关于产地，该书所说“塞外”指长城以北，包括河北、山西北部及内蒙古等地，以承德地区为主。

查慎行《人海记》记载：“旱金莲花，五台山出，瓣如池莲，较小，色如真金。曝干可致远。初，友自山西归，有分饷者，以点茶，一瓯置一朵，花开沸汤中，鲜新可爱。后扈从出古北口外，塞山多有之，开花在五六月，一入秋，茎株俱萎矣。”该书除对其形态特征加以描述外，还特别指出将之晒干后可以运输到很远的地方，用于泡茶饮用；主产地在五台山，“古北口外”指经北京密云县东北部燕山山脉天然峡谷向北的山北地区。

清代吴其濬《植物名实图考》记载：“金莲花，直隶圃中有之，蔓生，绿茎脆嫩，圆叶如荷，大如荇叶，开五瓣红花，长须茸茸，花足有短柄，横翘如鸟尾，京师俗呼大红鸟。”该书所载与《广群芳谱》及《人海记》的记载差异甚大。首先，

《植物名实图考》记载的植物“蔓生”，而后二书记载的金莲花（旱金莲）“挺生”，所载基本形态完全相左；其次，《植物名实图考》记载者“圆叶如荷”“开五瓣红花”，而后二书所载金莲花“似荷而黄”，显然是指其花形似荷花，而花为黄色，所载花形、花色也完全不同。因此，可以断定它们是2种截然不同的植物。通过对照《植物名实图考》附图可知，该书所描述的应为旱金莲科植物旱金莲 *Tropaeolum majus* L.。此种原产于南美洲秘鲁、巴西等地。我国普遍引种并将其作为庭院或温室观赏植物。显然，吴其濬此处的描述存在舛误。

有关金莲花入药的记载始于清代中叶。《本草纲目拾遗》记载：“张寿庄云：五台山出金莲花。寺僧采摘干之，作礼物饷客。或入寺献茶，盏中辄浮一二朵，如南人之茶菊然，云食之益人。赵学敏注云：金莲花，出五台山。又名旱地莲，一名金芙蓉。色深黄，味滑苦，无毒，性寒。治口疮，喉肿，浮热牙宣，耳疼，目痛。煎此代茗。明目，解岚瘴。《山海草函》云：疔疮大毒，诸风。”耿鉴庭《咽病药谱》谓其能入肺、胃二经，并能入心、肝、肾经。中药之具有清热解毒作用者，多苦寒而不能久用，但金莲花性平和，不伤胃，无不良反应，可以常服。《河北中药手册》记载金莲花可“清热解毒”。《山西中草药》记载金莲花“苦，微寒。清热解毒”。《内蒙古植物志》（第二卷）记载：“花入药，能清热解毒。主治上呼吸道感染，急、慢性扁桃体炎，肠炎，痢疾，疮疖脓肿，外伤感染，急性中耳炎，急性鼓膜炎，急性结膜炎，急性淋巴管炎；也作蒙药用（蒙药名：阿拉坦花—其其格），能止血消炎，愈创解毒。主治疮疖痈疽及外伤等。花大而鲜艳，可供观赏。”《守素斋笔记》记载了金莲花行销于江浙之缘由。此药北产南销，显于南而晦于北，正得于此。

金莲花的拉丁学名 *Trollius chinensis* Bunge 是俄国的本格（Bunge）于1833年发表的。本格曾于1831年来到我国，在北京一带采集了400多种标本，其中，作为“新种”发表的达10余种，金莲花即其中一种。

此外，金莲花在《中药大辞典》、《东北草本植物志》（第三卷）等书籍中亦有记载。

| 形态特征 | 多年生草本，高30～130 cm，全体无毛。须根棕色，长达12 cm。茎直立，不分枝，疏生2～4叶。基生叶1～4，长16～36 cm，具长柄，柄长12～30 cm，基部具狭鞘；叶片五角形，长3.8～6.8 cm，宽6.8～12.5 cm，3全裂，中央全裂片菱形，先端急尖，2回裂片有少数小裂片；3裂达中部或稍超过中部，边缘具稍不等大的三角形锐锯齿；侧全裂片斜扇形，2深裂至近基部，上方深裂片与中央全裂片相似，下方深裂片较小，斜菱形；茎生叶互生，叶形似基生叶，茎下部叶具长柄，上部叶较小，具短柄或无柄，向上渐小。一年生苗全为基生叶；

二年生以上植株茎生叶与基生叶相似，向上渐小，叶柄渐短至无柄。花单独顶生或 2 ~ 3 组成稀疏的聚伞花序，直径 3.8 ~ 5.5 cm；花梗长 5 ~ 9 cm；苞片 3 裂；萼片 10 ~ 18，金黄色，干时不变绿色，椭圆状卵形或倒卵形，长 1.5 ~ 2.8 cm，宽 0.7 ~ 1.6 cm，先端疏生三角形牙齿，间或为 3 小裂片，其他的呈椭圆状倒卵形或倒卵形，先端圆形，生不明显的小牙齿；花瓣 18 ~ 25，金黄色，狭线形，稍长于萼片或与萼片近等长，偶比萼片稍短，长 1.8 ~ 2.2 cm，宽 1.2 ~ 1.5 mm，先端渐狭，近基部有蜜槽；雄蕊多数，长 0.5 ~ 1.1 cm，螺旋状排列，花丝线形，花药在侧面开裂，长 3 ~ 4 mm；心皮 20 ~ 30，离生。蓇葖果，长 1 ~ 1.2 cm，宽约 3 mm，具稍明显的脉网，喙长约 1 mm，成熟时顶开；种子近倒卵球形，长约 1.5 mm，黑色，光滑，具 4 ~ 5 棱。一般花期 6 月下旬至 8 月上旬，果期 8 月上旬至 9 月上旬。

| 栽培资源 |

（1）栽培历史。金莲花作为观赏花卉栽培最早记载于北宋时期周师厚《洛阳花木记》。周师厚于元丰四年（1081）到洛阳做官，第 2 年根据在洛阳所见花木，参照唐代李德裕《平泉花木记》和北宋时期欧阳修《洛阳牡丹记》撰写了《洛阳花木记》。他认为，洛阳的名花并不限于牡丹，而兼有各地名花；他列举了各种花木的名色，其中便有“金莲花出嵩山顶”的记载。这表明，野生于嵩山中上部的金莲花，早在 920 年前，就已栽培在洛阳的苑圃中了。当然，在金莲

花的栽培史上，规模最大的移栽，当推清代康熙年间将五台山的金莲花栽培于承德避暑山庄的壮举。康熙帝命汪灏等人就王象晋《群芳谱》增删、改编、扩充编修的《广群芳谱》（全名为《御制佩文斋广群芳谱》），对金莲花记载颇详，对我们今天考辨其原植物，具有较高的参考价值。

20 世纪 70 年代，金莲花有小量引种栽培。

1994 年，宁夏中药厂研发的新药金莲清热颗粒投产上市，其主要原料金莲花全部来源于野生资源。由于金莲花野生资源匮乏，加上需求量大幅上升，自金莲清热颗粒上市以后，金莲花药材的价格逐年大幅上升，至 1998 年年初，为解决金莲花原料供应问题，宁夏中药厂决定尝试在宁夏引种金莲花。

1998 年 6 月，宁夏中药厂和中国医学科学院药用植物研究所合作，首次对国内药用金莲花野生资源的分布情况进行考察，对各地金莲花产量情况进行了调查论证，根据野生金莲花的生长环境特征，对宁夏可能适合栽培金莲花的区域进行了论证筛选，决定由宁夏中药厂丁建宝主持，与中国医学科学院药用植物研究所合作，在宁夏隆德县金华林场进行金莲花引种试种及野生变家种驯化研究。

1998 年 10 月，从河北省围场县塞罕坝机械林场引进野生金莲花种根 10 万株及少量种子，在宁夏隆德县陈靳乡金华林场试验地试验种植了 8 亩。1999 年 3 月，又采用种子育苗移栽的方式种植了 2 亩。其间 2 家单位共同进行田间管理，设计试验方案，进行肥料试验、密度试验、性状稳定性考察、药材质量分析等。经过历时 5 年多的试验研究，最终取得成功，获得了大量试验数据，基本掌握了金莲花的人工种植方法。

2009 年 5 月，在前期研究基础上，宁夏启元国药有限公司（原宁夏中药厂）与宁夏明德中药饮片有限公司、中国医学科学院药用植物研究所合作，在隆德县陈靳乡清凉村及沙塘镇许川村开展了金莲花规范化种植技术研究与示范基地建设项目，在全国首次建立了由 5 个宁夏地方标准构成的一整套金莲花规范化种植的技术标准体系，建成示范基地 200 余亩。检测结果表明，宁夏人工种植的金莲花与野生金莲花相比，各项指标均无明显差异，且符合质量标准要求。

（2）栽培区域。受生长环境条件的限制，宁夏人工栽培金莲花主产于六盘山区，且适种地较少，呈零散分布，这是制约宁夏金莲花种植产业发展的最根本原因。目前，宁夏人工栽培金莲花分布于隆德县、西吉县及泾源县，栽培于海拔 2 400 m 以上的山地。

（3）栽培面积与产量。宁夏金莲花的栽培总面积约为 40 hm^2，其栽培区主要集中在隆德县沙塘镇许川村、观庄乡林沟村和西吉县吉强镇龙王坝村。宁夏栽培

金莲花亩产干花 25 ~ 35 kg，目前主要以种苗及种子供应市场。

（4）栽培技术。

1）药用金莲花基原及引种种源地确认。金莲花 *Trollius chinensis* Bunge 是毛茛科金莲花亚科植物，依 Tamura（1990，1996）的系统，金莲花亚科包括 4 族 17 属约 885 种；1974 年，据 Doroszewska 统计，金莲花属植物约有 31 种，主要分布于北半球温带及寒温带地区。《中国植物志》（1997）记载我国有 16 种和 6 个变种，分布于西南、西北、华北及东北的高寒山区。其中金莲花 *Trollius chinensis* Bunge、宽瓣（亚洲）金莲花 *Trollius asiaticus* L.、长瓣金莲花 *Trollius macropetalus* Fr.、短瓣金莲花 *Trollius ledebourii* Reichenbach、川陕金莲花 *Trollius buddae* Schipcz.、矮金莲花 *Trollius farreri* Stapf 和毛茛状金莲花 *Trollius ranunculoides* Hemsl. 等在民间常作药用。但是，1977 年版《中华人民共和国药典》记载，金莲花 *Trollius chinensis* Bunge 为金莲花药材的唯一正品基原植物。该品种的野生资源主要分布于河北围场塞罕坝，内蒙古多伦，山西庞泉沟、芦牙山、五台山，北京雾灵山、百花山，以及吉林西部，辽宁西部，河南西北部等地。其中以河北围场塞罕坝所产金莲花产量高，药材品质好，药用价值高。故确定种植品种为毛茛科植物金莲花 *Trollius chinensis* Bunge。引种种质资源地为河北围场塞罕坝。

2）生长环境。金莲花适宜生长地海拔为 1 000 ~ 2 200 m，最佳生长地海拔为

1 300 ～ 1 500 m。土壤以光照条件好、疏松肥沃、水分充足且排水良好的砂壤土为佳。其适宜生长温度为 15 ～ 27 ℃，超过 30 ℃则生长迟缓。栽培金莲花在生长发育过程中对生态条件的要求较高，喜冷凉、阴湿气候，耐寒，耐阴，忌高温。根系浅，怕干旱，忌水涝。若夏季高温多雨，则植株易烂根死亡。干旱和高温是导致金莲花幼苗死亡的主要因素，当地温超过 30 ℃时，幼苗的死亡率达 70% 以上。

3）整地、施肥。在种植前 1 年秋季深翻土壤 25 ～ 30 cm，除去杂草、树根、碎石。深翻后，耙平。在第 2 年春季，引种地的土壤解冻后，施足基肥，每亩用腐熟的有机肥 2 000 ～ 5 000 kg 或含氮、磷、钾及微量元素的复合肥 25 ～ 30 kg。土壤偏碱的地方可用硫酸亚铁中和，一般每亩用 15 ～ 20 kg。将肥料均匀地撒于地面，耕地深达 20 ～ 30 cm，耙细整平后做畦，直播地耙细整平即可。

4）种苗繁育。金莲花种苗的繁育主要采用种子繁殖和分株繁殖。

①种子繁殖。主要包括种子处理、繁殖 2 个步骤。金莲花种子稀少，产量极低，自然萌发率不足 10%。采用药物处理法、温水浸泡搓洗处理法、室外低温砂藏处理法、室内低温砂藏处理法等 4 种种子解休眠处理方法，可使种子萌发率达到 70% 以上，特别是药物处理法，以 0.1%（g/ml）的赤霉素溶液对种子进行解休眠处理，可使种子萌发率达到 95% 以上。其繁殖方法包括育苗移栽法和大田直播法 2 种，其中育苗包括苗床育苗、穴盘（育苗盆）育苗 2 种方式，每种方式均可采用大棚和裸地 2 种形式。②分株繁殖。可在 9 ～ 10 月植株枯萎时，挖取野生或栽培种苗，或者在 4 ～ 5 月土壤解冻后挖取未出苗的种株根茎。对挖起的地下根茎进行分株，分株时，每株留 1 ～ 2 个芽即可，剪去过长的须根，栽种的株行距同育苗移栽，栽后浇水。秋末栽植，成活率较高。春季移栽，当年生长不好，开花很少。在生长季节也可移栽，但成活率较低，生长也较差。

采种田以行株距 50 cm × 50 cm 为宜。

5）田间管理。①补苗。金莲花种植成活后，须全面检查，发现死亡或缺苗者应及时选用同龄苗补上，保证全苗生长，确保产量。②中耕除草、松土。一年生植株生长前期应常除草松土，经常保持畦内清洁无杂草。7 月植株基本封垄，为避免伤苗，不再松土。对于二年生植株，要结合浇灌进行除草，同时松土。③施肥。播种前施足基肥者，一般生长 1 ～ 2 年可不再追肥。但 3 年后应适当追肥，最好于每年冬季或早春，每亩施用腐熟有机肥 2 000 ～ 3 000 kg，撒施于畦上。施肥后浅锄，使肥料与表土混匀，并撒厚 2 cm 左右的土。5 ～ 6 月适当喷洒腐植酸浓缩叶面肥或水肥 1 ～ 2 次，或用 0.2% 的尿素稀释液喷雾，一般在下午或傍晚进行；或用腐熟的稀薄畜粪便水浇淋。每个施肥周期间隔 15 天，以连施 3 次为佳。6 月、9 月各追肥 1 次，在每墩周围 15 ～ 20 cm 处开一条环形浅沟，施入有机生态复合肥，应根据苗的大小适当调整用量，苗大多施，苗小少施，施后覆土。每亩总用肥量约为 30 kg。植株生长 3 年后，将有机生态复合肥（80%）、尿素（20%）混匀后，再加入复合肥增效精 100 g/t，混匀，于 4 月和 9 月各施 1 次，每亩总用肥量约为 30 kg，方法同 6 月、9 月的环形浅沟追肥法，施肥后盖土。④浇水。每年浇水 3 ～ 5 次即可。至上冻前浇 1 次防冻水越冬。⑤遮阴。金莲花幼苗怕强光，要适当遮阴。⑥越冬。秋季枯萎后，在植株根茎处，培土 5 ～ 10 cm 厚。上冻前浇 1 次封冻水。

6）病虫鼠害防治。野生金莲花生长地的海拔比较高，通风透光条件好，气候冷凉，几乎不发生病害。宁夏六盘山区人工种植的金莲花病害较少，目前见到的

病害主要是根腐病和花枯病，偶有立枯病。

根腐病主要由夏季温度高、湿度大所致，常导致植株茎、叶枯萎。预防措施主要是控制好土壤温度及湿度，夏季温度达到 30 ℃以上时，及时遮阴，少浇水。若发现根腐病，可以喷洒 50% 甲基托布津可湿性粉剂 500 倍液进行防治。

花枯病是由真菌引起的病害，其病原菌为花枯锁霉。受侵害的部位主要是花。具体表现为花瓣先端先出现浅褐色斑，然后向下扩展，导致头状花的染病花瓣从外层向内层蔓延，最后全花变色枯萎。花枯病病菌在病花残体上生存，成为该病的传染源。病菌在 5 ~ 25 ℃均可生长，以 20 ~ 25 ℃为最适生长温度。秋雨多易导致发病。若发现带菌病株，要立即处理，对可疑的生长植株需在检疫的花圃或试验地内试种观察；如发现病花或病株，应立即深埋或烧毁；要注意控制棚室的湿度，灌溉以滴灌为好。在发病初期，可喷洒 70% 代森锰锌可湿性粉剂 500 倍液，或 50% 苯菌灵可湿性粉剂 1 000 倍液。

金莲花的地上虫害主要有斑须蝽蟓、斜纹夜蛾等；地下虫害主要有蝼蛄、蛴螬等。在六盘山区的各引种地中发现的主要害虫是蝼蛄、蛴螬等地下害虫，这些害虫会危害根茎，造成断苗。这些虫害以农业防治和物理防治为主，必要时配合化学防治。

宁夏六盘山区栽培金莲花的地下鼠害主要是甘肃鼢鼠，其主要危害金莲花种子，影响种子发芽，同时也咬食幼苗根部，造成缺苗。如果出现大量鼠洞，则土层水分蒸发增强、加快，直接导致花苗根系水分供应不足，缺水而死。可以采用人工捕杀、毒饵诱杀、生物防治、农业防治等方法防治甘肃鼢鼠。地上鼠害主要是幼鼠，幼鼠喜食刚发芽的幼苗，造成缺苗。由于幼鼠不吃鼠药，经实验，采取用猫捕鼠的办法防治幼鼠，效果较好。

| 采收加工 | 金莲花早春返青生长，6 月下旬至 8 月上旬开花。

（1）采收。采用种子繁殖的植株，播后第 2 年即有少量植株开花，第 3 年以后大量开花；采用分株繁殖，当年即可开花。金莲花的群体花期较长，一般 6 ~ 8 月都有花陆续开放，株花期可达到 30 天。先端花先开放，然后侧枝花蕾开始生长发育，朵花期 10 ~ 15 天。在花蕾膨大期采摘，总黄酮含量高，但花产量低；在花朵开放 3 ~ 5 天时采摘，总黄酮含量与花产量总体达到最佳。采收时间延迟，花瓣易脱落，对花的产量和质量均有很大影响。

采收时，戴手套将花朵轻轻摘下。采摘时要留不超过 1 cm 的花梗，且要轻拿轻放，不要伤及下面的花蕾。因为金莲花花期不一致，每株先端花先开，侧枝花后开，所以采收要分批进行，一般分 2 ~ 3 次进行。采收的花不能堆积过厚，应保持

在 2 cm 以内，及时干燥，以免花瓣散开、散落、变色，降低商品质量。如需留种，采花时须留下部分健壮植株的头期花，使其自然结实。

（2）干燥。采收的花应尽快干燥，否则容易霉变发黑，导致黄酮类化合物含量降低，影响品质。金莲花的干燥方式有 2 种，分别为阴干法和烘干法。金莲花忌强光下晒干，推荐在 50 ℃以下烘干，以保持金莲花的本色及总黄酮含量。

| 药材性状 | 本品呈不规则团块状，皱缩，直径 1 ~ 2.5 cm，金黄色或棕黄色。萼片花瓣状，通常 10 ~ 16，卵圆形或倒卵形，长 1.8 ~ 3 cm，宽 0.9 ~ 2 cm。花瓣多数，多皱缩成线形，长 1.4 ~ 2.5 cm，与萼片近等长，宽 0.1 ~ 0.3 cm；先端渐尖，近基部有蜜槽。雄蕊多数，长 0.7 ~ 1.5 cm，淡黄色。雌蕊多数，具短喙，棕黑色。花梗灰绿色。体轻，疏松。气芳香，味微苦。

| 品质评价 | 以花形完整、色泽金黄、香气浓者为佳。

由宁夏启元国药有限公司起草，宁夏回族自治区质量技术监督局于 2012 年 6 月 19 日发布并实施的 DB 64/T 791—2012《金莲花质量分级标准》，将金莲花的质量分为 4 个等级，具体内容见表金莲花 –1。

表金莲花 –1　金莲花质量分级指标

项目	指标			
	一级	二级	三级	四级
水分 /%	≤ 9	≤ 10	≤ 11	≤ 12
颜色	金黄色 无杂色花	黄色或金黄色 杂色花量≤ 5%	黄色或金黄色 杂色花量≤ 10%	黄色或金黄色 杂色花量≤ 20%
杂质含量 /%	0	0	≤ 1	≤ 2
碎花率 /%	≤ 1	≤ 5	≤ 10	≤ 20
总黄酮 [以（芦丁 $C_{27}H_{30}O_{16}$）计]/%	≥ 10.5	≥ 8.5	≥ 6.5	≥ 4.5
牡荆苷 /%	≥ 0.19	≥ 0.16	≥ 0.13	≥ 0.10

| 化学成分 | 金莲花的主要化学成分如下。①黄酮类，主要有荭草苷、牡荆苷及其衍生物。②有机酸类，主要有藜芦酸、金莲酸、棕榈酸。③生物碱类，主要有金莲花碱。④其他，包括香豆素及其苷、树脂、挥发油、鞣质及多种甾醇类化合物等。

| 药理作用 | （1）抗菌作用。金莲花用酸水提取，碱化后再用氯仿转提所得到的提取物，对革兰阳性球菌及阴性杆菌（如铜绿假单胞菌、甲型链球菌、肺炎双球菌、奈瑟卡他球菌、痢疾杆菌等）均有较好的抑制作用，对铜绿假单胞菌的抑制作用尤为明显。小鼠感染致死量的肺炎球菌或金黄色葡萄球菌，使用 1 ∶ 2 浓度的金莲花注射液 0.5 ml、0.2 ml，未见体内保护作用。

（2）抗病毒作用。金莲花水浸提取液抗病毒的实验研究结果表明：金莲花水浸提取液对 Hep−2 细胞的毒性与浓度成正比，当浓度小于 3.905 mg/ml 时，细胞生长正常，可维持 1 周；当浓度为 3.905 mg/ml 时，无论是先加药后染病毒，还是先染病毒后加药，或是药物、病毒作用 1 小时后同时加入，均对 Ad7、Ad21、ECHO18 和 Polio Ⅰ病毒无作用。先加药后染病毒，对 Cox B3 和 Cox A24 变异株无作用。药物和病毒作用 1 小时后同时加入或先染病毒后加药，对 Cox B3 有很强的作用，对 Cox A24 变异株有一定的作用。金莲花总黄酮对呼吸道合胞病毒、A 型流感病毒和副流感病毒均有一定的抑制作用，尤其是牡荆苷和荭草苷对副流感病毒具有较强的抑制作用。

（3）抗炎作用。金莲花对细菌感染所致炎症具有显著的抗炎作用。临床上将金莲花用于扁桃体炎、咽炎、上呼吸道感染等 226 例，有效率达 92.7%。金莲花对尿路感染等亦有一定疗效。金莲花中的 4 种主要成分牡荆苷、荭草苷、藜芦酸和金莲花苷对巴豆油所致小鼠耳肿胀有一定的抑制作用，其抗炎活性强弱顺序为：牡荆苷＞金莲花苷＞藜芦酸＞荭草苷。

（4）毒理作用。小鼠急性实验和兔亚急性实验均表明，金莲花注射液毒性很低，仅部分动物的注射局部有明显刺激反应；金莲花注射液对肝、肾功能及血常规均无明显影响；对动物内脏的病理学检查亦无明显改变。

| 功能主治 | 苦，寒。归肺、肝经。清热散风，解毒消肿，平肝明目。用于风热外感，咽喉肿痛，浮热牙宣，瘰疬口疮，目赤肿痛，耳内肿痛，山岚瘴气，疔疮火毒，以及上呼吸道感染，咽炎，扁桃体炎，急性中耳炎，急性结膜炎，急性淋巴管炎，肠炎，痢疾，急性肠炎，尿路感染，外伤感染。

| 用法用量 | 内服煎汤，3 ~ 6 g；或泡水代茶饮。外用适量，煎汤含漱；或醋磨涂敷。

| 市场信息 |

金莲花野生资源稀少，单株着花 2 ~ 3 朵，6 月上旬、中旬盛花期时采摘。每朵干花重 0.13 ~ 0.22 g。2015 年以前，金莲花基本上全部以野生资源入药。由于多年过度利用及自然灾害的影响，金莲花野生资源已日渐枯竭，年产量已由 2000 年的 450 t 左右下降至目前的不足 200 t。河北围场塞罕坝是金莲花 *Trollius chinensis* Bunge 的主要分布地之一，目前干花年产量约为 60 t。各金莲花原料需求厂家年复一年地竞购，导致金莲花药材的市场价格逐年大幅攀升，从 2003 年的 30 元 /kg 左右，上涨至 2013 年的 200 元 /kg 左右。开展金莲花人工种植，已成为保护金莲花野生资源的种群生存和繁衍、实现野生资源可持续利用的迫切要求。近年来，随着各地人工栽培品供应市场，以及其他非法定基原野生金莲花药用资源流入市场，金莲花的价格基本稳定在 150 元 /kg 左右。产自内蒙古牙克石至海拉尔沿线，特别是图里河、新账房一带的短瓣金莲花 *Trollius ledebourii* Reichb.，不是金莲花药材的正品基原品种。

| 传统知识 |

（1）用于急性中耳炎、急性鼓膜炎、急性结膜炎（火眼）、急性淋巴管炎（红丝疔）。金莲花、菊花各 9 g，生甘草 3 g。煎汤服。

（2）用于急慢性扁桃体炎。金莲花 6 g，蒲公英 15 g。开水冲泡，代茶饮，并含漱。此外，治疗慢性扁桃体炎，可用金莲花 3 g，开水冲泡，代茶常饮，并含漱；治疗急性扁桃体炎可用金莲花 6 g，或再加鸭跖草 6 g。

| 资源利用 |

金莲清热颗粒及金莲清热胶囊是宁夏启元国药有限公司独家研制并生产的新药，是公司主要的效益产品，其中金莲清热颗粒为国家中药保护品种。此二药均是国家基本药物及全国公费医疗报销品种，对外感高热、流行性感冒、上呼吸道感染具有较好的疗效。金莲清热颗粒于 1997 年被国家中医药管理局列为“全国中医医院急诊必备中成药”；于 1998 年被国家科学技术部、经济贸易委员会等五部委联合评定为“国家级重点新产品”。2003 年“非典”期间，中国中医药研究院等单位联合开展的大量筛选研究，证明金莲清热颗粒具有良好的抗病毒作用，被确定为 8 个抗击“非典”的有效中药之一。此外，在金莲清热颗粒的基础上进一步研发的金莲清热胶囊，于 2008 年 5 月投入生产，2013 年被列入科学技术部“国家重点新产品”计划。

目前国内以金莲花为主要原料的药品有金莲清热颗粒（胶囊、泡腾片）、金莲花胶囊（软胶囊、颗粒、片、分散片、泡腾片、咀嚼片、润喉片、滴丸、口服液、润喉片）等 14 个剂型品种，对金莲花的需求量每年应在 1 000 t 以上。此外，野生金莲花还常被用作代用茶，用量也不少。

附　注　（1）野生金莲花生长于海拔 1 000 ~ 2 200 m 的山地、草原、沼泽草甸、河边湿地、山间草坡、疏林或树林边缘，喜冷凉、阴湿气候，耐寒，耐阴，忌高温。野生地最高气温 38.9 ℃，极端最低气温 −42 ℃，无霜期 80 ~ 190 天。年平均降水量 360 ~ 390 mm。野生资源主要分布于河北北部、内蒙古东北部、山西北部、吉林西部、辽宁西部、河南西北部等地。宁夏没有野生金莲花资源分布。目前，金莲花野生抚育区主要在河北围场的坝上地区，栽培区主要在河北及内蒙古东部。

（2）野生金莲花在内蒙古东部的一些居群，萼片数目减少到 6 ~ 8 个，可看作金莲花与短瓣金莲花 *Trollius ledebourii* Reichenbach 之间的过渡类型，这时，可从花瓣的长度加以区别，金莲花的花瓣与萼片近等长，短瓣金莲花的花瓣比雄蕊稍长，而比萼片短。

（3）蒙药金莲花以本种的花入药，蒙语名“阿拉坦花—其其格”。味苦，性寒。效钝、轻、柔。清黏热，解毒，燥脓，止腐愈伤。用于刃伤，疮疡多脓，脉伤出血，淋巴腺肿，咽喉肿痛，耳热症，血协日性眼病。内服煮散剂，3 ~ 5 g；或入丸、散。

（4）《中华本草》（第 3 册）记载金莲花药材的基原植物，除本种外，还有同属植物宽瓣金莲花、矮金莲花、短瓣金莲花。宽瓣金莲花分布于黑龙江（尚志县）、新疆（哈密市郊）；矮金莲花分布于陕西南部、甘肃南部、青海南部和东部、新疆、四川西部、云南西北部和西藏东北部；短瓣金莲花分布于黑龙江及内蒙古东北部。其中，矮金莲花花单生，花梗长；萼片 5，黄色，宽倒卵形；花瓣匙状线形，棕色；雄蕊多数；气微，味苦。

（5）《黑龙江省中药材标准》（2001 年版）记载，金莲花药材的来源为毛茛科植物宽瓣金莲花 *Trollius asiaticus* L.、长瓣金莲花 *Trollius macropetalus* Fr. 或短瓣金莲花 *Trollius ledebourii* Reichenbach 的干燥花。夏季花开时采摘，除去杂质，阴干。苦，微寒。清热解毒。用于痈肿疮毒，咽喉肿痛，口疮，目赤等。用量为 3 ~ 9 g。宽瓣金莲花呈不规则团状，皱缩，直径 1 ~ 2 cm；金黄色或棕黄色；萼片花瓣状，通常 10 ~ 15，宽椭圆形或倒卵形，长 1.5 ~ 2.3 cm，宽 1.2 ~ 1.7 cm；花瓣多数，稍短于萼片，匙状线形，长约 1.6 cm，中上部最宽，宽 0.2 ~ 0.35 cm；雄蕊多数，淡黄色；雌蕊多数，具喙，喙长 0.5 ~ 1.5 mm，棕黑色；花梗灰绿色或灰褐色；体轻，疏松；气芳香，味微苦。长瓣金莲花萼片 5 ~ 7，宽卵形；花瓣线形，比萼片长 1/3 ~ 1/2，基部狭窄，先端渐尖；喙长 3.5 ~ 4 mm。短瓣金莲花萼片 5 ~ 10，椭圆状倒卵形、倒卵形或椭圆形，长 1.3 ~ 2 cm，宽 1 ~ 1.5 cm；花瓣短于萼片，线形，长 1.2 ~ 1.6 cm，宽约 1 mm；顶部稍匙状增

宽，喙长约 1 mm。

（6）《中华本草》（第 3 册）记载，长瓣金莲花的来源为同属植物长瓣金莲花的花。原植物分布于辽宁、吉林、黑龙江等地。苦，寒。归肺经。清热解毒。用于上呼吸道感染，急、慢性扁桃体炎，急性结膜炎，急性中耳炎，急性淋巴炎，急性痢疾，急性阑尾炎。内服煎汤，3 ~ 6 g。

（7）《中华本草》（第 3 册）记载，云南金莲花的来源为同属植物云南金莲花 *Trollius yunnanensis* (Franch.) Ulbr. 的全草。别名为鸡爪草。原植物分布于云南西部及西北部、四川西部。根茎短缩，上部丛生纤维状叶柄残基，下部丛生须根。须根黑褐色，具纵纹。茎棕黄色，疏生 1 ~ 2 叶，具纵棱，中空。叶具长柄，基部具狭鞘；叶片暗绿色，五角形，3 深裂，长 1.5 ~ 8 cm，宽 3 ~ 9.5 cm。花单生或 2 ~ 3 组成顶生聚伞花序，花梗长；花展开，直径 3.2 ~ 4.7 cm；萼片 5 ~ 7，绿色，宽倒卵形或倒卵形，花瓣棕色，线形，顶部近匙形；雄蕊多数。蓇葖果，长 9 ~ 11 mm；种子狭卵球形，光滑，具不明显纵棱 4。气微，味辛、甘。甘、辛，温。祛风散寒解表，消结。用于外感风寒，风湿痹痛，筋脉拘挛，瘰疬。内服煎汤，15 ~ 30 g；或浸酒。

参考文献

[1] 沈志平．中药金莲花药源考证与应用 [J]．时珍国医国药，2000，11（12）：1110．

[2] 祁振声．为“金莲花”正名 [J]．承德民族师专学报，1995（3）：97-101．

[3] 赵学敏．本草纲目拾遗 [M]．北京：人民卫生出版社，1983：256．

[4] 河北省商业局医药供应站，中国科学院植物研究所，卫生部中医研究院．河北中药手册 [M]．北京：科学出版社，1970：146-147．

[5] 山西省卫生局．山西中草药 [M]．太原：山西人民出版社，1972：166-167．

[6] 内蒙古植物志编辑委员会．内蒙古植物志：第二卷 [M]．2 版．呼和浩特：内蒙古人民出版社，1990：428-429．

[7] 中国科学院中国植物志编辑委员会．中国植物志：第二十七卷 [M]．北京：科学出版社，1979：70-88．

[8] 中国医学科学院药用植物资源开发研究所．中国药用植物栽培学 [M]．北京：农业出版社，1991：1159．

[9] 李良千．毛茛科金莲花亚科植物的地理分布 [J]．植物分类学报，1995，33（6）：537-555．

[10] 中国人民共和国卫生部药典委员会．中华人民共和国药典：一部 [M]．北京：人民卫生出版社，1978：359．

[11] 丁建宝，丁万隆，孙志刚．金莲花种子质量标准：DB 64/T 788—2012 [S]．银川：宁夏回族自治区质量技术监督局，2012．

[12] 丁建宝，孙志刚，巨丽红，等．金莲花种根种苗质量标准：DB 64/T 789—2012 [S]．银川：宁夏回族自治区质量技术监督局，2012．

[13] 丁建宝，巨丽红，孙志刚．金莲花：DB 64/T 790—2012 [S]．银川：宁夏回族自治区质量技术监督局，2012．

[14] 丁建宝，巨丽红，孙志刚．金莲花质量分级标准：DB 64/T 791—2012 [S]．银川：宁夏回族自治区

质量技术监督局，2012.
[15] 丁建宝，孙志刚，巨丽红，等. 金莲花引种种植技术规范：DB 64/T 792—2012 [S]. 银川：宁夏回族自治区质量技术监督局，2012.
[16] 朱殿龙，丁万隆，陈士林，等. 金莲花属植物的研究进展 [J]. 世界科学技术——中医药现代化，2006，8（4）：26-33.
[17] 南京中医药大学. 中药大辞典：上册 [M]. 2 版. 上海：上海科学技术出版社，2014：1701-1702.
[18] 温云海，林岳生，黄海，等. 金莲花水浸提取液抗病毒的实验研究 [J]. 中华微生物学和免疫学杂志，1999，19（1）：21.
[19] 林秋凤，冯顺卿，李药兰，等. 金莲花抑菌抗病毒活性成分的初步研究 [J]. 浙江大学学报（理学版），2004，31（4）：412-415.
[20] 王如峰，赓迪，吴秀稳，等. 金莲花中四种主要成分的抗炎活性研究 [J]. 时珍国医国药，2012，23（9）：2115-2116.
[21] 上海市卫生局. 上海市中药材标准 [M]. 上海：上海市卫生局，1994：183.
[22] 北京市卫生局. 北京市中药材标准 [M]. 北京：首都师范大学出版社，1998：169.
[23] 邢世瑞. 宁夏中药志 [M]. 银川：宁夏人民出版社，2006：463-465.
[24] 中国人民共和国卫生部药典委员会. 中华人民共和国卫生部药品标准：蒙药分册 [M]. 北京：人民卫生出版社，1998：30.
[25] 国家中医药管理局《中华本草》编委会. 中华本草：蒙药卷 [M]. 上海：上海科学技术出版社，2004：257-258.
[26] 国家中医药管理局《中华本草》编委会. 中华本草：第 3 册 [M]. 上海：上海科学技术出版社，1999：277-281.
[27] 黑龙江省药品监督管理局. 黑龙江省中药材标准 [M]. 哈尔滨：黑龙江省药品监督管理局，2001：129-131.
[28] WANG R F，YANG X W，MA C M，et al. A bioactive alkaloid from the flowers of Trollius chinensis [J]. Heterocycles，2004，63（6）：1443-1448.

撰稿人：丁建宝　李艳萍

菊科 Asteraceae 红花属 *Carthamus* 凭证标本号 640522140901002ZPLY

红花 *Carthamus tinctorius* L.

| 药 材 名 | 红花（药用部位：花。别名：红蓝花、黄蓝、红蓝）。

| 本草综述 | 红花原称“红蓝花”，又称黄蓝、燕支。目前，本草考证的主流观点为，红蓝花始载于宋代《开宝本草》。宋代《证类本草》记载：“唐本注云：治口噤不语，血结，产后诸疾，堪染红。”然而《新修本草》并未记载红蓝花。尚志钧先生认为，《证类本草》中有关红蓝花所引“唐本注”很可能是指五代时期后蜀韩保昇等的《蜀本草》。如若无误，那红蓝花应最早记载于《蜀本草》。

红花之名始见于宋代《本草图经》，该书云：“红蓝花，即红花也。”又云：“叶颇似蓝，故有蓝名。”明代《滇南本草》亦云：“本草亦谓之红蓝花，蓝叶红花。”清代《本草述钩元》云：“红蓝花即红花。”

红花

《博物志》云："黄蓝，张骞所得，今仓、魏地亦种之。"该书认为红花系张骞从西域带回，后在中国北方"仓、魏地"种植。魏晋时期《古今注》卷下云："燕支叶似蓟，花似蒲公，出西方，土人以染，名为燕支。中国人谓之红蓝，以染粉为面色，谓为燕支粉。"南北朝时期《齐民要术》卷五载有种植红蓝花的方法，亦记载可采摘其花，分别提取红色素、黄色素以制作胭脂，取子榨油制作车脂或烛。宋代《开宝本草》云："红蓝花……生梁（今陕西韩城市南）、汉及西域（泛指玉门关以西地区）。"《本草图经》又云："红蓝花即红花也，生梁、汉及西域，今处处有之。人家场圃所种，冬而布子于熟地，至春生苗，夏乃有花……其花暴干，以染真红及作胭脂。"可见，红花作为经济作物从西域引种后被广泛种植，用于制作胭脂和榨油。

据《本草图经》记载，红花入药始于张仲景，该书云："仲景治六十二种风，兼腹内血气刺痛，用红花一大两，分为四分，以酒一大升，煎强半，顿服之。不止，再服。"明代《本草品汇精要》记载红花的道地产区为"镇江"（今江苏镇江）。《本草纲目》记载："红花二月、八月、十二月皆可以下种，雨后布子，如种麻法。初生嫩叶、苗亦可食。其叶如小蓟叶，至五月开花，如大蓟花而红色。"清代《本草易读》云："红花……生梁、汉及西域，今处处有之。二、八、十二月皆可下种，雨后布子。初生嫩叶、苗亦可食，其叶如小蓟叶。五月开花，如大蓟花而红色。"清代关于红花的记载基本与明代相似，可见，从明代到清代红花一直被广泛种植，且其栽培方法也没有发生变化。

民国时期《药物出产辨》记载："产四川、河南、安徽为最，云南次之。"《增订伪药条辨》卷二云："河南归德州出者，名散红花，尚佳；亳州出者，亦名散红花，略次；浙江宁波出者，名杜红花，亦佳，皆红黄色；山东出者，名大散花，次之；孟河出者，更次；河南淮庆出者，名淮红花，略次；湖南产者，亦佳；陕西产者，名西红花，较次；日本出者，色淡黄，味薄，名洋红花。"《中国植物志》记载："（红花）现时黑龙江、辽宁、吉林、河北、山西、内蒙古、陕西、甘肃、青海、山东、浙江、贵州、四川、西藏，特别是新疆都广有栽培。……原产中亚地区。苏联有野生也有栽培，日本、朝鲜广有栽培。我国在上述地区有引种栽培外，山西、甘肃、四川亦见有逸生者。"这说明如今红花的种植也较为广泛，无道地产地之说，此与历代本草的描述相一致。

| 形态特征 |

一年生草本。高 40 ~ 100 cm。茎直立，上部分枝，白色或淡白色，光滑无毛。中下部茎叶披针形、卵状披针形或长椭圆形，长 7 ~ 15 cm，宽 2.5 ~ 6 cm，先端渐尖，边缘具大锯齿、重锯齿、小锯齿或全缘，稀羽状深裂，齿端针刺长

1 ～ 3 mm，向上叶渐小，披针形，边缘有锯齿；全部叶质地坚硬，革质，两面无毛，无腺点，有光泽，基部无柄，半抱茎。头状花序多数，在枝端排成伞房花序，直径 3 ～ 4 cm，被苞叶所围绕；苞片椭圆形或卵状披针形，先端针刺长 2.5 ～ 3 cm，边缘有针刺或无；总苞卵形，直径 2.5 cm；总苞片 4 层，外层竖琴状，中部或下部有收缢，收缢处以上叶质、绿色，边缘无针刺或有篦齿状针刺，收缢处以下黄白色，中内层硬膜质，倒披针状椭圆形至长倒披针形，长达 2.2 cm，先端渐尖；全部苞片无毛，无腺点；小花全为管状花，两性，初始为黄色，渐变为橘红色、红色；花冠长 2.8 cm，细管部长 2 cm，花冠裂片几达檐部基部；雄蕊 5；雌蕊 1，伸出于花药之上，子房下位，花柱细长，柱头 2 裂，裂片舌状。瘦果倒卵形，长 5.5 mm，宽 5 mm，乳白色，具 4 棱，棱在果顶伸出，侧生着生面；无冠毛。花期 5 ～ 7 月，果期 7 ～ 9 月。

| 栽培资源 |

（1）栽培历史。宁夏地区自古以来便种植红花。南朝、唐代、明代嘉靖时期以前，宁夏均是土贡红花的产地，其所产土贡红花主要作为织染物资使用。《新唐书・地理志》记载，产土贡红蓝的州郡有灵州郡（今宁夏灵武）、青州北海郡（今山东青州）、兴元府汉中郡（今陕西南郑）、蜀州唐安郡（今四川崇州）、汉州德阳郡（今四川德阳）等。西夏时期，红花是西夏王朝与宋朝贸易的主要物资。元代，鉴于宁夏红花种植面积过大，元世祖专门下令将红花田全部改种稻麦，但是并未杜绝红花的种植。明代，红花是宁夏主要土贡之一，每年都被进贡，但进贡数量不一，最多达 1 500 kg 以上，最少仅约 250 kg。为了保质保量地完成进贡红花的任务，宁夏不仅辟有专门的红花田，而且建立了专门的红花管理机构——“太监进贡红花厂”和“总兵进贡红花厂”。今银川内的红花渠就因当时大面积种植红花而得名。当时在宁夏府（今宁夏北部）从事红花种植、加工的士兵多达 1 340 余名，而产出甚低，作为织染物资进贡，意义不大。鉴于此，自明代弘治十二年（1499）起，宁夏地方官员屡次上疏请求免除宁夏红花贡赋，但几朝帝王均未允准。直至明代嘉靖元年（1522），嘉靖皇帝才批准免除。明代《嘉靖宁夏新志》卷之一“物产”明确记载了“红花”，在“土贡”中更是明确记载：“齐，灵州贡红蓝、甘草……国朝岁贡红花、马。任土作贡，王制之常，岂以厉民？但马之为贡，犹以为力；惟红花，岁役数千夫始竟其事，所贡止五百斤，其织染之资固不藉此而足，人实不胜其困。嘉靖元年，给事中张翀悉其弊，奏止之，迄今人以为便。”宁夏从此结束了红花贡役，红花种植面积也随即大幅减小。清代《乾隆宁夏府志》卷四“地理（三）”之“物产”项“药之属”及《嘉庆宁夏府志》卷四“物产”项均特别指出旧志记载的红花“今无”，《嘉庆宁夏府志》还记载：“明制贡红花、洎马。红花，土实不产。旧志称岁役千夫，贡只五百斤，不解所由。嘉靖初，给事张翀始奏罢之。”《嘉庆灵州志迹》卷一“风俗物产第七”之“药之属”中亦没有该地出产红花的记载。可见至清代乾隆年间宁夏府（今宁夏北部）已不出产红花。

清代《乾隆中卫县志》卷之一“物产”项、《道光续修中卫县志》卷之三“物产”项、《民国豫旺县志》卷之一“物产”项“药类”、《民国朔方道志》卷之三“物产”项“药类”中也均无出产红花的记载，这表明自清代乾隆年间至民国十四年（1925）宁夏中部地区亦不出产红花。据民国时期《宁夏资源志》（1946 年版）记载，中宁及中卫有少量红花出产，每年仅 1 000 ~ 1 500 kg。

《康熙隆德县志》卷一（上卷）“物产”项明确记载该地出产红花，这表明清代康熙年间宁夏南部隆德县有红花种植。同治十二年（1873），清政府升固原为直隶州，州治固原（今固原原州区），辖平远（今同心县）、海城（今海原县）两县，而《宣统新修固原直隶州志》“物产”项中亦无该地出产红花的记载。这说明清末红花在宁夏南部的种植并不广泛。

20 世纪 70 ~ 80 年代，当时的固原县黑城镇、彭阳县、西吉县均有红花种植，但种植面积不大。随着红花市场需求的不断增加，2016 年，固原中药材产业协会引进“云红 1 号”“吉红 1 号”“吉红 2 号”3 个云南无刺红花品种，并在固原原州区张易镇上滩村试种成功。近年来，宁夏红花种植产业发展态势良好，种植面积不断扩大，产量不断提升。尤其是“云红 1 号”，果实大，花丝长，

花期基本一致，有利于采摘，有效成分含量高，且投入低，适应性强，受到中药材种植企业、种植大户的欢迎。

（2）栽培区域。红花在宁夏各地均可种植。近20年来，宁夏石嘴山、银川、吴忠、中卫及固原均有过红花种植。目前，红花在西吉县将台乡，隆德县沙塘镇，彭阳县城阳乡、红河镇，泾源县六盘山镇，原州区十里铺村、官厅镇，海原县海城镇，和同心县、红寺堡区、盐池县、青铜峡市、惠农区、平罗县等地种植较多。

（3）栽培面积与产量。2020 年，宁夏全区红花种植总面积达 3 275 hm^2。宁夏地区的红花于当年春季播种、夏季采花、秋季收籽。亩产干花 15 ～ 25 kg。目前主要以红花药材及红花籽供应市场。

（4）栽培技术。

1）生物学特性。分布于海拔 200 ～ 900 m 处，此区域一般年平均气温 15.8 ～ 17.4 ℃，1 月平均气温 5 ～ 6.9 ℃，7 月平均气温 26.1 ～ 27.9 ℃，无霜期约 300 天，年平均降水量约 975.9 mm。红花喜温暖而较干燥的气候，对环境适应性较强，耐寒、耐旱、耐盐碱、耐瘠薄，但忌高温、高湿，忌连作，花期忌涝。发芽最适温度 25 ℃，幼苗能耐 −5 ℃的低温。春播生育期为 120 天。前作以豆科、禾本科作物为良，可与蔬菜间作。土壤要求以向阳、地势高燥、土层深厚、肥力中等、排水良好的砂壤土为宜，重黏土及低洼积水地不宜栽培。

2）选地、整地、施肥。选地轮作：以地势平坦、土壤肥沃、耕层深厚、灌排方便的砂壤土或轻黏土为宜，不宜种植在积水洼地或重黏土中。土壤含盐量应在 0.4% 以下，土壤 pH 应为 7 ～ 8。瘠薄的土壤不仅会影响红花的产量，还会影响其品质。红花种植切忌连作，前茬以大豆、玉米、马铃薯为好，麦类次之，轮作周期以 3 ～ 4 年为宜。

深耕整地：春播红花地块要求在入冬前完成冬灌作业。红花根系深达 2 m 以上，故必须深耕，且深度应达到 25 cm 以上，这样可以改良土壤结构，增强土壤渗透性，保蓄水肥，为红花吸收养分和水分创造良好的条件。秋耕深施有机肥 1 000 ～ 1 500 kg/ 亩。冬灌一般在 10 月中下旬至 11 月上旬进行，灌水量为 80 m^3/ 亩。灌水要均匀，不要造成局部积水，否则会给春季整地作业带来困难。春季主要进行犁地耕耙作业，播种前整地，使地表平整，表土疏松细碎，土块直径不超过 2 cm。

3）种苗繁育。红花种苗采用种子繁殖的方式。①选种。播前精选籽粒饱满、大小均匀、存活力强的种子，去除秕粒、小粒、虫蚀及破损粒。可将未筛选的籽粒置于适宜容器中，加入适量煤油，以淹没为度，轻轻搅拌，静置数分钟，捞去上浮的秕粒，取下沉的饱满籽粒进行播种。②种子处理。红花籽粒在贮藏前必须晒干，籽粒的含水量应降至 8% 以下，以防因其发热而霉烂变质，降低发芽率。为了达到培育壮苗和防治病虫害的目的，播前应精选种子并用药剂拌种，使种子的纯度、净度及发芽率均达到 90% 以上。可将种子放入 52 ~ 56 ℃温水中浸泡 10 分钟，再将之放入冷水中凉透，取出稍晾干，即可播种。在有条件的情况下，可将种子丸衣化。在根部病害较多的地块，播前可用 0.3% 的多菌灵拌种。③播种。红花宜采用条播，必要时也可等距离穴播，以方便间苗和定苗为准。在日平均气温达到 3 ℃以上时即可播种，适期早播可延长幼苗的营养生长时间，培育壮苗，为中后期的生长发育奠定良好的基础。在宁夏地区播种时间以 3 ~ 4 月为主，宜早不宜迟。条播通常采用谷物播种机，播种量一般为 30 ~ 45 kg/hm^2，行距为 30 ~ 50 cm，播种深度为 5 ~ 6 cm，均匀播下后覆土 2 ~ 3 cm，稍加镇压。穴播按株距 15 cm、行距 40 cm 开穴，穴深 6 cm，每穴播种 5 ~ 6 粒。穴播播种量为 22.5 ~ 30 kg/hm^2。播种要求下籽均匀，播行端直。红花种子在 5 ℃左右萌芽，10 天左右出苗，幼苗能耐受 −10 ~ −5 ℃的低温。种植密度一般为 160 000 ~ 170 000 株 /hm^2。

4）田间管理。①间苗补苗。红花播种出苗后，在长出 2 ~ 3 片真叶时进行第 1 次间苗，留壮苗 3 ~ 4 株 / 穴；抽薹时进行第 2 次间苗，定苗 1 ~ 2 株 / 穴，遇有缺株，及时补苗。②中耕除草、松土。红花生长期间一般应进行 3 次中耕除草。第 1 次在出苗现行后进行，中耕宜浅，深度为 4 ~ 6 cm；第 2 次在莲座期进行，深度为 12 ~ 14 cm；第 3 次在生长期后进行，并结合开沟培土，深度为 15 ~ 20 cm，以利灌水和防止倒伏。③施肥。虽然红花是耐瘠薄作物，但要获得高产，必须施入一定量的肥料。施肥量的多少，应根据红花对营养元素的需求和土壤类型、肥力等进行平衡。每生产 100 kg 红花籽粒，需纯氮 8 ~ 10 kg、五氧化二磷 2 ~ 2.2 kg、氧化钾 8 ~ 10 kg。施肥时，一要充分重视有机肥和化肥的结合施用，二要注意各种肥料的合理搭配，三要注意微量元素的施用，四要注意土壤的供肥能力和红花的需肥特点。在红花的生长过程中，伸长期到分枝期是红花的需肥敏感期，如果这一阶段能保证肥料的充分供应，则能取得最大的经济效益。施肥时应重施基肥，适时追肥，酌情施叶面肥。施基肥时一般施腐熟农家肥 1 500 ~ 2 000 kg/ 亩，并抖入过磷酸钙 45 ~ 75 kg/ 亩，秋翻秋耕时全部施入。适时追肥可有效增加分枝数量，增加果球数目，追肥以氮、磷肥为主。追肥应在红花伸长期末结合开沟培土，在浇头水前施入，施肥量为尿素 10 ~ 15 kg/ 亩、磷酸氢二铵 45 ~ 60 kg/ 亩，但对于肥沃土壤和生长后期，应尽量少追氮肥，以免枝叶过旺，影响花蕾发育。叶面肥以尿素、磷酸二氢钾、钼酸铵和硼酸等为主，兼顾其他微量元素，有利于提高红花开花和授粉的质量，也可促使花蕾多而大，增加千粒重，起到增产的作用。喷施叶面肥时期为伸长期和现蕾期，一般每亩用量为尿素 150 g、磷酸二氢钾 150 g、硼酸 100 g、钼酸铵 10 g，兑水 50 kg，叶面喷施 2 ~ 3 次。在伸长期或花蕾期喷施含有铜、钼、锌、硼等微量元素的肥料，可增加籽粒饱满度，增加千粒重。抽薹后摘除顶芽，促使分枝和花蕾增多，如栽培过密或土地瘠薄则不宜摘心去顶。④浇水。红花喜温暖，较耐旱，应根据气候条件、土壤类型、品种、植株长势等进行合理灌溉。应坚持不旱不灌的原则，一般需灌水 3 次，分别在分枝期、初花期、盛花期。一般分枝期灌水量为 60 m^3/ 亩，初花期灌水量为 80 m^3/ 亩，盛花期灌水量为 60 m^3/ 亩。灌水方式一般采用细流沟灌或隔行沟灌，这样既节约用水，又防止积水导致病害发生。一般宜在早上或傍晚灌溉，切记“午不浇园”，忌大水漫灌、串灌。土壤湿度在 15% 以上，或者在 2 ~ 3 天内有大雨时，最好不要灌溉，在终花期后，一般不再灌水。如果灌水过多，会影响籽产量和含油量。⑤轮作倒茬。红花的前茬以马铃薯、大豆、玉米为佳，小麦次之。红花较其他作物消耗地力少，可作为麦类作物的前茬。为了避免红花病虫的蔓延，红花切忌连作，对于水浇地尤其应该如此。⑥地膜覆盖。在地膜覆盖条件下种植的红花的主茎高度、出叶速度、分枝情况，与裸地红花相比，总的变化规律是一致的，但在各个生长发育阶段，覆膜红花的生长发育进程明显快于裸地红花。覆膜红花的生长发育进程较裸地红花明显提前，延长了有效开花结实期，可提高干花与种子的产量。

5）病虫害防治。①病害。宁夏地区种植红花的主要病害有锈病、根腐病、炭疽病等。a. 锈病。其病原为红花梗锈菌 *Puccinia carthami* (Hutz) Corda。高温高湿或多雨季节易发生流行病害，连作地发病严重。该病主要危害叶片，也可危害苞叶等其他部位。受害幼苗的子叶、下胚轴及根部出现蜜黄色病斑，上面密生针头状黄色小颗粒；叶片背面散生锈褐色微隆起的小疱斑，后期形成暗褐色至黑褐色疱状物。严重时花色泽差，种子不饱满，花和种子品质与产量降低。防治方法：播种前用 25% 粉锈宁按种子重量的 0.3% ~ 0.5% 拌种；幼苗期结合间苗拔除病苗并带出田外深埋；发病初期和流行期喷洒 25% 粉锈宁 800 ~ 1 000 倍液、97% 敌锈钠 600 倍液、50% 多菌灵 1 000 倍液或用 62.25% 仙生 500 倍液喷洒 2 ~ 3 次，每 10 天喷 1 次。b. 根腐病（枯萎病）。其病原为尖孢镰刀菌红花专化型 *Fusarium oxysporum* f. sp. *carthami*.。该病主要是由夏季温度高、湿度大所致，开花前后发病严重。该病主要危害根部和茎部。病菌于苗期侵入，发病初期须根变褐腐烂，后支根、主根和茎基部维管束变褐。发病严重时植株茎叶由下而上萎缩变黄，3 ~ 4 天全株枯萎死亡。防治方法：要控制好土壤温度及湿度，播种前用 50% 多菌灵 300 倍液浸种 20 ~ 30 分钟；选择地势高燥、排水良好的地块种植，雨季及时排除田间积水；发病初期拔除并集中烧掉病株，同时用生石灰撒施病穴及周围土壤；发生期可用 50% 多菌灵 1 000 倍液，或 75% 百菌清 600 倍液，或甲基托布津 800 倍液喷施或浇灌病根部。c. 炭疽病。其病原为红花盘长孢菌 *Gloeosporium carthami* (Fukui) Hori et Hemmi。该病是红花的主要病害之一，可危害叶片、叶柄、嫩梢、茎、花蕾基部、果实及种子，造成减产，严重时可导致全田覆灭，花、籽无收。于 4 月中旬开始发生，5 ~ 6 月发病较重。雨季或氮肥施用过多时易发病。叶片病斑褐色、近圆形，有时龟裂；茎上病斑褐色或暗褐色、梭形，互相汇合或扩大环绕基部；种子病斑黄褐色。天气潮湿时，病斑上会产生橙红色的点状黏稠物质，即病原菌分生孢子盘上会有大量聚集的分生孢子。严重时会造成植株烂梢、烂茎、折倒、死亡。防治方法：播种前用 30% 菲醌拌种子 5 kg；在分枝后发病前或发病初期，用 1 ∶ 1 ∶ 120 波尔多液、50% 二硝散可湿性粉剂 200 ~ 300 倍液、65% 代森锌 500 ~ 600 倍液轮流喷洒，每隔 7 ~ 10 天喷 1 次，连喷 2 ~ 3 次；发病时喷洒 75% 百菌清 800 倍液，或 50% 甲基托布津 800 倍液；忌连作，选择有刺种。②虫害。宁夏地区种植红花的虫害主要有蚜虫、潜叶蝇等。a. 红花长须蚜 *Macrosphum goboni* Matsumura.，又名“蚰虫”。6 ~ 7 月开花时危害最重。一般雨多时危害减轻，干旱时危害严重。无翅胎生蚜群集于红花嫩梢上吸取汁液，造成叶片卷缩起泡等。防治方法：随播种每亩施入 3% 呋喃丹颗粒剂 2 kg，或红花出苗后，在茎基部侧边土壤开沟，将 3% 呋喃丹颗粒剂按 2 kg/ 亩施入土中，然后覆土 3 cm；发现蚜虫时可用 40% 氧化乐果 1 000 ~ 1 500 倍液喷施；释放七星瓢虫进行生物防治。b. 油菜潜叶蝇 *Phytomyza atricornis* Meigen.，又名豌豆潜叶蝇，土名为“叶蛆”。在红花上发病普遍。幼虫潜入红花叶片，咬食叶肉，形成弯曲不规则且由小到大的虫道。危害严重时，虫道相通，叶肉大部分被破坏，可致叶片枯黄脱落，从而影响红花产量。防治方法：5 月初喷 40% 氧化乐果 1 500 ~ 2 000 倍液、90% 美曲磷酯 1 000 ~ 1 500 倍液。

| 采收加工 | （1）采收。红花 6 ~ 7 月开花，开花后 3 ~ 5 天进入盛花期。此时花冠裂片开放，雄蕊逐渐枯黄，花色深红。在盛花期花由黄变红时，趁清晨露水未干时采摘，此时花冠不易破裂，花苞及叶片上的刺较软、不扎手，易采摘。采花时应向上提拉，采取花冠，避免对种子的生长造成影响。每个花序可连续采摘 2 ~ 3 次，

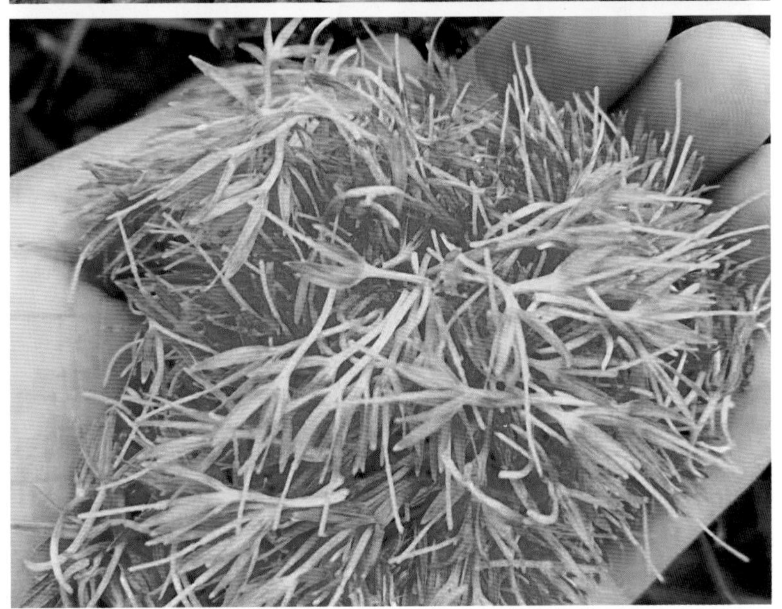

可每隔 2 ~ 3 天采摘 1 次。红花采收的时间性很强，不宜过早或过晚。若过早，则花冠尚未变红，品质差；过晚，则花丝萎蔫，变为紫红色，采时拣不起来，同时采收次数减少，花干后无油性，从而影响红花质量和产量。采收时间以花冠顶部金黄色，下部橘红色，晴天清晨露水刚干时为最佳。

（2）产地加工。采收的红花应立即阴干或晒干，及时包装入库。日光过强时，应采用遮光措施，以保持颜色鲜艳。也可将红花置烘箱中于 40 ~ 60 ℃烘干。干燥过程中，宜用工具轻翻。未干透时不能堆置，否则易发霉变黑。

加工时切忌强光暴晒、烈火烘烤及用手摸翻，这些都会使红花变色而影响其质量。

| 药材性状 | 本品为不带子房的管状花，长 1 ~ 2 cm。表面红黄色或红色。花冠筒细长，先端 5 裂，裂片呈狭条形，长 5 ~ 8 mm；雄蕊 5，花药聚合成筒状，黄白色；柱头长圆柱形，先端微分叉。质柔软。气微香，味微苦。

品质评价 以花冠长、色红黄、鲜艳、质柔软、无枝刺者为佳。

《七十六种药材商品规格标准》（1984）按传统习惯将红花分为一等、二等2个质量等级。一等：干货。管状花皱缩弯曲，成团或散在。表面深红色、鲜红色，微带淡黄色。质较软，有香气，味微苦，无枝叶、杂质、虫蛀、霉变。二等：干货。管状花皱缩弯曲，成团或散在。表面浅红色、暗红色或黄色。质较软，有香气，味微苦，无枝叶、杂质、虫蛀、霉变。

中华中医药学会团体标准《中药材商品规格等级　红花》（T/CACM 1021.15—2018）根据市场流通情况，将红花分为选货和统货2个规格，用于区分红花品质。具体规格等级划分见表红花 –1。

表红花 –1　红花规格等级划分

规格	等级	性状描述	
		共同点	区别点
选货	—	干货。管状花皱缩弯曲，成团或散在。不带子房的管状花，长1 ~ 2 cm。花冠筒细长，先端5裂，裂片呈狭条形，长0.5 ~ 0.8 cm；雄蕊5，花药聚合成筒状，黄白色；柱头长圆柱形，先端微分叉。质柔软。气微香，味微苦	表面鲜红色，微带淡黄色。杂质含量≤ 0.5%，水分含量≤ 11.0%
统货	—		表面暗红色或带黄色。杂质含量≤ 2.0%，水分含量≤ 13.0%

2020年版《中华人民共和国药典》一部规定：照高效液相色谱法测定，本品按干燥品计算，含羟基红花黄色素A（$C_{27}H_{32}O_{16}$）不得少于1.0%，含山柰酚（$C_{15}H_{10}O_6$）不得少于0.050%。

宁夏固原原州区妇幼保健所冯乐文等对产自宁夏西吉县及泾源县六盘山镇、吴忠市红寺堡区、彭阳县红河镇和原州区十里铺村5个不同产地栽培红花样品进行检验，结果这5个不同产地红花的性状、鉴别、检查及含量测定项均符合2005年版《中华人民共和国药典》一部的规定。醇溶性浸出物的平均含量高出规定20.7%，羟基红花黄色素A与山柰酚的平均含量分别高出规定0.9%和0.036%。宁夏栽培红花色红、黄，鲜艳，质柔软，浸出物和羟基红花黄色素A、山柰酚的含量显著高于《中华人民共和国药典》的标准要求，具有一定的市场竞争优势。

化学成分 红花中主要含有黄酮类化合物、挥发油、多酚类成分、红花多糖等，而黄酮类化合物和挥发油是其主要活性成分。

（1）黄酮类化合物。主要为红花黄色素，是由红花黄色素A、羟基红花黄色素A、红花黄色素B等多种水溶性成分构成的混合物。其中醌式查尔酮类化合物红花黄色素是其有效成分，是红花发挥药理作用的物质基础。此外，红花还含有少量的红花红色素，以及红花醌苷、新红花苷、山柰酚、槲皮素、芦丁、山柰素、木犀草素、木犀草苷等。

（2）挥发油。包括低级脂肪酸，以及少量芳香酯、烷烃。

（3）多酚类成分。包括绿原酸、咖啡酸、儿茶酚、焦性儿茶酚、多巴。

（4）红花多糖。系由葡萄糖、木糖、阿拉伯糖和半乳糖以β-链连接的一种多糖体。

（5）其他。含有铜、铁、锌、锰、铬、硒、钼等微量元素。另外，还含有娠烯酮、二十九烷、β-谷甾醇、腺苷等物质。

| 药理作用 | 红花主要具有影响心血管系统、血液系统、中枢神经系统、免疫系统、呼吸系统、生殖系统的作用，以及护肾、保肝、抗氧化、抗衰老、耐缺氧、降血脂、抗炎等作用。

（1）影响心血管系统的作用。

1）增加心脏和冠状动脉流量的作用。红花具有轻度兴奋心脏、降低冠状动脉阻力、增加冠状动脉流量和心肌营养性血流量的作用。

2）改善实验性心肌缺血的作用。红花能改善心肌缺血，缩小心肌梗死范围，对实验性心肌缺血、心肌梗死或心律失常等动物模型有不同程度的拮抗作用。红花黄色素分离物能对抗心律失常。

3）扩张血管、降低血压和改善微循环的作用。红花扩张血管作用与血管的功能状态和药物的剂量有关。其主要作用机制可能是间接或部分对抗 α-肾上腺素受体的作用而使血管扩张，并有较弱的直接收缩血管作用。红花煎剂、水提液、提取的白色结晶体溶液及红花黄色素具有不同程度的扩张周围血管、降低血压的作用。红花黄色素及粗提物具有改善外周微循环障碍的作用，可使血流加速，毛细血管开放数目增加，血细胞聚集程度减轻。

（2）抗凝血作用。红花能抑制血小板聚集，增强纤维蛋白溶解，降低全血黏度。红花煎剂、红花黄色素、红花醌苷具有抑制二磷酸腺苷（ADP）和胶原诱导的兔、大鼠体外及体内的血小板聚集，增强大鼠纤维蛋白溶解及抑制兔、大鼠血栓形成等作用；红花醇提取物体外可使犬全血凝固时间与血浆（缺血小板）复钙时间明显延长，血清凝血酶原时间无明显缩短，而凝血酶时间显著延长；红花黄色素静脉注射，对大鼠急性血瘀模型的高血黏度有改善作用，能明显降低全血黏度、血浆黏度及血浆纤维蛋白原比黏度。

（3）降血压、降血脂的作用。红花煎剂对狗、猫均有较持久的降低血压的作用。

口服红花油可治疗高胆固醇血症、高甘油三酯血症及高非酯化脂肪酸血症。口服红花油能使正常大鼠、恒河猴血清总胆固醇降低，以及高胆固醇血症家兔血清总胆固醇、总脂、甘油三酯及非酯化脂肪酸水平降低。

（4）影响缺氧耐受能力的作用。红花注射液、醇提物、红花苷、红花黄色素能显著提高小鼠的耐缺氧能力，红花醇提液对缺血缺氧性脑病有保护作用，红花浸出液对缺氧缺血后脑神经元的变性具有强力保护性。

（5）影响平滑肌的作用。红花煎剂对小鼠、兔、猫、豚鼠和犬的在体、离体子宫均有兴奋作用，小剂量时可使子宫平滑肌产生紧张性或节律性收缩，大剂量时可使子宫自动收缩频率增加，甚至发生挛缩，已孕者更为明显。

（6）免疫活性和抗炎作用。红花黄色素具有免疫抑制作用。红花黄色素可降低血清溶菌酶含量，抑制腹腔巨噬细胞和全血白细胞吞噬功能；使空斑形成细胞（PFC）、脾特异性玫瑰花结形成细胞（SRFC）和抗体产生减少；抑制迟发型超敏反应（DTH）和超适剂量免疫法（SOI）诱导的抑制性 T 细胞（Ts）的细胞活化。红花醇提物和水提物均具有抗炎作用。红花可作用于效应 T 细胞表面的相关蛋白，通过免疫调节而发挥抗过敏作用。

（7）影响神经系统的作用。红花黄色素对中枢神经系统具有镇痛、镇静和抗惊厥作用。红花黄色素有较强的镇痛作用，对锐痛及钝痛均有效；并能增强巴比妥类及水合氯醛的中枢抑制作用，其作用与用量呈平行关系；还能减少尼可刹米性惊厥的反应率和死亡率。红花能减轻脑组织中单胺类神经介质的代谢紊乱，使下降的神经介质恢复正常或接近正常。

（8）其他作用。红花在试管内能抑制变形链球菌的附着能力，使菌斑形成量减少，细菌总蛋白下降，菌斑中胞外葡萄糖含量降低。

（9）毒性。红花煎剂腹腔注射的最小中毒剂量为 1.2 g/kg，最小致死量为 2 g/kg，半数致死量（LD_{50}）为 2.4 ± 0.35 g/kg。灌胃给药的 LD_{50} 为 20.7 g/kg。其中毒症状有萎靡不振，活动减少，行走困难等。红花醇提物静脉注射的 LD_{50} 为 5.3 g/kg。红花黄色素静脉注射的 LD_{50} 为 2.35 g/kg，腹腔注射的 LD_{50} 为 5.4 g/kg，灌胃给药的 LD_{50} 为 5.53 g/kg。细菌突变实验表明，红花提取液有明显的致突变作用。

| 功能主治 | 辛，温。归心、肝经。活血通经，散瘀止痛。用于经闭，痛经，恶露不行，癥瘕痞块，胸痹心痛，瘀滞腹痛，胸胁刺痛，跌扑损伤，疮疡肿痛。

| 用法用量 | 内服煎汤，3 ~ 10 g。

市场信息

（1）产区、商品及价格信息。目前，国内商品红花的两大主产区，一个是新疆，另一个是云南。其中，新疆种植红花主要集中在新疆昌吉和伊犁。近几年，云南产区红花的种植发展较快，新增种植面积较前几年增加不少。云南红花主要种植在宾川县、巍山县及永胜县。甘肃酒泉玉门市花海镇也是红花产区之一，而在安徽、河南、山东等地，如今只有少数药农在坚持种植红花，大面积红花种植已不复存在。

商品红花药材按产地不同分为怀红花（河南）、杜红花（浙江）、草红花（四川）、金红花（江苏）、云红花（云南）、石红花（进口）及新疆红花。各地的红花主要按《七十六种药材商品规格标准》（1984）分为一等货、二等货。

宁夏栽培红花品种主要来源于云南和新疆。2016 年，干红花的价格为 75 元 /kg，红花籽的价格为 4 元 /kg，红花籽油的价格为 30 元 /kg。由于宁夏没有专业中药材交易市场，目前，宁夏产红花及红花籽主要通过当地中药材种植大户、合作社或中药饮片生产企业流入全国各大药市。自 2016 年以来，红花药材及红花籽的价格持续振荡上行，至 2020 年年底，红花药材的价格已上涨至 150 元 /kg 以上，目前已达 180 元 /kg。2021 年 10 月至 11 月初，红花籽的市场成交价为一般货 16 ～ 18 元 /kg，优质货 20 元 /kg 以上。

（2）收购量和年销量。据云南省农业科学院经济作物研究所田志梅的报道，全世界的红花种植面积约为 116.8 万 hm^2，可产红花花瓣约 2.5 万 t、红花籽约 176 万 t、红花籽油约 31.6 万 t。世界红花花瓣的消费需求约为 4 万 t，红花籽油的消费需求约为 42 万 t，整体上供不应求。中国红花的种植面积约为 3.33 万 hm^2，产区主要集中在新疆、河南、四川及云南等地区。从现有的红花种植面积来看，目前，红花种植远不能满足市场需求。随着人民生活水平的提高和保健意识的增强，人们对具有保健作用的红花优质食用油和天然色素的需求量大大增加，红花种植面积将逐年扩大，对此，中国适宜红花种植地区应制订计划大力发展红花种植。

资源利用

红花是一种花油两用、栽培历史悠久的经济作物，具有较高的经济价值。

红花籽主要用来生产色泽清亮的优质红花油。红花籽的含油量为 20% ～ 45%，在我国新疆等地区及欧美一些国家普遍将用红花籽生产的色泽清亮的优质红花油作为高级食用烹调油。红花油富含油酸和亚油酸（含量为 70% ～ 85%）等不饱和脂肪酸，并富含维生素 A、维生素 E 等多种人体必需的营养物质，可改善血液循环，软化血管，扩张动脉，预防高脂血症所致的心脑血管疾病，如冠心病、动脉粥样硬化、老年性脑卒中（脑溢血）、高血压、心肌梗死、心力衰竭等。

高血压和心脏病病人可用红花油作为食用烹调油。饼粕被用作饲料。

现在食品工业期望用安全性较高的天然色素来代替人工合成色素，用于食品的着色及配色。红花花瓣常被用来提取天然土黄色、粉末状的红花黄色素和具绿色金属光泽、颗粒状的红花红色素，作为食品、化妆品的天然色素添加剂。

红花作为中药材入药使用，红花色素及挥发油是红花的主要活性成分。红花色素能增强缺氧的耐受力，降低心肌对氧的消耗，增加冠状动脉血流量，降低血压，增加心肌营养供应，减少心脏病变，阻止血栓形成。红花花瓣可活血化瘀、通经止痛，用于产后瘀血及跌打损伤等。在我国民间，红花还被用作兴奋剂、泻药、止汗剂、通经药、堕胎药、祛痰剂，也被用于治疗肿瘤。

目前，国内以红花为主要原料的药品有红花注射液、注射用红花黄色素、丹红注射液、红花黄色素氯化钠注射液、红花油、正红花油、跌打活血散、红花跌打丸、红花逍遥胶囊（片、颗粒）、红花如意丸、红花七厘散、十三味红花丸、七味红花殊胜散等数十种，对红花药材的需求量很大。此外，其作为中医临床常用活血化瘀药的需求量也非常大。

随着市场对具有保健作用的红花优质食用油和天然色素的需求量的逐步增加，作为经济效益相对较好的农作物，宁夏红花的种植面积逐年扩大。但是宁夏红花目前主要以分散种植为主，产业化程度低，种植规模小，管理粗放，尚未开展适合当地新品种的选育工作。宁夏红花主要以经济价值相对较低的红花药材及红花籽 2 种初级农产品形式进行销售。宁夏红花的生产技术、经营管理及产业化水平均相对较低，产品的质量档次及加工转化增值率也均较低。宁夏急需延长红花产业链并进行产业升级，通过规模化、规范化种植，提高产品品质、产量及产值，降低成本，提高效益；通过对红花药材及红花籽进行加工转化来实现增值。

| 附　注 |

（1）我国红花商业化种植区域主要集中在新疆、云南、甘肃，以及河南、四川等地。新疆是我国红花主产区，新疆红花常年种植面积约 4 万 hm^2，主要分布在昌吉和伊犁，种植面积占全国红花种植面积的一半以上，年产量占全国总产量的 80%。云南红花常年种植面积为 1.4 万 hm^2，主要分布在云南怒江、澜沧江、元江、红河、金沙江及其支流的河谷地带，种植于海拔 1 000 ～ 1 600 m 的地区及同类型的生态区域。甘肃于 20 世纪 30 年代开始将红花作为油料作物进行栽培，是我国红花产量第三的省份，甘肃红花主要分布在敦煌县。河南是卫红花产区，其产区位于新乡的卫辉市和延津县以及商丘的宁陵县和柘城县，该省卫红花种植面积约几万亩。四川红花的种植历史也较久，主要种植地区是资阳及简阳市、金堂县等。

（2）宁夏回族自治区园艺技术推广站温学萍选择种子发芽率较高的“吉红 1 号”与“云红 3 号”红花，在宁夏西吉县将台乡火沟村、隆德县沙塘镇马河村、彭阳县城阳乡杨坪村、海原县海城镇武塬村 4 个试验点开展红花新品种密度筛选试验，每个试验点的种植面积为 666.7 m^2。结果表明：“吉红 1 号”与“云红 3 号”的种植密度为 166 581 株 /hm^2 时，干花产量最高；种植密度为 249 880 株 /hm^2 时，籽粒产量最高。“云红 3 号”干花的最大产量为 384.86 kg/hm^2，“云红 3 号”籽粒的最大产量为 2 792.65 kg/hm^2。综合干花、籽粒及红花籽油产量，“吉红 1 号”与“云红 3 号”在宁夏最适宜的栽植密度是 166 581 株 /hm^2，株距为 15 cm，行距为 40 cm。按照 2016 年红花籽粒价格 4 元 /kg、干花价格 75 元 /kg 计算，“云红 3 号”的纯收入最高为 3 853.22 元 /hm^2，而“吉红 1 号”3 种栽培密度的纯收入均为负值。宁夏农林科学院荒漠化治理研究所张清云等以“吉红 1 号”“云红 2 号”“云红 3 号”“宾红 3 号”等为试验材料，在宁夏中部干旱带进行引种试验，结果表明，“宾红 3 号”的花丝和籽粒产量整体表现最好，以产花为主的品种应选择“云红 2 号”，以产籽粒为主的品种应选择“宾红 3 号”。宁夏农林科学院固原分院张新学等在宁夏中部干旱带开展了红花栽培技术研究。结果表明，在宁夏中南部干旱带红花种植播种期不宜过早，过早播种会明显降低出苗率，太迟播种会明显降低花丝产量，适宜的播种时间在 3 月底至 4 月初；宁夏红花的播种密度为 9 000 穴 / 亩时，红花花丝的产量最高，每株的花朵数也最多；以采收红花种子为目的的种植，播种密度以 10 000 穴 / 亩为宜；高产栽培模式为覆膜垄沟种植。

（3）本种的花亦入藏药、蒙药、维药、傣药。藏药“草红花”，藏文名为“苦空”。味甘、微苦，性凉，效重。可清热，活血，滋补。用于肺炎，肝炎，血热，痈肿，跌打损伤及妇科病等。内服研末，3 ~ 9 g；或入丸、散。蒙药“红花”，蒙文名为“古日古木”。味甘、微苦，性凉，效柔、软、固、钝、重。可凉血，锁脉，调经，清肝，强身，止痛，消肿。用于肝热，月经不调，呕血，鼻衄，外伤出血，血热头痛，心热。内服煮散剂，3 ~ 5 g；或入丸、散。维药“红花”，维吾尔文名为“扎让杂切其克”。二级干热。生干生热，活血通经，成熟异常黏液质，利尿填精，补血壮阳，止咳平喘，热血生辉，收敛除疹。用于湿寒性或黏液质性疾病，如月经不调、小便不利、精少阳痿、咳嗽痰多、气急哮喘、白癜风、白斑症、湿疹。内服，5 ~ 7 g。外用适量。可入汤剂、蜜膏、糖膏、糖浆、敷剂、散剂、油剂、洗剂等制剂。傣药“红花”，傣文名为“罗罕”。

味甜，气微香，性平。入水、风塔。可通气血，舒筋骨，消肿止痛。用于“阻伤，路哈”（跌打损伤，骨折），“儿赶，拢栽线栽歪”（心胸胀闷，心慌心悸），“纳勒冒沙么”（痛经），“唉习火”（咳喘），“拢牛哈占波”（小便热涩疼痛，尿路结石）。内服煎汤，5 ~ 10 g。

参考文献

[1] 中国科学院中国植物志编辑委员会．中国植物志：第七十八卷 [M]．北京：科学出版社，1987：187-188.

[2] 马德滋，刘惠兰，胡福秀．宁夏植物志：下册 [M]．2 版．银川：宁夏人民出版社，2007：369-370.

[3] 国家中医药管理局《中华本草》编委会．中华本草：第 7 册 [M]．上海：上海科学技术出版社，1999：763-770.

[4] 国家医药管理局，中华人民共和国卫生部．七十六种药材商品规格标准 [S]．北京：国家医药管理局，1984.

[5] 刘海涛，曹婷婷，张本刚，等．中药材商品规格等级　红花：T/CACM 1021.15—2018[S]．北京：中华中医药学会，2018：1-5.

[6] 国家药典委员会．中华人民共和国药典：一部 [M]．北京：中国医药科技出版社，2020：157-158.

[7] 冯乐文，关淑霞，王旭鹏．宁夏栽培红花的质量考察 [J]．中国药房，2008，19（36）：2847-2849.

[8] 姜建双．红花化学成分及生物活性研究 [D]．北京：北京协和医学院，2008：13-18.

[9] 彭成．中华道地药材：中 [M]．北京：中国中医药出版社，2011：1732-1766.

[10] 肖培根．新编中药志：第 3 卷 [M]．北京：化学工业出版社，2002：689-696.

[11] 黄虹，俞曼雷，翟世康，等．红花多糖的免疫活性研究 [J]．中草药，1984，15（5）：21-24.

[12] 沈丽萍．红花的现代研究进展 [J]．中国社区医师（医学专业），2009，11（24）：8.

[13] 徐绥绪，邱珊，张士杰．红花抗炎有效成分的研究（第一报）[J]．中药通报，1984，9（1）：31-32.

[14] 郭美丽，付立波，张芝玉，等．UV，HPLC 测定红花中黄色素、多糖和腺苷的含量 [J]．中国药学杂志，1999，34（8）：550-552.

[15] 高学敏．中药学 [M]．北京：人民卫生出版社，2000：1104-1112.

[16] 高其铭．中药红花的药理研究概况 [J]．中国中西医结合杂志，1984，4（12）：747，758-760.

[17] 沈翠娟．红花的研究 [J]. 山西医药杂志，1979，8（1）：46-50.

[18] 杨志福，文爱东，贾敏，等．红花黄色素对急性血瘀大鼠微循环及血液流变学部分指标的影响 [J]．中药材，2001，24（4）：283-285.

[19] 刘发，魏苑，杨新中，等．红花黄素对高血压大鼠的降压作用及对肾素-血管紧张素的影响 [J]．药学学报，2002，27（10）：785-787.

[20] 王洛生．中药药理与应用 [M]．北京：人民卫生出版社，1983：463.

[21] 温学萍，金波，赵玮，等．宁夏红花新品种种植密度试验研究 [J]．宁夏农林科技，2017，58（10）：6-8.

[22] 田志梅．中国红花产业现状、发展优势及对策 [J]．云南农业科技，2014（4）：57-59.

[23]《宁夏中草药手册》编写组．宁夏中草药手册 [M]．银川：宁夏人民出版社，1971：75-76.

[24] 许兰杰，梁慧珍，余永亮，等．我国红花品种特征特性、适应性及栽培技术研究进展 [J]．中药材，2020，43（8）：2040-2044.

[25] 张清云，李明，曹长勤．红花引种试验研究 [J]．宁夏农林科技，2018，59（4）：19-20.

[26] 张新学，李明，张建虎．宁夏中部干旱带红花栽培技术研究 [J]．宁夏农林科技，2020，61（7）：22-24.

[27] 国家中医药管理局《中华本草》编委会．中华本草：藏药卷 [M]．上海：上海科学技术出版社，2002：233-235.

[28] 国家中医药管理局《中华本草》编委会．中华本草：蒙药卷 [M]．上海：上海科学技术出版社，2004：204-206.

[29] 国家中医药管理局《中华本草》编委会．中华本草：维吾尔药卷 [M]．上海：上海科学技术出版社，2005：155-157.

[30] 国家中医药管理局《中华本草》编委会．中华本草：傣药卷 [M]．上海：上海科学技术出版社，2005：125-126.

[31] 南京中医药大学．中药大辞典：上册 [M]．2 版．上海：上海科学技术出版社，2014：1394.

[32] KAZUMA K，KAHASHI T，SATO K，et al. Quinochalcones and flavonoids from fresh florets indifferent cultivars of *Carthamus tinctorius* L.[J]．Biosci Biotechnol Biochem，2000，64（8）：1588.

撰稿人：丁建宝　李艳萍

蓼科 Polygonaceae 大黄属 *Rheum* 凭证标本号 640402130824010LY

掌叶大黄 *Rheum palmatum* L.

药材名

大黄（药用部位：根及根茎。别名：黄良、火参、肤如）。

本草综述

《吴普本草》云："或生蜀郡北部，或陇西（秦置陇西郡，今甘肃临洮南部；曹魏移治襄武，今甘肃陇西南部）。"《名医别录》云："生河西（今甘肃张掖、武威）及陇西（今甘肃临洮）。"《本草经集注》云："今采益州北部汶山及西山者，虽非河西、陇西。"《新修本草》记载"今出宕州（今甘肃宕昌南阳）、凉州（今甘肃武威）、西羌、蜀地（今四川）皆有"，亦引陶弘景曰："今采益州北部汶山（今四川茂县）及西山者，虽非河西（今甘肃武威）、陇西，好者尤作紫地锦色，味甚苦涩，色至浓黑。"《本草图经》云："生河西山谷及陇西，今蜀川、河东、陕西州郡皆有之，以蜀川锦文者佳。其次秦陇来者，谓之吐蕃大黄。"《本草纲目》云："宋祁益州方物图，言蜀大山中多有之，赤茎大叶，根巨若碗，药市以大者为枕，紫地锦文也。今人以庄浪出者为最，庄浪即古泾原陇西地，与别录相合。"《本草求真》《本草备要》《本草从新》中均记载："川产锦纹者良。"

掌叶大黄

《本经逢原》记载："产川中者，色如锦纹而润者良。"大黄道地药材的产地经历了由开始的甘肃产者佳到四川产者佳，再到甘肃产者质量最佳的变化过程。根据历代本草记载，大黄以甘肃和四川为道地产区，而陶弘景早在 1 500 多年前就认为西北所产的大黄优于四川所产，这一点与现代大黄商品情况完全一致。结合文献报道和资源调查可知，掌叶大黄与唐古特大黄分布于青海、甘肃、四川西北部（甘孜、阿坝）、西藏东部（昌都）等地，云南西北部也有分布。其中，甘肃的岷县、宕昌、礼县、文县、武都、康县、漳县、两当、西和等地有栽培。掌叶大黄主要为栽培品，产量较大。唐古特大黄为野生品或栽培品。掌叶大黄、唐古特大黄以甘肃、青海所产者为道地药材（西大黄），甘肃铨水、礼县、西固所产者称"铨水大黄"，甘肃武威（凉州）、张掖及河西地区所产的野生品被视为大黄中的珍品，称为"凉黄"。因此，正品大黄中产量大、质量优者多

以甘肃所产为胜。

综上所述，本草记载大黄以甘肃和四川北部为道地产区，而甘肃、青海和宁夏为现代大黄的主要产区。由于宁夏省名的演变及地理区划的多次调整，历史上对大黄在宁夏的分布及利用的记述相对较少。

| 形态特征 | 高大粗壮草本，高 1.5 ~ 2 m。根及根茎粗壮、木质。茎直立、中空。叶片长、宽近相等，长达 40 ~ 60 cm，有时长稍大于宽，先端窄渐尖或窄急尖，基部近心形，通常掌状半 5 裂，每一大裂片又分为近羽状的窄三角形小裂片，基出脉多为 5，叶上面粗糙至具乳突状毛，下面及边缘密被短毛；叶柄粗壮，圆柱状，与叶片近等长，密被锈乳突状毛；茎生叶向上渐小，柄亦渐短；托叶鞘大，长达 15 cm，内面光滑，外表粗糙。大型圆锥花序，分枝较聚拢，密被粗糙短毛；花小，通常为紫红色，有时黄白色；花梗长 2 ~ 2.5 mm，关节位于中部以下；花被片 6，外轮 3 较窄小，内轮 3 较大，宽椭圆形至近圆形，长 1 ~ 1.5 mm；雄蕊 9，不外露；花盘薄，与花丝基部粘连；子房菱状宽卵形，花柱略反曲，柱头头状。果实矩圆状椭圆形至矩圆形，长 8 ~ 9 mm，宽 7 ~ 7.5 mm，两端均下凹，翅宽约 2.5 mm，纵脉靠近翅的边缘；种子宽卵形，棕黑色。花期 6 ~ 7 月，果期 7 ~ 8 月。果期果序的分枝直而聚拢。

野生资源

（1）生长环境。掌叶大黄多生于高寒山地林缘或草坡，亦生于海拔 1 500 ～ 4 400 m 的山坡或山谷湿地。

（2）分布区域。掌叶大黄在宁夏原州、泾源、西吉有分布。

（3）蕴藏量。掌叶大黄野生资源较少。

栽培资源

（1）栽培历史。虽然宁夏有着近百年的大黄栽培历史，但由于向来都是农户零星种植，至今尚未形成种植规模。

（2）栽培区域。宁夏六盘山区及周边地区为适宜种植区。

（3）栽培面积与产量。有少量栽培。

（4）栽培技术。

1）立地条件。掌叶大黄喜生于温暖、凉爽的阴湿地，有较强的耐寒性，但不耐高温，适宜生长温度为 15 ～ 25 ℃，气温超过 28 ℃则生长缓慢，持续高温会导致植株死亡。一般适宜生长于海拔 2 000 ～ 2 500 m，植株生长量高，根系发达，对土壤要求较严，以含腐殖质较多、土层深厚、排水良好的黑垆土和壤土最为适宜。忌连作，前茬最好为豆类或禾谷类作物。

2）种子基原。以 2020 年版《中华人民共和国药典》规定的蓼科植物掌叶大黄 *Rheum palmatum* L. 为物种来源。

3）种子采集。在掌叶大黄移栽后第 2 年的 6 ～ 7 月，当大黄生长到 30 ～ 50 cm 时，将生长健壮、叶深绿色、无皱叶、无病虫害的植株做好标记，采挖大黄时，将做好标记的植株留下。

第 3 年 8 月中旬至 9 月下旬，当种子呈红褐色时为适宜采种期。取无病、无虫蛀、成熟的瘦果，收集种子，并充分晾晒。

4）种子质量。种子晾晒合格后，除去混杂物，使净度达 95% 以上，种子含水量不超过 9.0%。按表掌叶大黄 -1 的规定对种子进行分级，种子质量应达到三级（含三级）标准以上。将合格的种子装入专用种子包装袋保存。

表掌叶大黄 -1　大黄种子分级标准

等级	净度 /%	千粒重 /g	含水量 /%	发芽率 /%
一级	≥ 97	≥ 10.8	≤ 9.0	≥ 90
二级	≥ 94	≥ 9.8	≤ 9.0	≥ 85
三级	≥ 91	≥ 8.8	≤ 9.0	≥ 75

5）育苗。①选地整地。育苗地宜选在避免阳光直射、阴凉、湿润的半阴半阳缓坡地或平坦地，以保水但不积水、土质疏松、肥力中等、富含腐殖质的轮歇黑垆土和壤土为宜。②苗床准备。秋季整地前，清除地块内的杂草、石块等杂

物，结合整地深翻土壤 30 ~ 35 cm，施入腐熟农家肥 600 ~ 750 m^3/hm^2、复合肥（15-15-15）750 kg/hm^2，并耙耱压实，整好地以保墒过冬。③播种。当土壤解冻、土壤温度稳定在 5 ℃以上时即可播种。a. 条播。在整好的地上，按行距 15 ~ 20 cm，用锄开深 3 ~ 4 cm、宽 3 ~ 5 cm 的沟，将种子手动均匀地撒到开好的沟内，种肥磷酸二铵 5 kg/ 亩，播量 0.4 ~ 1.2 kg/ 亩，覆土厚度 2 ~ 3 cm。b. 撒播。将种子和种肥磷酸二铵（5 kg/ 亩）拌匀，均匀地撒播在整好的地上，将种子和肥料旋耕入土中，旋耕深度 2 ~ 3 cm，然后耙耱或镇压。播量为 0.4 ~ 1.2 kg/ 亩。④苗床管理。a. 遮阴覆盖。播种完成后，立即均匀覆盖不带种子的野生禾本科草类秸秆或小麦秸秆，以利保墒遮阴。b. 除草、追肥。苗出齐后开始进行第 1 次除草，全年人工除草 2 ~ 3 次，结合除草追施尿素 150 kg/hm^2，全年追施 2 ~ 3 次。c. 间苗。对生长过于稠密的苗床，结合人工除草进行间苗、保苗。⑤起苗、选苗。a. 起苗。翌年土壤解冻后即可起苗，除去残叶，根据大小将 20 ~ 30 株扎成一把，及时运回种植地移栽。b. 选苗。将无病害感染、少侧根、表面光滑、苗身直、皮色金黄、直径 1 ~ 1.5 cm、长 20 cm（剪掉细根）的植株作为种苗。

6）移栽。①选地。大黄为深根型多年生高大草本植物，对土壤环境要求较严，一般以土层深厚、富含腐殖质、排水良好、pH 值为 6.5 ～ 7.5 的黑垆土或壤土为最佳，禁用连作地。②整地。前茬作物采收后进行整地、翻耕，冬季前耙耱平整，保墒过冬以备早春移栽，春季土壤解冻后，细耱一遍，以利保墒。结合翻耕整地，一次施入腐熟有机肥 60 ～ 75 m^3/hm^2、复合肥（15–15–15）750 kg/hm^2 作为基肥。③定植。4 月中下旬定植。按株行距 70 cm × 75 cm 挖穴，移栽密度为 1 300 株 / 亩。机械开沟，隔行移栽。种植深度为 10 ～ 12 cm。

7）田间管理。①中耕除草培土。出苗后及时中耕除草，边锄草松土边培土，培土厚度为 8 ～ 10 cm，沿穴壁由下向上进行培土，通过培土促进掌叶大黄根茎向上膨大生长。除草应在杂草的花期或结实期前进行。②补苗。返青后若出现缺苗断垄，应及时查苗补苗。③追肥。每年追肥 2 ～ 3 次。返青后，追施尿素 150 kg/hm^2，第 2 次结合中耕除草追施尿素 150 kg/hm^2，以后根据大黄的生长情况进行追肥。④摘薹。栽后第 2 年开始抽薹时，应及时从根茎摘去花薹，用土盖住根头部分并踩实，以防止切口灌入雨水后腐烂。

8）病虫害防治。①农业防治。与黄芪等作物轮作，及时除草，保持田间清洁通风。②化学防治。所选药剂和使用方法见表掌叶大黄 –2。③生物防治。人工释放大黄蚜虫的天敌多异瓢虫，将其天敌以蛹态分装于硬纸袋中，悬挂在大黄叶背遮阴处。

表掌叶大黄 –2　防治大黄病虫害的药剂及其使用方法

通用名	防除对象	有效成分剂量 /（g/hm^2）	施用方法	注意事项
烯唑醇	大黄炭疽病	30	病虫害发生初期，连续叶面喷雾处理 2 次，每次间隔 7 天，药液量为 450 L/hm^2	喷雾应在天气晴朗、无风的傍晚进行，交替使用所选药剂
百菌清		675		
疫霜灵	大黄霜霉病	600		
甲霜灵锰锌		900		
三唑酮	大黄轮纹病	60		
代森锰锌		60		
吡蚜酮	大黄蚜虫	225		
阿维菌素		13.5		

| 采收加工 | 秋末茎叶枯萎或翌年春季发芽前采挖，除去细根，刮去外皮，切瓣或段，绳穿成串干燥或直接干燥。

| 药材性状 | 本品呈类圆柱形、圆锥形、卵圆形或不规则块状，长 3 ～ 17 cm，直径 3 ～ 10 cm。除尽外皮者表面黄棕色至红棕色，有的可见类白色网状纹理及星点（异型维管束）

散在，残留的外皮棕褐色，多具绳孔及粗皱纹。质坚实，有的中心稍松软，断面淡红棕色或黄棕色，显颗粒性；根茎髓部宽广，有星点环列或散在；根木部发达，具放射状纹理，形成层环明显，无星点。气清香，味苦而微涩，嚼之黏牙，有沙粒感。

品质评价 （1）大黄的外观质量评价。历代本草主要从颜色、大小、质地、气味等方面对大黄药材进行描述，如“黄赤”“紫深”“羊蹄”“如碗”“锦文”“色黄”“根长一二尺”等。“根似羊蹄”“大者如碗”“坚实锦文”为传统评价大黄质优的性状标准。在现代商品流通中，大黄性状指标（色黄、气香）也十分重要。综上所述，大黄的道地性状质量评价指标可以总结为：质坚实，气清香，味苦、微涩者为佳。

（2）大黄的内在质量评价。2020年版《中华人民共和国药典》中收载的大黄质量评价标准规定：水分不得过15.0%，总灰分不得过10.0%，水溶性浸出物不得少于25.0%；以5种蒽醌类成分作为含量测定指标成分，以干燥品计，大黄中芦荟大黄素、大黄酸、大黄素、大黄酚和大黄素甲醚的总量不得低于1.5%。

化学成分 大黄含有蒽醌类、蒽酮类、二苯乙烯类、苯丁酮类、色原酮类、黄酮类、鞣质类、多糖类等化学成分，还含有挥发油类、甾醇类、有机酸类及微量元素等化合物。

| 药理作用 | 大黄具有泻下、抗菌、抗炎、抗病毒、利胆、保肝、止血、降血脂、活血、清热、调节免疫等作用。

（1）对消化系统的作用。大黄对消化系统的作用主要包括泻下、保肝、利胆等。研究发现，大黄泻下作用的有效成分是蒽醌，其中以番泻苷 A 的泻下活性最强。肖荣原研究发现，大黄泻下的有效成分具有胆碱样作用，可兴奋肠平滑肌上的 M 受体，增加肠蠕动，因此，其泻下作用可被阿托品所拮抗。大黄能增强胆囊的收缩，并使奥迪括约肌舒张而达到利胆作用，同时能够促进胰消化液分泌。宋献美等研究发现，大黄总蒽醌可降低大鼠血清谷丙转氨酶、层粘连蛋白、透明质酸等的水平，同时病理切片结果显示大黄总蒽醌可改善模型大鼠肝纤维化。研究发现，大黄可明显减轻四氯化碳所致急性大鼠肝损伤的肝细胞肿胀、变性、坏死程度等。

（2）抗菌作用。研究发现，大黄具有广谱抗菌作用，其抗菌的主要成分是芦荟大黄素、大黄酸、大黄素等。张向红等研究发现，大黄对葡萄球菌、链球菌、淋球菌、白喉杆菌、布鲁氏菌、伤寒沙门菌、痢疾志贺菌等致病菌均有不同程度的抑制作用。近年来，研究显示，大黄中的芦荟大黄素对溃疡早期病人胃内分离出的幽门螺杆菌的生长有抑制作用，且呈剂量依赖性。

（3）抗炎、抗氧化作用。李敏等研究发现，大黄能显著降低危重症病人血清中肿瘤坏死因子、白细胞介素和内毒素水平等，同时清除组织和血浆内的炎性介质。童婷婷进行小鼠耳肿胀实验和棉球肉芽肿实验研究发现，大黄茎叶水煎液和提取物均有一定的抗炎作用。此外，研究发现，大黄酚能通过抗脂质过氧化、提高抗氧化酶的活性等发挥抗氧化作用。沈丽霞等认为，大黄酚可改善氯化铝（$AlCl_3$）致急性衰老模型小鼠的记忆障碍与其抗氧化作用显著相关。

（4）抗肿瘤作用。研究发现，大黄素可抑制肺癌、肝癌、胰腺癌、宫颈癌、前列腺癌等多种肿瘤细胞的生长，且对结肠癌细胞的异常增殖呈浓度依赖性。贺学强等通过噻唑蓝法研究大黄对肝癌细胞的作用，发现大黄素能显著抑制人肝癌细胞系的生长和增殖，最终使人肝癌细胞系死亡。兰景彬等研究发现，大黄素能有效阻遏炎症介质的释放，从而抑制结肠癌的发生和发展。此外，大黄素能通过调控丝氨酸 / 苏氨酸激酶信号通路而显著抑制致瘤介质的信使核糖核酸（mRNA）转录和蛋白表达，进而发挥抗肿瘤作用。

（5）对心血管系统的作用。大黄对心血管系统的作用主要体现在止血、抗动脉

粥样硬化等方面。研究发现，大黄中的儿茶素、没食子酸等成分均可有效提高血小板的黏附性及聚集性，降低抗凝血酶及纤溶酶的活性，增加血管内的纤维蛋白原含量等，进而发挥止血作用。此外，大黄可通过调节血脂、清除自由基及抑制血管生成等发挥抗动脉粥样硬化的作用。张耀雷等发现，大黄素可抑制新生内膜中血管平滑肌细胞的过度增殖，从而减少大鼠颈动脉损伤后新生内膜的形成，最终改善颈动脉狭窄。

（6）对泌尿系统的作用。现代医学研究表明，大黄具有利尿作用，其发挥利尿作用的主要成分为大黄素、大黄酸。余南才等研究发现，大黄水提取物能显著降低大鼠血清尿素氮的浓度，同时增强大鼠尿管蠕动，增加尿中钠、钾含量。此外，大黄对改善肾功能具有一定的调节作用，李春雨等研究发现，大黄通过抑制慢性肾功能衰竭大鼠血液中儿茶酚胺类物质生成、磷酸酯类物质分解及炎症介质产生等而改善肾功能。相关研究表明，大黄总游离蒽醌能抑制肾组织的纤维化，改善肾小管硬化程度，修复肾小管损伤，延缓肾衰竭过程。

（7）毒性。大黄毒性较低，用量适当不会引起中毒反应，但长期口服可诱导甲状腺瘤性变、肝肾毒性等毒性反应，故不宜久服。研究发现，大黄素型蒽醌类化合物通过调节死亡受体介导的凋亡通路、调节细胞周期调节因子的表达等而产生肝肾毒性。此外，大黄可致轻度腹泻、肠功能失调等所引起的水电解质平衡紊乱等毒性现象。

| 功能主治 | 苦，寒。归脾、胃、大肠、肝、心包经。泻下攻积，清热泻火，凉血解毒，逐瘀通经，利湿退黄。用于实热积滞便秘，血热吐衄，目赤咽肿，痈肿疔疮，肠痈腹痛，瘀血经闭，产后瘀阻，跌打损伤，湿热痢疾，黄疸尿赤，淋证，水肿；外用于烫火伤。酒大黄善清上焦血分热毒，用于目赤咽肿、齿龈肿痛。熟大黄泻下力缓，泻火解毒，用于火毒疮疡。大黄炭凉血化瘀止血，用于血热有瘀出血证。

| 用法用量 | 内服煎汤，3 ~ 15 g，用于泻下不宜久煎。外用适量，研末外敷。

| 市场信息 | （1）商品规格。根据药材来源，大黄分为野生大黄和栽培大黄 2 个类型，其中，野生大黄有分级，栽培大黄没有分级。2016 年，中华人民共和国商务部发布了《中药材商品规格等级　第 5 部分：大黄》（SB/T 11174.5—2016），对流通过程中大黄的商品规格等级进行了划分，具体见表掌叶大黄 -3。

表掌叶大黄 -3　大黄商品规格等级划分

<table>
<tr><th colspan="2" rowspan="2">规格</th><th rowspan="2">等级</th><th colspan="2">性状描述</th></tr>
<tr><th>共同点</th><th>区别点</th></tr>
<tr><td rowspan="5">野生大黄</td><td>西大黄</td><td>统货</td><td colspan="2">干货。未去粗皮，纵切或横向联合切成瓣段或块片，大小不分。质坚实，表面黄褐色或黄色，断面黄褐色或间有淡红色颗粒。横断面具放射状纹理或环纹。髓部有星点。气清香，味苦、微涩。无枯糠、焦糊、杂质、虫蛀、霉变</td></tr>
<tr><td rowspan="3">南大黄</td><td>统货</td><td colspan="2">干货。去粗皮，横切成段，形如马蹄，长 5 ～ 10 cm，表面黄褐色或黄棕色。质较疏松，易折断，断面黄褐色，富纤维性，多有孔隙，星点断续排列成环状。气微清香，味涩、苦。无杂质、虫蛀、霉变</td></tr>
<tr><td>一等</td><td rowspan="2">干货。去净粗皮，横切成段，表面黄褐色。断面黄色或黄绿色。气微香，味涩、苦。无枯糠、焦糊、水根、杂质、虫蛀、霉变</td><td>体结实，长 8 cm 以上，直径 5 cm 以上</td></tr>
<tr><td>二等</td><td>质疏松，长 3 ～ 8 cm，直径 5 cm 以上</td></tr>
<tr><td>雅黄</td><td>统货</td><td colspan="2">干货。去粗皮，且呈不规则块状，似马蹄形，大小不分，以形大者为佳。质地松泡，茶黄色，中心疏松。气微香，味苦、微涩。无枯糠、焦糊、杂质、虫蛀、霉变</td></tr>
<tr><td colspan="2">栽培大黄</td><td>统货</td><td colspan="2">干货。呈类圆柱形、圆锥形、卵圆形或不规则块状。除去外皮者表面黄棕色或红棕色，可见类白色网状纹理，有时可见具放射状纹理的星点（即异型维管束）散在；未除去外皮者表面棕褐色至棕黑色，粗糙，有横皱及纵沟，根茎先端有茎叶残基痕。切面凹凸不平。质坚实或轻泡，有时中心多松软，不易折断。断面淡黄棕色、黄绿色或淡红棕色，颗粒性，根茎横切面髓部较宽，可见星点环列或散在，根部横切面无星点，木部发达，具放射状纹理，形成层环明显。气清香，味苦而微涩，嚼之发黏，有沙粒感</td></tr>
</table>

（2）价格信息。相关数据显示，从 2020 年 1 月至今，大黄统货的价格基本稳定，安国、亳州、成都、玉林等药材市场的大黄统货价格均在 20 ～ 25 元 /kg 波动。

（3）收购量、年销量。大黄为我国传统常用中药材，应用历史悠久，具有泻热通肠、凉血解毒、逐瘀通经等功效，是国内药材市场上的重要商品。据文献报道，一般每年国内大黄的需求量为 5 000 ～ 6 000 t。大黄在国际市场也享有盛誉，远销日本、中东、东南亚和一些欧美国家，年出口量在 600 ～ 1 000 t，且需求量有逐年上升的趋势。目前，栽培大黄的主产区在甘肃，栽培品种多为掌叶大黄，据报道，其栽培总面积可达 13 334 km^2 以上，年产量达 5 000 t 以上。

（4）易混（伪）品。

1）华北大黄。为蓼科植物华北大黄 *Rheum franzenbachii* Munt. 的根及根茎。其根及根茎呈类圆柱形，一端稍粗，另一端稍细，长 5 ～ 11 cm，直径 1.5 ～ 5 cm；表面黄棕色，断面红黄色，有射线，非常鲜艳。分布于山西、河北、内蒙古南部及河南北部。

2）河套大黄。为蓼科植物河套大黄 *Rheum hotaoense* C. Y. Cheng et C. T. Kao

的根及根茎，又称波叶大黄。其根及根茎呈圆柱形或圆锥形，长 5 ~ 13 cm，直径 2 ~ 6 cm；表面黄褐色或棕褐色；横断面淡黄红色，无星点，具棕红色射线。

3）天山大黄。为蓼科植物天山大黄 *Rheum wittrockii* Lundstr. 的根及根茎。其表面呈棕褐色，断面呈黄色，有放射状棕色射线，并有同心性环纹。产于新疆，多分布于天山北麓。

4）藏边大黄。为蓼科植物藏边大黄 *Rheum australe* D. Don 的根及根茎，藏医用药，其藏药名为“曲扎”。其根茎呈类圆锥形，长 4 ~ 20 cm，直径 1 ~ 5 cm。表面呈红棕色至灰褐色，新鲜断面呈淡蓝色或带紫色，有明显的形成层环，向外放射棕红色射线。分布于西藏中部及东部。

5）土大黄。为蓼科植物巴天酸模 *Rumex patientia* L. 的干燥根。其根呈不规则的块状或圆锥形，表面呈棕褐色，断面呈棕黄色。野生分布于北京山区。

6）六盘山鸡爪大黄 *Rheum tanguticum* Maxim. ex Regel var. *liupanshanense* C. Y. Cheng et Kao，野生分布于宁夏六盘山区，民间自采自用，未见有商品药材。其根和根茎呈圆锥形或圆柱形，一般长 10 ~ 15 cm，直径 4 ~ 8 cm，常横切厚片，未除皮者表面黄棕色或黄褐色，断面暗黄绿色，根茎髓部可见星点。

| 资源利用 | 大黄的临床应用比较广泛，常用的有三黄片、牛黄解毒片。大黄含有多种类型的资源性化学成分，其中以蒽醌类、鞣质类和多糖类的研究最为深入。大黄主要有调节肠胃功能、抗病原微生物、抗肿瘤、保护心脑血管、抗炎、保肝、抗衰老及免疫调控等作用，临床用于便秘及各种急腹症，如急性胰腺炎等。此外，大黄是重要且常用的畜禽兽药，常用于抗病原体、抗炎、利胆，以及泻痢等，对消化系统疾病具有良好的作用。

在传统及现代临床应用中用的是大黄的根及根茎，其化学成分主要包括蒽醌类、苯丁酮和色原酮类、芪类、鞣质类。研究表明，大黄地上部分含有与根及根茎相类似的化学成分，如蒽醌类、蒽醌苷类、鞣质类、有机酸类及大量的氨基酸和微量元素等，其中蒽醌类主要有芦荟大黄素、大黄素、大黄酚及大黄素甲醚等。掌叶大黄的叶片、叶柄和花茎中还含有大黄多糖。此外，其花茎及叶片中还含有丰富的蛋白质及氨基酸类成分。其营养成分组成与蔬菜接近。

大黄叶柄具有显著的清除自由基的作用，可作为抗氧化剂进行开发利用。掌叶大黄具有清热解毒、活血消肿，以及消炎、生肌、止血、收敛等作用，民间常用于褥疮，使用后可使周围组织血流丰富，营养增加，进而使褥疮早日愈合，且无其他毒副作用。利用掌叶大黄叶资源，开发中药透皮制剂，可治疗褥疮等疾病，此类制剂具有成本低、安全性高、病人痛苦小等优点，具有广阔的市场前景。

附　　注　（1）濒危情况及可持续发展。大黄喜干燥凉爽的生活环境，喜光照，耐寒，不宜在温度较高或潮湿的地方生长，野生和人工栽培的大黄均须在阳光充足的砂壤土中生长。现代大黄来源于蓼科植物掌叶大黄、唐古特大黄和药用大黄，我国的药用掌叶大黄、唐古特大黄大多分布在西北及西南海拔 3 000 m 左右的高寒山地地区，包括四川甘孜、阿坝，甘肃礼县、天祝、碌曲，青海玉树、贵德等，西藏昌都、那曲地区，宁夏原州、泾源、西吉等。近年来，调查发现野生鸡爪大黄在宁夏六盘山地区分布较多，主要分布于海拔 2 000 m 的泾河源镇、水泉湾、后海子、孙家湾和白家村，呈散生状，在靠近泾源、隆德一带气候较为湿冷的地段有较广的零散分布。另外，唐古特大黄或河套大黄可能少量分布在海拔更高的山坡林缘草地、乱石滩上，如六盘山国家森林公园白云山景区附近。目前，我国野生的大黄资源日益减少，市场上用于制药的大黄多为人工栽培的大黄，栽培品种多为掌叶大黄。

大黄在我国种植历史悠久，从古至今临床应用较多。研究发现，不同地区的大黄药效有所差别，不同的生长环境可能影响了大黄的药理作用和化学成分。应通过了解药用植物大黄的资源分布，了解各产区栽培大黄的差别，提高优质大黄的生产率，充分利用现有的资源环境，促进大黄栽培产业的发展。

（2）宁夏分布的伪品大黄基原植物。除掌叶大黄外，在隆德县、六盘山一带还分布有六盘山鸡爪大黄 Rheum tanguticum Maxim. ex Regel var. liupanshanense C. Y. Cheng et Kao，该种植株较矮，高 0.5 ~ 1.2 m，茎细而坚实，直径 6 ~ 8 mm，髓腔细小，较平滑，无明显棱线，密被短柔毛。花序通常只 1 次分枝，或仅最下部分枝有短小分枝。生于海拔 1 600 ~ 3 000 m 的高山沟谷中。

参考文献

[1] 吴普．吴普本草 [M]．尚志钧，尤荣辑，郝学君，辑校．北京：人民卫生出版社，1987：48.
[2] 陶弘景．名医别录（辑校本）[M]．尚志钧辑校．北京：人民卫生出版社，1986：219-220.
[3] 唐慎微．重修政和经史证类备用本草 [M]．北京：人民卫生出版社，1982：283-284.
[4] 苏敬．唐·新修本草（辑复本）[M]．尚志钧辑校．合肥：安徽科学技术出版社，1981：247-248.
[5] 苏颂．图经本草（辑复本）[M]．胡乃长，王致谱辑注．福州：福建科学技术出版社，1988：107.
[6] 李时珍．本草纲目 [M]．北京：人民卫生出版社，1985：482-485.
[7] 黄宫绣．本草求真 [M]．北京：人民卫生出版社，1987：173.

[8] 汪昂．本草备要 [M]．张一昕点校．北京：人民军医出版社，2007：67-68.
[9] 吴仪洛．本草从新 [M]．北京：红旗出版社，1996：113-114.
[10] 张璐．本经逢原 [M]．上海：上海科学技术出版社，1959：96-97.
[11] 张俊英，沈世林．大黄的本草学再考证 [J]．中华实用中西医杂志，2003，16（3）：717.
[12] 李成义，马艳茹，魏学明，等. 甘肃道地药材大黄的本草学研究 [J]. 甘肃中医学院学报，2011，28（4）：52-56.
[13] 国家药典委员会．中华人民共和国药典：一部 [M]．北京：中国医药科技出版社：2020：24-25.
[14] 李明，张新慧．宁夏栽培中药材 [M]．银川：阳光出版社，2019：220-241.
[15] 王玉，杨雪，夏鹏飞，等．大黄化学成分、药理作用研究进展及质量标志物的预测分析 [J]．中草药，2019，50（19）：4821-4834.
[16] 扶垭东，张晶，刘颖，等．生、熟大黄饮片及其活性组分的泻涩双向调节作用分析 [J]．中国实验方剂学杂志，2019，25（11）：127-132.
[17] 肖荣原．中药化学 [M]．上海：上海科学技术出版社，1997：218.
[18] 孙汉青，李锦萍，刘力宽，等．大黄化学成分与药理作用研究进展 [J]．青海草业，2018，27（1）：47-51.
[19] 宋献美，王雪银，李宁宁，等．大黄总蒽醌对免疫性肝纤维化大鼠的保护作用及机制探讨 [J]．现代预防医学，2018，45（15）：2818-2822.
[20] 杨宏博，冯平，李宝才．大黄抗病毒作用的研究进展 [J]．华西药学杂志，2009，24（4）：428-430.
[21] 张向红，程黎晖．大黄的药理作用及临床应用研究进展 [J]．中国药业，2009，18（21）：76-78.
[22] 李敏，李丽霞，刘渝，等．大黄研究进展 [J]．世界科学技术，2006（4）：34-39.
[23] 童婷婷．药用大黄茎叶化学成分及提取物的研究 [D]．成都：成都中医药大学，2013.
[24] 沈丽霞，李淑娟，张丹参，等．大黄酚对小鼠记忆障碍的作用及其机制分析 [J]．中国药理学通报，2003，19（8）：906-908.
[25] 张晶，胡泽成，陈忠东．大黄素抑制小鼠移植宫颈癌生长及其机制 [J]．细胞与分子免疫学杂志，2015，31（3）：350-354.
[26] 贺学强，林鸿，郑宝轩，等．大黄素对肝癌细胞 SMMC-7721 抑制作用及 P_{53}、C-myc 蛋白的表达 [J]．中国中医药信息杂志，2005，12（1）：21-22.
[27] 兰景彬，潘克俭，汪宏，等．大黄素抑制 LPS 诱发的结肠癌转移的研究 [J]．天然产物研究与开发，2017，29（12）：2044-2049.
[28] 王前波，韩亮．大黄粉治疗消化道出血的临床疗效 [J]．血栓与止血学，2020，26（2）：233-234.
[29] 张耀雷，李昆，杨炯，等．大黄素缓解球囊损伤致大鼠颈动脉狭窄及其机制 [J]．第三军医大学学报：2017：39（1）：48-53.
[30] 马幸福．唐古特大黄茎降血脂颗粒的制备、质量控制及初步药效学研究 [D]．银川：宁夏医科大学，2018.
[31] 刘旭海．大黄药理作用及临床应用研究进展 [J]．山东医学高等专科学校学报，2007（3）：229-231.
[32] 余南才，孙翠华．大黄注射液制备及其动物实验与临床运用 [J]．时珍国医国药，2000（2）：30-31.

[33] 李春雨，王平，王张，等. 基于代谢组学技术的大黄治疗慢性肾功能衰竭的作用机制研究 [J]. 中草药:
2012：43（2）：312-315.

[34] 杨鹏，张三印，李明权．大黄总游离蒽醌对慢性肾功能衰竭大鼠作用研究 [J]．中药药理与临床，2009，25（5）：58-60.

[35] 李娟，李坚．大黄药理作用研究及临床应用概况 [J]．实用医药杂志，2006（9）：1132-1134.

[36] 宋琬晨，郭婉霜，郑伟娟．大黄素型蒽醌类化合物肝肾毒性的分子机制研究 [J]．药物生物技术，2020，27（2）：149-153.

[37] 宋向晖，周小民. 应用大黄促进粘连性肠梗阻术后肠功能的恢复 [J]. 广东微量元素科学，2001（1）：47-49.

[38] 肖小河，王伽伯，黄璐琦，等．中药材商品规格等级　第 5 部分：大黄：SB/T 11174.5—2016[S]．北京：中华人民共和国商务部，2016：3.

[39] 邢世瑞．宁夏中药志：上卷 [M]．2 版．银川：宁夏人民出版社，2006：318-326.

[40] LI W Y，NG Y F，ZHANG H，et al. Emodin elicits cytotoxicity in human lung adenocarcinoma A549 cells through inducing apoptosis [J]．Inflammopharmacology，2014，22（2）：127-134.

[41] TSANG S W，BIAN Z X. Anti-fibrotic and anti-tumorigenic effects of rhein：a natural anthraquinone derivative：in mammalian stellate and carcinoma cells [J]．Phytother Res，2015，29（3）：407-414.

撰稿人：张新慧

小檗科 Berberidaceae 淫羊藿属 *Epimedium* 凭证标本号 640425130802007LY

淫羊藿 *Epimedium brevicornu* Maxim.

药材名 淫羊藿（药用部位：叶。别名：三枝九叶草、心叶淫羊藿、羊藿叶）、淫羊藿根（药用部位：根及根茎。别名：仙灵脾根、羊藿根）。

本草综述 淫羊藿之名始见于《神农本草经》，该书记载淫羊藿"生山谷"，但没有明确的产地信息。《名医别录》载"生上郡阳山"，上郡阳山即今陕西西北部及内蒙古乌审旗。《新修本草》中新增了"西川北部（今四川西北地区）有淫羊，一日百遍合，盖食藿所致，故名淫羊藿"的记载。《本草图经》记载："淫羊藿，俗名仙灵脾。生上郡阳山山谷，今江东（今江苏、浙江、江西）、陕西（今陕西、宁夏、山西、河南、甘肃）、泰山（今山东泰安）、汉中（今陕西

淫羊藿

汉中）、湖湘（今湖南）间皆有之。”由此可见，淫羊藿分布甚广，至宋代其产地记录已逐步完善。

《新修本草》记载淫羊藿“叶形似小豆而圆薄”，与淫羊藿 *Epimedium brevicornu* Maxim. 的叶形、质地一致。《新修本草》记载其产于“西川北部”，但至今四川西北地区尚未发现有淫羊藿 *Epimedium brevicornu* Maxim. 分布，其同属植物柔毛淫羊藿 *Epimedium pubescens* Maxim.、粗毛淫羊藿 *Epimedium acuminatum* Franch. 在该地有分布。《本草图经》中的产地记载虽与今淫羊藿的产地相符，但其关于淫羊藿的描述“叶青似杏叶，上有刺。茎如粟秆。根紫色，有须。四月开花，白色，亦有紫色，碎小独头子。五月采叶，晒干”中的花期、花色与今淫羊藿不同，与巫山淫羊藿、粗毛淫羊藿和柔毛淫羊藿相近。《本草纲目》记载：“豆叶曰藿，此叶似之，故亦名藿。……一根数茎，茎粗如线，高一二尺。一茎一桠，一桠三叶。叶长二三寸，如杏叶及豆藿，面光背淡，甚薄而细齿，有微刺。”茎生叶 2 枚，每枚叶为一回三出复叶，是淫羊藿属多种植物的共同特征。《救荒本草》记载：“苗高二尺许，茎似小豆茎，极细紧。叶似杏叶，颇长，近蒂皆有一缺。又似绿豆叶，亦长而光。梢间开花，白色，亦有紫色花。”该记载中“（叶）颇长，近蒂皆有一缺”的特征不同于今淫羊藿，其产地除分布淫羊藿外，还分布柔毛淫羊藿、粗毛淫羊藿等。

综上所述，古代本草所载淫羊藿系指小檗科淫羊藿属多种植物。其叶似杏叶、豆藿，明确了两类叶形，一类圆薄，另一类颇长，近蒂有一缺，与目前我国淫羊藿属植物叶形的笼统分类相一致。古代本草记载的产地与现今淫羊藿的产地分布相一致，其中只有淫羊藿 *Epimedium brevicornu* Maxim. 在陕西及内蒙古有分布，故可判定其为古代本草最早记载的淫羊藿之一。

| 形态特征 | 多年生草本，高 30 ~ 70 cm。根茎粗壮，木质化，坚硬，表面暗褐色，断面黄白色，密生多数须根。茎直立，淡黄色或微带绿色，具纵条棱，无毛。叶基生和茎生，为二回三出复叶；基生叶 1 ~ 3，具长柄，开花时枯萎；茎生叶 2，对生，小叶片卵形或宽卵形，先端急尖，基部深心形，侧生小叶基部偏斜，偏斜的一边常呈耳状，边缘具刺毛状锯齿，表面绿色，无毛，背面灰绿色，基部脉腋具棕色簇毛，两面网脉明显。圆锥花序顶生，较狭，花序轴及花梗被腺毛，具多数花；萼片 8，2 轮排列，外轮较小，卵状三角形，内轮花瓣状，白色或淡黄色；花瓣短于内轮萼片，瓣片小，具长 2 ~ 3 mm 的距；雄蕊 4；子房 1 室，花柱长，柱头头状。蒴果圆柱形，两端狭，腹部略膨大，先端具长喙。花期 6 月，果期 6 ~ 7 月。

| **野生资源** |

（1）生长环境。淫羊藿生于海拔 650 ~ 3 500 m 的林下、沟边灌丛中或山坡阴湿处。

（2）分布区域。淫羊藿分布于宁夏泾源、隆德、西吉、彭阳等。

（3）蕴藏量。淫羊藿野生资源丰富，除供宁夏本地药用外，还销至外省（市、区）。由于目前全部为野生资源，相应的保育及可持续利用研究滞后，过度采集会对淫羊藿野生药材抚育及种质资源保护构成威胁。

栽培资源

（1）栽培历史。目前宁夏尚未有栽培资源。宁夏泾源已成功开展了野生淫羊藿的林下驯化。

（2）栽培技术。淫羊藿是喜阴植物，栽培时必须选择阴坡或半阴半阳坡，土壤以微酸性的树叶腐殖土、黑壤土、黑砂壤土为宜。以阔叶林或针阔混交林及果树经济林下栽培为好，要清除灌丛和杂草，以利通风、透光和管理。其种苗繁育以分株繁殖或根茎繁殖为主，有性繁殖为辅。挖茎移栽分为休眠期移栽和生长期移栽。休眠期移栽：在 4 ~ 5 月萌芽前，挖取地下根茎，取芽茎段，切成

8 ~ 10 cm 小段，每段保留 1 ~ 2 个芽孢，用赤霉素和生根粉药剂处理后，栽于畦床内，株行距为 15 cm × 20 cm。覆细土 5 cm，踩实后，再用湿树叶覆盖 3 ~ 5 cm。生长期移栽：6 ~ 8 月高温多雨时，最好选择阴天或下雨天前，将生长旺盛的野生植株整株带土移栽，随挖随栽，株行距 20 cm × 25 cm。覆土 3 ~ 5 cm，踩实后，用树叶覆盖 3 ~ 5 cm。该方法不缓苗，成活率达 85% 以上，且根茎分蘖芽生长快，翌年春季分枝多、产量高。田间管理要注意补苗、中耕除草、灌溉、保墒及适当施肥。

| 采收加工 | 淫羊藿：夏、秋季茎叶茂盛时采收，晒干或阴干。

淫羊藿根：6 ~ 8 月采挖，晒干。

| 药材性状 | 淫羊藿：本品具二回三出复叶；小叶片卵圆形，长 3 ~ 8 cm，宽 2 ~ 6 cm，先端微尖，顶生小叶基部心形，两侧小叶较小，偏心形，外侧较大，呈耳状，边缘具黄色刺毛状细锯齿；上表面黄绿色，下表面灰绿色，主脉 7 ~ 9，基部有稀疏细长毛，细脉两面凸起，网脉明显；小叶柄长 1 ~ 5 cm。叶片近革质。气微，味微苦。

| 品质评价 | 以色绿、叶多、枝梗少者为佳。

| 化学成分 | （1）黄酮类。淫羊藿总黄酮是从淫羊藿叶中提取的有效成分，根据是否具有异戊烯基取代可分为 2 类，最具特征性的异戊烯基取代成分为 8- 异戊烯基取代黄酮醇及一般结构的黄酮醇苷类，淫羊藿苷为其代表性成分。淫羊藿根含有淫羊藿黄酮苷、2″- 鼠李糖淫羊藿黄酮次苷Ⅱ、淫羊藿属苷 A、宝藿苷Ⅱ、槲皮素、金丝桃苷。

（2）多糖类。通过对淫羊藿多糖部位进行分离纯化，得到 10 个成分，相对分子质量为 122 ~ 656 679，其中，质量分数最高的组分达到 97.97%，相对分子质量为 70 374，由 α- 半乳糖醛酸组成。通过柱前衍生化高效液相色谱法分析 1 个淫羊藿多糖的组成，包括甘露糖、鼠李糖、半乳糖醛酸、葡萄糖、半乳糖、阿拉伯糖（摩尔比为 0.60 ∶ 0.74 ∶ 1.00 ∶ 0.29 ∶ 2.29 ∶ 1.43）。

（3）木脂素类。近年来，不断有木脂素类成分从淫羊藿属植物中发现。例如，从箭叶淫羊藿中分离得到了 4 种木脂素 icarisideE$_6$、icarisideE$_7$、icariolA$_1$、icariolA$_2$，以及 6 种黄酮木脂素类化合物 hydnocarpin、5″-methoxyhydnocarpin、hydnocarpin-D、5′-methoxyhydnocarpin-D、5′,5″-dimethoxyhydno-carpin-D、lignan (+)-dihydro-dehydrodiconiferyl alcohol-4-*O*-*β*-D-glucopyranoside。从心

叶淫羊藿中分离得到了（$7R,8S,8'R$）-4,4',8',9-四羟基-3,3'-二甲氧基-7,9'-单环氧木脂素和（$7R,8S$）-4,9-二羟基-3,3'-二甲氧基-7,8-二氢苯并呋喃-1'-丙醇基新木脂素-9'-O-α-L-鼠李糖苷。从朝鲜淫羊藿中分离得到了柏木苷 C、柏木苷 A、（+）-南烛木树脂酚、（+）-异落叶松树脂醇等。

（4）生物碱类。目前，从淫羊藿中共分离得到 3 种生物碱，分别为木兰花碱、淫羊藿碱 A、epimediphine。

（5）甾醇类。淫羊藿根含有菜油甾醇、β-谷甾醇、β-谷甾醇-3-葡萄糖苷、菜油甾醇-3-葡萄糖苷、胡萝卜甾醇。

此外，淫羊藿中还含有蒽醌类、花青素、萜类、绿原酸、二十九烷、三十一烷及必需脂肪酸、微量元素等化学成分。

| 药理作用 |

（1）对生殖系统的作用。淫羊藿对生殖器官和细胞表现出一定的保护作用。淫羊藿灌胃治疗可以延缓性腺衰老，防止睾丸退行性变化，增加精子数量等，对精子膜的过氧化损伤起到保护作用；对女性不仅可以延长生殖寿命，还可以延缓卵巢的衰老。

（2）对骨组织的作用。肾精的充足与否决定了骨的生长发育和营养，充足的肾精可以加速骨的修复。淫羊藿具有补肾功效，可以促进骨修复。研究表明，淫羊藿可明显促进骨折家兔骨的愈合。淫羊藿总黄酮可维持骨代谢的正平衡，减少骨量丢失，从而防止骨质疏松的发生，并且可以降低肾上腺皮质激素所致的骨坏死的发病率。

（3）对心血管系统的作用。淫羊藿具有降低血脂、血压和胆固醇的作用。淫羊藿总苷经十二指肠给药，具有活血化瘀的作用，可以明显缩小心肌梗死的范围，改善血瘀大鼠的血液流变学指标。

（4）对免疫系统的作用。淫羊藿多糖可以促使胸腺缩小，使白介素-2（IL-2）合成增加，其与淫羊藿总黄酮制成的复合脂质体，可以显著改善调节因子的活性，增强 T 淋巴细胞的免疫活性。淫羊藿多糖能使小鼠胸腺和脾脏细胞合成 IL-2 增多，有诱生干扰素（IFN）的作用。淫羊藿多糖可以促进骨髓造血，并可影响初次和再次免疫应答反应。

（5）抗肿瘤作用。淫羊藿苷可以增强儿童和成人扁桃体单核细胞的杀伤活性，并可协同 IL-2 增强 LAK 细胞对 K562 和 HL-60 细胞的杀伤活性，且与剂量呈正相关关系。淫羊藿苷还可以抑制肝癌细胞的增殖，促进其凋亡，可以增强肿瘤细胞的抗原性。

（6）抗衰老作用。淫羊藿黄酮可以对抗免疫衰老的主要指标，减少肝脏过氧化

脂质的形成，并减少心、肝等组织的脂褐色素形成，消除自由基，保护细胞免遭氧自由基损害，进而延缓器官和整个机体的衰老。淫羊藿可以增强免疫功能，防止人体受到疾病的侵害，使肾上腺皮质和免疫功能保持在正常水平，从而推迟人体的老化过程。

（7）其他药理作用。研究表明，淫羊藿具有一定的抗炎、止咳、平喘、祛痰效果，可治疗哮喘，降低血糖，减轻炎症，降低组胺所致的毛细血管通透性增加，还有明显的镇静作用。

｜功能主治｜

淫羊藿：辛、甘，温。归肝、肾经。补肾阳，强筋骨，祛风湿。用于肾阳虚衰，阳痿遗精，筋骨痿软，风湿痹痛，麻木拘挛。

淫羊藿根：辛，温。归肾经。补肾助阳，祛风除湿。用于肾虚阳痿，小便淋沥，喘咳，风湿痹痛。

｜用法用量｜

淫羊藿：内服煎汤，6 ～ 10 g。

淫羊藿根：内服煎汤，9 ～ 15 g；或浸酒；或研末为散。

｜市场信息｜

（1）商品规格。淫羊藿商品分为一等和二等 2 种规格等级，其区别在于一等叶新鲜，上表面呈青绿色至黄绿色，叶占比≥ 90%，碎叶占比≤ 1%；二等叶上表面呈淡绿色至淡黄绿色，80% ≤叶占比＜ 90%，1% ＜碎叶占比≤ 2%。

（2）价格信息。淫羊藿多为野生，2015—2020 年淫羊藿价格逐年攀升，统货和全叶货的价格差异较大。2015 年，统货的价格约为 15 元 /kg，2020 年，统货的价格约为 30 元 /kg。2015 年，全叶货的价格约为 50 元 /kg，2020 年，全叶货的价格约为 70 元 /kg。

（3）收购量。依据产地交易判断，淫羊藿的年收购量在 20 ～ 30 t。

（4）易混（伪）品。淫羊藿存在掺伪现象，伪品为切段的叶片，常见的基原有壳斗科栎属植物栓皮栎、麻栎，栗属植物栗、茅栗，青冈属植物小叶青冈及杨属植物（加拿大杨、钻天杨、山杨、小叶杨、毛白杨、小钻杨等）。

｜传统知识｜

（1）用于肾阳虚衰所致阳痿、遗精，可以淫羊藿单味浸酒服，或与肉苁蓉、巴戟天、仙茅等同用，以增强补肾壮阳作用。治疗虚冷不育，可配伍蛇床子、锁阳等以温肾散寒。治疗尿频失禁或小便余沥不尽，可配伍覆盆子、金樱子、桑螵蛸以温肾缩尿。治疗肾虚咳喘，可配伍补骨脂、胡桃肉等以温肾纳气。

（2）用于腰膝酸软。淫羊藿具有补肝肾、强筋骨的作用，常与杜仲、狗脊等同用以增强疗效。治疗风湿久痹，腰膝冷痛，除可单味浸酒服外，常配伍威灵仙、肉桂等共奏温肾散寒、祛风除湿之功。治疗中风偏瘫，肢体麻木，筋脉拘挛者，可单味浸酒服。近代用其配伍桑寄生，治疗小儿麻痹症。

（3）用于阴虚阳亢或阴阳两虚的妇女更年期高血压，以淫羊藿与仙茅、巴戟天、知母等配伍，可补肾助阳、滋阴降火。治疗冠心病、心绞痛，用其补益肾阳以充养心阳，可达到通阳宽胸、缓解疼痛的作用。配伍丹参、合欢皮、炙甘草等，可治疗阳虚心悸、怔忡。治疗虚寒胃痛，可配伍高良姜等，以收补火暖土、散寒止痛之功。

| 资源利用 |

（1）药品。淫羊藿中含有黄酮类化合物、多糖、生物碱、木脂素、萜类化合物、绿原酸、必需脂肪酸、苯类化合物、维生素 C 和微量元素等营养成分或生物活性物质。其中，黄酮类化合物为其主要有效成分。淫羊藿对心脑血管系统、血液系统、免疫系统、生殖系统和运动系统等均有一定的保健作用，具有调节雄性发育、调节免疫、抑制肿瘤、改善心血管系统功能、调节内分泌、抗骨质疏松、抗肝毒素、抗氧化及抗衰老等多种生理活性。

（2）大健康产品。淫羊藿被用于制作保健药酒及其他功能性食品。

| 附　　注 |

（1）淫羊藿药材基原问题。淫羊藿药材基原问题较为复杂，其同属植物粗毛淫羊藿 *Epimedium acuminatum* Franch.、长柄淫羊藿 *Epimedium elongatum* Komar.、宝兴淫羊藿 *Epimedium davidi* Franch.、湖南淫羊藿 *Epimedium hunanense* (Hand.-Mazz.) Hand.-Mazz.、黔岭淫羊藿 *Epimedium leptorrhizum* Stearn、茂汶淫羊藿 *Epimedium platypetalum* K. Meyer、宽序淫羊藿 *Epimedium sagittatum* (Sieb. et Zucc.) Maxim. var. *pyramidale* (Franch.) Stearn、光叶淫羊藿 *Epimedium sagittatum* (Sieb. et Zucc.) Maxim. var. *glabratum* T. S. Ying 在不同地区亦供药用。

（2）资源可持续发展建议。

1）加快人工栽培研究步伐，开展淫羊藿细胞工程和组织培养研究。用人工栽培的淫羊藿代替或部分代替野生药材，实现淫羊藿野生药材的保护与可持续利用。

2）建立野生抚育或人工半抚育区，禁止或限制采挖和收购野生药材的地下根，鼓励和支持建立规范化人工栽培基地，推动野生资源的保育和可持续利用。

（3）《中华人民共和国药典》记载药材淫羊藿的药用部位为叶。《中华本草》《中药大辞典》

记载药材淫羊藿的药用部位为茎、叶，同时记载淫羊藿 *Epimedium brevicornu* Maxim. 的根也入药，作淫羊藿根药用。

参考文献

[1] 中国科学院中国植物志编辑委员会. 中国植物志：第二十九卷 [M]. 北京：科学出版社，2001：296.

[2] 国家药典委员会. 中华人民共和国药典：一部 [M]. 北京：中国医药科技出版社，2020：340-342.

[3] 刘姬艳，胡定慧，胡芳华，等. 淫羊藿总黄酮对血管生成抑制作用的初步研究 [J]. 杭州师范大学学报（自然科学版），2014，13（3）：304-306.

[4] 李勇，季晖，李萍，等. 淫羊藿总黄酮对体外培养成骨细胞的影响 [J]. 中国药科大学学报，2002，33（1）：48-50.

[5] 董娜，李倩，张贵强，等. 淫羊藿多糖对甲型 H1N1 流感病毒裂解疫苗的免疫佐剂作用 [J]. 国际药学研究杂志，2013，40（1）：63-68.

[6] 付亮，袁璟亚，周永红，等. 淫羊藿多糖的研究进展及开发前景 [J]. 食品科学，2012，33（3）：261-265.

[7] 张忻，刘天麟，张学斌，等. 传统中药淫羊藿苷促骨生成作用的研究进展 [J]. 口腔颌面外科杂志，2014，24（2）：150-153.

[8] 盛华刚. 淫羊藿苷对细胞增殖作用的研究进展 [J]. 化工时刊，2013，27（8）：32-34.

[9] 程孝中，葛永斌，蒲顺昌，等. 淫羊藿苷对大鼠血管平滑肌细胞钙化的抑制作用 [J]. 微循环学杂志，2014，24（1）：15-18.

[10] 吴瑕，李东晓，邓文龙. 淫羊藿对生殖及内分泌系统的药理学研究进展 [J]. 中国实验方剂学杂志，2010，16（8）：223-227.

[11] 刘忠平，李质馨，李守远，等. 淫羊藿对生殖系统影响的研究进展 [J]. 中国妇幼保健，2013，28（5）：884-886.

[12] 杨欣，张永华，丁彩飞，等. 应用体外培养法研究淫羊藿水提物对人精子膜功能损伤的保护作用 [J]. 中国临床药理学与治疗学，2007，12（6）：663.

[13] 黄菊，傅玉才，许锦阶，等. 淫羊藿甙腹腔注射对新生大鼠卵巢发育的影响 [J]. 热带医学杂志，2010，10（3）：269-272.

[14] 王欣文，何爱咏，蔡羽中，等. 淫羊藿及骨形态发生蛋白 2 与家兔的骨折愈合 [J]. 中国组织工程研究与临床康复，2011，15（11）：2030-2033.

[15] 李东晓，张磊，王岚，等. 淫羊藿总黄酮对肌内植入组织工程化骨髓间充质干细胞成骨分化的影响 [J]. 中药药理与临床，2007，23（5）：88-91.

[16] 刘凯杰，李超. 淫羊藿药理研究进展（综述）[J]. 亚热带植物科学，2014，43（2）：183.

[17] 王英军，孙英莲，唐炜，等. 淫羊藿总苷对实验动物心血管系统的影响 [J]. 中草药，2007，38（1）：97-99.

[18] 丁雁，邢善田，周金黄. 淫羊藿多糖对小鼠胸腺细胞转移的影响 [J]. 中国药理通讯，1992，9（3）：28.

[19] 孟宪丽，张艺，骆永珍，等. 淫羊藿复合脂质体对正常及“阳虚”小鼠的免疫调节作用 [J]. 中国实验临床免疫学杂志，1995，7（4）：38.

[20] 丁雁，邢善田，周金黄. 淫羊藿多糖促进小鼠 T 和 B 细胞 3 H-TdR 掺入和诱生干扰素作用的研究 [J]. 中国免疫学杂志，1985，1（6）：42.

[21] 王天然. 淫羊藿多糖对初次和再次体液免疫应答的作用 [J]. 中药药理与临床，1989，5（4）：11.

[22] 崔正言，张玲，赵勇，等．淫羊藿甙协同诱生细胞因子及增强抗癌效应细胞活性的研究 [J]．中国肿瘤生物治疗杂志，1995，2（4）：353.

[23] 刘得水，陈刚，卢长方，等．淫羊藿苷联合丝裂霉素对肝癌 HepG2 细胞增殖的抑制作用 [J]．中国生化药物杂志，2011，32（1）：22-25.

[24] 毛海婷，张玲，王芸，等．淫羊藿甙对人高转移肺癌细胞膜的影响 [J]．中药材，1999，22（1）：35-36.

[25] 朱孟国，公素琴．淫羊藿抗衰老作用的药理研究 [J]．山东医药工业，2001，20（2）：55-56.

[26] 王静，李建平，张跃文，等．淫羊藿药理学研究进展 [J]．中国药业，2009，18（8）：60-61.

[27] 张华峰，杨晓华，郭玉蓉，等．药用植物淫羊藿资源可持续利用现状与展望 [J]．植物学报，2009，44（3）：363-370.

[28] 南京中医药大学．中药大辞典：下册 [M]．2 版．上海：上海科学技术出版社，2014：3154.

[29] CHEN K K，CHIU J H．Effect of *Epimedium brevicornum* Maxim. extract on elicitation of penile erection in the rat[J]．Urology，2006，67（3）：631-635.

[30] GAO Z F，YANG Z Z，MA K C．The stimulative effect of injection epimedium on the growth of chick embryo femur in vitro[J]．Journal of Traditional Chinese Medicine，1989，8（4）：305-306.

撰稿人：王汉卿　卢有媛

忍冬科 Caprifoliaceae 忍冬属 *Lonicera* 凭证标本号 640422140927003ZPLY

忍冬 *Lonicera japonica* Thunb.

药材名 金银花（药用部位：花蕾或带初开的花。别名：忍冬花、双花、二花）、忍冬藤（药用部位：茎枝。别名：银花藤、金银藤、鸳鸯草）。

本草综述 “忍冬”之名源于晋代葛洪《肘后备急方》，该书记载“忍冬茎叶挼数壶煮”。该药后载于南北朝时期陶弘景《名医别录》，该书记载：“忍冬，十二月采，阴干。”忍冬花期是在夏初，故可推知当时仅用忍冬的茎叶，未用其花。唐代《新修本草》记载：“此草藤生，绕覆草木上……今人或以络石当之，非也。”宋代《太平圣惠方》记载“热血毒痢，忍冬藤浓煎饮。”故宋代或宋代以前，多以忍冬的藤、叶入药。

明代，对忍冬花蕾的临床应用越来越重视，并逐渐发展至花、叶、茎并用。明代初年《救荒本草》记载了金银花的药用价值。《本草

忍冬

纲目》记载忍冬花“黄白相映，故呼金银花，气甚芬芳。四月采花，阴干；藤叶不时采，阴干。……忍冬，茎叶及花，功用皆同”，其所引附方也是茎、叶、花均入药用。可见“金银花”药名最早出现于明代初期，而《本草纲目》将金银花收载于“忍冬”条目下，尚没有分开使用花、藤，茎、叶、花同用为忍冬。虽有文献表明宋代《苏沈内翰良方》中出现了“金银花”一名，但该书所载是将其作为观赏植物，而非作为药材使用。

明代以后，随着人们对温病学认知的深入，人们对金银花的功效掌握得更加全面，更强调用花。清代张璐《本经逢原》记载：“（金银花）主下痢脓血，为内外痈肿之要药。解毒祛脓，泻中有补，痈疽溃后之圣药。”后来，忍冬的茎藤逐渐分化成独立的药材——忍冬藤。清代高世栻《医学真传》记载：“银花之藤，乃宣通经脉之药也。”《本草正义》亦记载：“忍冬……今人多用其花，实则花性轻扬，力量甚薄，不如枝蔓之气味俱厚。古人只称忍冬，不言为花，则并不用花入药，自可于言外得之。”可见在清代最初有2种认知，有人重藤，有人重花。清代中、后期《医宗金鉴》《本草求真》《本草便读》《本草撮要》等本草书籍均以金银花为药名，对忍冬藤的使用大幅减少，而对金银花的使用已较为普遍。

现代对忍冬属植物的研究较多，忍冬属植物药用有金银花、山银花之分。《中华本草》记载忍冬藤的来源有忍冬科植物忍冬、山银花、红腺忍冬、黄褐毛忍冬等的茎枝。2020年版《中华人民共和国药典》规定，金银花为忍冬科植物忍冬 *Lonicera japonica* Thunb. 的干燥花蕾或带初开的花，忍冬藤为忍冬科植物忍冬 *Lonicera japonica* Thunb. 的干燥茎枝。但因古代本草对植物形态的描述较为简单粗略，故无法认定本草所载忍冬的基原是否与现今忍冬 *Lonicera japonica* Thunb. 相符。

| 形态特征 | 灌木。幼枝密生柔毛和腺毛。单叶对生，叶柄短；叶片卵形至卵状椭圆形，幼时两端被毛，先端短，渐尖或钝，基部圆形至近心形，全缘。2花成对生于叶腋，苞片叶状，边缘有纤毛；萼筒无毛，5裂；花冠二唇形，上唇4裂，常合并、直立，下唇反转，约与花冠筒等长，初开时白色，后变黄色；雄蕊5，与雌蕊、花柱均稍超出花冠；雌蕊子房下位，花柱细长，柱头头状，黄色。浆果球形，黑色。

| 野生资源 | 本草著作中对忍冬野生资源的记述也较为粗略，如陶弘景云“今处处有”，李时珍亦云“忍冬在处有之”。因为两人都生活在南方，而古代交通极不便利，即使跋山涉水地远足也是到距离家乡不远的地方，故推测古代忍冬或忍冬属其

他植物在南方随处可见。

根据现代药物资源普查结果可知，忍冬在全国大部分地区均有分布，但《中国植物志》“忍冬 *Lonicera japonica* Thunb.”项下记载宁夏地区无自然生长；《宁夏植物志》记载忍冬属植物有 15 种 2 变种，却没有忍冬 *Lonicera japonica* Thunb. 的分布记载；《宁夏中药志》中有关于忍冬栽培的记载，但同样没有忍冬的野生分布记载；第四次全国中药资源普查也未采集到忍冬野生植物资源。因此，可以确定，宁夏地区无忍冬野生资源。

| 栽培资源 |

（1）栽培历史。关于金银花栽培的最早记载见于宋代《苏沈内翰良方》，该书记载“可移根庭栏间，以备急”，未见其他本草著作提及金银花的栽培。据文献记载，我国金银花的栽培有 270 多年的历史，但未查到原始本草记载。现代金银花以河南、山东、河北栽培面积广且质量高而闻名，其他多地均有种植。

关于宁夏历史上是否有忍冬野生或栽培，经查阅资料发现，《中国植物志》记载，忍冬 *Lonicera japonica* Thunb.“除黑龙江、内蒙古、宁夏、青海、新疆、海南和西藏无自然生长外，全国各省均有分布”，而《中卫县志》（1994 年版）记载中卫地区有忍冬，但未说明其是野生的，还是栽培的，以及是现代才有的，还是自古就有的，上述情况有待进一步查证。

截至 2020 年年底，在“中国知网”网站可查询到 7 篇有关宁夏栽培金银花的文献，其中 2008—2014 年的论文中有 6 篇，介绍的均为藤本形忍冬。2005 年黄羊滩农场引进河南金银花品种“金丰一号”，宁夏固原及贺兰山东麓引种栽培。

《宁夏中药志》（第二版）所载“银川、永宁、原州、海原等市（县）有栽培”，与文献报道的一致，因为以前栽培的忍冬为半常绿藤本形忍冬，适应性较差，产量低，所以产业逐渐萎缩。

2016 年，中卫阳光沐场农牧有限公司率先在沙坡头区永康镇硒沙地里试种了 6 亩树形忍冬，获得巨大成功，引进品种为山东平邑县道地药材金银花传统主产区植物忍冬的自然变异种经系统选育、定向培育而成的“北花一号”，该品种非常适合在硒沙地中种植。后期该公司不断扩大产业规模，为单一的硒沙瓜地产业转型指出了方向。

（2）栽培区域。金银花的人工种植主要集中在其道地产区山东和河南，其中在山东主要为沂蒙山区，包括平邑县、费县、沂水县及临沂、济南、日照等地，在河南主要包括封丘、密县、巩县、原阳、濮阳等地。忍冬的人工种植现已扩散到我国绝大多数省区，如河北、湖北、四川、广西、重庆等地。

宁夏地区近年开始栽培金银花，栽培忍冬主要分布在中卫沙坡头区，中宁县、平罗县、彭阳县、海原县也有零星种植。受自然环境和现代技术有性杂交与枝芽变异的影响，金银花形成了很多地方品种，宁夏引进“北花一号”品种，该品种具有抗旱、耐寒、耐贫瘠的特性，但不耐涝、不耐高热潮湿。

（3）栽培面积与产量。中卫沙坡头区永康镇的栽培面积 2019 年有 1 000 亩，2020 年达 2 000 亩。二年生植株亩产量可达 50 kg，三年生植株盛产期亩产量可达 100 ~ 150 kg，随着树龄的增加，株干增粗，枝叶、花蕾越发繁茂，产量也逐年增加。宁夏其他地区产量少，未形成统计数据。

（4）栽培技术。

1）栽培要求。①环境。对土壤要求不严，在酸性地、盐碱地均能生长，是一种很好的固土保水植物。北方山区由于土地瘠薄，干旱少雨，冬季寒冷，更适合种植木本树形金银花。在宁夏地区栽培于石片覆盖的土壤中的忍冬，不仅可以提高地温、蓄水保墒、抑制地表盐碱的积累，而且可以吸收通过风化和雨水冲洗，沉积到土壤中的砂石中含有的人体必需的锌、硒等微量元素。②树种。树形忍冬是近年来经过连续选育、淘汰，最终培育出的一种性状表现优异、遗传性稳定的新品种。与本种藤本形忍冬相比，树形忍冬根系分布深广，主干粗壮，枝条多，花蕾密集而整齐、产量高、品质优，可育花枝多，叶密度大，通风透光好，抗逆性更强，生命力强，耐旱、耐寒、耐贫瘠能力更强。以干花重计，树形忍冬的亩产量远高于藤本形忍冬。③繁育。忍冬的繁育方式包括种子繁殖和无性繁殖，无性繁殖又包括扦插、分株、压条繁殖等。生产实践中多采用扦插育苗。扦插时间的选择，主要应考虑温度、湿度等环境因素对扦插的影响。忍冬的扦插条件，以温度 15 ~ 30 ℃、湿度 80% 左右为宜。生产上常配合修剪获取插条，捆扎好后的插穗的基部要在生根剂中浸蘸，浸深 4 cm 左右，晾干后即可扦插。适度降低激素浓度和缩短浸泡时间，有利于插穗生长量的提高及壮苗的培育。栽培后应配合修剪枝条，促使长高，但由于宁夏地区风沙较大，茎枝过细容易被风吹倒，造成倒伏、倾斜或断枝条，故不能一味追求长高，应注意使枝条粗壮、能够抗风沙后，再修剪以使株苗长高。

2）病虫害防治。①主要病害。a. 金银花褐斑病。结合秋、冬季修剪，除去病枝、病芽，清扫地面落叶，将之集中烧毁或深埋，以减少病原菌。发病初期注意摘除病叶，以防病害蔓延。加强栽培管理，提高植株抗病能力。施肥上增施有机肥，控制施用氮肥，多施磷、钾肥，促进树势生长健壮，提高抗病能力。多雨季节及时排水，降低土壤湿度，适当修剪，改善通风透光性，以利于控制病害发生。发病初期用 70% 甲基硫菌灵可湿性粉剂 800 倍液或 70% 代森锰锌可湿性粉剂 1 000 倍液，或 50% 异菌脲可湿性粉剂防治。每隔 7 ~ 10 天喷 1 次，连喷 2 ~ 3 次。注意交替轮换用药，以提高防治效果。b. 金银花白粉病。合理密植，整形修剪，改善通风透光条件，可增强抗病力；少施氮肥，多施磷钾肥。发病初期用三唑酮可湿性粉剂，或 58% 瑞毒霉锰锌可湿性粉剂，或百菌清可湿性粉剂 1 000 倍液防治，每 7 天喷 1 次，连喷 2 ~ 3 次。②主要虫害。a. 咖啡虎天牛。在产卵盛期用 50% 辛硫磷 EC 600 倍液喷射灭杀，7 ~ 10 天喷 1 次，连喷数次。夏、秋季发现天牛寄生枝条时，可剪去被害幼茎 20 cm 左右，并剪除枯株，集中烧毁或向虫孔注药。7 ~ 8 月发现茎叶突然枯萎时，进行捕捉。b. 蚜虫。清除杂草，将枯枝、烂叶集中烧毁或埋掉，也能减轻虫害。在植株未发芽时先喷 1 次石硫合剂，以后清明、谷雨、立夏各喷 1 次，能根治蚜虫，并能兼治多种病虫害。3 月下旬至 4 月上旬叶片伸展开，蚜虫开始发生时，用 10% 吡虫啉 WP 1 500 ~ 2 000 倍液或 3% 啶虫脒 WP 2 000 倍液喷雾，最后 1 次用药须在采摘金银花前 10 ~ 15 天进行。c. 红蜘蛛。剪除病虫枝和枯枝，清除落叶枯枝并烧毁；发生始盛期用 5% 噻螨酮乳油 2 000 倍液、11% 乙螨唑悬浮剂 5 000 倍液或 20% 四螨嗪悬浮剂 1 000 倍液等防治。

| 采收加工 |

（1）采收。金银花：2020 年版《中华人民共和国药典》规定夏初花开放前采收，干燥。

金银花的生长期主要分为 5 个阶段：三青期、二白期、大白期、银花期、金花期。金银花在移栽后第 3 年可达到丰产期，春季第一茬花在 5 月中、下旬采摘，隔 20 天左右采摘第二茬花，以后每隔 1 个月左右可陆续采摘三、四茬花。选择

金银花的二白期（即白蕾前期）作为采收期，最佳的采收时间为清晨和上午，此时的金银花养分足、气味浓、颜色好。下午采收应在太阳落山以前结束，因为金银花的开放受光照制约，太阳落山后成熟花蕾就要开放，太阳落山后采收会影响金银花质量。采收时要只采收花蕾和接近成熟的花蕾，不要带幼蕾、叶，采后将之放入条编或竹编的篮子内，集中的时候不可堆成大堆，应摊开放置，放置时间不可太长，最长不要超过 4 小时。

（2）加工。金银花：干燥方法可选用晾晒和机械烘干。

若采用晾晒法，以在水泥石晒场晒花为最佳，要及时将采收的金银花摊在场地，晒花层要薄，厚度 2 ~ 3 cm。晒时中途不可翻动，在未干时翻动，会造成花蕾发黑，或者晾晒时天气不好，过早翻动金银花，会造成黑头或黑条，影响商品的价格。以暴晒干制的花蕾，商品价值最优。晒干的花的手感以轻捏会碎为准。晴好的天气下，2 天即可晒好，当天未晒干的花，晚间应盖好或架起，翌日再晒。采花后如遇阴雨，可将花筐放入室内，或将花在席上摊晾，此法处理的金银花同样色好、质佳。

机械烘干法现在常用，其特点是高效、产品外观品质好。金银花烘干机立式多层烘干箱内金银花经逐层循环脱水烘干，最终湿风由顶层直接排空，湿风与金银花的接触时间极短（5 ~ 12 秒），同时将每层观察孔打开一点，随时逐层排潮，这样就完全避免了湿风与物品接触时间较长而出现的“沤”。烘干时，不同的时间段需要不同的烘干温度，一般先在约 30 ℃低温下除去金银花鲜品的水分，3 小时后升温至 40 ℃，再过 3 小时后逐步升温至 55 ℃，不得超过 60 ℃，烘干时间为 10 ~ 12 小时，烘出的金银花花色从黄白色变成淡黄色，清香气味明显，这有效地保留了药效成分。同样，在烘干过程中，不得翻动、停烘，温度把握不好，也会造成金银花黑条或黑头。

金银花还有一种干燥方式，即杀青后烘干，但目前市场上很少采用这一加工方式，因为杀青时间不够、温度过高或过低都会造成金银花发黑，从而影响其外观及化学成分含量，杀青后的金银花外观性状会发生较大变化，颜色变深、茸毛减少或消失，市场认可度不高。

忍冬藤：秋、冬季采割，晒干。在宁夏地区暂未形成大规模药材。

｜药材性状｜ 金银花：本品呈棒状，上粗下细，略弯曲，长 2 ~ 3 cm，上部直径约 3 mm，下部直径约 1.5 mm。表面黄白色或绿白色，其颜色与干燥方式和贮存时间有关，颜色随着贮存时间的增加而逐渐加深，烘干者多为青绿色、绿白色等，晒干者多为白色、浅黄色等，密被短柔毛。偶见叶状苞片。花萼绿色，先端 5 裂，裂片有毛，长约 2 mm。开放者花冠筒状，先端二唇形；雄蕊 5，附于筒壁，黄色；雌蕊 1，子房无毛。气清香，味淡、微苦。

忍冬藤：本品呈长圆柱形，多分枝，常缠绕成束，直径 1.5 ~ 6 mm。表面棕红色至暗棕色，有的灰绿色，光滑或被茸毛；外皮易剥落。枝上多节，节间长 6 ~ 9 cm，有残叶和叶痕。质脆，易折断，断面黄白色，中空。气微，老枝味微苦，嫩枝味淡。

| 品质评价 | 以花蕾多，绿黄色，花冠厚、稍硬、握之有顶手感，气清香，无黑条、黑头、枝叶、杂质、虫蛀、霉变者为佳。

| 化学成分 | 金银花中主要含有挥发油、黄酮、有机酸、环烯醚萜苷类成分。金银花富含醇类、醛类、酮类及脂类等挥发油类成分，研究者通过对挥发油成分进行分析，发现金银花中的挥发油成分多达 79 种，其中 n- 十六烷酸（15.75%）、新植二烯（4.3%）、油酸（2.211%）、二十烷（2.014%）、十七烷（1.023%）、A- 松油醇（1.007%）是含量较高的成分；黄酮类化合物在金银花中的含量较高，是其主要有效成分之一，主要包括忍冬苷、木犀草素、木犀草素 -7-*O*-*β*-D- 半乳糖苷、槲皮素、葡萄糖苷、全丝桃苷、乳糖苷及 5- 羟基 -3′,4′,7- 三甲基黄酮等；有机酸类化合物是鉴定和评价金银花品质的标志性成分，金银花富含有机酸类化合物，如绿原酸、异绿原酸、隐绿原酸及咖啡酸等，其中绿原酸在金银花中的含量最高，异绿原酸和隐绿原酸为其异构形式；环烯醚萜苷类成分广泛存在于金银花中，具有广泛的生物活性，其结构包括闭环式环烯醚萜苷类和裂环式环烯醚萜苷类。此外，金银花中还含有三萜皂苷类、氨基酸类、微量元素、豆甾醇、胡萝卜苷等。2020 年版《中华人民共和国药典》规定：金银花含绿原酸（$C_{16}H_{18}O_9$）不得少

于 1.5%，含酚酸类〔以绿原酸（$C_{16}H_{18}O_9$）、3,5- 二 -*O*- 咖啡酰奎宁酸（$C_{25}H_{24}O_{12}$）和 4,5- 二 -*O*- 咖啡酰奎宁酸（$C_{25}H_{24}O_{12}$）的总量计〕不得少于 3.8%。

忍冬藤含有多种活性成分，包括黄酮类、环烯醚萜苷类、有机酸类、皂苷类等。现代药理研究发现，忍冬藤中环烯醚萜苷类和有机酸类的生理活性最强，马钱苷属环烯醚萜苷类，是忍冬藤的主要活性成分之一。

2020 年版《中华人民共和国药典》规定：忍冬藤含绿原酸（$C_{16}H_{18}O_9$）和马钱苷（$C_{17}H_{26}O_{10}$）均不得少于 0.10%。

忍冬的茎、根、叶中都含有相近的化学成分，但是其含量高低有所差别。

| 药理作用 |

金银花：金银花提取物及其所含的化学成分具有多种药理活性，包括抗炎、抗菌、抗病毒、抗氧化、保肝、抗肿瘤等。

金银花正丁醇萃取物对急性、肉芽肿性及慢性炎症均有一定的抑制作用；金银花中不同类型的化合物对大肠杆菌的代谢具有一定的影响，对大肠杆菌的生长具有抑制作用，其强弱顺序为总异绿原酸 > 总绿原酸 > 总黄酮 > 总环烯醚萜；金银花中的 2 种黄酮类成分木犀草苷和木犀草素具有明显的抗呼吸道合胞病毒（RSV）活性；金银花乙酸乙酯萃取部位能显著清除 DPPH 自由基和过氧亚硝基阴离子（$ONOO^-$），并抑制活性氧（ROS）和羟基自由基的产生；金银花 75% 乙醇提取物对二甲基亚硝胺（DMNA）所致大鼠急性肝损伤具有保护作用；金银花中的 3 种成分原儿茶酸、绿原酸和木犀草素在 100μmol/L 浓度下对 Hep G2 肝癌细胞具有细胞毒作用。

此外，金银花还有降血糖、神经保护、增强免疫功能等作用。

忍冬藤：忍冬藤具有抗氧化、降血脂、保肝等药理作用。其含有的有机酸类化合物，能发挥抗血小板聚集和保护过氧化损伤组织的作用；忍冬藤多糖具有较强的体内、体外抗氧化活性，对 DPPH 具有很强的清除能力，且清除能力随多糖浓度的升高而增强；忍冬藤中的黄酮磷脂复合物可降低血清总胆固醇含量，还可促使高脂血症动物肝脏的脂肪浸润状态得以明显好转，具有显著的降血脂作用；忍冬藤还含有多种绿原酸类化合物，具有显著的抗肝损伤的作用。

| 功能主治 |

金银花：甘，寒。归肺、心、胃经。清热解毒，疏散风热。用于痈肿疔疮，喉痹，丹毒，热毒血痢，风热感冒，温病发热。

忍冬藤：甘，寒。归肺、胃经。清热解毒，疏风通络。用于温病发热，热毒血痢，痈肿疮疡，风湿热痹，关节红肿热痛。

| 用法用量 | 金银花：内服煎汤，6 ~ 15 g。

忍冬藤：内服煎汤，9 ~ 30 g。

| 市场信息 | （1）商品规格。目前，市场上的金银花商品分为晒货和烘货 2 种规格，在各规格项下，又根据开花率、枝叶率和黑头黑条率分为一等、二等、三等 3 个等级。此外，金银花商品还应无虫蛀、无霉变，杂质不得超过 3%。具体规格等级见表忍冬 -1。

表忍冬 -1　金银花的规格等级

规格	等级	性状	颜色	开花率	枝叶率	黑头黑条率	其他
晒货	一等	花蕾肥壮饱满、匀整	黄白色	0%	0%	0%	无破碎
	二等	花蕾饱满、较匀整	浅黄色	≤ 1%	≤ 1%	≤ 1%	
	三等	欠匀整	色泽不分	≤ 2%	≤ 1.5%	≤ 1.5%	无破碎
烘货	一等	花蕾肥壮饱满、匀整	青绿色	0%	0%	0%	
	二等	花蕾饱满、较匀整	绿白色	≤ 1%	≤ 1%	≤ 1%	
	三等	欠匀整	色泽不分	≤ 2%	≤ 1.5%	≤ 1.5%	

注：开花率指金银花药材中开花个数与总花数的比率；枝叶率指金银花药材中枝叶重量与总质量的比率；黑条指金银花花蕾全部变黑，黑头至花蕾部分变黑。

（2）价格信息。金银花在中药市场上供需两旺，很多地方都在大规模推广种植金银花，受各类流感病毒、手足口病病毒等的影响，其市场价格出现非理性变化。近 10 年来，金银花的价格在 80 ~ 340 元 /kg 波动。金银花的价格在 2010 年高达 340 元，在 2012—2017 年为 80 ~ 90 元 /kg。2018 年，金银花产新后价格一路高升，短期内价格从 140 元 /kg 飙升至 210 元 /kg。2019 年，金银花产新后价格出现回落。2020 年受“新冠”肺炎影响，金银花价格上涨至 180 元 /kg。金银花产品的价格易受多方面因素影响，如变色、走油、旱情、疫情、采收成本等，价格波动频繁。

（3）收购量、年销量。近几年金银花在药用及茶饮方面的需求持续增加，带动市场需求强劲不减。尽管近几年金银花价格不低，但是，其仍保持较旺的销售势头。据医药市场的相关销售量数据，保守估计每年金银花的用量约为 2 000 万 kg。随着金银花的开发利用，不仅其药用量增加，而且其在茶饮、香料、化工和保健食品等领域的需求量也在增加，同时，因为“非典”“新冠”肺炎等疫情影响，金银花知名度也不断提高，出口到美国、日本、新加坡等多个国家和地区，目前产品缺口较大。

忍冬藤用量较少，未见相关产销数据。

（4）易混（伪）品。市场上金银花的混（伪）品主要是山银花，即灰毡毛忍冬 *Lonicera macranthoides* Hand.-Mazz.、红腺忍冬 *Lonicera hypoglauca* Miq.、华南

忍冬 *Lonicera confuse*(Sweet)DC. 或黄褐毛忍冬 *Lonicera fulvotomentosa* Hsu et S. C. Cheng 的干燥花蕾或带初开的花。山银花因与金银花在原植物来源上不同，有效成分也不同，金银花的有效成分以木犀草苷为主，山银花的则以绿原酸为主。由于山银花野生资源相对较多，且在外观性状上与金银花不易区分，故许多不法商贩在出售时用山银花代替金银花。近年来，由于金银花药材的价格居高不下，在金银花中掺入杂物的情况也较为严重，可利用显微性状鉴别方法加以区别。

| 资源利用 | 金银花为药食两用中药，甘、寒，清热不伤胃，芳香透达可祛邪，在茶饮、香料、化工和保健食品等领域多有应用。

金银花代茶直接饮用，可防病保健。亦可用忍冬的鲜嫩叶，按绿茶的制作方法制成干茶，泡茶饮用。金银花茶有预防感冒及降脂、降糖等功效，可作为糖尿病病人、高脂血症病人等的饮品选择之一。市面上还有金银花露饮料出售，此饮料以金银花蒸馏液为主要原料，配以甜味剂、防腐剂等辅料制备而成，且不添加食用香精，只利用金银花蒸馏液的天然挥发性物质形成产品风味。

另外，通过查阅资料发现，还有金银花老姜红糖、金银花酸奶饮料、金银花口香糖、蓝莓金银花发酵酒等产品。

| 附　　注 | （1）物种鉴别。忍冬属 *Lonicera* 植物：落叶，很少半常绿或常绿灌木，直立或右旋攀缘，很少为乔木状。皮部老时呈纵裂剥落。单叶对生，全缘，稀有裂，有短柄或无柄。花成对腋生，稀 3，顶生，具总梗或缺；花冠管状，基部长弯曲。浆果肉质，内有种子 3 ~ 8。

易混（伪）品均来源于忍冬属，主要从叶和苞片的特点相区分，其分类检索表如下。

1. 叶革质，上面无毛，下面被由短糙毛组成的灰白色或有时带灰黄色毡毛，并散生暗橘黄色微腺毛，网脉凸起而呈明显蜂窝状…………………………………………………………………灰毡毛忍冬 *Lonicera macranthoides* Hand.-Mazz.

1. 叶纸质，卵状矩圆形至矩圆状披针形。

  2. 叶下面具明显的无柄或具极短柄的黄色至橘红色蘑菇形腺…………………………………………………………红腺忍冬 *Lonicera hypoglauca* Miq.

  2. 叶下面无黄色至橘红色蘑菇形腺。

    3. 苞片大，叶状，卵形至椭圆形，长达 2 ~ 3 cm，两面均有短柔毛或有时近无毛……………………………………………忍冬 *Lonicera japonica* Thunb.

    3. 苞片披针形或钻形。

4. 萼筒长 1.5 ～ 2 mm，被短糙毛…华南忍冬 *Lonicera confusa* (Sweet) DC.

4. 萼筒倒卵状椭圆形，长约 2 mm，无毛……………………………………………………黄褐毛忍冬 *Lonicera fulvotomentosa* Hsu et S. C. Cheng

（2）宁夏栽培金银花优势。宁夏引进植物为“北花一号”树形忍冬，该种根系发达，适应性很强，耐干旱贫瘠、耐盐碱，耐寒性强，喜阳，对土壤要求不高。中卫沙坡头区永康镇的气候和土壤环境非常适宜栽培该种。在引种过程中，成活率高达 95%，当年即可产生经济效益，金银花亩产量逐年增加，3 ～ 5 年即可进入盛花期。树种寿命可达 30 ～ 50 年，1 次栽种，多年受益。

在宁夏地区，由于天气寒凉干燥，金银花花期为两期，一期在 6 月 1 日前后，二期在 8 月中旬，每期采收时间长达 1 个月，一期产量高于二期，有效避开了“倒春寒”和“早霜冻”，降低了受自然灾害影响的风险。金银花除供药用外，还可供茶饮。种植金银花生态效益明显，经济效益客观，切实实现了“绿水青山就是金山银山”。

宁夏产金银花的质量处于绝对优势地位，中卫地区恶劣的气候和干旱贫瘠的土地反而成就了金银花高品质的优势，栽培于硒沙地中的金银花，由于干旱少雨多风，少有病虫害，常年不用农药化肥，品质优于其他产地所产金银花，是石头缝里长出的瑰宝。宁夏金银花富硒，绿原酸含量高，无农残。

中卫市阳光牧场农牧有限公司委托宁夏回族自治区检验研究院对该公司金银花进行了质量检查，结果表明，其含水量为 8.1%（2020 年版《中华人民共和国药典》规定不得超过 12.0%），绿原酸含量高达 3.1%（2020 年版《中华人民共和国药典》规定不得少于 1.5%），木犀草苷含量为 0.067%（2020 年版《中华人民共和国药典》规定不得少于 0.050%）。以上数据显示，宁夏金银花的绿原酸含量达到《中华人民共和国药典》规定的 2 倍，水分、木犀草苷含量均优于《中华人民共和国药典》规定。该公司还委托江苏省硒生物工程技术研究中心对产品做了硒含量检测，国家富硒农产品标准为 0.15 mg/kg，而宁夏产金银花的硒含量高达 0.2583 mg/kg，远远高于其他产地金银花的 0.073 mg/kg，硒能提高人体免疫力，促进淋巴细胞的增殖及抗体和免疫球蛋白的合成，人体缺乏硒会得克山病、大骨节病。

（3）其他忍冬属资源。宁夏地区尚有盘叶忍冬、小叶忍冬、毛药忍冬、岩生忍冬、葱皮忍冬、金花忍冬、刚毛忍冬、唐古特忍冬、金银忍冬，小叶忍冬、唐古特忍冬在各县区有野生资源分布，但分布量较少，除盘叶忍冬在宁夏六盘山地区作为民间药，自采自用外，其余均不作为药用资源。

参考文献

[1] 国家药典委员会．中华人民共和国药典 [M]．北京：中国医药科技出版社，2020：230．

[2] 李卫东．忍冬植物木本树形与普通藤本形的差异分析 [C]// 中国·巨鹿金银花产业发展论坛会议资料，2011：12-17．

[3] 吴姣，王聪，于海川．金银花中的化学成分及其药理作用研究进展 [J]．中国实验方剂学杂志，2019，25（4）：225-234．

[4] 文诗泳，谭伟明，龚力民，等．中药忍冬藤资源与质量控制的研究进展 [J]．中南药学，2017，15（3）：335-338．

[5] 韩赟．金银花配方颗粒原料质量标准研究 [D]．南京：南京中医药大学，2017：2．

[6] 李晓娅．金银花采收加工及质量评价方法研究 [D]．开封：河南大学，2019：3．

[7] 李钟文，李卫真．忍冬、金银花的功效、品种、产地和药用部位本草考证 [C]// 第六次临床中药学学术年会暨临床中药学学科建设经验交流会论文集，2013：407-410．

[8] 王亚丹，杨建波，戴忠，等．中药金银花的研究进展 [J]．药物分析杂志，2014，34（11）：1928-1935．

[9] 刘宇峰，李鲁潘，马海燕，等．金银花化学成分及药理作用的研究进展 [J]．辽宁大学学报，2018，45（3）：255-262．

[10] 李红英，彭黎．金银花中绿原酸的质量分数测定 [J]．宁夏工程技术，2005，4（2）：130-132．

[11] 及华，王琳，张海新，等．金银花优质高效栽培技术 [J]．现代农业科技，2020（6）：23．

[12] 张谦，沈华，刘延刚．金银花新品种北花一号的特征特性及标准化栽培技术 [J]．农业科技通讯，2016（7）：223-226．

[13] 李哲，赵振华，玄静，等．金银花干燥加工研究进展 [J]．辽宁中医药大学学报，2019，21（8）：156-159．

[14] 汪楠楠，周建理，杨青山．市售金银花及其混伪品的微性状鉴别 [J]．安徽医药，2014，18（3）：450-452．

撰稿人：高晓娟

豆科 Leguminosae 槐属 *Sophora* 凭证标本号 640323130529001LY

苦豆子 *Sophora alopecuroides* L.

药材名 苦豆根（药用部位：根。别名：西豆根、粉豆根、苦甘草）、苦豆草（药用部位：全草）、苦豆子（药用部位：种子）。

本草综述 苦豆子 *Sophora alopecuroides* L. 在历代本草中未见收载，始见于1973年版《中国沙漠地区药用植物》。《中国植物志》第四十卷也有收载。1977年版《中华人民共和国药典》收载了苦豆草及苦豆草片，1991年版、2006年版《宁夏中药志》与1993年版、2018年版《宁夏中药材标准》均收载了苦豆子及苦豆根。根据国家食品药品监督管理局颁布的《中药材生产质量管理规范（试行）》（2002年）的术语解释，地道药材即传统中药材中具有特定的种质、特定的产区或特定的生产技术和加工方法所生产的中药材，故苦豆子不属于地道药材，但苦豆子在宁夏的资源极为丰富，宁夏境内苦豆子建群

苦豆子

种、优势种和次优势种的分布面积约 25 万 hm^2，其中盐池县分布约 14 万 hm^2，占宁夏境内苦豆子总分布面积的 56%。从 20 世纪 70 年代开始，经过多年的研究与开发，1984 年宁夏地区制药企业正式建成国内第一条苦豆子生物碱工业生产线，以苦豆子 *Sophora alopecuroides* L. 为原料提取分离苦豆子总碱及苦参碱、氧化苦参碱等原料药，开始了苦豆子生物碱系列产品的批量生产。利用苦豆子提取物及相关有效成分制成苦参素注射液、妇炎栓、克泻灵片等制剂，产生了较好的经济效益，在宁夏医药行业发展史中占有重要地位。

| 形态特征 | 草本，或基部木质化而呈亚灌木状，高约 1 m。枝被白色或淡灰白色长柔毛或贴伏柔毛。羽状复叶；叶柄长 1 ~ 2 cm；托叶着生于小叶柄的侧面，钻状，长约 5 mm，常早落；小叶 7 ~ 13 对，对生或近互生，纸质，披针状长圆形或椭圆状长圆形，长 15 ~ 30 mm，宽约 10 mm，先端钝圆或急尖，常具小尖头，基部宽楔形或圆形，上面被疏柔毛，下面毛被较密，中脉上面常凹陷，下面隆起，侧脉不明显。总状花序顶生；花多数，密生；花梗长 3 ~ 5 mm；苞片似托叶，脱落；花萼斜钟状，5 萼齿明显，不等大，三角状卵形；花冠白色或淡黄色，

旗瓣形状多变，通常为长圆状倒披针形，长 15 ~ 20 mm，宽 3 ~ 4 mm，先端圆或微缺，或明显呈倒心形，基部渐狭或骤狭成柄，翼瓣常单侧生，稀近双侧生，长约 16 mm，卵状长圆形，具三角形耳，折皱明显，龙骨瓣与翼瓣相似，先端明显具突尖，背部明显呈龙骨状盖叠，柄纤细，长约为瓣片的 1/2，具 1 三角形耳，下垂；雄蕊 10，花丝不同程度地联合，有时近二体雄蕊，联合部分疏被极短毛，子房密被白色近贴伏柔毛，柱头圆点状，被稀少柔毛。荚果串珠状，长 8 ~ 13 cm，直，具多数种子；种子卵球形，稍扁，褐色或黄褐色。花期 5 ~ 6 月，果期 8 ~ 10 月。

| 野生资源 |

（1）生长环境。苦豆子生于光照充足、排水良好的石灰质土壤或沙丘上。广泛分布于荒漠化草原地带和荒漠地区，也常侵入农田。

（2）分布区域。苦豆子分布于宁夏贺兰、惠农、平罗、永宁、利通、青铜峡、沙坡头、灵武、红寺堡、盐池、同心、兴庆、金凤、大武口。

（3）蕴藏量。根据苦豆子的生长情况，将其生境草场分为三等，经调查发现，一等草场每公顷内的平均生长植株数为 9.42 万株，平均株高为 30.6 cm，植株最高可达 61 cm，可产干草 783 kg，结籽实 180 kg；二等草场每公顷内的平均生长植株数为 5.25 万株，平均株高为 29.2 cm，植株最高可达 63 cm，可产干草 442 kg，结籽实 112.5 kg；三等草场每公顷内的平均生长植株数为 2.43 万株，平均株高为 27.7 cm，植株最高可达 57 cm，可产干草 204 kg，结籽实 51.2 kg。在苦豆子的分布区域内，一等草场约占 18.7%，面积 4.67 万 hm^2；二等草场约占 31.5%，面积 7.88 万 hm^2；三等草场约占 49.8%，面积 12.45 万 hm^2。

| 采收加工 |

苦豆根：春、秋季采挖，洗净，切片，晒干。

苦豆草：夏季采收，切段，晒干。

苦豆子：秋季采收成熟果实，打下种子，晒干。

| 药材性状 |

苦豆根：本品呈长圆柱形，稍弯曲，一般切成长 15 ~ 20 cm 的小段，直径 0.8 ~ 2 cm。表面棕黄色至褐色，粗糙，有明显的纵皱纹及裂纹，具横向皮孔，有时有支根痕。质坚硬，不易折断，断面纤维性，淡黄色，平整的切面木部作放射状排列，有裂隙。气微弱，味苦。

苦豆草：本品茎呈圆柱形，上部分枝，长 15 ~ 80 cm，密被白色柔毛；质硬，折断面皮部黄绿色，髓部类白色。叶互生，奇数羽状复叶；小叶多脱落或破碎，完整者椭圆状矩形，长 1 ~ 2 cm，灰绿色，两面被白色柔毛，稍革质。偶见总状花序顶生，花冠蝶形，黄白色。气微，味苦。

苦豆子：本品呈椭圆形，稍扁，长 4 ~ 5 mm，宽 3 ~ 3.5 mm，厚 2 ~ 2.5 mm，淡黄色，平滑，有光泽。种脐椭圆形，下陷，周围隆起部分褐色，种脊亦褐色，其线纹向上延伸、较长。种皮坚硬，不易破碎。具一薄层透明的胚乳，胚黄色，子叶 2，肥厚，胚根短，平直。

| 品质评价 |

苦豆根：以质坚实、味苦者为佳。

苦豆草：以叶多、味苦者为佳。

苦豆子：以颗粒饱满、色淡黄者为佳。

化学成分

（1）生物碱类。苦豆子中的主要有效成分为生物碱类。采用气相色谱 - 质谱法（GC-MS）共检出 13 种生物碱，这些生物碱主要为槐定碱、槐果碱、苦参碱、异槐果碱、野啶碱、lamprolobine 和槐胺碱，其含量分别占 13 种生物碱总量的 32.63%、19.99%、12.52%、9.25%、8.47%、6.16%、4.11%。苦豆子中的生物碱类可分为 5 大类型：第 1 类是苦参碱系列，包括苦参碱、槐定碱、莱曼碱、槐果碱、异槐果碱、槐胺碱、异槐胺碱和新槐胺碱；第 2 类是野啶碱系列，包括野啶碱和 *N*- 甲基野啶碱；第 3 类是臭豆碱系列；第 4 类是羽扇烷宁系列，包括 5,6- 二氢羽扇豆碱；第 5 类是羽扇豆碱系列，包括 lamprolobine。

（2）黄酮类。黄酮类化合物是苦豆子的另一大类活性成分。苦豆子的根和种子中含有多种黄酮类物质。从苦豆子种子的水提液中分离得到一种双黄酮的糖碳苷化合物；从其乙醚萃取液中分离得到 5,7- 二羟基黄酮、7,4- 二羟基双黄酮及具反式烯烃的查耳酮衍生物；另外，据报道，苦豆子中新的双黄酮苷、二苯乙烯骈二氢黄酮类化合物苦豆根酮 A 至苦豆根酮 F（alopecurone A ~ F）亦得到了分离和鉴定。

（3）挥发油类。苦豆子含有多种挥发油类成分。研究结果显示，从苦豆子的种子、根、叶和茎中分别得到了 30、12、15、12 个挥发油类成分，这些挥发油类成分主要有螺 [2.4]-4,6- 庚二烯、己醛、2- 甲基 -6- 乙基癸烷、丙基环丙烷、3- 甲基 -5- 乙基庚烷、乙酸、2- 乙基 -1- 己醇、2,3,7- 三甲基辛烷、3,4- 环氧 -2- 己酮、苯乙酮、3,5- 二甲基 -4- 辛酮等。种子中以酚类和萜类化合物为主要成分，根、叶和茎均以酯类化合物为主要成分。

（4）酚类。有学者采用溶剂萃取和各种色谱方法对苦豆子 95% 乙醇提取物的非生物碱部分进行分离纯化，利用波谱学方法鉴定化学成分的结构，结果分离得到了阿魏酸、紫铆因、7,3′,4′- 三羟基黄酮、7- 羟基 -3′,4′- 二氧亚甲基异黄酮、紫铆因 -4′-*O*-*β*-D- 吡喃葡萄糖苷、番石榴酸和 7,3′,4′- 三羟基黄烷 -7-*O*-*β*-D- 吡喃葡萄糖苷 7 个化合物。

（5）其他。研究发现，苦豆子豆籽油除了含有生物碱类外，还含有有机酸及其酯类、5 种甾体化合物、维生素 E、γ- 生育酚、具抗癌活性的木栓 -3- 酮类化合物。有机酸及其酯类含量，占总量的 27.49%，其中，（9*Z*，12*Z*）- 二烯十八酸是苦豆子豆籽油中含量最高的化合物，其含量占总量的 20.83%；5 种甾体化合物含量，占总量的 22.11%；维生素 E 含量，占总量的 1.92%；γ- 生育酚含量，占总量的 1.41%；具有抗癌活性的木栓 -3- 酮类化合物含量，占总量的 1.28%。经夹板薄层层析，从苦豆子干燥种粒的 50% 甲醇提取液中分离得到了 2 个单体化合物，其中一种为香豆素类化合物，经结构分析确定其为二氢香豆素，这是首次在苦豆子中发现二氢香豆素。

| 药理作用 |

（1）抗肿瘤。苦豆子提取物中的总生物碱、苦参碱、氧化苦参碱、槐果碱、槐定碱抗结肠癌的体外筛选实验结果显示，5 种生物碱对结肠癌细胞株 SW620 均有不同程度的抑制作用，其作用效果由弱到强依次为：总生物碱＜氧化苦参碱＜槐果碱＜苦参碱＜槐定碱。进一步的研究结果表明，苦参碱、槐定碱对结肠癌细胞株 SW620 具有显著的生长抑制及促凋亡作用。另外，有学者研究发现，0.4 ～ 3.2 mg/ml 的槐定碱对体外培养的人胃癌 MGC-803 细胞有明显的抑制作用，并可诱导其发生凋亡。凋亡细胞表现为：细胞固缩、核染色质聚集或碎裂、胞质空泡化等；DNA 电泳可见 DNA 梯形条带；流式细胞仪检测 Sub-G1 凋亡峰在 G1 期前出现，S 期细胞比例增高。此外，苦参碱对人肝癌细胞、膀胱癌细胞、前列腺癌细胞、肺癌细胞、人骨肉瘤细胞均有抑制作用。

（2）对免疫系统的影响。有关苦豆子对免疫系统的影响的研究结果显示，苦豆子水煎剂可明显降低 T 淋巴细胞数量，并显著抑制免疫球蛋白 M（IgM）抗体的生成。这证实苦豆子是一种以免疫抑制方式起主要作用的中草药。将 8 周龄昆明小鼠按低、中、高浓度分为 3 组，灌胃给药，每日给药量分别为 5、10、15 g/kg，连续给药 7 天，以每天灌服 0.5 ml 饮用水的小鼠为对照组，通过淋巴细胞转化试验和常规苏木精 - 伊红染色试验，研究苦豆子水煎剂对小鼠淋巴细胞增殖率和脾脏组织结构的影响。与对照组相比，经 3 个浓度苦豆子水煎剂处理后，小鼠的 T 淋巴细胞、B 淋巴细胞增殖率均极显著降低（$P < 0.01$）。经中浓度和低浓度苦豆子水煎剂处理后，小鼠脾脏红髓中 B 淋巴细胞的密度明显降低，其中，经中浓度苦豆子水煎剂处理后，B 淋巴细胞的密度最小。这说明苦豆子水煎剂可降低小鼠淋巴细胞增殖率和脾脏红髓中 B 淋巴细胞的密度，从而对脾脏的免疫清除功能产生影响。可见，苦豆子对小鼠的免疫功能具有一定的抑制作用。

（3）对心血管系统的影响。有学者通过观察苦豆子总碱对力竭运动大鼠心血管系统细胞的病理性损伤和改变，以及运动后自由基代谢的影响，探讨其对运动性疲劳大鼠心血管系统的保护作用，结果表明，苦豆子总碱对力竭运动大鼠的心肌细胞损伤具有保护作用，对力竭运动后机体抗凋亡和抑制自由基反应具有良好的影响，并可有效提高心血管系统的抗氧化能力。

（4）抗辐射。有学者研究苦豆子总碱的抗辐射作用，结果显示，给药组小鼠的体重、胸腺指数、脾指数及超氧化物歧化酶活力明显高于阳性对照组，而其丙二醛含量低于阳性对照组。这表明苦豆子总碱具有抗辐射作用。

（5）保肝。苦豆子总碱对四氯化碳、D-半乳糖胺所致化学性肝损伤和卡介苗加脂多糖引起的免疫性肝损伤均有保护作用，对血清转氨酶升高有明显的抑制作用，并可改善肝细胞坏死及炎性细胞浸润。

（6）抗内毒素。有学者研究苦豆子总碱和3种苦豆子单体碱对内毒素的作用，结果表明，这些苦豆子碱可不同程度地改善模型鼠的一般状况，并可不同程度地升高外周血白细胞数量，降低肺脏湿/干（W/D）比值，减轻肺组织病理改变，降低模型鼠肺组织脂多糖受体CD14表达，增加清道夫受体A（scavenger receptor A，SR-A）表达，降低血清中肿瘤坏死因子-α和白细胞介素-6的水平。由此可见，苦豆子总碱和3种苦豆子单体碱可不同程度地减轻脂多糖引起的肺损伤小鼠的病理损害，它们的抗内毒素机制可能与调节内毒素的识别受体，进而影响下游炎症因子表达有关。苦豆子总碱及3种苦豆子单体碱槐果碱、槐定碱、氧化苦参碱具有体外直接灭活内毒素的作用。

（7）抑菌。苦豆子对副伤寒沙门菌、金黄色葡萄球菌具有较好的抑制作用。此外，苦豆子蛋白粗提物对意大利青霉菌和链格孢菌均有很好的抑制作用。苦豆子生物碱对大肠埃希菌、无乳链球菌、多杀性巴氏杆菌均有一定的抑制作用。

（8）抗炎。有学者观察苦豆子总碱对大鼠溃疡性结肠炎的外周血和结肠组织中白细胞介素-10（IL-10）表达的影响，结果显示，苦豆子总碱高、中、低剂量组均能显著性上调结肠组织和外周血中的IL-10的表达（$P < 0.05$），且结肠组织中IL-10的变化与外周血中IL的变化相比差异明显。可见，苦豆子总碱可通过上调IL-10的表达，减轻或改善实验性结肠炎大鼠的组织学损伤和症状。此外，据报道，苦豆子总碱还可通过调节实验性结肠炎大鼠结肠组织中$CD4^+$、$CD25^+$、调节性T细胞（Tregs）和外周血叉头框蛋白P3（Foxp3）的表达，减轻或改善实验性结肠炎大鼠的症状。

| 功能主治 | 苦豆根：苦，寒；有毒。归心、肺经。清肠燥湿，镇痛。用于湿热痢疾，肠炎泄泻，黄疸，湿疹，咽痛，牙痛，顽癣，烫伤。

苦豆草：苦，寒；有毒。归心、肺经。清肠燥湿。用于痢疾，肠炎。

苦豆子：苦，寒；有毒。归心、肺经。清热燥湿，止痛，杀虫。用于痢疾，胃痛，白带过多，湿疹，疮疖，顽癣。

| 用法用量 | 苦豆根：内服煎汤，3 ~ 6 g。外用适量，煎汤洗；或研末调敷。

苦豆草：内服煎汤，1.5 ~ 3 g。

苦豆子：内服炒黑研末，每次 5 粒。外用适量，研末，煎汤洗；或用其干馏油制成软膏搽。

| 市场信息 | （1）商品规格。市场上尚无苦豆子商品规格等级标准。

（2）价格信息。苦豆子主要来源于野生资源，市场上多为冷背行销售，货源零星走动，其市场价格为 13 ~ 25 元 /kg。

（3）收购量。相关信息显示，苦豆子的年收购量约为 20 t。

| 传统知识 | （1）用于胃痛，微吐酸水。苦豆子 5 粒，生姜 3 g，蒲公英 6 g，氢氧化铝 0.6 g。共研细粉，开水冲服。也可单用苦豆子 5 粒，研末冲服。

（2）用于湿疹，顽癣。苦豆子干馏油，配成 10% 软膏外搽。

（3）用于滴虫性肠炎。苦豆子 57 粒。研末，装胶囊口服。

（4）用于宫颈糜烂。月经干净 3 ~ 5 天开始治疗，将苦豆子散剂 0.5 g 撒布于宫颈糜烂面处，用无菌棉球填塞以防其脱落，每日 1 次，5 ~ 7 天为 1 个疗程，合并阴道炎者可同时治疗。

| 资源利用 | （1）资源化利用途径。在荒漠草原发展苦豆子产业，建立全国苦豆子资源化利用示范基地，将有毒、有害的植物变成可利用资源，有利于改善荒漠化地区的生态环境，对维护生态平衡、防治土地沙漠化、减少水土流失有着重要作用。20 世纪 30 年代，美国将苦豆子中的“苦参总碱”正式列入《美国药典》。1977 年，我国将其载入《中华人民共和国药典》，至此苦豆子的资源化利用全面展开，这将在人类康复事业中产生巨大的社会效益和经济效益。进入 21 世纪后，应以苦豆子的资源再生利用发展草产业和畜牧业，带动我国西北地区农业和生态经济的发展。因此，合理、有效地开发利用苦豆子资源成为西北地区荒漠草原生态建设和可持续发展的重要途径。

（2）制药工程。目前，苦豆子已被开发为苦豆子片（国药准字 Z20123032）和苦豆子油搽剂（国药准字 Z20026077）2 种药品，这 2 种药品分别由国药集团新疆制药有限公司和四川德峰药业有限公司生产。苦豆子总碱为已批准在上市制剂中使用的原料药，其生产企业为宁夏紫荆花制药有限公司和鄂尔多斯市金驼药业有限责任公司，批准文号分别为国药准字 H62020286 和国药准字 H20053699。

此外，农药、化肥的广泛使用导致药物残留污染问题日趋严重。因此，无毒、无残留、高效经济、易分解的新型生态药物的开发引起世界各国的广泛关注。国内大量研究表明，苦豆子及其提取物具有多种功效，适合开发为新型生态药物。苦豆子总碱对枸杞蚜虫、乳草蝽、松材线虫等具有明显的防治效果，对黄瓜和番茄的病原菌均有抑制作用。经过脱毒处理的苦豆子生物碱可用于多种新型生态药物的研发，对生态农业的发展具有巨大贡献。随着对苦豆子生物碱研究的深入，研究人员发现苦参素能够抑制乙肝病毒，苦参素注射液已被列为中华医学会重点推广药品。苦参碱具有较强的杀菌功能，因此受到很多学者的青睐。南京林业大学以苦豆碱为主要原料，成功研制了防治松材线虫病的农药“杀线一号”，该农药已广泛应用于林间防治。宁夏绿谷制药有限公司（今宁夏博尔泰力药业股份有限公司）以苦参总碱为原料，与联营单位共同研发了高效经济且无公害的新型生态农药“田卫士”。

（3）提供蜜源。苦豆子花朵丰富，顶生，组成总状花序，花期较长。花蜜洁白细腻，营养价值高。在光照适宜、昼夜温差大、气温较高且无明显变化的条件下，苦豆子蜜量丰富，是我国西部荒漠草原重要的蜜源植物之一，大面积种植可用来开展养蜂业。据不完全统计，在宁夏盐池县，由于分布面积超过牛心朴子（俗称“老瓜头”，是荒漠重要的蜜源植物之一），苦豆子成为主要的蜜源植物，是西北地区的“沙漠大蜜库”。

（4）营养价值。苦豆子作为豆科植物，种子蛋白含量高。在去除有毒生物碱后，苦豆子残渣可作为高营养价值的蛋白饲料。经测定，苦豆子草渣含粗蛋白 17.66%、粗脂肪 2.31%、粗纤维 31.42%、无氮浸出物 40.72%。苦豆子中赖氨酸的含量较苜蓿中低 8.19%，除此以外，苦豆子中其余动物必需氨基酸含量均较苜蓿中高，而其营养价值与苜蓿的相当；苦豆子籽渣中含粗蛋白 23.48%、粗脂肪 4.93%、粗纤维 20.45%、无氮浸出物 46.64%，其营养价值与胡麻饼相当。有报道称在能量、蛋白质水平相似的条件下，以苦豆子草渣及籽渣代替苜蓿和胡麻饼喂养滩羊，结果滩羊的体重变化、日采食量、饲料报酬、屠宰率、经济效益

均较对照组高，这表明去除毒碱后苦豆子的残渣可代替苜蓿和胡麻饼使用。苦豆子草渣和羊粪、油渣等混合可制成高效肥料。已有报道指出，苦豆子绿肥和磷酸二氢钾混合使用可以提高甜瓜的产量；新疆农民将收割的苦豆子新鲜枝叶埋入西瓜和葡萄根部，可达到增产的效果。苦豆子秸秆被微生物碱降解后，可与甘草、玉米秸秆等配制饲料。另外，苦豆子秸秆可作为平菇栽培培养基，对于生产平菇有着广阔的发展前景。

附 注

目前，对于苦豆子的研究主要集中在生物碱的提取、药用价值和资源化利用的开展等方面，对苦豆子生物学和生态学方面的研究则主要包括对苦豆子种子形态特征及发芽条件、组织培养、发芽特性与种子休眠等的研究。基于上述研究情况，在今后的研究中应重视以下几个方面。

（1）对苦豆子化学成分的研究主要集中在总生物碱及黄酮的提取和分离方面，而对苦豆子挥发油、酚类、多糖、香豆素类、甾体类化合物、有机酸、游离氨基酸等成分的研究较少；关于生物碱药理作用过程和机制的研究不够全面；生物碱形成机制及其在各个器官发育阶段的分布情况尚不明确；对苦豆子各化学组分之间的相关性研究也鲜见报道。因此，今后应将研究重点转移到这些方面，以进一步扩大苦豆子的应用学研究领域。

（2）对苦豆子与内生菌的协同进化的研究较少。内生真菌的遗传多样性研究可揭示苦豆子种群 - 群落 - 生态系统协同作用的内在机制。苦豆子中的大部分生物碱有毒，能否在基因水平上利用计算机技术找到生物碱结构中的毒性基因，对之进行定向的改造，或修饰合成抗毒性基因，利用基因工程将抗毒性基因导入苦豆子植株，从而解决苦豆子生物碱的毒性问题，将是进一步研究开发的重要方向。

（3）利用现代生物技术将外源抗虫基因导入苦豆子体内，获得具有抗虫能力的转基因植物是经济、安全、高效的防治病虫害措施之一。提取出苦豆子生物碱中的抗逆性基因，利用基因工程培育出新型抗旱、耐盐碱及抗病虫害的转基因农作物，不仅可以减少农药的使用，还能为人类带来一定的经济效益。

（4）目前，苦豆子保育或复壮技术研究尚属空白。可考虑开展人工种植技术、天然种群或群落地表覆沙、土壤结皮破除技术、浅耕翻技术、根茎切断技术、施用富含硅离子的复合肥等多种技术的综合研究，为增加苦豆子的资源量提供技术支撑。

参考文献

[1] 宁夏回族自治区卫生厅. 宁夏中药材标准 [M]. 银川：宁夏人民出版社，1993：88-91.
[2] 宁夏食品药品监督管理局. 宁夏中药材标准 [M]. 银川：阳光出版社，2018：55-58.
[3] 邢世瑞. 宁夏中药志 [M]. 银川：宁夏人民出版社，2006：130-135.
[4] 黄璐琦，姚霞. 新编中国药材学 [M]. 北京：中国医药科技出版社，2020：214-216.
[5] 仲仁山. 苦豆子的研究及其应用 [M]. 银川：宁夏人民出版社，1983：1-5.
[6] 中华人民共和国卫生部药典委员会. 中华人民共和国药典：一部 [M]. 北京：人民卫生出版社，1978：325-326.
[7] 国家药品监督管理局. 中药材生产质量管理规范（试行）[EB/OL].（2002-04-17）. http://www.gov.cn/gongbao/content/2003/content_62580.htm.
[8] 中国科学院中国植物志编辑委员会. 中国植物志 [M]. 北京：科学出版社，1994：80.
[9] 国家中医药管理局《中华本草》编委会. 中华本草 [M]. 上海：上海科学技术出版社，1999：629-633.
[10] 王国强. 全国中草药汇编：卷二 [M]. 3 版. 北京：人民卫生出版社，2014：594-596.
[11] 张清云. 宁夏苦豆子药用植物资源保护与开发利用 [J]. 世界科学技术，2006，8（1）：104-108.
[12] 万传星，刘明月，孙红专，等. GC-MS 分析苦豆子总碱中的 13 种生物碱 [J]. 华西药学杂志，2009，24（6）：587-590.
[13] 陈文娟，杨敏丽. GC-MS 分析宁夏苦豆子不同部位挥发油的化学成分 [J]. 华西药学杂志，2006，21（4）：334-336.
[14] 王桂云，马超. 苦豆子酚性成分的研究 [J]. 中国中药杂志，2009，34（10）：1238-1240.
[15] 马别厚，张尊听. 苦豆子豆籽油化学成分研究 [J]. 天然产物研究与开发，2003，15（2）：133-134.
[16] 郭晓风，李秀丽，白音夫. 中药苦豆子中二氢香豆素成分的研究 [J]. 内蒙古中医药，2007，22（7）：45-46.
[17] 梁磊，王晓燕，张绪慧，等. 苦豆子生物碱抗结肠腺癌细胞株 SW620 的作用筛选 [J]. 中药材，2008，31（6）：866-869.
[18] 周炳刚，苏刚，马德强，等. 槐定碱诱导人胃癌 MGC-803 细胞凋亡的实验研究 [J]. 肿瘤，2003，23（3）：197-199.
[19] 邹姝姝，杨帆，陈鸿飞，等. 苦参碱对肝癌细胞的作用 [J]. 重庆工学院学报（自然科学版），2009，23（11）：47-50.
[20] 单广夷，盛玉文. 苦参碱对人膀胱癌 EJ 细胞株凋亡的影响及机制 [J]. 山东医药，2010，50（11）：43-45.
[21] 金光虎，高吉，毛小强，等. 苦参碱诱导人前列腺癌 pc-3m 细胞凋亡及对骨桥蛋白表达的影响 [J]. 中国老年学杂志，2009，29（11）：2758-2759.
[22] 方淑梅，张宏伟，秦学功. MTT 法探讨苦参碱对人肺癌细胞 LTEP-a-2 的抑制作用 [J]. 黑龙江八一农垦大学学报，2009，21（5）：39-43.
[23] 颉玉欣，郭晓华，李国慧，等. 苦参碱对人骨肉瘤细胞 MG63 凋亡影响的实验研究 [C]// 第五届全国中医药免疫学术研讨会——暨环境·免疫与肿瘤防治综合交叉会议论文汇编. 福州，2009：304.
[24] 李莉，李骞，张顺利. 苦豆子对小鼠的免疫调节作用研究 [J]. 河南师范大学学报（自然科学版），2008，36（3）：98-100.

[25] 李莉，李新慧，张顺利. 苦豆子对小鼠免疫功能的影响研究 [J]. 安徽农业科学，2008，36（10）：4072-4073，4091.
[26] 惠飞虎，赵亮. 苦豆子总碱对力竭运动大鼠心血管系统细胞凋亡及自由基代谢影响的研究 [J]. 陕西中医，2008，29（6）：745-747.
[27] 张颖. 苦豆子总碱对低剂量照射小鼠的辐射防护效应研究 [J]. 中国辐射卫生，2008，17（3）：305-306.
[28] 黄华，哈木拉提，杨丽丽，等. 苦豆子生物碱保肝降酶和免疫调节作用研究 [J]. 中药药理与临床，2005，21（2）：16-19.
[29] 韩燕，周娅，刘泉. 苦豆子抗内毒素效应的实验研究 [J]. 中药材，2006，29（10）：1066-1069.
[30] 韩燕，周娅，王琳琳. 苦豆子生物碱对内毒素的体外灭活作用 [J]. 宁夏医学杂志，2007，29（7）：579-580.
[31] 唐海淑，朱凯，安冉，等. 苦豆子蛋白粗提物抗菌活性的初步研究 [J]. 新疆农业科学，2009，46（2）：425-429.
[32] 杨红文，艾玲，雒秋江. 苦豆子等新疆中草药的体外抑菌试验 [J]. 安徽农业科学，2008，36（29）：12745-12746.
[33] 张为民，张彦明，张涛，等. 苦豆子生物碱抑菌抗炎作用研究 [J]. 动物医学进展，2005，26（10）：82-85.
[34] 于天丛，闫磊，丁君，等. 苦豆子 7 种生物碱对瓜类炭疽病菌的室内毒力测定 [J]. 农药科学与管理，2006，25（7）：23-25，34.
[35] 周毅，邓虹珠，朱学敏，等. 苦豆子总碱对大鼠溃疡性结肠炎细胞因子 IL-10 表达的影响 [J]. 国际消化病杂志，2007，27（6）：465-469.
[36] 周毅，王赫，梁磊. 苦豆子总碱对调节性 T 细胞中的 Foxp3 在实验性结肠炎发病中表达的影响 [C]//第六届中国药学会学术年会论文集. 广州，2006：3213-3217.
[37] 王文全，孟玲，许键. 苦豆子胰蛋白酶抑制剂对几种害虫的抑制作用 [J]. 新疆农业科学，2000（S1）：109.
[38] 齐力，王泽茹. 宁夏苦豆子资源调查与开发利用 [J]. 首都医药，2005，12（12）：13-14.
[39] 罗术东，王彪，祁文忠，等. 西北特色蜜源植物——苦豆子的分布与利用 [J]. 中国蜂业，2009，60（7）：11-13.
[40] 杨阳，刘秉儒. 苦豆子植物特性及资源化利用研究进展 [J]. 贵州农业科学，2013（12）：4-9.
[41] MUNEAKAZU I，MASAYOSHI O，TOSHIYUKI T. Six flavonostilbenes and a flavanone in roots of *Sophora alopecuroides* [J]. Phytochemistry，1995，38（2）：519-525.

撰稿人：王汉卿　卢有媛

百合科 Liliaceae 萱草属 *Hemerocallis* 凭证标本号 640381170529017LY

黄花菜 *Hemerocallis citrina* Baroni

药材名 金针菜（入药部位：花蕾。别名：萱草花、川草花、萱萼）、萱草根（入药部位：根。别名：漏芦果、漏芦根果、黄花菜根）、萱草嫩苗（入药部位：嫩苗）。

本草综述 黄花菜，原产于亚洲和欧洲，中国是其原产地之一，从黄花菜野生群体的分布来看，黄河和长江流域是其起源中心。李时珍《本草纲目》引晋嵇含《宜男花序》曰："荆楚之土号为鹿葱，可以荐菹，尤可凭据。今东人采其花跗干而货之，名为黄花菜。"《圣济总录》载萱草花可治"面粉"（即粉刺）。《救荒本草》称之为川草花。《中华本草》认为萱草根始见于《本草拾遗》，而实际上"合欢蠲忿，萱草忘忧"早见于三国时期嵇康所著的《养生论》。唐代《新修本草》认为萱草"不入药用"。宋代将萱草根收入本草正品，记载萱草根

黄花菜

“凉，无毒，治沙淋，下水气”，同时《证类本草》还记录了萱草根的用法，“取根捣绞汁服，亦取嫩苗煮食之”。后世本草著作开始收录萱草根和萱草嫩苗。

| 形态特征 | 植株一般较高大；根近肉质，中下部常有纺锤状膨大。叶 7 ~ 20，长 50 ~ 130 cm，宽 6 ~ 25 mm。花葶长短不一，一般稍长于叶，基部三棱形，上部多少圆柱形，有分枝；苞片披针形，下面的长可达 3 ~ 10 cm，自下向上渐短，宽 3 ~ 6 mm；花梗较短，通常长不及 1 cm；花多朵，最多可达 100 以上；花被淡黄色，有时在花蕾时先端带黑紫色；花被管长 3 ~ 5 cm，花被裂片长（6 ~ ）7 ~ 12 cm，内 3 片，宽 2 ~ 3 cm。蒴果钝三棱状椭圆形，长 3 ~ 5 cm；种子约 20，黑色，有棱，从开花到种子成熟需 40 ~ 60 天。花果期 5 ~ 9 月。

| 栽培资源 | （1）栽培历史。我国黄花菜的栽培历史悠久，有文字可查者，有 2 700 余年。黄花菜最早见于西周时期的《诗经・卫风・伯兮》。

黄花菜在宁夏有着悠久的栽培历史，尤其在盐池县的栽培更具规模和闻名。约 200 年前，盐池县惠安堡镇的农民就开始引种栽植黄花菜。2013 年，盐池县黄花菜的生产总面积达 1 000 hm^2，产量 1.5 万 t。目前，盐池县黄花菜的种植面积达 8.2 万亩，年产值 2.5 亿元；红寺堡黄花菜的种植面积为 8.02 万亩。2013 年 4 月 15 日，农业部正式批准对“盐池黄花菜”实施农产品地理标志登记保护。2020 年 2 月 26 日，宁夏回族自治区盐池县“盐池黄花菜”中国特色农产品优势

区被认定为第三批中国特色农产品优势区。

（2）栽培区域。宁夏黄花菜的主要栽培区域为位于中部干旱带的盐池、红寺堡区、同心、青铜峡、灵武。此外，固原隆德、原州、泾源、西吉也有少量种植。

（3）栽培面积与产量。截至 2020 年，宁夏黄花菜的种植面积已达 16.8 万亩。

（4）栽培技术。

1）生长习性。①土壤。黄花菜适应性强，且能生长在瘠薄的土壤中，对种植土壤的理化特性和营养水平要求不高，在 pH5.0 ~ 8.6 的土壤中均可生长。在海拔 1 500 m 以下、降水量 500 ~ 1 300 mm 的山坡或平原均可栽培。一般来说，有机质含量高、土层深厚、水源好、地下水位低的壤土及黏土最适宜其生长。黄花菜根系粗壮、分布深广，耕层内有大量根群，可抑制土壤盐分上升，减轻

盐碱危害。幼苗由于根系较浅，比成苗更容易受盐碱危害，因此，在幼苗阶段促进黄花菜根部发育尤为重要。随着苗龄的增加，黄花菜耐盐的能力逐渐提高。②温度。黄花菜在生长过程中对温度要求不严格，一般生长温度为 5 ～ 34 ℃，以 20 ～ 25 ℃温度条件为宜，该温度下黄花菜根芽分生组织活跃，终年均可长芽。黄花菜的地上部不耐寒，地下部耐寒性很强，在气温下降至 −49 ℃的地区仍可安全越冬。早春时期平均气温达 5 ℃以上时，开始萌芽出土。叶丛生长的适宜温度是 15 ～ 20 ℃，抽薹开花期最适宜的温度是 20 ～ 25 ℃。较高的温度和较大的昼夜温差能够促进花蕾的形成和营养物质的积累。③水分。黄花菜的肉质根既能贮藏营养，又能蓄积水分，只要生长期间稍有降水，就能积蓄大量水分以供生长发育；地上部分保水性较强，特别是叶子狭长、角质层厚的黄花品种，蒸腾作用较少，比叶片宽大、角质层薄的红花品种耐旱力更强，在较难灌溉的山坡上也能生长。抽薹期是大量需水的临界期，花薹抽出前需水较少，开始抽薹后需水渐增。黄花菜开花之季，雨水多少常直接影响到花蕾的大小、多少和花期的早晚。开花期，尤其是盛花期需水量最大，在该时期应加大灌水量，此时期缺水易使幼蕾萎缩、变黄、脱落，甚至会导致叶片枯黄。同时黄花菜忌连阴雨，怕涝，遇到这种情况，应开沟排水，避免烂根。④光照。黄花菜喜光耐阴，充足的光照能增强黄花菜的光合作用，有利于营养物质的积累，提高黄花菜品质和产量。黄花菜对光照强度变化的适应性强，在树林中半阴处也能够生长，但产量会受到影响。

2）种苗选择。①品种选择。选择优质、高产、早熟、肉质厚、抗病虫和抗旱性等较强的品种，所选品种主要为陕西大荔县产的“沙苑黄花菜”和甘肃庆阳地区产的“大乌嘴”，其特点为宿根大、根芽壮、花蕾多、花蕾长、产量高和品质佳。②种苗采挖。黄花菜主要采用无性繁殖。种苗宜选用生长旺盛、单株多蘖、苗株健壮、无病虫的多年生植株，黄花菜种苗一般选择种植时间超过 5 年的健壮植株，将苗丛具有足够单株数或种植密度过大的植株从田间完整的挖起，并及时除掉根须及茎部泥土与枯叶，然后装袋备用。③切根分芽。将采挖的苗丛，抖去泥土，根据根部的自然分蘖，按照自然根的长短切根分芽，每株都要分开，即每 1 ~ 2 个芽片为一丛，从母株上掰下，将根茎下部生长的老根、朽根和病根剪除，做到每个芽片带有一层支根或 3 ~ 5 条肉质根，根须长 3 ~ 5 cm，每层支根留一个单芽即可。

3）整地施肥。①选地。由于黄花菜具有喜温、喜光、好湿润、畏酸碱、怕黏渍等特性，因此栽植地应选择土壤呈中性或微酸性、质地疏松、土壤团粒结构好、背风向阳、排水方便的地块。②整地。黄花菜的根系为肉质根系，比较发达，入土较深，且黄花菜是多年生植物，种植前需要深翻整地，以利于黄花菜根系的生长。深耕 25 cm 以上，耕完后要精细耙耱，使土壤疏松、细碎平整，做到地平如镜、埂直如线。③施基肥。黄花菜为喜肥多年生作物，故定植前要施足基肥，且适当增加肥料可提高产量，结合深耕每亩施腐熟优质农家肥 3 000 ~ 4 000 kg、磷酸二铵肥 15 ~ 20 kg。

4）移栽定植。①移栽时间。黄花菜的移栽时间一般以春、秋季最佳，秋季移栽时间在 10 月中下旬，以地上部叶片干枯到冬季土壤封冻前为宜；春季移栽时间在 4 月中下旬，以土层化冻 20 ~ 30 cm、返青前为宜。②移栽方法。在整好的地块，采用双行靠宽窄行种植，即宽行行距 120~130 cm，窄行行距 20 cm，株距 20 cm，用铁锹挖一个坑，将种苗放入坑中，然后覆土压实。栽培原则：浅不漏根，深不埋心。③种植密度。黄花菜产量的高低取决于花葶数及每个花葶上的花蕾数和花蕾的大小。如栽植太稀则分蘖数少，产量低；如栽植过密，虽可早进入丰产期，多得收益，但根部容易密集成丛，使黄花菜丰产期采集年限缩短，且不便于采摘操作。所以，以每亩移栽 4 450~4 760 株为宜。

5）田间管理。①中耕除草。黄花菜为肉质根，只有肥沃疏松的土壤环境条件才有利于根系的生长发育。在黄花菜的整个生育期，通常以中耕除草 2 ~ 3 次为宜，在杂草生长高度达到 2 ~ 3 cm 时，利用小型旋耕机在带距间进行第 1 次旋耕除草，苗间杂草采用人工除草，以后根据杂草的生长情况进行第 2 次或第 3

次除草，不提倡药剂除草。②合理排灌。黄花菜属喜水作物，在生长发育期内保持一定的土壤水分有利于其高产。在出苗后抽薹前，第 1 次浇水必须浇足；抽薹到采摘期，每隔 1 周浇 1 次水；采摘到终花期，保持土壤湿润；采摘结束后浇 1 次水，封冻前进行蓄墒，延长功能叶，为来年丰产积累养分。尤其在花期不能缺水，有灌水条件的地方可在花期浇水 2 ~ 3 次。如果缺水严重，黄花菜会表现为花薹细小、落蕾数高、高矮不齐等，从而影响黄花菜的产量。黄花菜苗不耐涝，在多雨季节，应及时做好排水，防治渍涝，减少病虫害和落蕾发生，否则会造成减产，甚至会导致植株死亡；在干旱高温季节，视土壤墒情，适期灌溉，以保持土壤湿润，提高产量和品质，避免因干旱而造成花蕾脱落，产量下降。③科学施肥。施肥量及施肥时期：黄花菜喜肥、耐肥，尤其对氮、磷、钾的需求量较多，故在出苗至孕薹期，应结合灌水每亩追施硝酸磷钾肥（N ∶ P ∶ K=22 ∶ 9 ∶ 9）15 ~ 25 kg，或者磷酸二铵肥 15 ~ 25 kg；在抽薹期，应结合灌水每亩追施硝酸磷钾肥（N ∶ P ∶ K=22 ∶ 9 ∶ 9）20 kg；在花蕾期，应结合灌水每亩追施硝酸磷钾肥（N ∶ P ∶ K=22 ∶ 9 ∶ 9）15 kg，同时根据黄花菜的生长情况可喷施磷酸二氢钾叶面肥。施肥方法：沿黄花菜种植带两边，距黄花菜苗 15 ~ 20 cm 处，开一条沟，沟深约 15 cm，将肥料按照每次每亩使用量均匀地撒施在沟中，亦可起到培土作用，然后覆土灌水。施肥原则：速施催苗肥，巧施抽薹肥，巧施催蕾肥，轻施保蕾肥。速施催苗肥：黄花菜出苗后到花茎抽出前，每亩施尿素 15 kg。宜早不宜迟，主要用于出苗、长叶，促进叶片早生快发，以达到促苗生长健壮、提高抗病虫害能力的目的。巧施抽薹肥：当植株叶片出齐、花薹抽出 15 ~ 20 cm，进入花薹分化期，即由营养生长进入生殖生长时，可结合浇水每亩撒施尿素 30 kg。此时一方面要迅速抽薹、孕蕾，另一方面，叶片仍在延续增长。因此，从孕薹到抽薹、孕蕾这一段时间，是黄花菜生长过程中需肥最多的一个阶段。营养供给充分，就能使花薹发育粗壮，抽薹整齐，花蕾肥大，成蕾率高，并能加强萌蕾力，延长采摘期。巧施催蕾肥：在抽薹期，黄花菜的花蕾也在孕育生长，增施肥料可使花蕾健壮多生，减少落蕾，收到显著的增产效果。当花薹抽齐时，可结合浇水，每亩撒施尿素 10 kg。轻施保蕾肥：采摘中后期蕾大花多，可每隔 1 周喷施 500 倍液磷酸二氢钾，如此小蕾不易凋谢。④休眠期管理。割老叶：在寒露时，黄花菜的叶全部枯黄，要将之齐地割掉，并烧掉枯草、烂叶，以减轻来年病虫害。采摘黄花菜后，剩下的花薹和叶片会相继枯萎衰老，但仍继续消耗水分和养料，故应及时割除，使养料集中供给地下根部。堆蔸：冬苗枯死后，在每穴上随即施入有机肥，称为堆蔸。黄花菜的根系每年从新生的基节上发出，有渐向上生长的趋势，因此，在割完老叶后，应用肥土堆蔸，加深耕作层，以利于新根的生长，新种的黄花菜不必堆蔸，一般在4年以后进行堆蔸。⑤合理间作。新栽黄花菜的前2年，苗小，产量低，可在大行间种一些低秆作物，如瓜、豆、薯类等。同时，间作作物应距黄花菜一定的距离，并分别追肥，以缓和间作作物和黄花菜争水争肥的矛盾。6）病虫害防治。①病害防治。锈病：主要危害黄花菜的叶片。病害流行初期，每亩选用新高脂膜60 g进行叶面喷雾保护处理，若病情继续加重，每亩喷洒敌锈钠80 g，连续叶面喷雾处理2次，间隔7天。根腐病：主要危害黄花菜的根部。引起根腐病的主要原因是土壤潮湿积水、高温高湿。根腐病可用多菌灵800倍液或根腐宁500倍液随滴管灌根防治。叶枯病：主要危害黄花菜的叶片和花薹。在发病初期用75%百菌清可湿性粉剂1 000倍液或50%多菌灵可湿性粉剂1 000倍液，每隔7 ~ 10天喷施1次，共喷施3 ~ 4次。不论病情轻重，到花蕾采收完毕，都要及时割叶培土，并将割下的叶片集中烧毁，除灭病菌。②虫害防治。蛴螬：主要危害黄花菜的根部，将黄花菜的根部咬断或者咬成缺口，造成根部吸收养分困难。防治：每亩用50%辛硫磷颗粒剂200 ~ 500 g，随整地一起施入土壤中。蓟马：主要危害黄花菜的花蕾，受害花蕾短小，花梗上有黄褐色嘬吸痕迹，严重时花蕾弯曲，商品价值降低。利用蓟马趋蓝光的习性，可在田间悬挂蓝色诱虫板诱杀成虫，黏板高度与花蕾高度持平。每亩地张贴30 ~ 50张蓝板。用60%乙基多杀菌素（生物农药）10 ml悬浮剂，加水15 kg喷雾，每亩用2袋；50%杀虫环（生物农药，每袋20 g），加水15 kg喷雾，每亩用2袋，再掺一点红糖效果更好。蚜虫和红蜘蛛：主要危害黄花菜的嫩叶。多利用其天敌消灭蚜虫，如利用中华草蛉、食螨瓢虫捕食。虫口密度达到20头 / 株时，每亩用吡蚜酮SP 15 g或苦参碱SL 0.3 g喷洒叶面，连续防治2 ~ 3次，间隔7天。

｜采收加工｜ 金针菜：5～8 月花将要开放时采收，蒸后晒干。

萱草根：夏、秋季采挖，除去残茎、须根，洗净泥土后晒干。

萱草嫩苗：春季采收，鲜用。

｜药材性状｜ 金针菜：本品花呈弯曲的条状，表面黄棕色或淡棕色，湿润展开后呈喇叭状，花被管较长，先端5瓣裂，雄蕊6。质韧，味鲜，微甜。有的花基部具细而硬的花梗。

萱草根：本品根茎呈短圆柱形，长1 ~ 4 cm，直径1.2 ~ 2 mm。先端具棕褐色

纤维状叶残基；根簇生，多数，多折断，完整者长 5 ~ 20（~ 30）cm，直径 3 ~ 4 mm，多干瘪抽皱，表面灰黄色或淡灰棕色，有的根中下部稍膨大成棍棒状或纺锤状。体轻，质松软，稍有韧性，折断面灰棕色或黄棕色。气微香，味稍甜。

｜化学成分｜（1）蒽醌类成分。黄花菜的蒽醌类成分主要有大黄酚、甲基大黄酸、大黄酸、美决明子素甲醚、美决明子素、芦荟大黄素、黄花蒽醌。

（2）多糖类。目前已从黄花菜中分离得到 α- 吡喃糖苷类的多糖和酸性果胶多糖。

（3）其他成分。黄花菜的其他成分主要有生物碱（秋水仙碱、胆碱）及以槲皮素糖苷为代表的黄酮类、绿原酸、咖啡酰奎尼酸等酚酸类成分。

｜药理作用｜（1）抗抑郁作用。现代药理研究已证明，黄花菜具有“忘忧”的作用。黄花菜可以通过提高实验动物大脑中 5- 羟色胺、去甲肾上腺素和多巴胺的水平来发挥抗抑郁活性，其有效成分可能是黄酮类化合物。

（2）抗氧化作用。黄花菜中的黄酮、多酚及多糖类成分具有抗氧化活性。

（3）神经保护作用。黄花菜中的多酚类成分表现出一定的保护神经作用，且呈

剂量依赖性。

（4）抗炎、抗增生、抗纤维化作用。黄花菜中的秋水仙碱具有较好的抗炎、抗增生、抗纤维化活性。

（5）其他作用。黄花菜中的多糖和活性蛋白表现出一定的抗肿瘤作用。秋水仙碱可用于治疗地中海热。

| 功能主治 | 金针菜：甘，凉。归心、肝、脾经。清热利湿，宽胸解郁，凉血解毒。用于小便短赤，黄疸，胸闷心烦，少寐，痔疮便血，疮痈。

萱草根：甘，凉；有毒。归脾、肝、膀胱经。清热利湿，凉血止血，解毒消肿。主治黄疸，水肿，淋浊，带下，衄血，便血，崩漏，瘰疬，乳痈，乳汁不通。

萱草嫩苗：甘，凉。清热利湿。用于胸膈烦热，黄疸，小便短赤。

| 用法用量 | 金针菜：内服煎汤，15 ~ 30 g。外用适量，捣敷；或研末调蜜涂敷。亦可煮汤、炒食。

萱草根：内服煎汤，6 ~ 9 g。外用适量，捣敷。

萱草嫩苗：内服煎汤，鲜者 15 ~ 30 g。外用适量，捣敷。

| 资源利用 | （1）食用价值。黄花菜味道鲜美，色泽金黄，香味浓郁，食之清香、爽滑、甘甜，自古有“席上珍品”和“食为佳肴”的美誉。黄花菜营养丰富，含有人体所必需的多种维生素、矿物质等。据分析，黄花菜每 100 g 干品含蛋白质 19.4 g、脂肪 1.4 g、膳食纤维 7.7 g、碳水化合物 27.2 g、胡萝卜素 1.84 mg、维生素 B 20.21 mg、维生素 E 4.92 mg、钙 301 mg、磷 216 mg、铁 8.1 mg、硒 4.22 mg、镁 85 mg、锌 3.99 mg、锰 1.21 mg 及其他微量元素等。

黄花菜宜加工成干货食用。因为鲜黄花菜中含有一定量的秋水仙碱，秋水仙碱进入人体后被氧化成二氧秋水仙碱，会刺激消化、呼吸系统，从而引发恶心、呕吐、口干舌燥、腹泻等不适反应。秋水仙碱易溶于水，遇热易分解失去毒性。所以黄花菜一般需加工成干货，煮熟后食用，既美味可口，又有益于身体健康。

（2）观赏价值。黄花菜是萱草属植物，其叶似兰草，翠绿丛生，花如蛱蝶，红黄点点，摇风曳影，风韵可人。古人一直将它作为庭院观赏植物，留下了不少赞美它的诗歌。如苏东坡云：“萱草虽微花，孤秀能自拔；亭亭乱叶中，一一芳心插。”黄花菜春季萌发早，品种繁多，是布置庭院、树丛中的草地或花境等的好材料，也可作切花，具有很高的观赏价值。此外，作为蔬菜栽培的黄花菜可用作农业观光园栽培品种，也可作为辅助栽培品种。在路边、边缘地带、隔离带等处套种黄花菜，既能引人观赏，又能增加收入。

（3）生态价值。黄花菜具有根量大且分布广的特点，一方面有较强的耐盐能力，多年种植对盐碱地有明显的脱盐改土效应；另一方面，可以牢牢抓住土地，在暴雨、洪涝后防止水土流失，改良土壤和改善生态环境。

| 附　　注 | 《中华本草》记载黄花菜 *Hemerocallis citrina* Baroni、萱草 *Hemerocallis fulva* (L.) L.、北黄花菜 *Hemerocallis lilioasphodelus* L.、小黄花菜 *Hemerocallis minor* Mill. 的花蕾可作金针菜药用，上述基原的根可作萱草根药用，嫩苗可作萱草嫩苗药用。须注意萱草 *Hemerocallis fulva* (L.) L. 与黄花菜 *Hemerocallis citrina* Baroni 不是同一种植物。

参考文献

[1] 国家中医药管理局《中华本草》编委会．中华本草：第 8 册 [M]．上海：上海科学技术出版社，1999：101-106．

[2] 李时珍．本草纲目：16 卷 [M]．影印版．北京：中国书店，1988：86-87．

[3] 张铁军．萱草根的原植物考证 [J]．中国中药杂志，1993（9）：515-517，573．

[4] 唐慎微．重修政和经史证类备急本草 [M]．尚志钧，郑金生，尚元藕，等校点．北京：华夏出版社，1993：336．
[5] 尚志钧．《嘉祐本草》概述 [J]．皖南医学院学报，1983(2)：65-66．
[6] 中国科学院中国植物志编辑委员会．中国植物志：第十四卷 [M]．北京：科学出版社，1980：54．
[7] 邢世瑞．宁夏中药志：下 [M]．2 版．银川：宁夏人民出版社，2006：745．
[8] 张清云，李明，安钰，等．宁夏中部干旱带黄花菜规范化高产栽培技术 [J]．宁夏农林科技，2017，58（6）：17-18．
[9] 李明玥，刘宏艳，肖静，等．黄花菜的活性成分、生物活性及加工技术研究进展 [J/OL]．食品工业科技：1-13[2022-04-04]．DOI:10.13386/j.issn1002-0306.2021090275．
[10] 刘佩冶，李可昕，张超凡，等．黄花菜生物活性成分及功能研究进展 [J/OL]．食品与发酵工业：1-8[2022-04-04]．http://kns.cnki.net/kcms/detail/11.1802.TS.20210913.1321.006.html．

撰稿人：张清云　朱　强

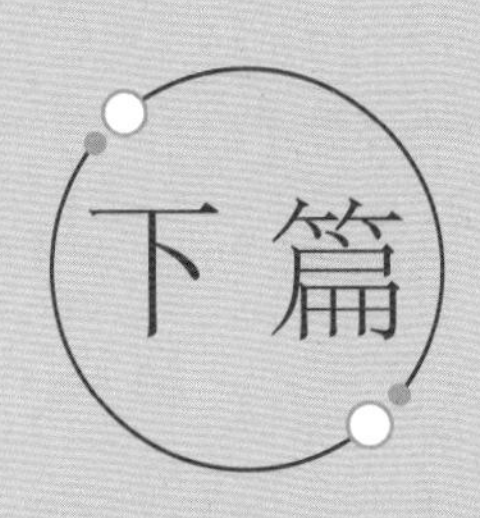

宁夏回族自治区中药资源各论

藻类植物

念珠藻科 Nostocaceae 念珠藻属 *Nostoc*

念珠藻 *Nostoc commune* Vanch.

| 药材名 | 葛仙米（药用部位：藻体。别名：地软、鼻涕肉、地木耳）。

| 形态特征 | 藻体新鲜时被胶质鞘包围，呈不甚规则的球状；内为圆形细胞，呈念珠状单列排列，细胞直径 4 ~ 6 μm；内有大型的异形细胞，直径 15 ~ 20 μm，圆形，近透明。藻体干熟后，呈不规则瓣片状，形如菌类的木耳菌；其内的念珠状细胞链顺着胶质鞘的表面呈平行排列；藻体中空，破裂为片状，蓝黑色或黑色。脆而易碎，浸水后则复原。

| 生境分布 | 生于海拔 1 200 ~ 2 000 m 的潮湿林地、草地及阴湿地表。分布于宁夏贺兰山（西夏、贺兰、平罗、大武口、惠农）、罗山（同心）、六盘山（隆德、彭阳、泾源）及灵武等。

| 资源情况 | 野生资源丰富。

念珠藻

| 采收加工 | 夏、秋季雨后采收，洗净，晒干。

| 药材性状 | 本品状似木耳，呈卷缩或团状，长、宽均为 2 ~ 6 cm。表面灰褐色，质硬脆，呈皮革状。味淡，气微辛。

| 功能主治 | 甘、淡，寒。归肝经。清热解毒，凉血，止血，明目。用于烫火伤，创伤出血，疮疖溃疡，肺痈，目赤肿痛，羞明多泪，夜盲症。

| 用法用量 | 内服煎汤，30 ~ 60 g。外用适量，研粉调敷。

念珠藻科 Nostocaceae 念珠藻属 *Nostoc*

发菜 *Nostoc flagelliforme* Born. et Flah.

| 药 材 名 | 发菜（药用部位：藻体。别名：头发菜、地毛）。

| 形态特征 | 属于陆生蓝藻。藻体结构简单，长短不等，形态类型可包括丝状体、带状体、丝状与片状体结合体等，其中丝状体发菜在自然界的分布范围最广，数量最多，且多生长在相对干旱的地区，带状发菜在自然界的分布相对较少，多生长在相对潮湿的小生境中，而丝状与片状体结合形态的发菜在自然界中的分布数量很少，其分布特点与带状发菜相似。在自然环境中，发菜藻体自然弯曲或弯曲成团块状紧贴于地面，多成群聚集，形态类型有单个丝状、丛状、网状和束状等。发菜的藻体是由无数条念珠状细胞组成的藻丝包埋在公共胶质鞘内构成的，干燥时呈黑色，形似头发，吸水湿润后呈橄榄绿色或棕褐色，颜色深浅不一。

发菜

| 生境分布 | 生于海拔 1 100 ~ 2 800 m 的干燥多风的荒漠、半荒漠草原地区。分布于宁夏同心、盐池、沙坡头、灵武等。

| 资源情况 | 野生资源较丰富。

| 采收加工 | 深秋、初冬及翌年早春的早晨或阴天采收，风干。

| 药材性状 | 本品藻体成丛，直径 3 ~ 5 cm，伸长处呈鞭状，黑色，由藻丝交织而成。气微，味淡。

| 功能主治 | 补血，利尿降压，化痰止咳。用于妇女血虚，高血压，咳嗽痰多。

| 用法用量 | 内服煎服，30 ~ 60 g。

| 附　　注 | （1）2000 年，国务院发布了《国务院关于禁止采集和销售发菜制止滥挖甘草和麻黄草有关问题的通知》，将《国家重点保护野生植物名录》中发菜的保护级别从Ⅱ级调整为Ⅰ级，并严禁发菜的采集、收购、加工、销售和出口。

（2）发菜是一种世界性分布的陆生蓝藻，其拉丁学名确定于 1979 年，《藻类学名词及名称》一书将发菜定名为 *Nostoc flagelliforme* Born. et Flah.，但也有学者将其定名为普通念珠藻发状变种 *Nostoc commune* (Vauch.) var. *flagelliforme* Born. et Flar。但是 16S rRNA 技术在物种分类中应用后，解决了发菜在传统物种分类上的争议，为确定发菜的物种分类提供了分子生物学依据。

真 菌

○

○

○

蘑菇科 Agaricaceae 秃马勃属 *Calvatia*

大秃马勃 *Calvatia gigantea* (Batsch) Lloyd

| **药材名** | 马勃（药用部位：子实体。别名：马屁包、马粪包）。

| **形态特征** | 腐生真菌。子实体近球形或长圆形，直径 15 ～ 25 cm，幼时白色，成熟时渐变淡黄色或青黄色，外包被薄，内包被较厚，初有绒毛，后渐变光滑，质脆，成熟后开裂，呈块状脱落。孢子球形，光滑或具微细小疣，淡青黄色，直径 3.5 ～ 5 μm；孢丝长，有分枝，与孢子同色，具稀少横隔，直径 2.5 ～ 6 μm。

| **生境分布** | 生于草地、林下、林缘。分布于宁夏原州、泾源、隆德、彭阳、西吉等。

| **资源情况** | 野生资源较丰富。

| **采收加工** | 夏、秋季子实体成熟时及时采收，除去泥沙，干燥。

大秃马勃

| 药材性状 | 本品不孕基部小或无。残留包被由黄棕色的膜状外包被和较厚的灰黄色的内包被组成，光滑，质硬而脆，呈块状脱落。孢体浅青褐色，手捻有润滑感。

| 功能主治 | 辛，平。清热利咽，止血。用于风热郁肺所致的咽痛，音哑，咳嗽；外用于鼻衄，创伤出血。

| 用法用量 | 内服煎汤，2 ~ 6 g。外用适量，敷患处。

| 附　　注 | （1）《中华本草》记载，同属头状秃马勃 *Calvatia craniiformis* (Schwein) Fr.、摩尔根氏菌属栓皮马勃 *Mycenastreum corium* (Guers.) Desv. 等的子实体也作马勃入药。据《宁夏中药志》记载，栓皮马勃和马勃属小马勃 *Lycoperdon pusillum* Hedw Batsch ex Pers. 在宁夏有分布，作马勃入药。

（2）风寒伏肺而致咳嗽失音者禁服。

蘑菇科 Agaricaceae 毛球马勃属 *Lasiosphaera*

脱皮马勃 *Lasiosphaera fenzlii* Lloyd

| 药 材 名 | 马勃（药用部位：子实体。别名：马屁包、马粪包）。

| 形态特征 | 腐生真菌。子实体近球形至长圆形，直径 15 ~ 30 cm，幼时白色，成熟时渐变浅褐色，外包被薄，成熟时呈碎片状剥落；内包被纸质，浅烟色，成熟后全部破碎并消失，仅留一团孢体。内部孢体呈紧密团块状，灰褐色，后渐变浅；孢丝长，有分枝，多数结合成紧密的团块；孢子球形，直径约 5 μm，褐色，有小刺，若连小刺在内，直径为 6 ~ 8 μm。

| 生境分布 | 生于林下、林缘。分布于宁夏六盘山（隆德、原州）、贺兰山（贺兰）、罗山（同心）等。

| 资源情况 | 野生资源较丰富。

脱皮马勃

| 采收加工 | 夏、秋季子实体成熟时及时采收，除去泥沙，晒干。

| 药材性状 | 本品呈扁球形或类球形，无不孕基部，直径 15 ~ 20 cm。包被灰棕色至黄褐色，纸质，常破碎成块片状或全部脱落。孢体灰褐色或浅褐色，紧密，有弹性，用手撕之可见内有灰褐色棉絮状的丝状物；触之则孢子呈尘土样飞扬，手捻有细腻感。气臭似尘土，无味。以个大、饱满、松泡有弹性者为佳。

| 功能主治 | 辛，平。清热利咽，止血。用于风热郁肺所致的咽痛，音哑，咳嗽；外用于鼻衄，创伤出血。

| 用法用量 | 内服煎汤，2 ~ 6 g。外用适量，敷患处。

| 附　　注 | 风寒伏肺而致咳嗽失音者禁服。

蘑菇科 Agaricaceae 马勃属 *Lycoperdon*

小马勃 *Lycoperdon pusillum* Hedw.

小马勃

| 药 材 名 |

小灰包（药用部位：子实体。别名：小马勃、小药包）。

| 形态特征 |

子实体小，近球形，宽 1 ~ 1.8 cm，罕达 2 cm，初期白色，后变土黄色及浅茶色，无不孕基部，由根状菌丝索固定于基物上。外包被由细小、易脱落的颗粒组成。内包被薄，光滑，成熟时顶尖有小口。内部蜜黄色至浅茶色。孢子球形，浅黄色，近光滑，直径 3 ~ 4 μm，有时具短柄；孢丝分枝，与孢子同色，直径 3 ~ 4 μm。

| 生境分布 |

生于海拔 1 200 ~ 1 800 m 的荒漠草原地区。分布于宁夏隆德、中宁等。

| 资源情况 |

野生资源较少。

| 采收加工 |

夏、秋季子实体成熟时及时采收，除去泥沙。

| 药材性状 | 本品呈陀螺形。2 ~ 3 丛生成一堆或单一，直径 1 ~ 2 cm，外表土黄色至淡茶褐色，无不孕基部。包被两层，外包被由易于脱落的一层细小的颗粒组成，内包被薄而平滑。孢体呈蜜黄色至淡茶褐色。无味。

| 功能主治 | 辛，平。清热解毒，消肿，止血。用于乳蛾，咽喉痛，外伤出血，衄血。

| 用法用量 | 内服煎汤，2.5 ~ 5 g。外用适量，研末撒敷。

| 附　　注 | 风寒伏肺而致咳嗽失音者禁服。

羊肚菌科 Morchellaceae 羊肚菌属 *Morchella*

羊肚菌 *Morchella esculenta* (L.) Pers.

羊肚菌

药 材 名

羊肚菌（药用部位：子实体。别名：羊肚菜）。

形态特征

子实体单生、散生或群生。菌盖近球形至卵形，先端钝，长 4 ～ 10 cm，宽 4 ～ 6 cm，表面凹下，形成许多凹坑，凹坑不定形至近圆形，蛋壳色，宽 0.4 ～ 1.2 cm，棱纹色较浅，不规则交叉。菌柄近白色，长 5 ～ 9 cm，直径为菌盖的 2/3，上部平，有不规则的凹槽，基部膨大。子囊圆柱形，成熟时长 250 ～ 320 μm，宽 17 ～ 22 μm；含 8 个孢子，单行排列，无色，椭圆形，长 20 ～ 24 μm，宽 12 ～ 14 μm；侧丝先端膨大，直径达 12 μm。

生境分布

栽培种。宁夏金凤、西夏、永宁、利通等有栽培。

资源情况

栽培资源丰富。

| 采收加工 | 春、夏之交，采摘后洗去菌柄基部泥土，晒干。

| 药材性状 | 本品菌盖呈椭圆形或卵圆形，先端钝圆，长 4 ~ 8 mm，直径 3 ~ 6 cm，表面有多数小凹坑，外观似羊肚。小凹坑呈不规则形或类圆形，棕褐色，直径 4 ~ 12 mm，棱纹黄棕色。菌柄近圆柱形，长 5.5 ~ 8 cm，直径 2 ~ 4 cm，类白色，基部略膨大，有的具不规则沟槽，中空。体轻，质酥脆，气弱，味淡、微酸、涩。

| 功能主治 | 甘，平。和胃消食，理气化痰。用于消化不良，痰多咳嗽。

| 用法用量 | 内服煎汤，30 ~ 60 g。

| 附　　注 | （1）宁夏还分布有两种同属的野生羊肚菌资源，即小羊肚菌 *Morchella deliciosa* Fr. 和尖顶羊肚菌 *Morchella conica* Pers.，目前二者均尚未作药材利用。

（2）羊肚菌为名贵食用菌。

多孔菌科 Polyporaceae 灵芝属 *Ganoderma*

树舌灵芝 *Ganoderma applanatum* (Pers.) Pat.

| 药 材 名 | 树舌（药用部位：子实体。别名：扁木灵芝、赤色老母菌）。

| 形态特征 | 子实体多年生，侧生，无柄，木质或近木栓质。菌盖扁平，半圆形、扇形、扁山丘形至低马蹄形，长 5 ~ 30 cm，宽 6 ~ 50 cm，厚 2 ~ 15 cm；盖面皮壳灰白色至灰褐色，常覆一层褐色孢子粉，有明显的同心环棱和环纹，常具大小不一的疣状突起，干后常有不规则的细裂纹；盖缘薄而锐，有时钝，全缘或波状。管口面初期为白色，后渐变黄白色至灰褐色，受伤处立即变褐色；管口圆形，每毫米有 4 ~ 6；菌管多层，各层菌管间夹有一层薄的菌丝层，老的菌管中充塞有白色粉末状的菌丝。孢子卵圆形，褐色，壁双层，具小疣，先端截形，长 6.5 ~ 10 μm，宽 5 ~ 6.5 μm。

| 生境分布 | 生于海拔 1 900 ~ 2 300 m 的针阔叶混交林区，附生于阔叶树的树干

树舌灵芝

上。分布于宁夏六盘山（泾源、隆德、彭阳）及原州等。

| 资源情况 | 野生资源较少。

| 采收加工 | 夏、秋季采收，晒干或切片后晒干。

| 药材性状 | 本品呈半圆形，长径约 25 cm，短径约 15 cm，厚约 4 cm。上表面灰褐色至褐色，有同心环状棱纹，皮壳类角质，边缘厚钝；下表面近白色或淡黄色，有时呈黄褐色，具密集的细孔。菌肉半木质，坚硬，体轻而质韧，浅褐色。气微，味苦。

| 功能主治 | 微苦，平。归脾、胃经。燥湿化痰，祛瘀散结。用于噎膈，脘腹痞闷。

| 用法用量 | 内服煎汤，1.5 ~ 6 g。外用适量，敷患处。

| 附　　注 | 本种为多孔菌科 Polyporaceae 灵芝属 *Ganoderma* 真菌，别名平盖灵芝。《中华本草》记载，多孔菌科平盖灵芝 *Ganoderma applanatum* (Pers. ex Wallr.) Pat. 的子实体作树舌药用。本种的拉丁学名和中文学名依据《中国大型菌物资源图鉴》和《中国药用真菌名录及部分名称的修订》的记载。

多孔菌科 Polyporaceae 多孔菌属 *Polyporus*

猪苓 *Polyporus umbellatus* (Pers.) Fr.

猪苓

| 药 材 名 |

猪苓（药用部位：菌核。别名：野猪粪、猪茯苓、地乌桃）。

| 形态特征 |

菌核形状不规则，呈大小不一的团块状，质坚实，表面紫黑色，有多数凹凸不平的皱纹，内部白色，大小一般为长 3 ~ 28 cm，直径 2 ~ 8 cm。子实体从埋生于地下的菌核发出，有柄并多次分枝，形成一丛菌盖，总直径可达 20 cm。菌盖圆形，直径 1 ~ 4 cm，中部脐状，有淡黄色的纤维鳞片，近白色至浅褐色，无环纹，边缘薄而锐，常内卷，肉质，干后质硬而脆。菌肉薄，白色。菌管长约 2 mm，与菌肉同色，下延；管口圆形至多角形，每毫米有 3 ~ 4。孢子无色，光滑，圆筒形，一端圆形，另一端有歪尖，长 7 ~ 10 μm，宽 3 ~ 4.2 μm。

| 生境分布 |

寄生于蒙古栎、椴、槭、桦、柳等树的根上，喜生于松软凸起且不易生草的土壤中。分布于宁夏泾源、原州、隆德等。

| 资源情况 | 野生资源较少。

| 采收加工 | 春、秋季采挖，除去泥沙，干燥。

| 药材性状 | 本品呈条形、类圆形或扁块状，有的有分枝，长 5 ~ 25 cm，直径 2 ~ 6 cm。表面黑色、灰黑色或棕黑色，皱缩或有瘤状突起。体轻，质硬，断面类白色或黄白色，略呈颗粒状。气微，味淡。

| 功能主治 | 甘、淡，平。归肾、膀胱经。利水渗湿。用于小便不利，水肿，泄泻，淋浊，带下。

| 用法用量 | 内服煎汤，6 ~ 12 g。

| 附　　注 | 无水湿者禁服。

多孔菌科 Polyporaceae 栓菌属 *Trametes*

朱红栓菌 *Trametes sanguinea* (L.) Imazek

| 药 材 名 | 朱砂菌（药用部位：子实体。别名：橘皮蕈、胭脂菰、胭脂栓菌）。

| 形态特征 | 子实体侧生，无柄，木栓质，单生至覆瓦状叠生，偶有半平伏而反卷。菌盖半圆形至扇形，长径 4 ~ 15 cm，短径 4 ~ 10 cm，厚 0.5 ~ 2.5 cm，干后变硬，盖面朱红色，有细软的短绒毛至无毛，粗糙，无环纹，后期稍平滑，橙红色、污红色渐褪至淡红色或淡红褐色；盖缘薄或稍钝，全缘。菌肉淡红色至橙红色，木栓质，厚 1 ~ 1.5 mm。菌管与菌肉同色，长 4 ~ 9 mm；管口面朱红色、橙红色或暗红色，后期黑色，管口圆形至多角形，每毫米有 2 ~ 4。孢子圆筒形，无色至淡黄色，平滑，长 5 ~ 7 μm，宽 2 ~ 4 μm。

| 生境分布 | 生于栎、桦等树的腐木上。分布于宁夏贺兰山（惠农、大武口、平罗）、

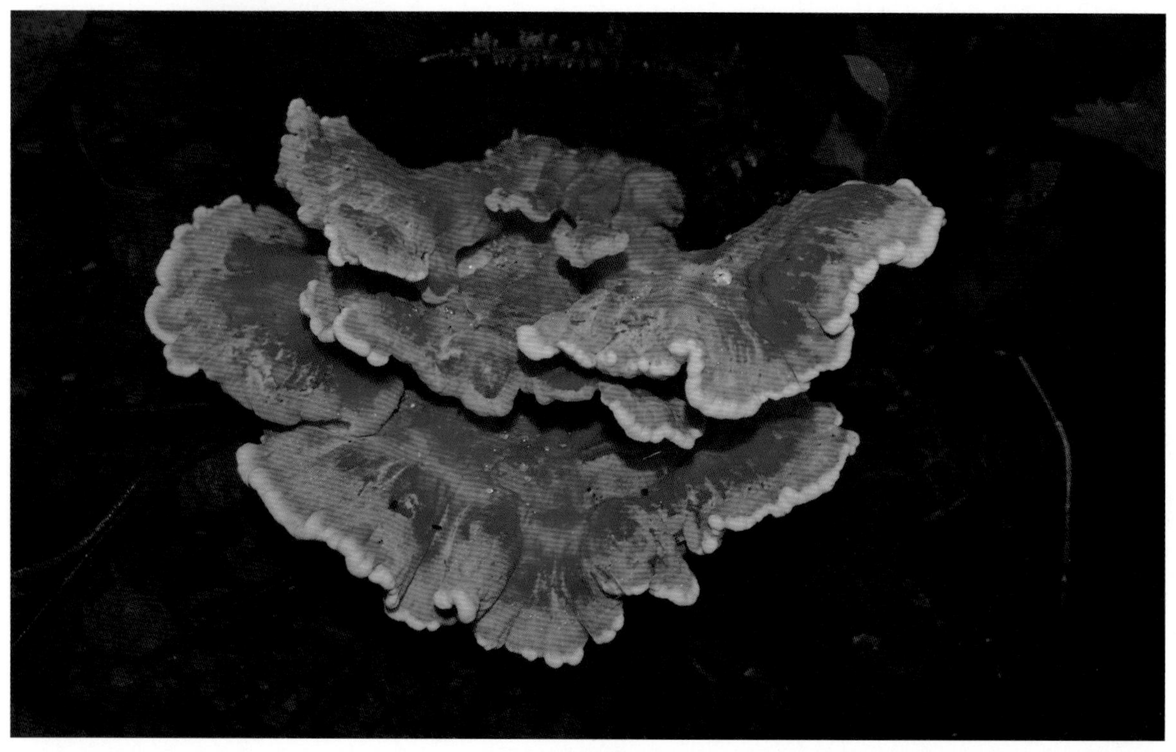

朱红栓菌

六盘山（泾源、隆德、原州）等。

| 资源情况 | 野生资源较少。

| 采收加工 | 夏、秋季采收，除去杂质，烘干。

| 药材性状 | 本品无柄，菌盖呈扁半圆形或扇形，基部狭小，长径 3 ~ 11 cm，短径 2 ~ 7 cm，厚 5 ~ 20 mm。表面朱红色，有或无毛，微有皱纹。管口面橙红色、朱红色或黑色，管口圆形或多角形，每毫米有 2 ~ 4。木栓质。气微，味淡。

| 功能主治 | 微辛、涩，温。解毒除湿，止血。用于痢疾，咽喉肿痛，跌打损伤，痈疽疮疖，痒疹，外伤出血。

| 用法用量 | 内服煎汤，9 ~ 15 g。外用适量，研末敷。

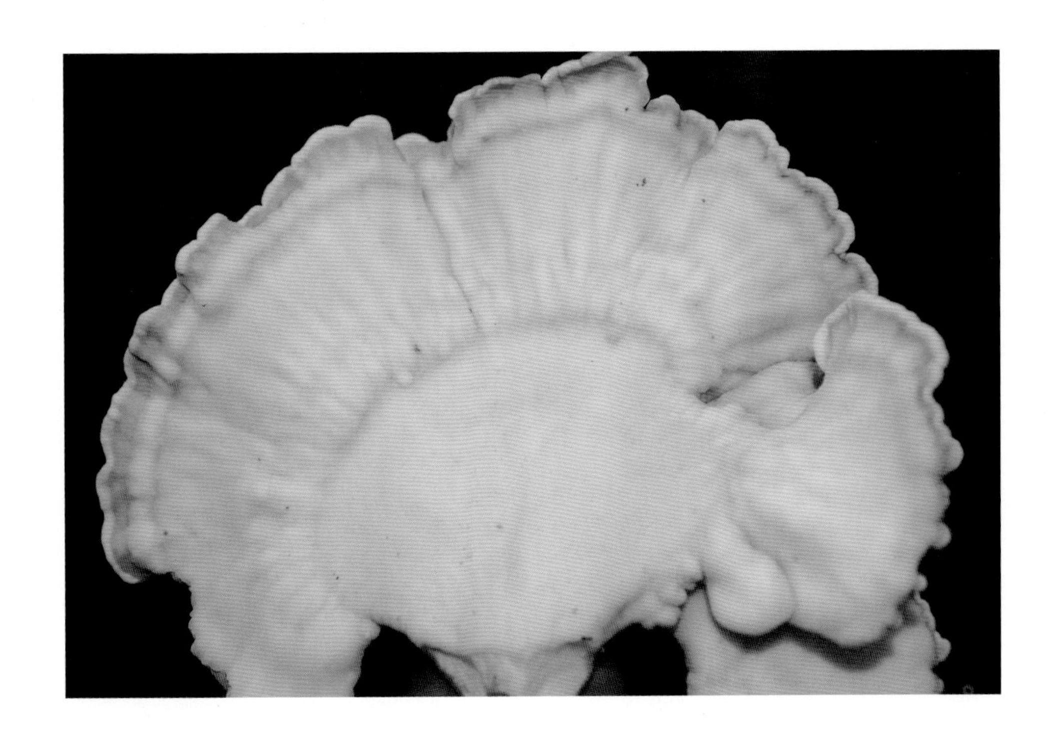

地衣植物

○
○
○

梅衣科 Parmeliaceae 皱衣属 *Flavoparmelia*

皱梅衣 *Flavoparmelia caperata* (L.) Hale

| 药 材 名 | 地花（药用部位：地衣体）。

| 形态特征 | 地衣体叶状，中到大型，近圆形或不规则扩展，直径 6 ~ 15 cm，裂片重复二叉状分枝，宽 0.5 ~ 1 cm，先端圆钝，边缘波状上翘；上表面黄绿色至淡黄色，有明显折皱，并散生粉芽堆，无假杯点和裂芽；下表面黑色，有稀疏的假根；未见子囊盘。

| 生境分布 | 生于海拔 1 900 ~ 2 300 m 的针阔叶混交林中，附生于阔叶树的树干上。分布于宁夏泾源等。

| 资源情况 | 野生资源较少。

| 采收加工 | 全年均可采收，晒干。

皱梅衣

| **药材性状** | 本品呈叶状，上表面黄绿色，下表面褐色，表面常有粉芽堆。

| **功能主治** | 清热止渴，泻火。

| **用法用量** | 内服煎汤。

| **附　　注** | （1）皱梅衣在《中国中药资源志要》中被归入梅衣属 *Parmelia*，今按中国科学院昆明植物研究所标本馆记述将其归入皱衣属 *Flavoparmelia*。

（2）本种可作为提取抗生素的原料。

梅衣科 Parmeliaceae 星点梅属 *Punctelia*

粉斑梅衣 *Punctelia borreri* (Sm.) Krog.

| 药 材 名 | 粉斑梅衣（药用部位：地衣体）。

| 形态特征 | 地衣体叶状，圆形至不规则形，紧贴基物扩展，直径 3 ~ 10 cm，裂片宽 2 ~ 4 mm，相互紧密靠生，先端钝圆，波状，微上仰，无缘毛；上表面翠绿色，中央部分裂片折皱明显，密生球形粉芽堆，假杯点白色，遍布上表面；下表面深褐色，假根短且稀疏；髓层白色；未见子囊盘。

| 生境分布 | 生于海拔 1 900 ~ 2 300 m 的针阔叶混交林中，附生于阔叶树的树干上。分布于宁夏泾源等。

| 资源情况 | 野生资源较少。

粉斑梅衣

| 采收加工 | 全年均可采收，晒干。

| 药材性状 | 本品呈叶状，上表面黄绿色，下表面褐色，表面有明显的白色假杯点和粉芽堆。

| 功能主治 | 甘，凉。归肝经。益精明目，凉血解毒。用于目暗不明，崩漏，外伤出血，疮毒等。

| 用法用量 | 内服煎汤，3 ~ 9 g。外用适量，煎汤涂抹；或研末调敷。

| 附　　注 | 本种可作为提取抗生素的原料。

梅衣科 Parmeliaceae 黄梅属 *Xanthoparmelia*

拟菊叶黄梅 *Xanthoparmelia taractica* (Kremp.) Hale

| 药 材 名 | 黄梅衣（药用部位：地衣体）。

| 形态特征 | 地衣体叶状，紧贴岩石生长，直径 2 ~ 6 cm，裂片反复二叉状分枝，宽 2 ~ 3 mm，相互靠生或重叠，先端圆钝；上表面黄绿色，无粉芽及裂芽；下表面浅褐色，具较多假根；子囊盘圆盘状，直径 2 ~ 8 mm，盘面褐色，凹陷或扁平，子囊具 8 孢子；孢子椭圆形，1 室，无色。

| 生境分布 | 生于海拔 1 300 ~ 1 800 m 的荒漠草原地区，附生于岩石表面。分布于宁夏贺兰山（惠农、大武口、平罗）等。

| 资源情况 | 野生资源较少。

拟菊叶黄梅

| 采收加工 | 全年均可采收，晒干。

| 药材性状 | 本品呈叶状，上表面黄绿色，下表面褐色，裂片二叉状分枝，相互重叠。

| 功能主治 | 抗菌。

| 附　　注 | 本种可作为提取抗生素的原料。

梅衣科 Parmeliaceae 黄梅属 *Xanthoparmelia*

旱黄梅 *Xanthoparmelia camtschadalis* (Ach.) Hale

| 药 材 名 | 旱黄梅（药用部位：地衣体）。

| 形态特征 | 地衣体叶状，疏松，附着于基物上，裂片狭叶形，反复二叉状分枝，边缘内卷成半管状，交错覆瓦状排列；上表面黄绿色，有光泽，无裂芽和粉芽；下表面黑褐色，有稀疏的假根；未见子囊盘。

| 生境分布 | 生于海拔 1 300 ~ 1 600 m 的荒漠草原地区，附生于岩石表面或土壤表面。分布于宁夏贺兰山（惠农、大武口、平罗）等。

| 资源情况 | 野生资源较少。

| 采收加工 | 全年均可采收，晒干。

| 药材性状 | 本品呈叶状，上表面黄绿色，下表面黑色，裂片二叉状分枝，相互

旱黄梅

交错重叠排列，边缘内卷成半管状。

| 功能主治 | 抗菌。

| 附　　注 | 本种通常作为提取抗生素的原料。

梅衣科 Parmeliaceae 松萝属 *Usnea*

亚花松萝 *Usnea subfloridana* Stirt.

| 药 材 名 | 松萝（药用部位：地衣体）。

| 形态特征 | 地衣体灌丛枝状，半直立，高 4 ~ 5 cm，以基部固着于树干上，直径 1 mm，不规则分枝；分枝黄绿色，密生侧生的纤毛状小分枝及粉芽；髓层白色，具中轴；未见子囊盘。

| 生境分布 | 生于海拔 1 700 ~ 2 500 m 的针阔叶混交林中，附生于小叶柳的树干上。分布于宁夏六盘山（泾源、隆德、原州）等。

| 资源情况 | 野生资源较少。

| 采收加工 | 全年均可采收，晒干。

亚花松萝

| **药材性状** | 本品呈枝状，黄绿色，不规则分枝，分枝上密生侧生的纤毛状小分枝，有粉芽。

| **功能主治** | 甘、苦，平。清肝明目，止血生肌，退翳。用于目赤肿痛，外伤出血，无名肿毒。

| **用法用量** | 内服煎汤，6 ~ 9 g。外用适量，煎汤洗；或研末敷。

树花科 Ramalinaceae 树花属 *Ramalina*

中国树花 *Ramalina sinensis* Jatta

| **药 材 名** | 树花（药用部位：地衣体）。

| **形态特征** | 多年生，地衣体扁枝状，呈扇形直立，以基部固着于基物上，高 4 ~ 8 cm，宽 2 ~ 4 cm，具背腹性，腹面灰白色，有隆起的脉纹，背面灰绿色，具强烈的网状脊皱；子囊盘常见，顶生或边缘生，圆盘状，灰白色，直径 2 ~ 7 mm，子囊具 8 孢子；孢子无色，椭圆形，2 室。皮层及髓层均呈负反应。

| **生境分布** | 生于海拔 1 500 ~ 2 300 m 的针阔叶混交林中的树干或树枝上。分布于宁夏六盘山（泾源、隆德、原州）等。

| **资源情况** | 野生资源较少。

| **采收加工** | 全年均可采收，晒干。

中国树花

| **药材性状** | 本品呈扁枝状，具背腹性，灰绿色，腹面有隆起的脉纹，背面有网状脊皱；可见圆盘状子囊盘。

| **功能主治** | 抗菌。

| **附　　注** | 本种可作为提取抗生素的原料。

瓶口衣科 Verrucariaceae 皮果衣属 *Dermatocarpon*

皮果衣 *Dermatocarpon miniatum* (L.) W. Mann.

| 药 材 名 | 黑石耳（药用部位：地衣体。别名：白石耳、石耳子）。

| 形态特征 | 地衣体叶状，厚 0.45 ~ 0.5 mm，不规则圆形，直径 2 ~ 4 cm；背面呈灰褐色、污灰色，表面有粉霜状物覆盖；腹面呈深褐色、黑褐色，具成簇着生的假根与基质相贴结。被子器埋于背面的表层下，圆球形，直径 0.3 mm，凸起的孔口呈小点状，周围的菌丝层暗褐色。孢子长圆形，无色，1 室，长 14 ~ 17 μm，宽 6 ~ 9 μm。

| 生境分布 | 生于海拔 1 500 ~ 2 600 m 的林地或溪旁，附生于岩石表面。分布于宁夏贺兰山（西夏、贺兰、青铜峡）、六盘山（泾源、隆德）等。

| 资源情况 | 野生资源较少。

| 采收加工 | 全年均可采收，洗净，晒干。

皮果衣

| 药材性状 | 本品呈叶状，具背腹性，铅灰色，边缘浅波状或撕裂状，表面有黑色的点状子囊壳。气微，味淡。

| 功能主治 | 淡、微苦，平。归胃经。健胃消食，利水消肿，驱虫。用于消化不良，腹胀，痢疾，疳积，高血压。

| 用法用量 | 内服煎汤，9 ~ 15 g。

茶渍科 Lecanoraceae 脐鳞属 *Rhizoplaca*

红脐鳞 *Rhizoplaca chrysoleuca* (Sm.) Zopf.

| 药 材 名 | 红脐鳞（药用部位：地衣体）。

| 形态特征 | 地衣体鳞叶状，呈莲座状或垫状生长，质坚硬，直径 5 ~ 30 cm。单叶至复叶，鳞叶宽 3 ~ 5 mm，上表面青绿色，下表面黄褐色至黑色，折皱强烈，无假根；子囊盘茶渍型，密集生于鳞叶先端，盘面橘红色，凹陷或平坦，直径 2 ~ 5 mm。皮层：KC+ 黄色至橘红色。髓层：均呈负反应。

| 生境分布 | 生于海拔 2 100 ~ 2 800 m 的针阔叶混交林、低山灌丛中，附生于岩石表面。分布于宁夏贺兰山（青铜峡、中宁）、罗山（同心、红寺堡）等。

| 资源情况 | 野生资源较少。

红脐鳞

| 采收加工 | 全年均可采收，晒干。

| 药材性状 | 本品呈鳞叶状，上表面草绿色，下表面黑色，单叶至复叶；子囊盘茶渍型，密集生于鳞叶先端，盘面橘红色，凹陷或平坦。

| 功能主治 | 抗菌，抗肿瘤，镇痛。用于肺结核，烫火伤，皮肤感染等。

黄枝衣科 Teloschistaceae 石黄衣属 *Xanthoria*

丽石黄衣 *Xanthoria elegans* (Link) Th. Fr.

| **药 材 名** | 丽石黄衣（药用部位：地衣体）。

| **形态特征** | 地衣体叶状，呈莲座状，紧贴于基质表面；上表面一般较粗糙，折皱，橙色，无裂芽及粉芽，裂片不规则分裂，先端圆钝或波状；下表面白色，有折皱；子囊盘常见，圆盘状，全缘，无柄，盘面橙黄色。

| **生境分布** | 生于海拔 1 200 ～ 1 900 m 的荒漠草原地区，附生于岩石表面或土壤表面。分布于宁夏贺兰山（惠农、大武口、平罗）等。

| **资源情况** | 野生资源丰富。

| **采收加工** | 全年均可采收，晒干。

丽石黄衣

| 药材性状 | 本品呈叶状，上表面橙色，下表面白色，表面常有茶渍型子囊盘。

| 功能主治 | 抗菌。

黄枝衣科 Teloschistaceae 石黄衣属 *Xanthoria*

石黄衣 *Xanthoria parietina* (L.) Beltr.

| 药 材 名 | 石黄衣（药用部位：地衣体）。

| 形态特征 | 地衣体叶状，圆形，直径 2 ~ 6 cm，裂片二叉至不规则深裂，相互紧密靠生；上表面黄绿色至亮黄色，表面常折皱，无裂芽及粉芽；子囊盘常见，生于上表面中央，圆盘形，全缘，无柄，盘面凹陷，直径 1 ~ 6 mm，橙红色，子囊具 8 孢子，孢子无色，2 室。

| 生境分布 | 生于海拔 1 900 ~ 2 300 m 的针阔叶混交林中，附生于阔叶树的树干或树枝上。分布于宁夏六盘山（隆德、泾源）等。

| 资源情况 | 野生资源较少。

| 采收加工 | 全年均可采收，晒干。

石黄衣

| **药材性状** | 本品呈叶状，上表面橙黄色，表面常有圆盘状子囊盘，子囊盘盘面橘红色，直径 1 ～ 4 mm。

| **功能主治** | 抗菌。

苔藓植物

地钱科 Marchantiaceae 地钱属 *Marchantia*

地钱 *Marchantia polymorpha* L.

| 药 材 名 | 地钱（药用部位：植物体。别名：地梭罗、龙眼草）。

| 形态特征 | 叶状体暗绿色，宽带状，多回二歧分叉，长 5 ~ 10 cm，宽 1 ~ 2 cm，边缘微波状，背面具六角形、整齐排列的气室分隔，每室中央具 1 烟囱形气孔，孔口边细胞 4 列，呈“十”字形排列；腹面鳞片紫色，假根平滑或带花纹。雌雄异株。雄托盘状，波状浅裂，精子器埋于托筋背面；雌托扁平，先端深裂成 9 ~ 11 指状裂瓣；孢蒴生于托的指腋腹面。叶状体背面前端常有杯状的无性胞芽杯，内生胞芽，行无性生殖。

| 生境分布 | 生于阴湿的土坡或湿石及潮湿墙基。分布于宁夏六盘山（原州）及同心等。

地钱

| 资源情况 | 野生资源较少。

| 采收加工 | 全年均可采收，除去泥土和杂质，晒干。

| 功能主治 | 淡，凉。归肝、胃经。解毒，祛瘀，生肌。用于烫火伤，骨折，毒蛇咬伤，疮痈肿毒，臁疮，癣。

| 用法用量 | 外用适量，鲜品捣敷；或干品研粉，菜油调敷。

粗毛藓科 Rhabdoweisiaceae 山毛藓属 *Oreas*

山毛藓 *Oreas martiana* (Hopp. et Hornsch.) Brid.

| 药 材 名 | 牛毛七（药用部位：植物体）。

| 形态特征 | 多年生，植物体密集，呈垫状，黄绿色。茎纤细，三棱形，长达10 cm。叶狭长披针形，全缘，中部略背卷；中肋突出成短尖，叶基部细胞近中肋处呈长方形，近边缘渐成短方形，上部细胞方圆形，平滑。雌雄同株。孢蒴对称，长卵圆形，具8深色纵皱纹；蒴齿披针形，具长尖，外表具棕色纵条纹；蒴盖平凸。孢子红棕色，有粗疣。

| 生境分布 | 生于阴坡岩石上。分布于宁夏泾源等。

| 资源情况 | 野生资源较少。

| 采收加工 | 全年均可采收，阴干。

山毛藓

| 药材性状 | 本品为数十株密集丛生，呈垫状或团状，暗绿色且带黄棕色。茎纤细，长可达10 cm，多分枝，分枝基部可见密集的红棕色须状假根。叶密生，干时卷缩，展开后呈卵状披针形，全缘并内卷，基部下延成尖耳状，顶部狭尖，中肋1，先端突出叶尖。有的可见孢蒴，孢蒴圆卵形，具短台部，有8深色纵皱纹；蒴盖圆盘状，具长喙；蒴帽兜形。气微，味淡。

| 功能主治 | 甘、淡，平。养阴清热，安神定志，祛风除湿，止血镇痛。用于风湿麻木，阴虚潮热，外伤出血，癫狂病，神经衰弱等。

| 用法用量 | 内服煎汤，12 ~ 15 g。外用适量，研末撒敷。

葫芦藓科 Funariaceae 葫芦藓属 *Funaria*

葫芦藓 *Funaria hygrometrica* Hedw.

| 药 材 名 | 葫芦藓（药用部位：植物体。别名：石松毛、牛毛七）。

| 形态特征 | 植物体矮小，淡绿色，直立，高 1 ~ 3 cm。茎单一或自基部稀疏分枝。叶簇生于茎顶，长舌形，先端渐尖，全缘；中肋粗壮，消失于叶尖之下，叶细胞近长方形，壁薄。雌雄同株异苞。雄苞顶生，花蕾状。雌苞生长于雄苞下的短侧枝上。蒴柄细长，黄褐色，长 2 ~ 5 cm，上部弯曲；孢蒴弯梨形，不对称，具明显的台部，干时有纵沟槽；蒴齿 2 层；蒴帽兜形，具长喙，形似葫芦瓢。

| 生境分布 | 生于林下阴湿地。分布于宁夏泾源等。

| 资源情况 | 野生资源较少。

| 采收加工 | 夏季采收，洗净，鲜用或晒干。

葫芦藓

| 药材性状 | 本品为皱缩的散株或数株丛集的团块，黄绿色，无光泽。每株长可达 3 cm；茎多单一，茎顶密集簇生众多的皱缩小叶；小叶湿润展平后呈长舌状，全缘，中肋较粗，不达叶尖，有的可见紫红色的细长蒴柄；蒴柄上部弯曲，着生梨形孢蒴；孢蒴不对称，其蒴帽兜形，有长喙。气微，味淡。

| 功能主治 | 淡，平。归肺、肝、肾经。舒筋活血，祛风镇痛，止血。用于风湿痹痛，鼻窦炎，劳伤吐血，跌打损伤，关节炎。

| 用法用量 | 内服煎汤，30 ~ 60 g。外用适量，捣敷。

柳叶藓科 Amblystegiaceae 牛角藓属 *Cratoneuron*

牛角藓 *Cratoneuron filicinum* (Hedw.) Spruce

| 药 材 名 | 牛角藓（药用部位：植物体）。

| 形态特征 | 植物体丛生，绿色或黄绿色，无光泽。茎倾立，羽状分枝，分枝短，先端常弯曲；茎枝密被鳞毛。叶疏生；叶片披针形或近三角形，上部略偏斜，下部两耳部有下延的长尖，叶缘具细齿；中肋粗壮，长达叶尖，叶细胞壁薄，长六角形或圆多边形；角细胞壁薄，长方形或方形，褐色，大于叶片其他部位的细胞。雌雄异株。蒴柄长，较粗壮，红色或红褐色；孢蒴倾出或平列，长圆柱形；蒴齿 2 层。

| 生境分布 | 生于山沟阴湿地。分布于宁夏原州等。

| 资源情况 | 野生资源较少。

| 采收加工 | 全年均可采收，洗净，晒干。

牛角藓

| **功能主治** | 淡、微涩，平。归心经。养心安神。用于心悸，怔忡，神经衰弱。

| **用法用量** | 内服煎汤，5 ~ 15 g。

蕨类植物

卷柏科 Selaginellaceae 卷柏属 *Selaginella*

中华卷柏

Selaginella sinensis (Desv.) Spring

| 药 材 名 | 中华卷柏（药用部位：全草。别名：地柏枝、地网子、黄牛皮）。

| 形态特征 | 多年生草本，土生。根多分叉，光滑；根托在主茎上断续着生，自主茎分叉处下方生出，长 2 ~ 5 cm，纤细，直径 0.1 ~ 0.3 mm。茎匍匐，长 15 ~ 45 cm 或更长，圆柱状，不具纵沟，光滑无毛，内具维管束 1；主茎通体羽状分枝，不呈“之”字形，无关节，禾秆色；侧枝多达 10 ~ 20，1 ~ 2 次或 2 ~ 3 次分叉，小枝稀疏，规则排列，主茎上相邻分枝相距 1.5 ~ 3 cm，分枝无毛，背腹压扁，末回分枝连叶宽 2 ~ 3 mm。叶全部交互排列，略二型，纸质，表面光滑，非全缘，具白边。分枝上的腋叶对称，窄倒卵形，长 0.7 ~ 1.1 mm，宽 0.17 ~ 0.55 mm，边缘睫毛状。中叶多少对称，小枝上的卵状椭圆形，长 0.6 ~ 1.2 mm，宽 0.3 ~ 0.7 mm，排列紧密，背部不呈龙骨状，先端急尖，基部楔形，边缘具长睫毛。侧叶多少对称，略上

中华卷柏

斜，在枝的先端呈覆瓦状排列，长 1 ~ 1.5 mm，宽 0.5 ~ 1 mm，先端尖或钝，基部上侧不扩大、不覆盖小枝，上侧边缘具长睫毛，下侧基部略呈耳状，基部具长睫毛。孢子叶穗紧密，四棱柱形，单个或成对生于小枝末端，长 5 ~ 12 mm，宽 1.5 ~ 1.8 mm；孢子叶一型，卵形，边缘具睫毛，有白边，先端急尖，龙骨状。仅 1 大孢子叶位于孢子叶穗基部的下侧，其余均为小孢子叶。大孢子白色，小孢子橘红色。

| 生境分布 | 生于土坡的岩石上。分布于宁夏贺兰、西夏、永宁等。

| 资源情况 | 野生资源较少。

| 采收加工 | 夏、秋季采收，晒干或鲜用。

| 药材性状 | 本品常扭曲、缠结成团状，长 10 ~ 20 cm。主茎圆柱形，直径约 0.4 mm；表面灰棕色或黄绿色，较光滑，有多回分枝，分枝处有根托。茎下部的叶疏生，贴伏于茎，叶片呈卵状椭圆形，全缘。茎上部的叶二型，4 列，展平后中叶长卵形，侧叶长圆形或长卵形，叶缘均有膜质白边及长毛（放大镜下可见）。孢子囊穗四棱柱形，长约 1 cm，生于枝端。

| 功能主治 | 淡、微苦，凉。归肝、胆、大肠经。清热解毒，利湿，止血。用于肝炎，胆囊炎，气管炎，慢性肾炎，痢疾，下肢湿疹，外伤出血，烫火伤。

| 用法用量 | 内服煎汤，9 ~ 15 g，大剂量可用 30 ~ 60 g。外用适量，捣敷；或研末撒。

木贼科 Equisetaceae 木贼属 *Equisetum*

问荆 *Equisetum arvense* L.

| 药材名 | 问荆（药用部位：地上部分。别名：节节草、土麻黄）。

| 形态特征 | 多年生草本。根茎斜升、直立和横走，黑棕色，节和根密生黄棕色长毛或光滑无毛。地上枝当年枯萎，枝二型。能育枝春季先萌发，高 5 ~ 35 cm，中部直径 3 ~ 5 mm，节间长 2 ~ 6 cm，黄棕色，无轮茎分枝，脊不明显，有密纵沟；鞘筒栗棕色或淡黄色，长约 0.8 cm，鞘齿 9 ~ 12，栗棕色，长 4 ~ 7 mm，狭三角形，鞘背仅上部有 1 浅纵沟，孢子散后能育枝枯萎。不育枝后萌发，高达 40 cm，主枝中部直径 1.5 ~ 3 mm，节间长 2 ~ 3 cm，绿色，轮生分枝多，中部以下有分枝，脊背部弧形，无棱，有横纹，无小瘤；鞘筒狭长，绿色，鞘齿 5 ~ 6，三角形，中间黑棕色，边缘膜质，淡棕色，宿存。侧枝柔软纤细，扁平状，有 3 ~ 4 狭而高的脊，脊背部有横纹；鞘

问荆

齿 3 ～ 5，披针形，绿色，边缘膜质，宿存。孢子囊穗圆柱形，长 1.8 ～ 4 cm，直径 0.9 ～ 1 cm，先端钝，成熟时柄伸长，柄长 3 ～ 6 cm。

| 生境分布 | 生于沟渠边、田边、田间或低洼湿地。分布于宁夏泾源、隆德、西吉、原州、同心、金凤等。

| 资源情况 | 野生资源较少。

| 采收加工 | 夏、秋季采割，除去杂质，晒干。

| 药材性状 | 本品干燥者长约 30 cm，外形与生长时相近，但多干缩或枝节脱落。茎略呈扁圆形或圆形，浅绿色，有纵纹，节间长，每节上有退化的鳞片叶，鳞片叶呈鞘状，先端齿裂，硬膜质。小枝干生，梢部渐细，基部有时有部分根，呈黑褐色。气微，味稍苦、涩。以干燥、色绿、不带根及杂质者为佳。

| 功能主治 | 苦，凉。归脾、膀胱、肺经。清热利尿，凉血止血，化痰止咳。用于小便不利，尿血，便血，咯血，鼻衄，崩漏，咳嗽，咳痰，气喘。

| 用法用量 | 内服煎汤，3 ～ 9 g。

木贼科 Equisetaceae 木贼属 *Equisetum*

木贼 *Equisetum hyemale* L.

| 药 材 名 | 木贼（药用部位：地上部分。别名：节节草、锉草）。

| 形态特征 | 多年生草本，高 50 ~ 90 cm。根茎横走或直立，黑棕色，节和根有黄棕色长毛。枝一型，中部直径 5 ~ 9 mm，节间长 5 ~ 8 cm，绿色，不分枝或基部有少数直立的侧枝。地上枝有脊 16 ~ 22，脊背部弧形或近方形，无明显小瘤或有 2 行小瘤；鞘筒长 0.7 ~ 1 cm，黑棕色或顶部及基部各有一圈为黑棕色，或仅顶部有一圈为黑棕色；鞘齿 16 ~ 22，披针形，小，长 0.3 ~ 0.4 cm，先端淡棕色，膜质，芒状，早落，下部黑棕色，薄革质，基部背面有 3 ~ 4 纵棱，宿存或同鞘筒一起早落。孢子囊穗卵状，长 1 ~ 1.5 cm，直径 0.5 ~ 0.7 cm，先端有小尖突，无柄。

| 生境分布 | 生于疏林下或阴湿的沟旁、溪边。分布于宁夏泾源等。

木贼

| 资源情况 | 野生资源较少。

| 采收加工 | 夏、秋季采割，除去杂质，晒干或阴干。

| 药材性状 | 本品呈长管状，不分枝，长 40 ~ 60 cm，直径 0.2 ~ 0.7 cm。表面灰绿色或黄绿色，有 18 ~ 30 纵棱，棱上有多数细小光亮的疣状突起；节明显，节间长 2.5 ~ 8 cm，节上着生筒状鳞叶，叶鞘基部和鞘齿黑棕色，叶鞘中部淡棕黄色。体轻，质脆，易折断，断面中空，周边有多数圆形的小空腔。气微，味微涩，嚼之有砂粒感。

| 功能主治 | 甘、苦，平。归肺、肝经。疏散风热，明目退翳。用于风热目赤，迎风流泪，目生云翳。

| 用法用量 | 内服煎汤，3 ~ 9 g。

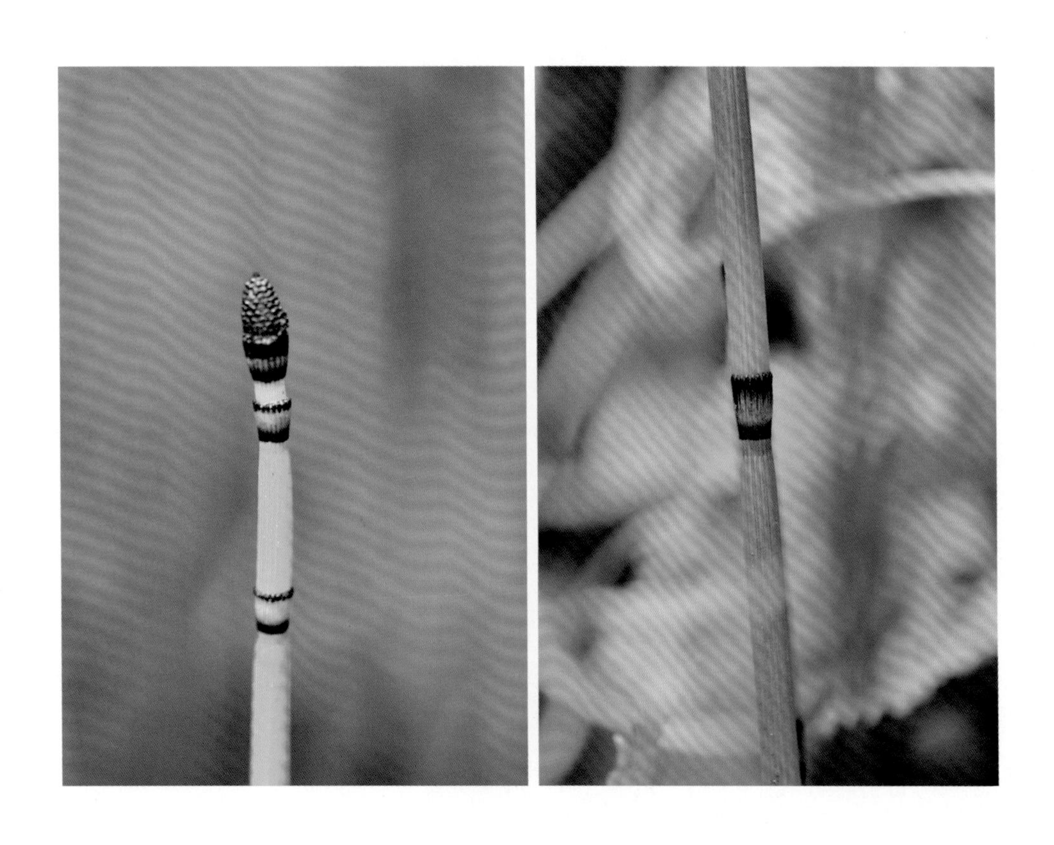

木贼科 Equisetaceae 木贼属 *Equisetum*

犬问荆 *Equisetum palustre* L.

犬问荆

药材名

骨节草（药用部位：全草。别名：节节草、洗碗草）。

形态特征

多年生草本。根茎直立和横走，黑棕色，节和根光滑或具黄棕色长毛。地上枝当年枯萎。枝一型，高 20 ~ 50（~ 60）cm，中部直径 1.5 ~ 2 mm，节间长 2 ~ 4 cm，绿色，但下部 1 ~ 2 节节间为黑棕色，无光泽，基部常呈丛生状。主枝有脊 4 ~ 7，脊背部弧形，光滑或有小横纹；鞘筒狭长，下部灰绿色，上部淡棕色；鞘齿 4 ~ 7，黑棕色，披针形，先端渐尖，边缘膜质，鞘背上部有 1 浅纵沟，宿存。侧枝较粗，长达 20 cm，圆柱状至扁平状，有脊 4 ~ 6，光滑或有浅色小横纹；鞘齿 4 ~ 6，披针形，薄革质，灰绿色，宿存。孢子囊穗椭圆形或圆柱状，长 0.6 ~ 2.5 cm，直径 4 ~ 6 mm，先端钝，成熟时柄伸长，柄长 0.8 ~ 1.2 cm。

生境分布

生于水田、沟旁等阴湿地带。分布于宁夏泾源等。

| 资源情况 | 野生资源较少。

| 采收加工 | 夏季采收，除去杂质，晒干或鲜用。

| 药材性状 | 本品茎常成束，表面灰绿色或黄绿色，分枝轮生，有 6 ~ 10 棱脊，表面有横的波状突起。叶鞘漏斗状，主枝的鞘齿三角状披针形，先端黑褐色，有白色膜质的宽边。孢子囊穗长圆形，具钝头，有短柄。气微，味淡。

| 功能主治 | 甘、苦，平。归肝、肺经。疏风明目，活血止痛。用于目赤云翳，迎风流泪，风湿痛，跌打损伤。

| 用法用量 | 内服煎汤，6 ~ 9 g，鲜品 15 ~ 30 g。

木贼科 Equisetaceae 木贼属 *Equisetum*

节节草 *Equisetum ramosissimum* Desf.

| 药 材 名 | 节节草（药用部位：地上部分。别名：土麻黄、笔筒草、通气草）。

| 形态特征 | 多年生草本。根茎直立、横走或斜升，黑棕色，节和根疏生黄棕色长毛或光滑无毛。主枝较细，绿色，多在下部分枝，常形成簇生状；幼枝的轮生分枝明显或不明显；主枝有脊 5 ~ 14，脊背部弧形，有 1 行小瘤或浅色小横纹；鞘筒狭长，长达 1 cm，下部灰绿色，上部灰棕色；鞘齿 5 ~ 12，三角形，灰白色、黑棕色或淡棕色，边缘（有时上部）为膜质，基部扁平或弧形，早落或宿存，齿上气孔带明显或不明显。侧枝较硬，圆柱状，有脊 5 ~ 8；脊上平滑或有 1 行小瘤，或有浅色小横纹；鞘齿 5 ~ 8，披针形，革质，但边缘膜质，上部棕色，宿存。孢子囊穗短棒状或椭圆形，长 0.5 ~ 2.5 cm，中部直径 0.4 ~ 0.7 cm，先端有小尖突，无柄。

节节草

| **生境分布** | 生于稻田田埂、乡村沟渠边、路旁、沙地。分布于宁夏彭阳、贺兰、惠农、平罗、永宁、沙坡头、兴庆、金凤等。

| **资源情况** | 野生资源较丰富。

| **采收加工** | 夏、秋季采割，洗净，鲜用或晒干。

| **药材性状** | 本品茎呈圆柱形。中部以下有分枝，表面黄绿色，有纵棱脊 6 ~ 20，叶鞘茎部无黑圈，鞘齿为黑色，断面中空。质较软，不易折断。微臭，嚼之有砂石感。

| **功能主治** | 甘、微苦，平。归肝、膀胱、肺经。清热利尿，明目退翳，祛痰止咳。用于目赤肿痛，咳嗽痰多，淋证，肾炎，尿路感染，肝炎，支气管炎，角膜云翳。

| **用法用量** | 内服煎汤，9 ~ 30 g，鲜品 30 ~ 60 g。外用适量，捣敷；或研末撒。

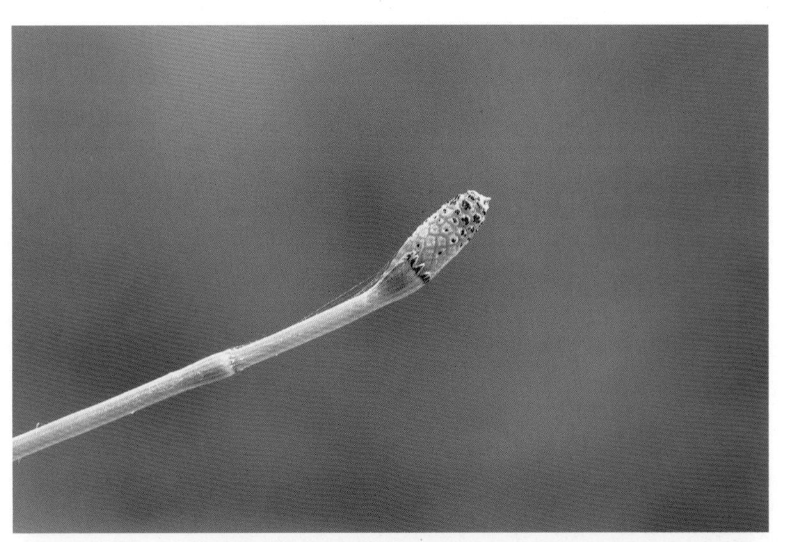

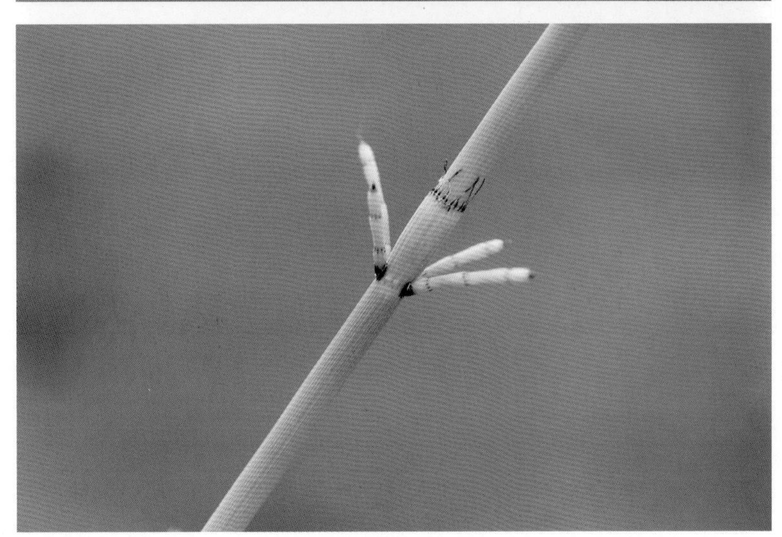

碗蕨科 Dennstaedtiaceae 蕨属 *Pteridium*

蕨 *Pteridium aquilinum* var. *latiusculum* (Desv.) Underw. ex Heller

蕨

|药材名|

蕨菜（药用部位：全草或根茎。别名：蕨毛）。

|形态特征|

多年生草本，植株高可达 1 m。根茎长而横生，密被锈褐色柔毛，后逐渐脱落。叶柄长 20 ~ 80 cm，基部直径 3 ~ 6 mm，褐棕色，略有光泽，光滑，上面有浅纵沟 1；叶片阔三角形或长圆状三角形，长 30 ~ 60 cm，宽 20 ~ 45 cm，先端渐尖，基部圆楔形，三回羽状；羽片 4 ~ 6 对，对生或近对生，斜展，其中 1 对最大，三角形，长 15 ~ 25 cm，宽 14 ~ 18 cm，柄长 3 ~ 5 cm，二回羽状；小羽片约 10 对，互生，斜展，披针形，长 6 ~ 10 cm，宽 1.5 ~ 2.5 cm，先端尾状渐尖，基部近平截，具短柄，一回羽状；裂片 10 ~ 15 对，平展，彼此接近，长圆形，长约 14 mm，宽约 5 mm，具钝头或近圆头，基部不与小羽轴合生，分离，全缘；中部以上的羽片逐渐变为一回羽状，长圆状披针形，基部较宽，对称，先端尾状，小羽片与下部羽片的裂片同形，部分小羽片的下部具 1 ~ 3 对浅裂片或边缘具波状圆齿。叶脉稠密，仅下面明显。叶干后近革质或革质，暗绿色，上面无毛，下面在裂片主脉上多少被棕色或、

灰白色的疏毛，或近无毛。叶轴及羽轴均光滑，小羽轴上面光滑，下面被疏毛。孢子囊群沿叶缘呈线形分布，囊群盖条形，被叶缘反折覆盖。

| 生境分布 | 生于海拔约 2 000 m 的向阳草坡、林缘或疏林下。分布于宁夏原州、隆德、彭阳、西吉、泾源、海原等。

| 资源情况 | 野生资源丰富。

| 采收加工 | 6 ~ 8 月采收全草，鲜用或晒干；8 ~ 9 月采挖根茎，洗净，晒干或切片后晒干。

| 功能主治 | 甘，寒。归肝、胆、脾经。清热利湿，安神，益气养阴。用于湿热黄疸，风湿痹痛，湿疹，赤白带下，热淋，小便不利，肝热所致的头昏失眠，高热神昏，五脏虚损，痔疮。

| 用法用量 | 内服煎汤，9 ~ 15 g。

凤尾蕨科 Pteridaceae 粉背蕨属 *Aleuritopteris*

银粉背蕨 *Aleuritopteris argentea* (Gmél.) Fée

| 药 材 名 | 银粉背蕨（药用部位：全草。别名：石崖茶、通经草、铜丝草）。

| 形态特征 | 多年生小草本，植株高 15 ~ 30 cm。根茎直立或斜升，偶有沿石缝横走，先端被棕褐色、披针形鳞片，有多数暗褐色须根。叶簇生；叶柄长 10 ~ 20 cm，红棕色，有光泽，似铜丝，上部光滑，基部疏被棕色披针形鳞片；叶片五角形，长、宽几相等，均为 5 ~ 10 cm，先端渐尖，羽片 3 ~ 5 对，基部 3 回羽裂，中部 2 回羽裂，上部 1 回羽裂；基部 1 对羽片呈直角三角形，长 3 ~ 5 cm，宽 2 ~ 4 cm，水平开展或斜向上，基部上侧与叶轴合生，小羽片 3 ~ 4 对，以圆缺刻分开，基部以狭翅相连，基部下侧 1 最大，长圆状披针形，先端长渐尖，有裂片 3 ~ 4 对，裂片三角形或镰形，基部 1 对较短，羽轴上侧小羽片较短，不分裂；第二对羽片为不整齐的 1 回羽裂，

银粉背蕨

披针形，基部下延成楔形，往往与基部 1 对羽片汇合，先端长渐尖，有不整齐的裂片 3 ~ 4 对，裂片三角形或镰形，以圆缺刻分开；其余羽片自第二对羽片向上渐次缩短。叶干后草质或薄革质，上面绿褐色，光滑，叶脉不显，下面被乳白色或淡黄色粉状物，裂片边缘有明显而均匀的细牙齿。孢子囊群较多，着生于细脉先端，连续，条形；囊群盖棕色，膜质，为叶缘反折而成。

| 生境分布 | 生于石灰质山坡岩石隙间。分布于宁夏六盘山（泾源、隆德、彭阳）、贺兰山（贺兰、西夏、永宁、平罗）等。

| 资源情况 | 野生资源较少。

| 采收加工 | 秋季采收，除去须根及泥土，晒干。

| 药材性状 | 本品根茎短小，密被红棕色鳞片。叶数枚簇生；叶柄细长，长 10 ~ 20 cm，栗棕色，有光泽；叶片卷缩，展开后呈近五角形，长、宽均为 5 ~ 10 cm，掌状羽裂，细裂片宽窄不一，叶片上表面绿色，下表面被银白色或淡黄色粉粒。孢子囊群集生于叶缘，呈条形。质脆，易折断。气微，味淡。

| 功能主治 | 辛、甘，平。归肺、肝经。活血调经，补虚止咳，祛风镇惊。用于月经不调，经闭腹痛，肺痨咳嗽、咯血，小儿痉挛抽搐。

| 用法用量 | 内服煎汤，9 ~ 15 g。外用适量，煎汤熏洗；或捣敷。

| 附　　注 | 孕妇禁服。

凤尾蕨科 Pteridaceae 铁线蕨属 *Adiantum*

白背铁线蕨 *Adiantum davidii* Franch.

| 药 材 名 | 白背铁线蕨（药用部位：全草。别名：猪鬃草、铁丝草、碎叶猪棕草）。

| 形态特征 | 多年生草本，植株高 20 ~ 30 cm。根茎细长，横走，被深褐色、有光泽的卵状披针形鳞片。叶远生；叶柄坚硬，基部被与根茎上相同的鳞片，向上至小羽片柄均为栗红色，有光泽；叶片三角状卵形，基部较宽，具渐尖头，三回羽状。羽片 3 ~ 5 对，互生，有短柄，基部 1 对最大，长 5 ~ 7 cm，宽 3 ~ 4 cm，长三角形，二回羽状；小羽片 4 ~ 5 对，互生，有短柄，相距 6 ~ 14 mm，向上渐变小；末回小羽片 1 ~ 4 对，互生，彼此密接且略复叠，扇形，顶部圆形，具短阔三角形的匀密锯齿，两侧全缘，基部楔形；第二对羽片距基部 1 对 1.5 ~ 4.5 cm，向上各对均与基部 1 对羽片同形而渐变小。

白背铁线蕨

叶脉多回二歧分叉，直达锯齿尖端，两面均明显。叶干后坚草质，上面草绿色，下面灰绿色或灰白色，两面光滑。孢子囊群末回小羽片通常 1，少有 2，横生于小羽片顶部弯缺内；囊群盖肾形或圆肾形，上缘浅凹，褐色，纸质，全缘，宿存。孢子周壁具粗颗粒状的纹饰，处理后周壁破裂并脱落。

| 生境分布 | 生于山溪、林下、林缘的石隙中。分布于宁夏泾源等。

| 资源情况 | 野生资源较少。

| 采收加工 | 秋季采收，洗净，晒干。

| 功能主治 | 微苦，凉。清热解毒，利水通淋。用于痢疾，尿路感染，血淋，乳糜尿，睾丸炎，乳腺炎。

| 用法用量 | 内服煎汤，9 ~ 15 g。

凤尾蕨科 Pteridaceae 铁线蕨属 *Adiantum*

掌叶铁线蕨 *Adiantum pedatum* L.

| 药 材 名 | 掌叶铁线蕨（药用部位：全草。别名：铁扇子、铜丝草）。

| 形态特征 | 多年生草本，植株高 40 ~ 60 cm。根茎直立或横卧，被褐棕色、阔披针形鳞片。叶簇生或丛生；叶柄长 20 ~ 40 cm，栗色或棕色，基部直径可达 3.5 mm，被与根茎相同的鳞片，向上光滑，有光泽；叶片阔扇形，从叶柄的顶部二叉成左右两个弯弓形的分枝，再从每个分枝的上侧生出 4 ~ 6 一回羽状的线状披针形羽片，各回羽片相距 1 ~ 2 cm，中央羽片最长，侧生羽片向外略缩短，奇数一回羽状；小羽片 20 ~ 30 对，互生，斜展，具短柄，彼此接近，中部对开式的小羽片较大，长可达 2 cm，宽约 6 mm，长三角形，先端圆钝，基部为不对称的楔形，内缘及下缘直而全缘，先端波状或具钝齿，上缘深裂达 1/2；裂片方形，彼此密接，全缘而中央凹陷或

掌叶铁线蕨

具波状圆齿；基部小羽片略小，扇形或半圆形，有较长的柄；顶部小羽片与中部小羽片同形而渐变小；顶生小羽片扇形，中部深裂，两侧浅裂，与其下的侧生羽片同大或较之稍大；各侧生羽片上的小羽片与中央羽片上的同形。叶脉多回二歧分叉，直达叶缘，两面均明显。叶干后草质，草绿色，下面带灰白色，两面均无毛；叶轴、各回羽轴和小羽片均为栗红色，有光泽，光滑。孢子囊群每小羽片 4 ~ 6，横生于裂片先端的浅缺刻内；囊群盖长圆形或肾形，淡灰绿色或褐色，膜质，全缘，宿存。孢子具明显的细颗粒状纹饰。

| **生境分布** | 生于林下沟旁。分布于宁夏泾源等。

| **资源情况** | 野生资源较少。

| **采收加工** | 夏、秋季采收，除去杂质，洗净，鲜用或晒干。

| **功能主治** | 淡，凉。归肝经。清热利湿，调经止血。用于热淋，血淋，水肿，小便不利，黄疸，痢疾，风湿痹痛，肺热咳嗽，月经不调，崩漏，带下。

| **用法用量** | 内服煎汤，9 ~ 24 g。

凤尾蕨科 Pteridaceae 凤了蕨属 *Coniogramme*

普通凤丫蕨 *Coniogramme intermedia* Hieron.

普通凤丫蕨

| 药材名 |

凤丫蕨（药用部位：根茎）。

| 形态特征 |

多年生草本，植株高 60 ~ 120 cm。根茎长而横生，连同叶柄基部疏被浅棕色、披针形鳞片。叶近生或远生；叶柄长 24 ~ 60 cm，禾秆色间有淡棕色点，向上光滑；叶片卵状三角形，长 25 ~ 35 cm，宽 20 ~ 25 cm，二回羽状；羽片 3 ~ 8 对，近对生，柄长 1 ~ 3 cm，下部 1 ~ 2 对卵状三角形，羽状或三出，以上各片单一，披针形，有柄，先端 1 较大，先端长渐尖或尾尖，基部圆形或圆楔形，边缘具细尖锯齿。叶脉分离；侧脉 2 回分叉，先端的水囊线形，略加厚，伸入锯齿，但不及齿缘。叶干后草质至纸质，上面暗绿色，下面色较淡并有疏短柔毛。孢子囊群沿侧脉分布达离叶缘不远处。

| 生境分布 |

生于阴坡林下、山沟阴湿处。分布于宁夏泾源等。

| **资源情况** | 野生资源较少。

| **采收加工** | 秋季采挖，除去须根及泥土，晒干。

| **功能主治** | 甘、涩，温。补肾除湿，理气止痛。用于肾虚腰痛，带下，风湿关节疼痛，跌打损伤。

| **用法用量** | 内服煎汤，10 ~ 15 g。

蹄盖蕨科 Athyriaceae 安蕨属 *Anisocampium*

日本安蕨 *Anisocampium niponicum* (Mettenius) Yea C. Liu, W. L. Chiou & M. Kato

| 药 材 名 | 日本蹄盖蕨（药用部位：嫩叶）。

| 形态特征 | 陆生中小型植物，植株高 40 ~ 80 cm。根茎横卧、斜升，先端和叶柄基部密被浅褐色、狭披针形的鳞片。叶簇生；叶柄长 15 ~ 40 cm，黑褐色，向上为禾秆色，疏被小鳞片；叶片卵状长圆形，长 25 ~ 40 cm，中部宽 15 ~ 30 cm，先端急狭缩，基部阔圆形，中部以上二至三回羽状；羽片 5 ~ 14 对，斜展，有柄，长圆状披针形，先端骤缩，基部阔斜形或圆形，中部羽片披针形，一至二回羽状；小羽片常为阔披针形或长圆状披针形，也有披针形，具渐尖头，两侧有小锯齿或浅齿，基部不对称，羽状深裂；裂片披针形、长圆形或线状披针形，具尖头，边缘有向内紧靠的尖锯齿。叶干后草质或薄纸质，灰绿色

日本安蕨

或黄绿色，两面无毛；叶轴和羽轴下面带淡紫红色，略被浅褐色、线形小鳞片。孢子囊群长圆形、弯钩形或马蹄形，靠近中脉；囊群盖同形，褐色，膜质，边缘略呈啮蚀状，宿存或部分脱落。孢子周壁表面有明显的条状折皱。

| 生境分布 | 生于阴坡石隙或潮湿草甸。分布于宁夏隆德等。

| 资源情况 | 野生资源较少。

| 采收加工 | 全年或夏、秋季采收，洗净，鲜用或晒干。

| 功能主治 | 苦，凉。排脓拔毒，祛瘀生新。用于下肢疖肿。

| 用法用量 | 内服煎汤，15 ~ 30 g。外用适量，鲜品捣敷。

蹄盖蕨科 Athyriaceae 蹄盖蕨属 *Athyrium*

中华蹄盖蕨 *Athyrium sinense* Rupr.

| 药 材 名 | 中华蹄盖蕨（药用部位：根茎）。

| 形态特征 | 陆生中型植物，植株高 40 ~ 60 cm。根茎短，直立或斜生，先端和叶柄基部密被深褐色、卵状披针形或披针形的鳞片。叶簇生；叶柄长 10 ~ 20 cm，黑褐色，向上为禾秆色；叶片长圆状披针形，长 25 ~ 65 cm，宽 15 ~ 25 cm，先端渐尖，基部略变狭，二回羽状；基部羽片近对生，向上的互生，狭披针形，羽状；小羽片对生，狭长圆形，先端钝，边缘具锯齿状小裂片。叶脉在小裂片上二至三叉，伸达齿端；叶轴及羽轴上疏生腺毛。叶干后草质，浅褐绿色，两面无毛。孢子囊群多为长圆形，少有弯钩形或马蹄形，生长于基部上侧小脉，每小裂片上 1；囊群盖浅褐色，膜质，边缘啮蚀状，宿存。孢子周壁表面无折皱。

中华蹄盖蕨

| 生境分布 | 生于林下、沟谷。分布于宁夏泾源等。

| 资源情况 | 野生资源较少。

| 采收加工 | 夏、秋季采挖，除去须根，洗净，晒干。

| 功能主治 | 微苦，凉。清热解毒，杀虫。用于流行性脑脊髓膜炎，流行性乙型脑炎，钩虫病，蛔虫病。

| 用法用量 | 内服煎汤，10 ~ 15 g。

蹄盖蕨科 Athyriaceae 对囊蕨属 *Deparia*

东北对囊蕨 *Deparia pycnosora* (Christ) M. Kato

| 药 材 名 | 东北对囊蕨（药用部位：根茎及叶柄基部。别名：贯仲、贯众）。

| 形态特征 | 陆生植物，植株高达 80 cm。根茎粗短，直立或斜上，被褐色、披针形鳞片。叶簇生；叶柄长 10 ~ 30 cm，禾秆色，基部稍膨大，被褐色鳞片；叶片长圆状披针形，草质，长 30 ~ 50 cm，宽 10 ~ 20 cm，先端渐尖，基部略狭，2 回羽状深裂；羽片披针形，互生，先端渐尖，无柄，羽状深裂片宽 3 ~ 4 cm，略呈镰状长圆形，边缘有浅圆齿。叶轴、羽轴和主脉有棕色短毛，叶脉羽状，单一，不甚明显。孢子囊群线状长圆形，着生于侧脉两侧，斜列；囊群盖膜质。

| 生境分布 | 生于阴湿的山谷林下或灌丛中。分布于宁夏泾源、隆德、原州等。

东北对囊蕨

| 资源情况 | 野生资源较丰富。

| 采收加工 | 秋季采挖全草，削去地上部分，留取根茎及叶柄基部，除去须根，洗净，晒干。

| 药材性状 | 本品呈卵圆形或长卵圆形，上端钝圆，下端较尖，弯曲或不弯曲，长 10 ~ 15 cm，直径 6 ~ 10 cm。表面黑褐色。根茎斜生，密被叶柄残基，并有细长弯曲的残根和少量鳞片。叶柄残基向上端斜生，重重相叠，叶柄上部较宽，下部较细，两侧边缘具明显的刺状突起，背面隆起，具明显的棱脊，腹面稍向内凹。质硬而脆，易折断，断面淡黄色至淡棕色，平坦，维管束 2，呈“八”字形排列。气微，味微苦。

| 功能主治 | 苦，微寒；有小毒。归肝、脾经。清热解毒，止血驱虫。用于热毒疮疡，痄腮，温热斑疹，风热感冒，崩漏，衄血，流行性感冒，虫积腹痛。

| 用法用量 | 内服煎汤，6 ~ 15 g。

| 附　　注 | （1）《中国植物志》认为，过去文献记载的蛾眉蕨 *Lunathyrium acrostichoides* (Sw.) Ching 只是单从叶片形态上来定名的。实际上，该种仅分布于北美洲东部。1977 年，本种正式更名为东北对囊蕨 *Deparia pycnosora* (Christ) M. Kato。

（2）贯众之名始载于《神农本草经》，被列为下品，国内各地所用“贯众”的同名异物品达 50 种以上。据《宁夏中药志》记载，东北对囊蕨（《宁夏中药志》和《中华本草》记作峨眉蕨）为宁夏贯众药材的来源之一。

铁角蕨科 Aspleniaceae 铁角蕨属 *Asplenium*

北京铁角蕨 *Asplenium pekinense* Hance

| 药 材 名 | 铁杆地柏枝（药用部位：全草。别名：小凤尾草、地柏枝）。

| 形态特征 | 草本植物，植株高 8 ~ 20 cm。根茎短而直立，先端密被披针形鳞片，膜质，黑褐色，略有虹色光泽，全缘或略呈微波状。叶簇生；叶柄长 2 ~ 4 cm，下部疏被与根茎上相同的鳞片，向上疏被黑褐色的纤维状小鳞片；叶片披针形，长 6 ~ 12 cm，宽 2 ~ 3 cm，先端渐尖，基部略变狭，二回羽状或 3 回羽裂；羽片 9 ~ 11 对，互生或近对生，中部羽片三角状椭圆形，长 1 ~ 2 cm，宽 6 ~ 13 mm，下部稍缩短；末回裂片椭圆形或短舌形，先端具 2 ~ 3 尖齿。叶脉羽状，侧脉 2 叉分枝，伸入牙齿的先端，但不达边缘。叶坚草质，干后灰绿色或暗绿色；叶轴及羽轴两侧有连续的线状狭翅，下部疏被黑褐色的纤维状小鳞片，向上光滑。孢子囊群近椭圆形，背生于小羽片

北京铁角蕨

中部以上，每小羽片上有 1 ~ 2，基部 1 对小羽片有 2 ~ 4，成熟后为深棕色，往往满铺于小羽片下面；囊群盖同形，膜质，全缘，宿存。

| 生境分布 | 生于溪边岩石上。分布于宁夏贺兰山（西夏、贺兰、永宁）等。

| 资源情况 | 野生资源较少。

| 采收加工 | 4 月采收，洗净，鲜用或晒干。

| 功能主治 | 甘、微辛。化痰止咳，利膈，止血。用于感冒咳嗽，肺结核，外伤出血。

| 用法用量 | 内服煎汤，15 ~ 30 g。外用适量，捣敷；或研末敷。

鳞毛蕨科 Dryopteridaceae 鳞毛蕨属 *Dryopteris*

粗茎鳞毛蕨 *Dryopteris crassirhizoma* Nakai

| 药 材 名 | 绵马贯众（药用部位：根茎及叶柄残基。别名：贯节、东北贯众）。

| 形态特征 | 多年生草本，高可达 50 ~ 100 cm。根茎粗壮，斜生，连同叶柄基部密生褐棕色、卵状披针形大鳞片。叶簇生；叶柄长 10 ~ 25 cm，密被披针形鳞片，黄褐色，有光泽；叶片倒披针形，长 60 ~ 80 cm，宽 20 ~ 35 cm，2 回羽状全裂或深裂，羽片 20 ~ 30 对，裂片密接，长圆形，具圆钝头，近全缘或先端有钝锯齿。叶轴及羽轴被披针形鳞片，叶两面均有纤维状鳞毛，侧脉羽状分叉。孢子囊群分布于叶片中部以上的羽片上，生于叶背小脉中部以下，每裂片 2 ~ 4 对；囊群盖圆肾形，棕色。

| 生境分布 | 生于林下、沟旁阴湿处。分布于宁夏泾源等。

粗茎鳞毛蕨

| 资源情况 | 野生资源较丰富。

| 采收加工 | 秋季采挖，削去叶柄、须根，除去泥沙，晒干。

| 药材性状 | 本品根茎呈长倒卵形，略弯曲，上端钝圆或截形，下端较尖，有的被纵剖为两半，长 7 ~ 20 cm，直径 4 ~ 8 cm。表面黄棕色至黑褐色，密被排列整齐的叶柄残基及鳞片，并有弯曲的须根。叶柄残基呈扁圆形，长 3 ~ 5 cm，直径 0.5 ~ 1 cm；表面有纵棱线，质硬而脆，断面略平坦，棕色，有黄白色维管束 5 ~ 13，环列；每个叶柄残基的外侧常有 3 条须根，鳞片条状披针形，全缘，常脱落。根茎质坚硬，断面略平坦，深绿色至棕色，有黄白色维管束 5 ~ 13，环列，其外散有较多的叶迹维管束。气特异，味初淡而微涩，后渐苦、辛。

| 功能主治 | 苦，微寒；有小毒。归肝、胃经。清热解毒，驱虫。用于虫积腹痛，疮疡。

| 用法用量 | 内服煎汤，4.5 ~ 9 g。

鳞毛蕨科 Dryopteridaceae 鳞毛蕨属 *Dryopteris*

华北鳞毛蕨 *Dryopteris goeringiana* (Kunze) Koidz.

华北鳞毛蕨

| 药 材 名 |

黑狗脊（药用部位：根茎及叶柄基部。别名：花叶狗牙七）。

| 形态特征 |

多年生草本，植株高 50 ~ 90 cm。根茎粗壮，横卧，被棕褐色、披针形鳞片。叶簇生；叶柄长 25 ~ 50 cm，淡褐色，有纵沟，具淡褐色、膜质、边缘微具齿的鳞片，下部的鳞片较大，广披针形至线形，长达 1.5 cm，上部连同中轴被线形或毛状鳞片；叶片卵状长圆形、长圆状卵形或三角状广卵形，长 25 ~ 50 cm，宽 15 ~ 40 cm，先端渐尖，3 回羽状深裂；羽片互生，具短柄，披针形或长圆状披针形，具长渐尖头，中下部羽片较长，长 11 ~ 27 cm，宽 2.5 ~ 6 cm，向基部稍微变狭；小羽片稍远离，基部下侧小羽片缩短，披针形或长圆状披针形，具尖头至锐尖头，2 回羽状深裂；裂片长圆形，宽 1 ~ 3 mm，通常先端有尖锯齿。叶草质至薄纸质，羽轴及小羽轴背面生有毛状鳞片，侧脉羽状，分叉。孢子囊群近圆形，通常沿小羽片中肋排成 2 行；囊群盖圆肾形，膜质，边缘啮蚀状。

| 生境分布 | 生于林下、沟旁。分布于宁夏泾源等。

| 资源情况 | 野生资源较丰富。

| 采收加工 | 全年均可采挖，除去叶及须根，洗净，晒干。

| 药材性状 | 本品根茎呈细长圆柱形，直径 2 ~ 4 cm。表面有棕色叶柄残基，被棕色、阔披针形鳞片。质坚硬，断面棕红色，可见数个类白色小点排列成环（分体中柱）。气微，味微涩。

| 功能主治 | 微苦、涩，平。祛风湿，强筋骨，降血压。用于腰背疼痛，头晕，高血压。

| 用法用量 | 内服煎汤，12 ~ 30 g。

水龙骨科 Polypodiaceae 瓦韦属 *Lepisorus*

网眼瓦韦 *Lepisorus clathratus* (C. B. Clarke) Ching

| 药 材 名 | 网眼瓦韦（药用部位：全草。别名：石茶、瓦韦）。

| 形态特征 | 多年生草本，高 10 ~ 20 cm。根茎横走，细长，密被卵状披针形鳞片，鳞片渐尖，边缘具齿，黑褐色，有明显的粗筛孔。叶簇生或近生；叶柄长 2 ~ 4 cm，禾秆色，基部被鳞片，上部光滑；叶片狭披针形，长 7 ~ 12 cm，宽 1 ~ 1.5 cm，先端钝或渐尖，基部下延，全缘或波状，主脉明显，侧脉网状，上面光滑，下面疏生鳞片。孢子囊群圆形，着生于主脉与叶缘的中间，每侧各 1 行。

| 生境分布 | 生于林下岩石上或崖下潮湿的石隙中。分布于宁夏六盘山（泾源、隆德、原州）、贺兰山（西夏、贺兰、永宁）、罗山（同心）等。

| 资源情况 | 野生资源较少。

网眼瓦韦

| 采收加工 | 夏季采收，洗净泥土，鲜用或晒干。

| 功能主治 | 苦、甘，微寒。利水通淋，凉血止血，解毒消肿。用于水肿，小便不利，咯血，痢疾，痈肿，瘰疬，创伤瘀肿。

| 用法用量 | 内服煎汤，3 ~ 9 g。外用适量，捣敷；或研末敷。

水龙骨科 Polypodiaceae 瓦韦属 *Lepisorus*

高山瓦韦 *Lepisorus eilophyllus* (Diels) Ching

| 药 材 名 | 高山瓦韦（药用部位：全草。别名：云雾草、石豇豆）。

| 形态特征 | 多年生草本，高 20 ~ 30 cm。根茎横走，密被黑褐色、卵状披针形的鳞片，鳞片边缘有细齿。叶基生，近无柄；叶片厚草质，窄长条形，长 20 ~ 30 cm，宽约 3 mm，先端具尖头，基部下延几达叶柄基部，边缘反卷，上面光滑，下面着生孢子。孢子囊群卵圆形或长圆形，着生于叶背中上部的中脉两侧的细脉交接处。

| 生境分布 | 生于高山林下石隙中或树干上。分布于宁夏六盘山（泾源）等。

| 资源情况 | 野生资源较少。

| 采收加工 | 夏、秋季采收，洗净，阴干。

高山瓦韦

| 功能主治 | 淡、涩，平。归脾、膀胱经。祛风除湿，止血。用于风湿痹痛，劳伤腰痛，淋浊，带下，崩漏，鼻衄，小儿疳积。

| 用法用量 | 内服煎汤，6 ~ 9 g。

| 附　　注 | 《宁夏中药志》记载本种的全草作高山瓦韦药用，《中华本草》记载本种的全草作石豇豆药用，二者基原相同，药材名不同。

水龙骨科 Polypodiaceae 瓦韦属 *Lepisorus*

华北石韦 *Pyrrosia davidii* (Baker) Ching

| 药 材 名 | 小石韦（药用部位：全草。别名：北京石韦）。

| 形态特征 | 多年生草本，植株高 5 ~ 10 cm。根茎略粗壮而横卧，密被披针形鳞片，鳞片边缘具牙齿。叶密生；叶柄长 2 ~ 5 cm，基部着生处密被鳞片，向上被星状毛，禾秆色；叶片狭披针形，中部最宽，向两端渐狭，具短渐尖头，先端圆钝，基部楔形，两边狭翅沿叶柄下延，长 5 ~ 7 cm，中部宽 0.5 ~ 1.5（~ 2）cm，全缘。叶干后软纸质，上面淡灰绿色，下面棕色，密被星状毛，主脉在下面不明显隆起，在上面浅凹陷，侧脉与小脉均不明显。孢子囊群布满叶片下表面，幼时被星状毛，棕色，成熟时孢子囊开裂而呈砖红色。

| 生境分布 | 生于山坡岩石上或石隙中。分布于宁夏六盘山（泾源）、贺兰山（贺

华北石韦

兰、西夏）及隆德等。

资源情况 野生资源较少。

采收加工 夏、秋季采收，除去须根，洗净，晒干。

药材性状 本品根茎细长，被黑褐色鳞状毛。叶柄圆柱形，上有 1 浅沟槽；叶片多卷曲成筒状，展平后呈狭披针形或长圆形，先端长渐尖，基部渐狭，全缘，上面近光滑或疏具毛，具多数凹点，下面密被黄色星状毛。叶片厚革质。孢子囊群布满全叶背。无臭，味微苦。

功能主治 甘、苦，微寒。归肺、膀胱经。利水通淋，清热止血，祛痰止咳。用于热淋，血淋，石淋，小便不通，淋沥涩痛，吐血，衄血，尿血，崩漏，肺热咳嗽。

用法用量 内服煎汤，6 ~ 12 g。

附　　注 《中华人民共和国药典》（2020 年版）记载石韦的基原植物为水龙骨科植物庐山石韦 *Pyrrosia sheareri* (Baker) Ching、石韦 *Pyrrosia lingua* (Thunb.) Farwell 和有柄石韦 *Pyrrosia petiolosa* (Christ) Ching。据《中华本草》记载，华北石韦也曾是石韦的主流品种。《甘肃省中药材标准》和《北京市中药材标准》都曾收录本种，药材名为小石韦。

水龙骨科 Polypodiaceae 槲蕨属 *Drynaria*

秦岭槲蕨 *Drynaria baronii* Diels

秦岭槲蕨

| 药 材 名 |

陕骨碎补（药用部位：根茎。别名：猴姜、野鸡翎、毛姜）。

| 形态特征 |

附生中型植物，植株高 15 ~ 50 cm。根茎肉质，粗长，横走，密生钻状披针形、有睫毛的鳞片。叶二型；不育叶小，无柄，矩圆状披针形，长 4 ~ 8 cm，羽状深裂，裂片长圆形或三角状披针形，淡棕色或绿棕色；能育叶较大，绿色，有具狭翅的长柄，阔披针形，长 15 ~ 40 cm，中部宽 6 ~ 10 cm，羽状深裂几达叶轴，裂片宽 7 ~ 14 mm，具钝尖头，边缘有缺刻状锯齿，叶脉明显，可见网眼。孢子囊群圆形，黄棕色，无盖，主脉两侧各有 1 行。

| 生境分布 |

生于阳坡岩石隙中或河谷石崖上。分布于宁夏泾源等。

| 资源情况 |

野生资源较少。

| 采收加工 | 全年均可采挖，除去泥沙，干燥，或再用火燎去茸毛（鳞片）。

| 药材性状 | 本品呈扁平的细长条状，略弯曲，有的具分枝，完整者末端略钝圆，长 7 ~ 33 cm，宽 5 ~ 13 mm，厚 2 ~ 5 mm。表面密被黄棕色至棕色的小鳞片，柔软如毛，易脱落，鳞片脱落或火燎者表面呈棕褐色、黄棕色或黄色，有纵皱纹，上表面具凸起或凹下的圆形叶痕，有的带叶柄残基，两侧及下表面有须根痕或有须根残留；脱落后的鳞片呈狭长披针形，黄色至淡棕色，先端细长而尖。体轻，质脆，易折断，断面黄色、灰棕色或棕褐色，维管束呈黄白色点状。气微，味甘、微涩。

| 功能主治 | 苦，温。归肝、肾经。补肾强骨，续伤止痛。用于肾虚腰痛，耳鸣耳聋，牙齿松动，跌扑损伤，筋骨折伤；外用于斑秃，白癜风。

| 用法用量 | 内服煎汤，3 ~ 9 g，鲜品 6 ~ 15 g。外用适量，鲜品捣敷；或晒干研末敷；或浸酒搽。

| 附　　注 | 《中华人民共和国药典》记载骨碎补的正品为同属植物槲蕨 *Drynaria fortunei* (Kunze) J. Sm.。秦岭槲蕨曾为骨碎补的主流品种之一，《陕西省中药材标准》（2015 年版）收录了本种，药材名为陕骨碎补。

槐叶苹科 Salviniaceae 槐叶苹属 *Salvinia*

槐叶苹 *Salvinia natans* (L.) All.

| 药 材 名 | 蜈蚣萍（药用部位：全草。别名：水漂漂、边箕萍、槐叶苹）。

| 形态特征 | 小型漂浮植物。茎细长而横走，被褐色节状毛。3 叶轮生，上面 2 叶漂浮于水面，形如槐叶，长圆形或椭圆形，长 8 ~ 14 mm，宽 5 ~ 8 mm，先端钝圆，基部圆形或稍呈心形，全缘；叶柄长 1 mm 或近无柄。叶脉斜出，在主脉两侧有小脉 15 ~ 20 对，每小脉上有 5 ~ 8 束白色刚毛。叶草质，上面深绿色，下面密被棕色茸毛，下面 1 叶悬垂于水中，细裂成线状，被细毛，形如须根。孢子果 4 ~ 8 簇生于沉水叶的基部，表面疏生成束的短毛，小孢子果表面淡黄色，大孢子果表面淡棕色。

| 生境分布 | 生于池塘、沼泽和水田中。分布于宁夏沙坡头、中宁、青铜峡、利

槐叶苹

通、灵武、兴庆、永宁、贺兰、西夏、平罗、惠农等。

| 资源情况 | 野生资源丰富。

| 采收加工 | 夏、秋季采收，洗净，鲜用或晒干。

| 药材性状 | 本品全体干缩成不规则的团块状。茎纤细扭曲，表面淡绿色或灰褐色，棕色毛茸叶 3 轮生，2 叶在茎两侧排列，皱缩卷曲，展平后呈长圆形，上表面绿色，具多数成簇的粗短毛，下表面棕褐色；1 叶在茎的下面，呈须根状，基部有数个灰白色的孢子果。无臭，味淡。

| 功能主治 | 淡，寒。清热解毒，活血止痛。用于痈肿疔毒，瘀血肿痛；外用于烫火伤。

| 用法用量 | 内服煎汤，15 ~ 30 g。外用适量，鲜品捣敷；或煎汤洗。

裸子植物

银杏科 Ginkgoaceae 银杏属 *Ginkgo*

银杏 *Ginkgo biloba* L.

| 药 材 名 | 白果（药用部位：种子。别名：公孙树、白果仁、鸭脚子）、银杏叶（药用部位：叶。别名：白果叶）。

| 形态特征 | 乔木，高达 40 m，胸径可达 4 m；幼树树皮浅纵裂，大树树皮呈灰褐色，深纵裂，粗糙；幼年及壮年树冠呈圆锥形，老时则呈广卵形。枝近轮生，斜向上伸展；一年生的长枝淡褐黄色，二年生以上的变为灰色，并有细纵裂纹；短枝密被叶痕，黑灰色，短枝上亦可长出长枝；冬芽黄褐色，常为卵圆形，先端钝尖。叶扇形，有长柄，淡绿色，无毛，有多数叉状、并列的细脉，在一年生长枝上螺旋状散生，在短枝上 3 ~ 8 簇生，秋季落叶前变为黄色。球花雌雄异株，单性，生长于短枝先端的鳞片状叶叶腋内，呈簇生状；雄球花葇荑花序状，下垂，雄蕊排列疏松，具短梗，花药常 2，长椭圆形，药室

银杏

纵裂，药隔不发；雌球花具长梗，梗端常分 2 叉，稀 3 ~ 5 叉或不分叉，每叉顶生 1 盘状珠座，胚珠着生其上，通常仅一个叉端的胚珠发育成种子，风媒传粉。种子具长梗，下垂，常为椭圆形、长倒卵形、卵圆形或近圆球形，外种皮肉质，成熟时黄色或橙黄色，外面被白粉，有臭味。

| 生境分布 | 栽培种。宁夏惠农、大武口、西夏、永宁、兴庆、金凤等有栽培。

| 资源情况 | 栽培资源较少。

| 采收加工 | 白果：秋季种子成熟时采收，除去肉质外种皮，洗净，稍蒸或略煮后，烘干。
银杏叶：秋季叶尚绿时采收，及时干燥。

| 药材性状 | 白果：本品略呈椭圆形，一端稍尖，另一端钝，长 1.5 ~ 2.5 cm，宽 1 ~ 2 cm，厚约 1 cm。表面黄白色或淡棕黄色，平滑，具 2 ~ 3 棱线。中种皮（壳）骨质，坚硬。内种皮膜质，种仁宽卵球形或椭圆形，一端淡棕色，另一端金黄色，横断面外层黄色，胶质样，内层淡黄色或淡绿色，粉性，中间有空隙。气微，味甘、微苦。
银杏叶：本品多折皱或破碎，完整者呈扇形，长 3 ~ 12 cm，宽 5 ~ 15 cm，黄绿色或浅棕黄色，上缘呈不规则的波状弯曲，有的中间凹入，深者可达叶长的 4/5。具二叉状、平行的叶脉，细而密，光滑无毛，易纵向撕裂。叶基楔形，叶柄长 2 ~ 8 cm。体轻。气微，味微苦。

| 功能主治 | 白果：甘、苦、涩，平；有毒。归肺、肾经。敛肺定喘，止带缩尿。用于痰多喘咳，带下白浊，遗尿尿频。
银杏叶：甘、苦、涩，平。归心、肺经。活血化瘀，通络止痛，敛肺平喘，化浊降脂。用于瘀血阻络，胸痹心痛，中风偏瘫，肺虚咳喘，高脂血症。

| 用法用量 | 白果：内服煎汤，5 ~ 10 g。
银杏叶：内服煎汤，9 ~ 12 g。

松科 Pinaceae 云杉属 *Picea*

青海云杉 *Picea crassifolia* Kom.

青海云杉

| 药 材 名 |

云杉球果（药用部位：球果）。

| 形态特征 |

乔木，高达 23 m，胸径 30 ~ 60 cm。一年生嫩枝淡绿黄色，有或多或少的短毛，或几无毛至无毛，干后或二年生小枝呈粉红色或淡褐黄色，稀呈黄色，通常有明显或微明显的白粉（尤以叶枕先端显著），或无白粉；老枝呈淡褐色、褐色或灰褐色；冬芽圆锥形，通常无树脂，基部芽鳞有隆起的纵脊，小枝基部宿存芽鳞的先端常开展或反曲。叶较粗，四棱状条形，近辐射伸展，或小枝上面的叶直向上伸展，下面及两侧的叶向上弯伸，多少弯曲或直，长 1.2 ~ 3.5 cm，宽 2 ~ 3 mm，先端钝或具钝尖头，横切面呈四棱形，稀两侧扁，四面有气孔线，上面每边具 5 ~ 7，下面每边具 4 ~ 6。球果圆柱形或矩圆状圆柱形，长 7 ~ 11 cm，直径 2 ~ 3.5 cm，成熟前种鳞背部露出部分为绿色，上部边缘为紫红色；中部种鳞倒卵形，长约 1.8 cm，宽约 1.5 cm，先端圆，全缘或微呈波状，微向内曲，基部宽楔形；苞鳞短小，三角状匙形，长约 4 mm；种子斜倒卵圆形，长约 3.5 mm，连翅长约 1.3 cm，种翅倒卵状，淡褐色。花

期 4 ~ 5 月，果期 9 ~ 10 月。

| 生境分布 | 生于阴坡及半阴坡。分布于宁夏兴庆、盐池、同心、西吉等。

| 资源情况 | 野生资源较少。

| 采收加工 | 秋季果实成熟时采摘，晒干。

| 功能主治 | 苦，温。化痰止咳。用于久咳，痰喘。

| 用法用量 | 内服煎汤，6 ~ 15 g。

松科 Pinaceae 松属 *Pinus*

华山松 *Pinus armandii* Franch.

华山松

| 药 材 名 |

松香（药材来源：油树脂除去挥发油后留存的固体树脂。别名：松脂、松胶、黄香）、松节（药用部位：松节或生病后长出的瘤状物）、松花粉（药用部位：花粉）、松针（药用部位：针叶）、松子仁（药用部位：种仁）、松树皮（药用部位：树干内皮）。

| 形态特征 |

乔木，高达 35 m；幼树树皮灰绿色，平滑，老树树皮灰褐色，裂成片状。一年生枝绿色或灰绿色。针叶 5 针一束，稀 6 ~ 7 针一束，长 8 ~ 15 cm，边缘具细锯齿，腹面两侧各具 4 ~ 8 白色气孔线，横切面三角形，树脂道通常 3，中生，或背面 2 边生，腹面 1 中生；叶鞘早落。雄球花黄色，卵状圆柱形，长约 1.4 cm。球果圆锥状长卵圆形，长 10 ~ 20 cm，直径 5 ~ 8 cm，幼时绿色，成熟时黄色或褐黄色，种鳞张开，种鳞近斜方状倒卵形，鳞盾近斜方形或宽三角状斜方形，先端钝圆或微尖，鳞脐不明显，无纵脊；种子倒卵圆形，长 1 ~ 1.5 cm，无翅或两侧及先端具棱脊，稀具极短的木质翅。花期 4 ~ 5 月，球果翌年 9 ~ 10 月成熟。

| **生境分布** | 生于阴坡或半阴坡。分布于宁夏泾源、灵武、金凤等。

| **资源情况** | 野生资源较少。

| **采收加工** | 松香：选择 7 ~ 15 龄木，在树干基部用利刀割至边材部，挖成“V”形或螺旋纹，收集从伤口流出的油树脂，加水蒸馏，分出粗松节油，残渣冷却凝固即得松香。

松节：全年均可采收，晒干。

松花粉：春季花开时采收雄花穗，晾干，搓下花粉，过筛取细粉。

松针：随采随用，或阴干。

松子仁：秋季采集成熟果实，晒至鳞瓣炸开，用棒敲打，使种子脱落，收集种子，晒干。

松树皮：全年均可剥取树干皮，除去栓皮，取内皮晒干。

| **药材性状** | 松香：本品为半透明、淡黄色或棕黄色的不规则团块，大小不等，表面常带黄色粉霜。质坚脆，破碎面有光泽。具松节油气。

松节：本品为不规则的薄片或小碎块，棕黄色或黄棕色，油润。有松节油的香气，味微苦。

松花粉：本品为淡黄色细粉，体轻，易飞扬，手捻有滑润感。气微，味淡。

松子仁：本品呈长椭圆形，类白色，富油性，外包棕色内果皮。气微香。

| 功能主治 | 松香：苦、甘，温。归肝、脾、肺经。消肿解毒，排脓生肌，祛风止痒，燥湿通痹。用于痈疽肿毒，疥癣湿疹，疠风瘙痒，臁疮，风湿痹痛，蛇虫咬伤，神经性皮炎。

松节：苦，温。归心、肺、肝、大肠经。祛风除湿，通络止痛。用于风湿痹痛，转筋，脚气病，鹤膝风，跌扑损伤，风蛀牙痛，大骨节病。

松花粉：甘，温。归肝、脾经。补中益气，祛风燥湿，收敛止血。用于胃痛，便秘，久痢所致的体虚乏力，湿疹，黄水疮，咯血，创伤出血。

松针：苦，温。归心、脾经。祛风活血，杀虫止痒，活血祛瘀，明目安神。用于风湿痹痛，湿疹，疥疮，跌扑损伤，冻疮，失眠，流行性感冒，夜盲症，高血压，钩虫病。

松子仁：甘，温。归肺、大肠经。润肺，滑肠。用于肺燥咳嗽，肠燥便秘。

松树皮：苦、辛，温。归肺、脾经。祛风除湿，活血祛瘀，生肌敛疮。用于风湿痹痛，肠风下血，皮肤瘙痒，烫火伤，冻疮，金疮。

| 用法用量 | 松香：内服入丸、散剂，0.5 ~ 1 g；或浸酒。外用适量，研末撒；或调敷。

松节：内服煎汤，9 ~ 15 g。外用适量，浸酒涂搽。

松花粉：内服煎汤，3 ~ 6 g。外用适量，撒敷。

松针：内服煎汤，9 ~ 15 g，鲜品 30 ~ 60 g。外用适量，煎汤洗。

松子仁：内服煎汤，6 ~ 15 g；或嚼服。

松树皮：内服煎汤，9 ~ 15 g。外用适量，研末调敷；或煎汤洗。

松科 Pinaceae 松属 *Pinus*

白皮松 *Pinus bungeana* Zucc. ex Endl.

| **药 材 名** | 白松塔（药用部位：球果。别名：蛇皮松果、白松果）。

| **形态特征** | 常绿乔木，高 25 ~ 30 m 树皮灰绿色或灰褐色，内皮白色，裂成不规则薄片脱落。一年生枝灰绿色，无毛；冬芽红褐色，无树脂。针叶 3 针一束，粗硬，长 5 ~ 10 cm，宽 1.5 ~ 2 mm，叶的背面与腹面两侧均有气孔线，树脂道 4 ~ 7，通常边生或兼有边生与中生；叶鞘早落。5 月开花。球果常单生，卵圆形，长 5 ~ 7 cm，成熟后淡黄褐色，种鳞先端厚，鳞盾多为菱形，有横脊，鳞脐生长于鳞盾的中央，具刺尖；种子倒卵圆形，长约 1 cm，种翅长 5 mm，有关节，易脱落。花期 4 ~ 5 月，球果翌年 10 ~ 11 月成熟。

| **生境分布** | 生于山坡、丘陵等。分布于宁夏惠农、大武口、金凤、灵武等。

白皮松

| 资源情况 | 野生资源较少。

| 采收加工 | 冬初采收。

| 药材性状 | 本品呈卵圆形，长 5 ~ 7 cm，淡黄褐色或棕褐色。种鳞先端厚，鳞盾多为菱形，有横脊，鳞脐生于鳞盾中央，具刺尖。种子倒卵圆形，长约 1 cm，种皮棕褐色，胚乳白色，气香，味甜，富油脂；种翅长 5 mm，有关节，易脱落。

| 功能主治 | 苦，温。祛痰，止咳，平喘。用于慢性支气管炎，哮喘，咳嗽，气短，痰多。

| 用法用量 | 内服煎汤，30 ~ 60 g。

松科 Pinaceae 松属 *Pinus*

油松 *Pinus tabuliformis* Carriere

| 药 材 名 | 松香（药材来源：油树脂除去挥发油后留存的固体树脂。别名：松脂、松脂香）、松节（药用部位：松节或生病后长出的瘤状物）、松花粉（药用部位：花粉）、松针（药用部位：针叶）、松树皮（药用部位：树干内皮）。

| 形态特征 | 常绿乔木；树皮灰褐色，鳞甲状裂。大树的枝条平展或微向下伸，小枝淡红褐色或淡灰黄色，无毛；二、三年生枝上的苞片宿存；冬芽红褐色。针叶2针一束，长10 ~ 15 cm，粗硬，树脂管约10；叶鞘宿存。球果卵圆形，长4 ~ 10 cm，成熟后宿存，暗褐色，种鳞的鳞盾肥厚，横脊显著，鳞脐凸起，有刺尖；种子长6 ~ 8 mm，种翅长约10 mm。

| 生境分布 | 生于阴坡或半阴坡。宁夏各地均有分布。

油松

| 资源情况 | 野生资源较丰富。

| 采收加工 | 松香：选择 7 ~ 15 龄木，在树干基部用利刀割至边材部，挖成“V”形或螺旋纹，收集从伤口流出的油树脂，加水蒸馏，分出粗松节油，残渣冷却凝固即得松香。

松节：全年均可采收，晒干。

松花粉：春季花开时采收雄花穗，晾干，搓下花粉，过筛取细粉。

松针：随采随用，或阴干。

松树皮：全年均可剥取树干皮，除去栓皮，取内皮晒干。

| 药材性状 | 松香：本品为半透明、淡黄色或棕黄色的不规则团块，大小不等，表面常带黄色粉霜。质坚脆，破碎面有光泽。具松节油气。

松节：本品为不规则的薄片或小碎块，棕黄色或黄棕色，油润，有松节油的香气，味微苦。

松花粉：本品为淡黄色细粉，体轻，易飞扬，手捻有滑润感。气微，味淡。

松针：本品 2 叶并成 1 束。叶鞘淡褐色或淡黑褐色。表面深绿色，粗硬。

| 功能主治 | 松香：苦、甘，温。归肝、脾、肺经。消肿解毒，排脓生肌，祛风止痒，燥湿通痹。用于痈疽肿毒，疥癣湿疹，疠风瘙痒，臁疮，风湿痹痛，蛇虫咬伤，神经性皮炎。

松节：苦，温。归心、肺、肝、大肠经。祛风除湿，通络止痛。用于风湿痹痛，转筋，脚气病，鹤膝风，跌扑损伤，风蛀牙痛，大骨节病。

松花粉：甘，温。归肝、脾经。补中益气，祛风燥湿，收敛止血。用于胃痛，便秘，久痢所致的体虚乏力，湿疹，黄水疮，咯血，创伤出血。

松针：苦，温。归心、脾经。祛风活血，杀虫止痒，活血祛瘀，明目安神。用于风湿痹痛，湿疹，疥疮，跌扑损伤，冻疮，失眠，流行性感冒，夜盲症，高血压，钩虫病。

松树皮：苦、辛，温。归肺、脾经。祛风除湿，活血祛瘀，生肌敛疮。用于风湿痹痛，肠风下血，皮肤瘙痒，烫火伤，冻疮，金疮。

| 用法用量 | 松香：内服入丸、散剂，0.5 ~ 1 g；或浸酒。外用适量，研末撒；或调敷。

松节：内服煎汤，9 ~ 15 g。外用适量，浸酒涂搽。

松花粉：内服煎汤，3 ~ 6 g。外用适量，撒敷。

松针：内服煎汤，9 ~ 15 g，鲜品 30 ~ 60 g。外用适量，煎汤洗。

松树皮：内服煎汤，9 ~ 15 g。外用适量，研末调敷；或煎汤洗。

柏科 Cupressaceae 刺柏属 *Juniperus*

刺柏 *Juniperus formosana* Hayata

刺柏

| 药材名 |

山刺柏（药用部位：根或根皮、枝叶。别名：刺柏、松柏）。

| 形态特征 |

乔木，高达 10 m；树皮暗褐色，纵裂成长条状薄片，剥落。大枝向上开展，小枝下垂，棕色或带黄色，具 3 棱。叶为刺叶，3 叶轮生，线状披针形，长 1 ~ 2 cm，宽约 2 mm，先端锐尖，基部具关节，表面微凹，中脉稍隆起，绿色，两侧各有 1 白色气孔线，至叶端汇合，背面绿色，有光泽，具纵钝脊。雄球花圆球形或椭圆形，长 4 ~ 6 mm。球果近球形或宽卵圆形，长 6 ~ 10 mm，直径约 8 mm，两年成熟，成熟时淡红褐色或淡红色，常被白粉，先端有 3 辐射状的皱纹及 3 钝头，顶部间或开裂；种子通常 3，稀 1，半月圆形，具 3 ~ 4 棱脊，先端尖，近基部有 3 ~ 4 树脂槽。

| 生境分布 |

生于海拔 2 200 m 左右的山坡或林中。分布于宁夏彭阳、盐池等。

| **资源情况** | 野生资源较少。

| **采收加工** | 秋、冬季采挖根或剥取根皮，全年均可采收枝叶，洗净，晒干。

| **功能主治** | 苦，寒。清热解毒，燥湿止痒。用于麻疹高热，湿疹，癣疮。

| **用法用量** | 内服煎汤，6 ~ 15 g。外用适量，煎汤洗。

柏科 Cupressaceae 刺柏属 *Juniperus*

杜松 *Juniperus rigida* Sieb. et Zucc.

杜松

| 药 材 名 |

杜松子（药用部位：成熟果实。别名：刺柏）。

| 形态特征 |

常绿灌木或乔木，高达 10 m。枝直展，褐灰色，纵裂；小枝下垂，幼枝三棱形。叶为刺叶，3 叶轮生，条形，先端锐尖，基部有关节，不下延生长，长 1 ~ 1.7 cm，宽约 1 mm，质厚，坚硬，表面下凹成深槽，槽内有 1 窄白粉带，背面具明显的纵脊。雄球花椭圆形或近球形，长 2 ~ 3 mm。球果圆球形，直径 6 ~ 8 mm，成熟前紫褐色，成熟时淡褐色或蓝黑色，常被白粉；种子近卵形，长约 6 mm，先端尖，有 4 不明显的棱脊。

| 生境分布 |

生于向阳山坡或沟旁。分布于宁夏惠农、大武口、平罗、贺兰、金凤、灵武等。

| 资源情况 |

野生资源较少。

| 采收加工 |

秋季采摘，晒干。

药材性状 本品干燥者呈球形或椭圆形，直径 7 ~ 8 mm，紫褐色或蓝黑色，有光泽，表面稍带白粉，内含种子 2 ~ 3，也有 1 或 4 者。种子卵圆形，长约 6 mm，褐色，先端尖，有 4 不显著的棱角。气芳香特殊，味甘。

功能主治 辛、甘，平。归肝、肾、脾、胃、膀胱经。祛风除湿，止痛，利水。用于风湿痹痛，水肿，布鲁氏菌病。

用法用量 内服煎汤，1 ~ 3 g。外用适量。

柏科 Cupressaceae 刺柏属 *Juniperus*

圆柏 *Juniperus chinensis* L.

| 药 材 名 | 桧叶（药用部位：叶）。

| 形态特征 | 常绿乔木，高达 20 m；树冠塔形；树皮深灰褐色，纵向条裂。叶二型，具刺叶和鳞叶；幼树全为刺叶，3 叶交互轮生，斜展，疏松，披针形，先端渐尖，长 6 ~ 12 mm，表面微凹，具 2 白色气孔线；老龄树全为鳞叶， 3 叶轮生，排列紧密，菱状卵形，长 1.5 ~ 5 mm，先端钝或微尖，背面近中部具椭圆形或近圆形的腺体；壮龄树兼有刺叶和鳞叶。雌雄异株，稀同株；雄球花椭圆形，长 2.5 ~ 3.5 mm，雄蕊 5 ~ 7 对，常有 3 ~ 4 花药。球果近圆球形，两年成熟，成熟时暗褐色，被白粉，常具 2 ~ 3 种子；种子卵圆形，扁，有棱脊及少数树脂槽。

| 生境分布 | 栽培种。宁夏各地均有栽培。

圆柏

| 资源情况 | 栽培资源较丰富。

| 采收加工 | 全年均可采收，洗净，晒干或鲜用。

| 药材性状 | 本品生鳞叶的小枝呈近圆柱形或近四棱形。叶二型，有刺叶及鳞叶，生于不同枝上；鳞叶 3 叶轮生，直伸而紧密，近披针形，先端渐尖，长 2.5 ~ 5 mm；刺叶 3 叶交互轮生，斜展，疏松，披针形，长 0.6 ~ 1 cm。气微香，味微涩。

| 功能主治 | 苦、辛，温；有小毒。归肺经。祛风散寒，活血消肿，解毒利水。用于风寒感冒，肺痨，淋证，荨麻疹，风湿痹痛。

| 用法用量 | 内服煎汤，9 ~ 15 g，鲜品 15 ~ 30 g。外用适量，捣敷；或煎汤熏洗；或烧烟熏。

| 附　　注 | 《中华本草》中以本种的叶入药，名为桧叶；《宁夏中药志》以本种的枝叶及树皮入药，名为圆柏。两者的功能与主治基本一致。

柏科 Cupressaceae 刺柏属 *Juniperus*

叉子圆柏 *Juniperus sabina* L.

| 药 材 名 | 臭柏（药用部位：枝叶。别名：爬柏）、圆柏果（药用部位：球果）。

| 形态特征 | 匍匐灌木，株高不足 1 m。枝皮灰褐色，呈薄片状剥落；枝稠密，一年生小枝的分枝均为圆柱形，直径约 1 mm。叶二型；刺叶常生长于幼树上，稀在壮龄树上与鳞叶并存，常交互对生，或兼有 3 叶交互轮生，排列紧密，长 3 ~ 7 mm，先端刺尖，腹面凹，背面圆，中部有长椭圆形或条形腺体；鳞叶交互对生，排列紧密或稍疏，斜方形或菱状卵形，长 1 ~ 2.5 mm，先端微钝或急尖，背面中部有明显的椭圆形或卵圆形腺体。球花单性，雌雄异株，稀同株；雄球花椭圆形或矩圆形，长 2 ~ 3 mm，雄蕊 5 ~ 7 对，各具 2 ~ 4 花药。球果多为倒三角状球形，长 5 ~ 8 mm，直径约 9 mm，生长于向下弯曲的小枝先端，成熟前蓝绿色，成熟时褐色至黑色；种子卵圆形，

叉子圆柏

稍扁，具纵脊与树脂槽。

| 生境分布 | 生于石山坡或针叶树林中、阔叶树林中、沙丘上。分布于宁夏彭阳、西吉、贺兰、西夏、永宁、利通、青铜峡、沙坡头、中宁、金凤等。

| 资源情况 | 野生资源较少。

| 采收加工 | 臭柏：春、夏季采收，晒干或鲜用。

圆柏果：秋季采收，晒干。

| 药材性状 | 臭柏：本品呈树枝状，圆柱形。叶二型；刺叶常交互对生或 3 叶交互轮生，排列紧密，向上斜展，长 3 ~ 7 mm；鳞叶交互对生，排列紧密或稍疏松，斜方形或菱状卵形，长 1 ~ 2.5 mm。气微香，味微涩。

圆柏果：本品干燥者多为三角状球形，直径 5 ~ 9 mm；褐色至紫蓝色或黑色，少具白粉；种子 1 ~ 4，常为卵圆形，微扁，长 4 ~ 5 mm，先端钝或微尖，有纵脊与树脂槽。气微，味微涩。

| 功能主治 | 臭柏：苦、辛，平。祛风除湿，活血止痛。用于风寒痹痛，皮肤瘙痒，头痛，咳嗽。

圆柏果：苦、辛，微寒。祛风清热，利小便。用于头痛，迎风流泪，视物不清，小便不利。

| 用法用量 | 臭柏：内服煎汤，9 ~ 15 g。外用适量，煎汤洗浴。

圆柏果：内服煎汤，3 ~ 9 g。

柏科 Cupressaceae 侧柏属 *Platycladus*

侧柏 *Platycladus orientalis* (L.) Franco

| 药 材 名 | 侧柏叶（药用部位：枝梢和叶。别名：柏叶）、柏子仁（药用部位：成熟种仁。别名：柏实、柏仁）。

| 形态特征 | 常绿乔木，高达 20 m；树皮浅灰褐色，条状纵裂。小枝细，向上直伸或斜展，扁平，排成一个平面。叶鳞形，长 1 ~ 3 mm，先端稍钝，小枝上下两面的叶的露出部分呈倒卵状菱形或斜方形，背面中间有条状腺槽，两侧的叶先端微内曲，尖头的下方有腺点。雄球花卵圆形，长约 2 mm；雌球花近球形，直径约 2 mm，蓝绿色，被白粉。球果近卵圆形，成熟前近肉质，蓝绿色，被白粉，成熟后木质，红褐色，开裂，种鳞倒卵圆形或椭圆形，鳞背先端的下方有一向外弯曲的尖头，上部 1 对种鳞窄长，近柱状，先端有向上的尖头，下部 1 对种鳞极小，长达 13 mm，稀退化而不显著；种子卵圆形或

侧柏

近椭圆形，长 6 ~ 8 mm，稍有棱脊，无翅或具极窄的翅。花期 3 ~ 4 月，球果 10 月成熟。

| 生境分布 | 栽培种。宁夏各地均有栽培。

| 资源情况 | 栽培资源较丰富。

| 采收加工 | 侧柏叶：夏、秋季采摘，阴干。

柏子仁：秋、冬季采收成熟种子，晒干，除去种皮，收集种仁。

| 药材性状 | 侧柏叶：本品多分枝，小枝扁平。叶细小鳞片状，交互对生，贴伏于枝上，深绿色或黄绿色。质脆，易折断。气清香，味苦、涩、微辛。

柏子仁：本品呈长卵圆形或椭圆形，表面红黄色或棕红色。具 6 条翅状纵棱，棱间常有 1 条明显的纵脉纹，并有分枝。顶端残存萼片，基部稍尖，有残留果梗。果皮薄而脆，略有光泽；内表面色较浅，有光泽，具 2 ~ 3 隆起的假隔膜。种子多数，扁卵圆形，集结成团，深红色或红黄色，表面密具细小疣状突起。气微，味微酸而苦。

| 功能主治 | 侧柏叶：苦、涩，寒。归肺、肝、脾经。凉血止血，化痰止咳，生发乌发。用于吐血，衄血，咯血，便血，崩漏下血，肺热咳嗽，血热脱发，须发早白。

柏子仁：甘，平。归心、肾、大肠经。养心安神，润肠通便，止汗。用于阴血不足，虚烦失眠，心悸怔忡，阴虚盗汗，肠燥便秘。

| 用法用量 | 侧柏叶：内服煎汤，6 ~ 12 g；或入丸、散剂。外用适量，煎汤洗；或捣敷；或研末调敷。

柏子仁：内服煎汤，3 ~ 10 g。

麻黄科 Ephedraceae 麻黄属 *Ephedra*

木贼麻黄 *Ephedra equisetina* Bge.

| 药 材 名 | 麻黄（药用部位：草质茎。别名：麻黄草、龙沙）。

| 形态特征 | 直立灌木，高可达 1 m。直根系。木质茎粗长，直立；小枝细，节间短，长 1.5 ~ 2.5 cm，纵槽纹不明显，蓝绿色或灰绿色。叶 2 裂，大部合生，仅上部约 1/4 分离，裂片短三角形，先端钝。雄球花单生或 3 ~ 4 集生于节上，卵圆形或狭卵圆形，苞片 3 ~ 4 对，基部约 1/3 合生，假花被近圆形，雄蕊 6 ~ 8，花丝全部合生，微外露；雌球花常 2 对生于节上，狭卵圆形或狭菱形，苞片 3 对，最上 1 对苞片约 2/3 合生，雌花 1 ~ 2，珠被管长约 2 mm，稍弯曲；雌球花成熟时肉质红色，具短梗。种子 1，具明显的点状种脐与种阜。

| 生境分布 | 生于干旱地区的山脊、山顶及岩壁等。分布于宁夏原州、青铜峡、

木贼麻黄

贺兰、西夏、永宁、金凤、大武口等。

| 资源情况 | 野生资源较少。

| 采收加工 | 秋季采割绿色的草质茎，晒干。

| 药材性状 | 本品较多分枝，直径 1 ~ 1.5 mm，无粗糙感。节间长 1.5 ~ 2.5 cm。膜质鳞叶长 1 ~ 2 mm；裂片 2，稀 3，上部为短三角形，灰白色，先端多不反曲，基部棕红色至棕黑色。

| 功能主治 | 辛、微苦，温。归肺、膀胱经。发汗散寒，宣肺平喘，利水消肿。用于风寒感冒，胸闷喘咳，风水浮肿。

| 用法用量 | 内服煎汤，2 ~ 10 g。

| 附　　注 | 体虚自汗、盗汗及虚喘者禁服。

麻黄科 Ephedraceae 麻黄属 *Ephedra*

中麻黄 *Ephedra intermedia* Schrenk ex Mey.

| 药 材 名 | 麻黄(药用部位:草质茎。别名:麻黄草、卑相)、麻黄根(药用部位:根及根茎)。

| 形态特征 | 小灌木,高 20 ~ 80 cm。直根系。茎直立,粗壮,基部多分枝;小枝对生或轮生,圆筒形,被白粉,灰绿色,节间长 3 ~ 6 cm,纵槽纹较细浅。叶 3 裂,常混生 2 裂,下部 2/3 合生成鞘状,上部裂片呈钝三角形或三角形。雄球花无梗,数个密集于节上成团状,具 5 ~ 7 对交叉对生或 5 ~ 7 轮 3 轮生的苞片,雄蕊 5 ~ 8,花丝全部合生;雌球花 2 ~ 3 成簇,对生或轮生于节上,具 3 ~ 5 对交叉对生或 3 ~ 5 轮 3 轮生的苞片,仅基部合生,边缘窄膜质,最上 1 轮苞片有 2 ~ 3 雌花,雌花的珠被管长达 3 mm,螺旋状弯曲;雌球花成熟时肉质红色,种子不外露。

中麻黄

| 生境分布 | 生于海拔 1 000 ～ 2 000 m 的荒漠、沙滩地区及干旱的山坡或草地上。分布于宁夏泾源、海原、原州、中宁、灵武、同心、红寺堡、金凤等。

| 资源情况 | 野生资源较丰富。

| 采收加工 | 麻黄：秋季采割绿色的草质茎，晒干。

麻黄根：秋末采挖，除去残茎、须根和泥沙，晒干。

| 药材性状 | 麻黄：本品较多分枝，直径 1.5 ～ 3 mm，有粗糙感。节上膜质鳞叶长 2 ～ 3 mm；裂片 2，稀 3，先端锐尖。断面髓部呈三角状圆形。以表面色淡绿，内心色红棕，手拉不脱节，味苦、涩者为佳。

麻黄根：本品呈圆柱形，略弯曲，长 8 ～ 25 cm，直径 0.5 ～ 1.5 cm。表面红棕色或灰棕色，有纵皱纹和支根痕；外皮粗糙，易呈片状剥落。根茎具节，节间长 0.7 ～ 2 cm，表面有横长凸起的皮孔。体轻，质硬而脆，断面皮部黄白色，木部淡黄色或黄色，射线放射状，中心有髓。气微，味微苦。

| 功能主治 | 麻黄：辛、微苦，温。归肺、膀胱经。发汗散寒，宣肺平喘，利水消肿。用于风寒感冒，胸闷喘咳，风水浮肿。

麻黄根：甘、涩，平。归心、肺经。固表止汗。用于自汗，盗汗。

| 用法用量 | 麻黄：内服煎汤，2 ～ 10 g。

麻黄根：内服煎汤，3 ～ 9 g。外用适量，研粉撒扑。

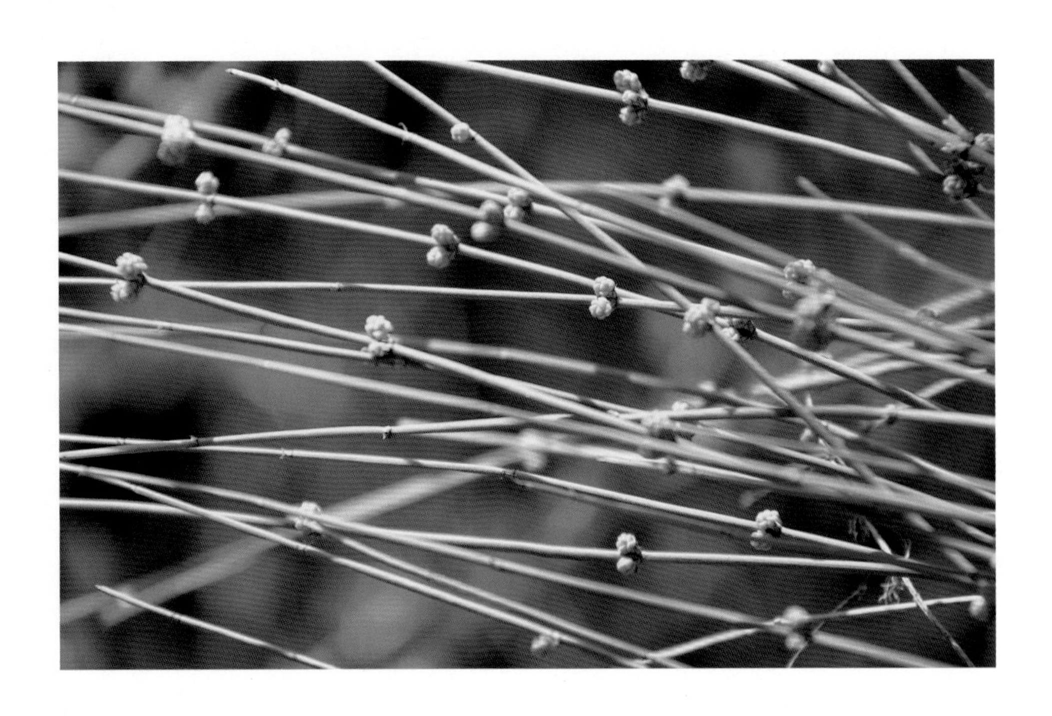

麻黄科 Ephedraceae 麻黄属 *Ephedra*

膜果麻黄 *Ephedra przewalskii* Stapf

| 药 材 名 | 膜果麻黄（药用部位：草质茎）。

| 形态特征 | 灌木，高 40 ~ 60 cm。主根木质，棕褐色，粗壮，发达。木质茎明显，茎皮灰黄色或灰白色，细纤维状纵裂成窄椭圆形网眼；上部多分枝，老枝黄绿色，纵槽纹不甚明显，小枝绿色，2 ~ 3 枝生长于节上，分枝基部再生多数小枝，形成假轮生状；小枝节间粗长，长 2 ~ 4 cm。叶常 3 裂，混生少数 2 裂，下部 1/2 ~ 2/3 合生，膜质，裂片三角形或长三角形，先端急尖。球花通常无梗，多数集成团状的复穗状花序，对生或轮生于节上；雄球花淡褐色或褐黄色，近圆球形，苞片 3 ~ 4 轮，每轮 3，稀 2 对生，膜质，黄色或淡黄色，中央有绿色草质肋，仅基部合生，假花被宽扁，呈蚌壳状，雄蕊 7 ~ 8，花丝大部合生；雌球花近圆球形，淡绿褐色或褐黄色，苞片 3 ~ 5

膜果麻黄

轮，每轮 3，稀 2 对生，干燥膜质，几全部离生，最上 1 轮苞片各生 1 雌花，珠被管长 1.5 ~ 2 mm，伸出苞片之外，直立或卷曲；雌球花成熟时苞片增大成半透明薄膜状，淡棕色。种子通常 3，长卵圆形，先端狭尖突状，表面有细密纵皱纹。

| 生境分布 | 生于干燥沙漠地区及干旱山麓。分布于宁夏沙坡头、金凤、盐池、惠农、平罗、大武口等。

| 资源情况 | 野生资源较少。

| 功能主治 | 辛、微苦，温。发汗散寒，宣肺平喘，利水消肿。用于风寒感冒，胸闷喘咳，水肿，痰喘咳嗽，哮喘。

| 附　　注 | 《宁夏中药志》记载，膜果麻黄中的麻黄碱含量较低，通常不作麻黄药用。

麻黄科 Ephedraceae 麻黄属 *Ephedra*

单子麻黄 *Ephedra monosperma* Gmel. ex Mey.

|药材名| 麻黄（药用部位：草质茎。别名：小麻黄）、麻黄根（药用部位：根）。

|形态特征| 草本状矮小灌木，高5~15 cm。木质茎短小，长1~5 cm，多分枝，弯曲并有结节状突起，皮多呈褐红色；绿色小枝开展或稍开展，常微弯曲，节间细短，长1~2 cm，直径约1 mm。叶2，对生，膜质鞘状，长2~3 mm，下部1/3~1/2合生，裂片短三角形，先端钝或尖。雄球花生于小枝各部，单生枝顶或对生节上，多呈复穗状，长3~4 mm，直径2~4 mm，苞片3~4对，广圆形，中部绿色，两侧膜质边缘较宽，合生部分近1/2，假花被较苞片长，倒卵圆形，雄蕊7~8，花丝完全合生；雌球花单生或对生节上，无梗，苞片3对，基部合生，雌花通常1，稀2，胚珠的珠被管较长而弯曲，稀较短直。雌球花成熟时肉质红色，微被白粉，卵圆形或矩圆状卵圆形，长6~9 mm，直径5~8 mm，最上1对苞片约1/2分裂；种子外露，多为1，三角

单子麻黄

状卵圆形或矩圆状卵圆形，长约 5 mm，直径约 3 mm，无光泽。花期 6 月，种子 8 月成熟。

| 生境分布 | 多生于山坡石缝中或林木稀少的干燥地区。分布于宁夏海原、原州、彭阳、隆德等。

| 资源情况 | 野生资源较少。

| 采收加工 | 麻黄：秋季采割绿色的草质茎，阴干。

麻黄根：秋末采挖，除去残茎、须根和泥沙，晒干。

| 药材性状 | 麻黄：本品呈细长圆柱形，少分枝，直径 1~ 2 mm。表面淡绿色至黄绿色，有细沟纹，脊线明显，触之微有粗糙感。节明显，节间长 1~2 cm。叶 2，对生，膜质鞘状，长 2~3 mm，下部 1/3~1/2 合生，裂片短三角形，先端钝或尖。体轻，质脆，易折断，断面略呈纤维性，周边黄绿色，近圆形。气微香，味涩、微苦。

| 功能主治 | 麻黄：辛、微苦，温。归肺、膀胱经。发汗散寒，宣肺平喘，利水消肿。用于风寒感冒，胸闷喘咳，风水浮肿。

麻黄根：甘、涩，平。归心、肺经。固表止汗。用于自汗，盗汗。

| 用法用量 | 麻黄：内服煎汤，2 ~ 10 g。

麻黄根：内服煎汤，3 ~ 9 g。外用适量，研末撒扑。

麻黄科 Ephedraceae 麻黄属 *Ephedra*

斑子麻黄 *Ephedra lepidosperma* C. Y. Cheng

| 药 材 名 | 麻黄（药用部位：草质茎。别名：麻黄草）、麻黄根（药用部位：根）。

| 形态特征 | 矮小灌木，植株近垫状，高 5~20 cm。根与茎高度木质化，粗壮，坚硬，茎皮棕褐色或灰白色，片状剥落，具短梗、多瘤节的木质枝，节粗厚结状；绿色小枝细瘦，在节上密集、假轮生，呈辐射状排列，节间短，长 1.0~1.5 cm，直径约 1 mm，纵槽纹浅或较明显。叶极小，膜质鞘状，长约 1 mm，中部以下合生，上部 2 裂，裂片宽三角形，先端钝。雄球花在节上对生，长 2~3 mm，无梗，具 2~3 对苞片，假花被倒卵圆形，雄蕊 5~8，花丝合生，伸出花被之外；雌球花单生，具 2 对苞片，稀 3 对，下部 1 对形小，上部 1 对较长，中部以下合生，雌花 2，假花被粗糙，具横列、碎片状的细密突起，珠被管长约 1 mm，先端斜直，微弯曲。种子 2，1/3 露出苞片，黄棕色，背部中央及两侧边缘有明显凸起的纵肋，肋间及腹面有横列、碎片状

斑子麻黄

的细密突起。

| 生境分布 | 生于半荒漠区的山地淡灰钙土或灰漠土中。多见于石质的低山区或山麓洪积扇上部，其生长地排水良好，生境干燥，地表多石块。分布于宁夏贺兰山（永宁、西夏、大武口）、沙坡头、同心、红寺堡等。

| 资源情况 | 野生资源较丰富。

| 采收加工 | 麻黄：秋季采割绿色的草质茎，阴干。

麻黄根：秋末采挖，除去残茎、须根和泥沙，晒干。

| 功能主治 | 麻黄：辛、微苦，温。归肺、膀胱经。发汗散寒，宣肺平喘，利水消肿。用于风寒感冒，胸闷喘咳，风水浮肿。

麻黄根：甘、涩，平。归心、肺经。固表止汗。用于自汗，盗汗。

| 用法用量 | 麻黄：内服煎汤，2 ~ 10 g。

麻黄根：内服煎汤，3 ~ 9 g。外用适量，研末撒扑。

| 附　　注 | 本种为国家二级保护野生植物。

被子植物

○

○

○

胡桃科 Juglandaceae 胡桃属 *Juglans*

核桃楸 *Juglans mandshurica* Maxim.

| 药 材 名 | 核桃楸果仁（药用部位：种仁）、核桃楸皮（药用部位：树皮）。

| 形态特征 | 乔木，高达 20 m；树皮灰褐色，具纵沟纹。小枝、叶柄及果实均密被黄褐色绒毛及腺毛。奇数羽状复叶，小叶 9 ~ 17，无柄，卵形或卵状椭圆形，长 8 ~ 15 cm，宽 3 ~ 7 cm，先端渐尖，基部圆形或近心形，边缘具细锯齿，两面被星状毛。雄花序长达 20 cm；雌花序为穗状花序，长达 30 cm，具 5 ~ 10 花。核果卵圆形，先端尖，长 3 ~ 4.5 cm，被腺毛，果核卵圆形，先端具突尖，具 6 ~ 8 纵脊。花期 5 ~ 6 月，果期 9 ~ 10 月。

| 生境分布 | 生于海拔 1 000 ~ 2 000 m 的杂木林中及坡底林缘。分布于宁夏泾源、金凤等。

核桃楸

| 资源情况 | 野生资源较少。

| 采收加工 | 核桃楸果仁：秋季采收成熟果实，除去外果皮、内果皮（壳），取仁，干燥。

核桃楸皮：春、秋季采剥，晒干。

| 功能主治 | 核桃楸果仁：甘，温。归肺、肾、大肠经。润肺化痰，温肾助阳，润肤，通便。用于燥咳无痰，虚喘，腰膝酸软，肠燥便秘，皮肤干裂。

核桃楸皮：苦、辛，微寒。清热燥湿，泻肝明目。用于湿热下痢，带下黄稠，目赤肿痛，迎风流泪。

| 用法用量 | 核桃楸果仁：内服煎汤，30 ~ 50 g；或捣碎嚼，10 ~ 30 g；或捣烂浸酒。外用适量，捣烂涂搽。

胡桃科 Juglandaceae 胡桃属 *Juglans*

胡桃 *Juglans regia* L.

| 药 材 名 | 核桃仁（药用部位：成熟种子。别名：胡桃仁）、青龙衣（药用部位：未成熟果实的外果皮。别名：胡桃青皮、青胡桃皮）、分心木（药用部位：果核内的木质隔膜。别名：胡桃衣）。

| 形态特征 | 乔木，高 20 ~ 25 m；树皮淡灰色，幼时平滑，老时纵裂。奇数羽状复叶，小叶 5 ~ 9，椭圆形或椭圆状卵形，长 4.5 ~ 12.5 cm，宽 2.5 ~ 8 cm，顶生小叶通常较大，先端钝圆或微尖，基部楔形或宽楔形，侧生小叶基部偏斜，全缘，侧脉不超过 15 对，表面深绿色，无毛，背面脉腋具微毛。雄花序长 13 ~ 15 cm，雄蕊 6 ~ 40；雌花序具 1 ~ 3 花，总苞具白色腺毛，花柱短，柱头 2 裂，赤红色。核果球形，直径 3.2 ~ 5.4 cm，内果皮表面有不规则的皱纹及 2 纵脊。花期 4 ~ 5 月，果期 9 ~ 10 月。

胡桃

| 生境分布 | 栽培种。宁夏惠农、平罗、大武口、贺兰、西夏、兴庆、永宁、灵武、利通、青铜峡、沙坡头、中宁、彭阳等有栽培。

| 资源情况 | 栽培资源较丰富。

| 采收加工 | 核桃仁：秋季采收成熟果实，除去肉质果皮，晒干，再除去核壳及木质隔膜。
青龙衣：夏、秋季采集未成熟果实，剥取肉质、青绿色的外果皮，鲜用或晒干。
分心木：秋季采收成熟果实，取出种仁时，再取出木质隔膜，晒干。

| 药材性状 | 核桃仁：本品多破碎，为不规则的块状，有皱曲的沟槽，大小不一；完整者呈类球形，直径 2 ~ 3 cm。种皮淡黄色或黄褐色，膜状，维管束脉纹深棕色。子叶类白色。质脆，富油性。气微，味甘，种皮味涩、微苦。
青龙衣：本品为皱缩的半球形或不规则的块片状，边缘多向内卷曲，直径 3 ~ 6 cm，厚 6 ~ 10 mm。外表面黑棕色或黑黄色，较光滑，密生黄色斑点，一端有 1 果柄断痕；内表面黑黄色，粗糙，附纵向筋络状维管束。质脆，易折断。气微，味微苦、涩，嚼之有砂粒感。以块大、肉厚、整齐、色黑绿者为佳。
分心木：本品多破碎成半圆形片状或不规则片状，完整者呈类圆形或椭圆形，直径 2.5 ~ 3 cm。表面棕色至浅棕褐色，稍有光泽，边缘不整齐，上中部有 1

卵圆形或椭圆形孔洞，长约占隔膜直径的 1/2，边缘增厚处呈棕褐色，增厚部分汇合延伸至基部。体轻，质脆，易折断。气微，味微涩。

| 功能主治 | 核桃仁：甘，温。归肾、肺、大肠经。补肾，温肺，润肠。用于腰膝酸软，阳痿遗精，虚寒喘嗽，大便秘结。

青龙衣：苦、涩，平。止痛，解毒消肿。用于胃腹疼痛，水痢；外用于痈肿疮毒，顽癣。

分心木：苦、涩，平。归脾、肾经。补肾涩精。用于肾虚遗精，滑精，遗尿，泻痢，尿血，带下。

| 用法用量 | 核桃仁：内服煎汤，6 ~ 9 g；或单味嚼服，10 ~ 30 g；或入丸、散剂。

青龙衣：内服煎汤，10 ~ 15 g。外用适量。

分心木：内服煎汤，10 ~ 15 g。

胡桃科 Juglandaceae 枫杨属 *Pterocarya*

枫杨 *Pterocarya stenoptera* C. DC.

| 药 材 名 | 枫柳皮（药用部位：树皮。别名：枫杨皮）、麻柳叶（药用部位：叶。别名：枫杨叶、柳树叶）。

| 形态特征 | 高大乔木，高达 30 m，胸径达 1 m；幼树树皮平滑，浅灰色，老时则深纵裂。小枝灰色至暗褐色，具灰黄色皮孔；芽具柄，密被锈褐色、盾状着生的腺体。叶多为偶数羽状复叶，稀为奇数羽状复叶，长 8 ~ 16 cm，稀达 25 cm，叶柄长 2 ~ 5 cm，叶轴具翅至翅不甚发达，与叶柄一样被有疏或密的短毛；小叶 10 ~ 16，稀 6 ~ 25，无小叶柄，对生，稀近对生，长椭圆形至长椭圆状披针形，长 8 ~ 12 cm，宽 2 ~ 4 cm，先端常钝圆，稀急尖，基部歪斜，上方一侧楔形至阔楔形，下方一侧圆形，边缘有向内弯的细锯齿，上面被有细小、浅色的疣状突起，沿中脉及侧脉被有极短的星芒状毛，下面幼时被有

枫杨

散生的短柔毛，成长后脱落而仅留有极稀疏的腺体及侧脉腋内留有一丛星芒状毛。雄性葇荑花序长 6 ~ 10 cm，单生于去年生枝条上叶痕腋内，花序轴常有稀疏的星芒状毛。雄花常具一发育的花被片，稀 2 或 3，雄蕊 5 ~ 12。雌性葇荑花序顶生，长 10 ~ 15 cm，花序轴密被星芒状毛及单毛，下端不生花的部分长达 3 cm，具 2 长达 5 mm 的不孕性苞片。雌花几无梗，苞片及小苞片基部常有细小的星芒状毛，并密被腺体。果序长 20 ~ 45 cm，果序轴常被有宿存的毛；果实长椭圆形，长 6 ~ 7 mm，基部常有宿存的星芒状毛；果翅狭，条形或阔条形，长 12 ~ 20 mm，宽 3 ~ 6 mm，具近平行的脉。花期 4 ~ 5 月，果熟期 8 ~ 9 月。

| 生境分布 | 栽培种。宁夏兴庆等有栽培。

| 资源情况 | 栽培资源少。

| 采收加工 | 枫柳皮：夏、秋季采剥，鲜用或晒干。

麻柳叶：夏、秋季摘取鲜叶片，除去杂质，鲜用或晒干。

| 药材性状 | 麻柳叶：本品小叶多皱缩，展平后呈长椭圆形至长椭圆状披针形，长 5 ~ 12 cm，宽 2.5 ~ 3.5 cm，绿褐色，上面略粗糙，中脉、侧脉及下面有极稀疏毛。小叶柄极短或无。质脆。气微，味微淡。

功能主治	枫柳皮：辛、苦，温；有小毒。祛风止痛，杀虫，敛疮。用于风湿麻木，寒湿骨痛，头颅伤痛，牙痛，疥癣，浮肿，痔疮，烫伤，溃疡日久不敛。 麻柳叶：辛、苦，温；有毒。归肺、肝经。祛风止痛，杀虫止痒，解毒敛疮。用于风湿痹痛，牙痛，膝关节疼痛，疥癣，湿疹，阴道毛滴虫病，烫伤，创伤，溃疡不敛，血吸虫病，咳嗽气喘。
用法用量	枫柳皮：外用适量，煎汤含漱；或熏洗；或乙醇浸搽。 麻柳叶：内服煎汤，6 ~ 15 g。外用适量，煎汤洗；或乙醇浸搽；或捣敷。
附　　注	枫柳皮有毒，不宜口服。麻柳叶孕妇禁服。

杨柳科 Salicaceae 杨属 *Populus*

银白杨 *Populus alba* L.

银白杨

药材名

银白杨叶（药用部位：叶）。

形态特征

乔木，高 15 ~ 20 m；树皮灰白色，平滑，老干基部粗糙，具沟裂。幼枝密生白色绒毛；芽卵圆形或圆锥形，棕褐色，被绒毛，具黏质。长枝上的叶宽卵圆形或近圆形，长 6 ~ 8 cm，宽 7 ~ 10 cm，掌状 3 ~ 5 浅裂，裂片全缘或疏具三角状的粗齿，先端钝或急尖，基部心形、截形或近圆形，上面无毛，下面密被灰白色绒毛，叶柄圆柱形，长 2.5 ~ 3 cm，密被绒毛；短枝上的叶较小，卵圆形或近圆形，先端钝，基部圆形或近心形，边缘具不规则的粗锯齿。雄花序长 3 ~ 7.5 cm，苞片椭圆形，紫红色，边缘具不规则的牙齿及长柔毛，雄蕊 8 ~ 10，花药紫红色；雌花序长 2 ~ 5 cm，花序轴被绒毛，花盘斜杯形，子房椭圆形，柱头 2，各 2 裂。果序长 10 ~ 12 cm；蒴果细圆锥形，长约 5 mm，无毛，2 瓣开裂。花期 3 ~ 4 月，果期 4 月。

生境分布

栽培种。宁夏引黄灌区（惠农、大武口、平

罗、贺兰、兴庆、永宁、青铜峡、利通、中宁、沙坡头）等有零星栽培。

| 资源情况 | 栽培资源少。

| 采收加工 | 春、夏季采收，鲜用或晒干。

| 药材性状 | 本品多皱缩、破碎，完整者展平后呈近圆形，掌状 3 ~ 5 浅裂，长 4 ~ 8 cm，宽 3 ~ 8 cm，先端渐尖，基部阔楔形或圆形，叶缘有小牙齿。上面灰绿色，下面可见白色绒毛。叶柄略侧扁，被白色绒毛。质脆，易碎。气微清香，味微苦。

| 功能主治 | 苦，寒。归肺经。止咳平喘，化痰清热。用于咳嗽，气喘。

| 用法用量 | 内服煎汤，3 ~ 9 g。外用适量，煎汤含漱。

杨柳科 Salicaceae 杨属 *Populus*

新疆杨 *Populus alba* L. var. *pyramidalis* Bunge

新疆杨

|药材名|

新疆杨（药用部位：树皮、枝、花）。

|形态特征|

乔木，高达 30 m；树皮灰绿色，光滑，老时灰褐色，基部浅裂，小枝灰绿色，密被绒毛，后脱落；芽圆锥形，被绒毛，无黏质。短枝上的叶圆形或椭圆形，长 3.5 ~ 4.5 cm，宽 3 ~ 4 cm，先端尖，基部近截形或微心形，边缘具粗钝齿，上面绿色，无毛，下面灰绿色，幼时密被灰白色绒毛，后脱落；长枝上的叶较大，长 8 ~ 15 cm，3 ~ 5 浅裂，叶柄长 2.5 ~ 4 cm，侧扁，初被绒毛，后光滑。

|生境分布|

栽培种。宁夏彭阳、西吉、灵武、惠农、平罗、大武口等有栽培。

|资源情况|

栽培资源较丰富。

|功能主治|

树皮、枝，用于风湿麻木。花，用于泄泻。

杨柳科 Salicaceae 杨属 *Populus*

加杨 *Populus* × *canadensis* Moench

加杨

|药 材 名|

白杨花（药用部位：花。别名：杨树花）。

|形态特征|

乔木，高达 30 m；树皮灰绿色，老时灰褐色，基部粗糙，有沟裂。小枝淡灰褐色，无毛，稍有棱角，幼枝黄褐色；芽长卵形，长 7 ~ 8 mm，具黏质。叶三角状卵圆形，长 4 ~ 6 cm，宽 3.5 ~ 5.5 cm，先端长渐尖，基部截形或微心形，边缘具圆钝齿，上面绿色，无毛，下面淡绿色，沿脉稍被柔毛；叶柄长 2.5 ~ 4.5 cm，侧扁，无毛，先端具 2 腺体。雄花序长 7 ~ 15 cm，花序轴无毛，苞片淡绿褐色，不整齐的丝状条裂，花盘全缘，淡黄绿色，雄蕊 15 ~ 25；雌花序具花 45 ~ 50，柱头 4 裂。果序长 15 ~ 20 cm；蒴果卵圆形，无毛，2 ~ 4 瓣裂。花期 4 月，果期 5 月。

|生境分布|

栽培种。宁夏利通、青铜峡、沙坡头等有栽培。

|资源情况|

栽培资源较丰富。

| 采收加工 | 春季花开时采集，除去杂质，晒干。

| 药材性状 | 雄花序较短细；表面黄绿色或黄棕色。芽鳞片常分离成梭形，单个鳞片长卵形，长可达 2.5 cm，光滑无毛。花盘黄棕色或深黄棕色；雄蕊 15 ~ 25，棕色或黑棕色，有的脱落；苞片宽卵圆形或扇形，边缘条片状或丝状分裂，无毛。体轻。气微，味微。

| 功能主治 | 苦，寒。归大肠经。化湿止痢。用于急性肠炎，细菌性痢疾。

| 用法用量 | 内服煎汤，50 ~ 100 g。外用适量，热熨。

| 附　　注 | （1）脾胃虚寒者慎服。

（2）白杨花的另一来源为同属植物毛白杨 *Populus tomentosa* Carrière 的花。

杨柳科 Salicaceae 杨属 *Populus*

山杨 *Populus davidiana* Dode

山杨

药材名

白杨树皮（药用部位：树皮。别名：白杨皮、山杨皮）、白杨叶（药用部位：叶）、白杨树根皮（药用部位：根皮）、白杨枝（药用部位：树枝）。

形态特征

乔木，高达 20 m；树皮灰绿色或灰白色，老干基部暗灰色，具沟裂。幼枝圆柱形，黄褐色，微被毛或无毛；芽卵圆形，光滑，微具黏质。叶卵圆形、宽卵圆形、菱状圆形至近圆形，长 2 ~ 5.5 cm，宽与长几相等，先端短锐尖，基部圆形或近楔形，边缘具波状浅钝齿或内弯的锯齿，表面绿色，背面淡绿色，无毛或微被缘毛；叶柄细长，长 2 ~ 4 cm，侧扁。雄花序长 5 ~ 9 cm，花序轴疏被柔毛，苞片深裂，褐色，被长柔毛，花盘斜杯状，雄蕊 5 ~ 12，花药暗红紫色；雌花序长 3 ~ 8 cm，子房圆锥形，花柱 2，各 2 裂，红色。果序长可达 12 cm；蒴果卵状圆锥形，绿色，无毛，2 瓣裂。花期 4 ~ 5 月，果期 5 ~ 6 月。

| 生境分布 | 生于海拔 1 800 ~ 2 000 m 的山地阳坡及山谷中，多与油松、白桦等树种混交。分布于宁夏泾源、西吉、惠农、平罗、同心等。

| 资源情况 | 野生资源较少。

| 采收加工 | 白杨树皮：全年均可采剥，多在秋、冬季结合栽培伐木时趁鲜剥皮，晒干。

白杨叶：春季采收嫩叶，鲜用或晒干。

白杨树根皮：冬、春季采挖根，除去泥土，趁鲜剥取根皮，晒干。

白杨枝：秋、冬季采收，除去粗皮，锯成段，干燥。

| 药材性状 | 白杨树皮：本品呈不规则板片状，厚 1 ~ 3 mm。外表面浅灰绿色，具分布不均匀的圆形皮孔，残留枝痕常纵裂，在裂口处表皮之下形成灰黑色的坏死团块；内表面灰白色（新鲜）或灰黑色。质轻，易碎，折断面不整齐。气微，味苦。

| 功能主治 | 白杨树皮：苦，寒。祛风活血，清热利湿，驱虫。用于风痹，脚气病，扑损瘀血，痢疾，肺热咳嗽，口疮，牙痛，小便淋沥，蛔虫病。

白杨叶：苦，寒。祛风止痛，解毒敛疮。用于龋齿疼痛，附骨疽，臁疮。

白杨树根皮：苦，平。清热，止咳，利湿，驱虫。用于肺热咳喘，淋浊，带下，妊娠下痢，蛔虫病。

白杨枝：苦，寒。行气消积，解毒敛疮。用于腹痛，腹胀，癥块，口吻疮。

| 用法用量 | 白杨树皮：内服煎汤，10 ~ 30 g；或研末；或浸酒。外用适量，煎汤含漱；或浸洗；或研末调敷。

白杨叶：外用适量，煎汤含漱；或捣敷；或贴敷。

白杨树根皮：内服煎汤，9 ~ 18 g。外用适量，煎汤洗。

白杨枝：内服煎汤，9 ~ 15 g；或浸酒。外用适量，捣敷；或烧灰研末调敷。

杨柳科 Salicaceae 杨属 *Populus*

胡杨 *Populus euphratica* Oliv.

胡杨

药材名

胡桐泪（药用部位：树脂。别名：梧桐泪、石泪、胡桐碱）。

形态特征

乔木，少呈灌木状；树皮淡黄色，基部条裂。小枝淡灰褐色，密被短柔毛，后渐脱落；无顶芽，腋芽被短柔毛，无黏质。叶形多变化，长枝和幼树上的叶披针形或线状披针形，长5 ~ 12 cm，宽2 ~ 3 cm，先端渐尖，基部楔形，全缘或具1 ~ 3粗锯齿，两面无毛，叶柄近圆柱形，长2 ~ 2.5 cm，先端两侧具2腺体；短枝和老树上的叶宽卵形、宽椭圆形至肾形，长3 ~ 5 cm，宽3 ~ 6 cm，先端急尖或钝，基部楔形至宽楔形，少数截形，前半部具稍内弯的粗锯齿或牙齿。花序侧生；雄花序长1.5 ~ 2.5 cm，苞片近菱形，长约3 mm，先端具疏齿，花盘杯状，边缘具凹缺齿，常早落，雄蕊23 ~ 27；雌花序长3 ~ 5 cm，子房无毛或被短柔毛，柱头3，各2浅裂，紫红色。果序长5 ~ 10 cm；蒴果长卵圆形，长约1.5 cm，无毛，常2瓣裂。花期5月，果期6 ~ 7月。

| 生境分布 | 生于河滩及黄河沿岸。分布于宁夏沙坡头、平罗、金凤等。

| 资源情况 | 野生资源较少。

| 采收加工 | 冬季采收，除去泥土及杂质，干燥。

| 药材性状 | 本品呈不规则块状，大小不一，大者长约 4 cm，灰黄色至淡黄褐色，表面粗糙，具多数小乳头状突起及附着的粉粒。质稍坚或略疏松。气微，味咸。

| 功能主治 | 咸、苦，大寒。归肺、胃经。清热，化痰，软坚。用于咽喉肿痛，牙痛，牙宣，牙疳，骨槽风，瘰疬。

| 用法用量 | 内服煎汤，3 ~ 6 g；或入丸、散剂。

杨柳科 Salicaceae 杨属 *Populus*

小青杨 *Populus pseudosimonii* Kitagawa

小青杨

药材名

小青杨（药用部位：树皮。别名：东北杨）。

形态特征

乔木，高达 20 m；树冠广卵形；树皮灰白色，老时浅沟裂。幼枝有棱，萌枝棱更显著，小枝圆柱形；芽圆锥形，黄红色，有黏性。叶菱状椭圆形、菱状卵圆形、卵圆形或卵状披针形，长 4 ~ 9 cm，宽 2 ~ 5 cm，边缘具细密、交错起伏的锯齿，有缘毛，叶柄圆形，长 1.5 ~ 5 cm，先端有时被短柔毛；萌枝上的叶较大，长椭圆形，边缘呈波状皱曲，叶柄较短。雄花序长 5 ~ 8 cm；雌花序长 5.5 ~ 11 cm，子房圆形或圆锥形，无毛，柱头 2 裂。蒴果近无柄，长圆形，长约 8 mm，2 ~ 3 瓣裂。花期 3 ~ 4 月，果期 4 ~ 6 月。

生境分布

栽培种。宁夏盐池、隆德、贺兰等有栽培。

资源情况

栽培资源少。

| 采收加工 | 春、夏季采剥，鲜用或晒干。

| 功能主治 | 苦，寒。解毒。用于顽癣疮毒。

| 用法用量 | 外用适量，煎汤洗；或烧炭研末调敷。

杨柳科 Salicaceae 杨属 *Populus*

小叶杨 *Populus simonii* Carr.

小叶杨

药材名

小叶杨（药用部位：树皮）。

形态特征

落叶乔木，高达 20 m；树皮灰褐色，老树皮粗糙，暗灰色，具沟裂。小枝光滑，红褐色或黄褐色，具明显棱角。叶菱状倒卵形或菱状椭圆形，长 5.5 ~ 7.5 cm，宽 2 ~ 4 cm，先端渐尖或尾尖，基部楔形、宽楔形，稀近圆形，边缘具细锯齿，上面淡绿色，下面苍白色，两面无毛；叶柄圆筒形，长 1.5 ~ 3 cm，带红色。雄花序长 2 ~ 7 cm，花序轴无毛，苞片暗褐色，长约 3 mm，尖裂，雄蕊 8 ~ 12；雌花序长 2.5 ~ 6 cm，苞片绿色，条裂，柱头 2 裂。果序长达 15 cm；蒴果狭圆卵形，长约 4 mm，无毛，2 ~ 3 瓣裂。花期 3 ~ 5 月，果期 4 ~ 6 月。

生境分布

栽培种。宁夏惠农、平罗等有栽培。

资源情况

栽培资源少。

| **采收加工** | 全年均可采剥，晒干。

| **药材性状** | 本品呈筒状，厚 1 ~ 3 mm。嫩皮灰绿色，表面有圆形皮孔及纵纹，偶见枝痕；老皮色较暗，表面粗糙，有粗大的沟裂。内表面黄白色，有纵向细密纹。质硬，不易折断，断面纤维性。气微，味微苦。

| **功能主治** | 苦，寒。祛风活血，清热利湿。用于风湿痹病，跌打肿痛，肺热咳嗽，小便淋沥，口疮，牙痛，痢疾，脚气病，蛔虫病。

| **用法用量** | 内服煎汤，10 ~ 30 g。外用适量，煎汤洗；或研末调敷。

杨柳科 Salicaceae 杨属 *Populus*

毛白杨 *Populus tomentosa* Carrière

毛白杨

|药 材 名|

毛白杨（药用部位：树皮。别名：白杨、笨白杨）。

|形态特征|

乔木，高达 30 m；树皮灰白色，光滑，老树基部灰色，具纵沟裂。长枝和萌条淡绿褐色，上部被灰色绒毛，下部几光滑；芽卵形，褐色，鳞片边缘具绒毛，具黏质。短枝上的叶三角状卵形或卵圆形，长 7 ～ 9 cm，宽 5 ～ 7 cm，先端骤尖，基部心形、截形或近圆形，边缘具不规则的粗锯齿，上面暗绿色，无毛，下面被灰色短柔毛，后变光滑，叶柄细，侧扁，长 3 ～ 5 cm，初被短柔毛，后脱落，先端具 2 ～ 4 腺体；长枝上的叶三角状卵形，长可达 15 cm，先端骤尖，基部心形，边缘具不规则的重锯齿。雄花序长 11 ～ 17 cm，苞片褐色，尖裂，被灰色绒毛，雄蕊 5 ～ 11，花药深红色；雌花序长 7 ～ 14 cm，苞片深褐色，子房椭圆形，柱头 2，各 2 裂。果序长 7 ～ 22 cm；蒴果长卵形，2 瓣裂。花期 3 月，果期 4 ～ 5 月。

| **生境分布** | 栽培种。宁夏惠农、大武口、平罗、永宁、西夏、灵武、盐池等有栽培。

| **资源情况** | 栽培资源较丰富。

| **采收加工** | 秋、冬季或结合伐木时采剥，刮去粗皮，鲜用或晒干。

| **药材性状** | 本品呈片状或卷筒状，厚 2 ~ 4 mm。外表面鲜时暗绿色，干后棕黑色，常残存银灰色的栓皮，皮孔明显，菱形，长 2 ~ 14.5 mm，宽 3 ~ 13 mm；内表面灰棕色，有细纵条纹。质坚韧，不易折断，断面显纤维性及颗粒性。气微，味微。

| **功能主治** | 苦、甘，寒。清热利湿，止咳化痰。用于肝炎，痢疾，淋浊，咳嗽痰喘。

| **用法用量** | 内服煎汤，10 ~ 15 g。外用适量，捣敷。

杨柳科 Salicaceae 柳属 *Salix*

垂柳 *Salix babylonica* L.

垂柳

药材名

柳枝（药用部位：枝条。别名：杨柳条、柳条）、柳叶（药用部位：叶）、柳花（药用部位：花。别名：杨花、柳蕊）、柳根（药用部位：根及须根。别名：杨柳须）。

形态特征

乔木，高达 10 m。枝细长，下垂，小枝褐色，无毛，仅幼嫩部分稍被柔毛。叶狭披针形至线状披针形，长 8 ~ 16 cm，宽 5 ~ 15 mm，先端渐尖或长渐尖，基部楔形，边缘具细锯齿，表面暗绿色，背面灰绿色，两面无毛；叶柄长 4 ~ 10 mm，具短柔毛。雄花序长 1 ~ 2 cm，花序轴被短柔毛，苞片椭圆形，外面有毛，边缘有睫毛，雄蕊 2，花丝基部具长毛，腺体 2；雌花序长达 5 cm，苞片狭椭圆形，子房椭圆形，无毛，花柱短，柱头 2，具 1 腹腺。蒴果长 3 ~ 4 mm，2 瓣开裂。花期 4 ~ 5 月，果期 5 月。

生境分布

栽培种。宁夏惠农、大武口、平罗、贺兰、西夏、兴庆、金凤、永宁、同心等有栽培。

| 资源情况 | 栽培资源丰富。

| 采收加工 | 柳枝：春季摘取嫩枝条，鲜用或晒干。

柳叶：春、夏季采收，鲜用或晒干。

柳花：春季花初开时采收，鲜用或晒干。

柳根：春、夏、秋季采挖，洗净，鲜用或晒干。

| 药材性状 | 柳枝：本品呈长圆柱形，有分枝或分枝痕，长短不一，直径 5 ~ 15 mm。表面绿褐色或褐色，有棕色点状皮孔及细纵纹。质坚韧，不易折断，断面纤维性；横切面皮部较薄，木部黄白色，髓部白色，常偏于一侧。气微，味微涩。

柳叶：本品呈狭披针形，长 9 ~ 16 cm，宽 0.5 ~ 1.5 cm，先端长渐尖，基部楔形，两面无毛，边缘有锯齿，灰绿色或淡绿棕色。叶柄长 0.5 ~ 1 cm。质柔软。气微，味微苦、涩。

柳根：本品须根条众多、细长，呈不规则尾巴状，多弯曲，有分枝。表面紫棕色至深褐色，较粗糙，有纵沟及根毛。外皮剥落后露出浅棕色的内皮和木部。质脆，易折断，断面纤维性。气微，味涩。

| 功能主治 | 柳枝：苦，寒。祛风，利尿，止痛，消肿。用于风湿痹痛，小便淋浊，黄疸，风肿，疔疮，丹毒，龋齿，龈肿。

柳叶：苦，寒。归肺、肾、心经。清热，解毒，利尿，平肝，止痛，透疹。用于疔疮疖肿，丹毒，无名肿毒，痧疹透发不畅，白浊。

柳花：苦，寒。祛风利湿，止痛散瘀。用于风水，黄疸，吐血，咯血，唾血，便血，血淋，痈疽疮疡，牙痛。

柳根：苦，寒。利水通淋，清热除湿，祛风止痛。用于淋证，白浊，水肿，黄疸，湿疮，风湿痹痛，四肢拘挛。

| 用法用量 | 柳枝：内服煎汤，30 ~ 60 g。外用适量，煎汤含漱；或熏洗。

柳叶：内服煎汤，15 ~ 30 g，鲜叶 30 ~ 60 g。外用适量，煎汤洗；或研末调敷；或熬膏涂。

柳花：内服煎汤，3 ~ 9 g。外用适量，研末撒布；或调敷。

柳根：内服煎汤，15 ~ 30 g。外用适量，煎汤熏洗；或酒煮温熨。

杨柳科 Salicaceae 柳属 *Salix*

乌柳 *Salix cheilophila* Schneid.

| 药 材 名 | 沙柳（药用部位：鲜茎、叶、树皮。别名：筐柳）。

| 形态特征 | 灌木或小乔木。枝初被绒毛或柔毛，后无毛；芽具长柔毛。叶线形或线状倒披针形，长 2.5 ~ 5 cm，宽 3 ~ 7 mm，上面绿色，疏被柔毛，下面灰白色，密被绢状柔毛，中脉显著凸起，边缘外卷，上部具腺锯齿，下部全缘；叶柄具柔毛。花序与叶同时开放，基部具 2 ~ 3 小叶；雄花序长 1.5 ~ 2.3 cm，密花，雄蕊 2，完全合生，花药 4 室，苞片基部具柔毛，腺体 1，腹生；雌花序长 1.3 ~ 2 cm，密花，花序轴具柔毛，子房密被短毛，腺体 1。蒴果长 3 mm。花期 4 ~ 5 月，果期 5 月。

| 生境分布 | 生于荒漠沙地、河滩及水沟边。分布于宁夏贺兰山（青铜峡、中宁）、六盘山（原州）及沙坡头、盐池、同心、海原、灵武等。

乌柳

| 资源情况 | 野生资源较少。

| 采收加工 | 春季采收茎、叶，全年均可采剥树皮，鲜用或晒干。

| 功能主治 | 辛、甘，温。归肺、心、肝、脾经。解表祛风，解毒疗疮。用于麻疹初起，斑疹不透，皮肤瘙痒，风湿病，疮疖痈肿。

| 用法用量 | 内服煎汤，3 ~ 9 g。外用适量，捣敷。

杨柳科 Salicaceae 柳属 *Salix*

旱柳 *Salix matsudana* Koidz.

旱柳

| 药 材 名 |

旱柳（药用部位：嫩叶、枝。别名：柳树）。

| 形态特征 |

乔木，高达 15 m。枝细长，直立或开展，幼时黄绿色，后变为棕褐色，无毛或幼时被短柔毛。叶披针形，长 5 ~ 8 cm，宽 1 ~ 1.5 cm，先端长渐尖，基部近圆状楔形，边缘具细腺锯齿，上面暗绿色，幼时疏被细柔毛，后无毛，下面灰绿色，仅沿主脉疏生细柔毛或幼时被伏柔毛而以主脉上为密；叶柄长 2 ~ 4 mm，无毛或幼时被绒毛。雄花序长 1 ~ 1.5 cm，花序轴被长柔毛，苞片卵形，先端钝，黄绿色，基部被短柔毛，雄蕊 2，花丝基部疏被柔毛，腺体 2；雌花序长达 1.5 cm，花序轴具长毛，子房长椭圆形，无毛，花柱无，腺体 2。蒴果 2 瓣裂。花期 3 ~ 4 月，果期 4 ~ 5 月。

| 生境分布 |

栽培种。宁夏泾源、彭阳、惠农、平罗、贺兰、西夏、金凤、青铜峡、中宁等有栽培。

| 资源情况 |

栽培资源少。

| 采收加工 | 春季采收嫩叶及枝，鲜用或晒干。

| 药材性状 | 本品嫩叶多纵向卷曲，完整叶展平后呈披针形，上表面黄绿色，下表面灰绿色，幼叶有丝状柔毛，薄纸质；叶柄短，亦有柔毛。气微，味微苦、涩。嫩枝圆柱形，浅褐黄色，表面略具纵棱，有光泽，节上有芽或脱落后留有三角形的瘢痕。质轻，易折断，横断面皮部极薄，木部黄白色，疏松，中央有白色髓部。气微。味微苦。

| 功能主治 | 苦，寒。归肝、脾、肾经。清热，祛风，除湿，消肿止痛。用于黄疸性肝炎，风湿性关节炎。

| 用法用量 | 内服煎汤，9 ~ 15 g。外用适量，捣敷。

杨柳科 Salicaceae 柳属 *Salix*

龙爪柳 *Salix matsudana* Koidz. f. *tortuosa* (Vilm.) Rehd.

| 药 材 名 | 龙爪柳（药用部位：枝、叶）。

| 形态特征 | 乔木，高达 15 m。枝细长，卷曲向上，幼时黄绿色，后变为棕褐色，无毛或幼时被短柔毛。叶披针形，长 5 ~ 8 cm，宽 1 ~ 1.5 cm，先端长渐尖，基部近圆状楔形，边缘具细腺锯齿，上面暗绿色，幼时疏被细柔毛，后无毛，下面灰绿色，仅沿主脉疏生细柔毛或幼时被伏柔毛而以主脉上为密；叶柄长 2 ~ 4 mm，无毛或幼时被绒毛。雄花序长 1 ~ 1.5 cm，花序轴被长柔毛，苞片卵形，先端钝，黄绿色，基部被短柔毛，雄蕊 2，花丝基部疏被柔毛，腺体 2；雌花序长达 1.5 cm，花序轴具长毛，子房长椭圆形，无毛，花柱无，腺体 2。蒴果 2 瓣裂。花期 3 ~ 4 月，果期 4 ~ 5 月。

| 生境分布 | 栽培种。宁夏原州、金凤、中宁等有栽培。

龙爪柳

| 资源情况 | 栽培资源少。

| 采收加工 | 春季采收，鲜用或晒干。

| 功能主治 | 祛风，利尿，清热，止痛。

杨柳科 Salicaceae 柳属 *Salix*

小穗柳 *Salix microstachya* Turcz.

| 药 材 名 | 小红柳（药用部位：侧根和须根。别名：乌柳、小红柳根）。

| 形态特征 | 灌木，高 1 ~ 2 m。小枝淡黄色或黄褐色，无毛或稍有短柔毛；芽卵形，具钝头，有丝状毛。叶线形、线状倒披针形或镰状披针形，长 1.5 ~ 4 cm，宽 2 ~ 4 mm，两端渐狭，初两面有丝状柔毛，后近无毛，下面中脉明显，边缘有不明显的细齿，或近全缘；叶柄短，无毛或有丝状短柔毛；托叶无或特小，卵状披针形，具牙齿或全缘，脱落。花先叶开放或近同时开放，花序圆柱形，长 1 ~ 1.5（~ 2）cm，近无花序梗，基部具 1 ~ 2 鳞片状小叶，轴有毛；雄蕊 2，花丝和花药合生，花药黄色，苞片长圆形，先端截形或具钝头，淡褐色或黄绿色，先端褐色，边缘有疏长毛，腺体 1，腹生，形小；子房卵状圆锥形，无毛，绿褐色，无柄，花柱短而明显，

小穗柳

柱头红褐色，2 浅裂，苞片同雄花，腺体 1，腹生。花期 5 月，果期 6 ~ 7 月。

| **生境分布** | 生于沙地、水边。分布于宁夏西吉等。

| **资源情况** | 野生资源较少。

| **采收加工** | 春、夏、秋季采挖，洗净，鲜用或晒干。

| **功能主治** | 苦，凉。清热泻火，顺气。用于风火牙痛，急性腰扭伤。

| **用法用量** | 内服煎汤，15 ~ 30 g。外用适量，煎汤含漱。

| **附　　注** | 《中国植物志》记载的小穗柳 *Salix microstachya* Turcz. 与《宁夏中药志》《中华本草》记载的小红柳 *Salix microstachya* Turcz. 的拉丁学名相同。

杨柳科 Salicaceae 柳属 *Salix*

皂柳 *Salix wallichiana* Anderss.

| 药 材 名 | 皂柳（药用部位：根。别名：皂柳根、毛狗条根）。

| 形态特征 | 小乔木，高达 7 m。小枝黑褐色，幼时被柔毛，后渐脱落；芽小，卵形，微被毛。叶长椭圆形或椭圆状披针形，长 2 ~ 7 cm，宽 8 ~ 15 mm，先端渐尖或急尖，基部楔形，全缘或具微锯齿，上面深绿色，被短毛，沿主脉较密，后无毛，下面灰绿色，被贴伏的长柔毛；叶柄长 3 ~ 8 mm，被短毛。雄花序长 2 ~ 4 cm，苞片卵状长圆形，密被长柔毛，雄蕊 2，花丝基部具疏柔毛，腹腺 1；雌花序长 2 ~ 5 cm，苞片卵圆形，黑褐色，密被长柔毛，子房卵状长圆锥形，被绒毛，具短梗，花柱长约 1 mm，柱头 2，腹腺 1。果序长 4 ~ 10 cm；蒴果长 6 ~ 7 mm，被绒毛，2 瓣开裂。花期 4 ~ 5 月，果期 6 ~ 7 月。

| 生境分布 | 生于山沟溪旁、林缘、阴坡或半阴坡林中。分布于宁夏泾源、同

皂柳

心等。

| 资源情况 | 野生资源较少。

| 采收加工 | 全年均可采挖，洗净，晒干。

| 功能主治 | 辛、酸、涩，凉。祛风解热，除湿。用于风湿关节疼痛，头风疼痛。

| 用法用量 | 内服煎汤，15 ~ 30 g。外用适量，煎汤熏洗；或捣敷。

桦木科 Betulaceae 桦木属 *Betula*

红桦 *Betula albosinensis* Burkill

红桦

药材名

红桦（药用部位：树皮、芽）。

形态特征

大乔木，高可达 30 m；树皮淡红褐色或紫红色，有光泽和白粉，呈薄层状剥落，纸质。枝条红褐色，无毛；小枝紫红色，无毛，有时疏生树脂腺体；芽鳞仅边缘具短纤毛。叶卵形或卵状矩圆形，长 3 ~ 8 cm，宽 2 ~ 5 cm，先端渐尖，基部圆形或微心形，较少宽楔形，边缘具不规则的重锯齿，齿尖常角质化，上面深绿色，无毛或幼时疏被长柔毛，下面淡绿色，密生腺点，沿脉疏被白色长柔毛，侧脉 10 ~ 14 对，脉腋间通常无髯毛，有时具稀疏的髯毛；叶柄长 5 ~ 15 cm，疏被长柔毛或无毛。雄花序圆柱形，长 3 ~ 8 cm，直径 3 ~ 7 mm，无梗；苞鳞紫红色，仅边缘具纤毛。果序圆柱形，单生或 2 ~ 4 排成总状，长 3 ~ 4 cm，直径约 1 cm；果序梗纤细，长约 1 cm，疏被短柔毛；果苞长 47 cm，中裂片矩圆形或披针形，先端圆，侧裂片近圆形，长为中裂片的 1/3；小坚果卵形，长 2 ~ 3 mm，上部疏被短柔毛，膜质翅宽达果实的 1/2。

| **生境分布** | 生于海拔 2 200 ~ 2 400 m 的山坡上，与其他阔叶树混生。分布于宁夏六盘山（泾源、隆德、原州）等。

| **资源情况** | 野生资源较少。

| **功能主治** | 清热利湿，解毒。用于胃病。

桦木科 Betulaceae 桦木属 *Betula*

白桦 *Betula platyphylla* Suk.

白桦

| 药 材 名 |

桦树皮（药用部位：树皮。别名：桦树、桦木、桦木皮）、桦树液（药用部位：树干中流出的汁液）。

| 形态特征 |

落叶乔木，高达 25 m；树皮白色，呈厚革质层状剥落。小枝红褐色，具圆形皮孔，无毛，有时具腺点。叶三角状卵形或菱状宽卵形，长 3.5 ~ 6.5 cm，宽 3 ~ 6 cm，先端渐尖，基部宽楔形或截形，边缘具不规则的重锯齿，表面深绿色，无毛，脉间有腺点，背面淡绿色，无毛或仅基部脉腋微有毛，具腺点，脉上较密，侧脉 5 ~ 8 对；叶柄长 1 ~ 2.5 cm，平滑或具腺点。果序圆柱形，单生于叶腋，下垂，长 3 ~ 4.5 cm；果苞中裂片短，先端尖，侧裂片横出，钝圆，稍下垂；小坚果倒卵状长圆形，果翅较小坚果宽。花期 5 ~ 6 月，果期 8 月。

| 生境分布 |

生于山地林中，是阔叶林和针阔叶混交林的常见树种，常成群落生长。分布于宁夏贺兰山（青铜峡、中宁）、六盘山（泾源、隆德）、罗山（同心、红寺堡）等。

| **资源情况** | 野生资源较少。

| **采收加工** | 桦树皮：春季或结合伐木采剥，切丝，晒干。

桦树液：5 月将树皮划开收集，鲜用。

| **药材性状** | 桦树皮：本品呈不规则卷筒状或片状，厚 0.1 ～ 0.6 cm。外表面为灰白色而微带红色，上有疙瘩样的枝痕；内表面为淡黄棕色，有深色横条纹。质柔韧，可呈层状、片状剥落，遇火时极易燃烧，断面黄棕色。气微香，味苦。

| **功能主治** | 桦树皮：苦，平。清热利湿，化痰止咳，解毒，消肿止痛。用于咳喘，咽喉肿痛，泄泻，肠痈，乳痈，痈疮肿毒。

桦树液：苦，凉。祛痰止咳，清热解毒。用于咳嗽，气喘，小便赤涩。

| **用法用量** | 桦树皮：内服煎汤，5 ～ 15 g。外用适量，研末调敷。

桦树液：内服鲜汁，20 ～ 30 ml。

桦木科 Betulaceae 榛属 *Corylus*

榛 *Corylus heterophylla* Fisch. ex Trautv.

榛

|药材名|

榛子（药用部位：种仁。别名：毛核桃）、榛子花（药用部位：雄花序）。

|形态特征|

灌木，高 1 ~ 2 m；树皮灰褐色。当年生枝绿褐色，被柔毛和腺毛，老枝灰黄白色，被褐色腺点。叶宽倒卵形或近圆形，长 4 ~ 15 cm，宽 3 ~ 13 cm，先端近截形或近圆形，有骤尖头和数对浅裂齿，基部深心形或近圆形，边缘具重锯齿，两面无毛或背面沿脉被毛，侧脉 3 ~ 8 对，背面明显隆起；叶柄长 1 ~ 3 cm，被柔毛和腺毛。坚果 1 ~ 6 簇生，扁球形，直径 8 ~ 15 mm，浅褐色，上部露出于总苞之外；总苞钟状或叶状，先端不规则浅裂，裂片卵状披针形，基部有 6 ~ 9 锐三角形、具疏齿的裂片，外面密生柔毛。花期 5 ~ 6 月，果期 10 月。

|生境分布|

生于向阳山坡、林缘。分布于宁夏原州、西吉、隆德、泾源等。

|资源情况|

野生资源较少。

| **采收加工** | 榛子：秋季果实成熟后及时采摘，晒干后除去总苞等杂质，用时除去果壳。

榛子花：清明前后雄花未散粉时采收，除去杂质，晒干。

| **药材性状** | 榛子花：本品呈圆柱形，长 1 ~ 3.5 cm，直径 4 ~ 7 mm，基部具短梗。表面黄棕色至红棕色，柔毛不明显，苞鳞呈覆瓦状排列。质脆，易折断，断面柔毛较多，可见放射状排列的淡黄色或棕色的花药。气微，味微苦、涩。

| **功能主治** | 榛子：甘，平。归脾、胃经。调中开胃，益肝明目。用于病后体虚，食少乏力，眼目昏花，不耐久视，多眵。

榛子花：苦、涩，凉。归肝、肺经。清热解毒，消肿止痛。用于痈疮肿毒，痄腮，虫蛇咬伤。

| **用法用量** | 榛子：内服煎汤，20 ~ 30 g；或研末。

榛子花：内服煎汤，5 ~ 15 g。外用适量，研末调敷。

| **附　　注** | 《宁夏中药志》记载：宁夏还分布有同属植物毛榛 *Corylus mandshurica* Maxim.，其种仁也同等药用。两种植物的产地和生境基本相同，形态也相似，其区别见分种检索表。

1. 总苞叶状或宽钟状，较坚果长，坚果外露……………………………………………………………………………………榛 *Corylus heterophylla* Fisch. ex Trautv.

1. 总苞在果实以上缢缩成长管状，坚果不外露………………………………………………………………………………毛榛 *Corylus mandshurica* Maxim.

桦木科 Betulaceae 榛属 *Corylus*

毛榛 *Corylus mandshurica* Maxim.

| 药 材 名 | 榛子（药用部位：种仁。别名：山麻子）、榛子花（药用部位：雄花序）。

| 形态特征 | 灌木，高 2 ~ 3 m。幼枝灰绿色，密生淡褐色绒毛，老枝灰褐色，无毛。叶椭圆形或倒卵状椭圆形，长 6 ~ 10 cm，宽 4 ~ 7 cm，先端圆形或宽楔形，具骤长尖，基部斜心形，边缘中部或 1/3 以上浅裂，边缘具重锯齿，两面被灰色细毛，老时仅背面脉上被细毛，侧脉 6 ~ 7 对；叶柄长 1 ~ 2 cm，密生绒毛。坚果 2 ~ 3 簇生于枝端；总苞在坚果以上收缩成长管状，长 2 ~ 4 cm，外面密被黄褐色粗毛及刺毛，具纵棱，先端裂片披针形；坚果球形，包藏于总苞内不外露。花期 5 月，果期 9 ~ 10 月。

| 生境分布 | 生于林缘灌丛。分布于宁夏贺兰山（西夏、贺兰、平罗）及原州、西吉、隆德、泾源等。

毛榛

| 资源情况 | 野生资源较少。

| 采收加工 | 榛子：秋季果实成熟后及时采摘，晒干后除去总苞等杂质，用时除去果壳。

榛子花：清明前后雄花未散粉时采收，除去杂质，晒干。

| 功能主治 | 榛子：甘，平。归脾、胃经。调中开胃，益肝明目。用于病后体虚，食少乏力，眼目昏花，不耐久视，多眵。

榛子花：苦、涩，凉。归肝、肺经。清热解毒，消肿止痛。用于痈疮肿毒，痄腮，虫蛇咬伤。

| 用法用量 | 榛子：内服煎汤，20 ~ 30 g；或研末。

榛子花：内服煎汤，5 ~ 15 g。外用适量，研末调敷。

桦木科 Betulaceae 虎榛子属 *Ostryopsis*

虎榛子 *Ostryopsis davidiana* Decaisne

虎榛子

| 药 材 名 |

虎榛子（药用部位：果实）。

| 形态特征 |

落叶灌木，高达 2 m。幼枝灰绿褐色，密生绒毛，老枝灰褐色，无毛。叶卵形至宽卵形，长 2 ~ 4 cm，宽 1.5 ~ 3 cm，先端渐尖，基部心形或圆形，边缘具不规则的重锯齿，表面绿色，无毛，背面淡绿色，脉上及脉腋密生黄棕色绒毛，侧脉 7 ~ 10 对；叶柄长约 5 mm，密生绒毛。雄花序单生于前一年生枝条的叶腋，或数个簇生于枝顶；雌花序生于当年生枝先端，6 ~ 14 簇生；总苞片管状，长 1 ~ 1.5 cm，外面密被黄褐色绒毛，成熟时沿一边开裂，先端常 3 裂。小坚果卵形，略扁，深褐色。花期 5 月，果期 7 ~ 8 月。

| 生境分布 |

生于林缘或向阳山坡灌丛中。分布于宁夏西吉、隆德、贺兰等。

| 资源情况 | 野生资源较少。

| 功能主治 | 清热利湿。

壳斗科 Fagaceae 栎属 *Quercus*

蒙古栎 *Quercus mongolica* Fischer ex Ledebour

| 药 材 名 | 蒙古栎（药用部位：树皮、根皮、叶、果实）。

| 形态特征 | 落叶乔木，高 15 ~ 30 m；树皮深灰色或灰黑色，不规则深裂。幼枝被黄色柔毛，后渐脱落；冬芽圆锥形，灰褐色，鳞片阔卵形，有毛。叶互生，革质；叶柄长 2 ~ 3 cm，有毛；叶片长椭圆状披针形，长 8 ~ 19 cm，宽 3 ~ 6 cm，先端渐尖，基部圆形或宽楔形，具芒状锯齿，侧脉 13 ~ 18 对，直达齿端，上面深绿色，有光泽，下面淡绿色，幼时有黄色短细毛，后脱落，仅脉腋有毛。花单性，雌雄同株；雄花序长 6 ~ 12 cm，为柔荑花序，通常数个集生于新枝下部叶叶腋，被柔毛，花被通常 5 列，雄蕊 4，稀较多；雌花 1 ~ 3 集生于新枝叶腋，子房 3 室，花柱 3。壳斗杯状，包围坚果约 1/2，小苞片钻形，反曲，被灰白色绒毛；坚果卵球形或卵状长圆形，直径

蒙古栎

1.5 ～ 2 cm，高 1.7 ～ 2.2 cm，先端圆形，果脐凸起，栗褐色。花期 4 ～ 5 月，果期 9 月。

| 生境分布 | 生于山地落叶阔叶林中。分布于宁夏泾源、西吉、同心等。

| 资源情况 | 野生资源较少。

| 采收加工 | 春季剥取树皮后，除去粗皮，晒干。

| 功能主治 | 树皮、根皮，苦、涩，平。利湿，清热，解毒。用于咳嗽，泄泻，痢疾，黄疸，痔疮。叶，用于痢疾，小儿消化不良，痈肿，痔疮。果实，苦、涩，微温。健脾止泻，收敛止血，涩肠固脱，解毒消肿。用于脾虚泄泻，痔疮出血，脱肛，乳痈。

榆科 Ulmaceae 朴属 *Celtis*

黑弹树 *Celtis bungeana* Bl.

| 药 材 名 | 棒棒木（药用部位：树干、枝条）。

| 形态特征 | 落叶乔木，高 12 ~ 15 m；树皮光滑，灰色。枝条粗壮，一年生枝无毛。叶互生；叶柄长 8 ~ 10 mm，柄上常生虫瘿如棒槌；叶片卵形或卵状披针形，长约 6.5 cm，先端渐尖，基部斜圆形，两边略不相等，叶缘上部有锯齿，或近全缘，下部全缘，上面深绿色，有光泽，下面淡绿色，基部具 3 脉，仅脉腋常有柔毛。花杂性，绿色，着生于嫩枝上；雄花簇生于新枝基部的叶腋或苞腋，具花梗，萼片 4 ~ 5，宽披针形，膜质，雄蕊通常 4，花药比萼片稍短；雌花或两性花单生或簇生于新枝上部的叶腋，子房光滑，柱头 2 裂，被密毛。核果小，直径 6 ~ 7 mm，紫黑色，果柄较叶柄稍长；果核光滑，白色，球形，稀有不明显网纹。花期 4 ~ 5 月，果期 8 ~ 9 月。

黑弹树

| **生境分布** | 生于向阳山坡或半阴坡山崖。分布于宁夏永宁等。

| **资源情况** | 野生资源较少。

| **采收加工** | 夏季砍割枝条，切薄片或取树干刨片，晒干。

| **药材性状** | 本品树干多刨成薄片状，外表面灰色，平滑。枝圆柱状，灰褐色，有光泽；断面色白，纹理致密；质坚硬。气微香，味微苦。

| **功能主治** | 辛、微苦，凉。祛痰，止咳，平喘。用于支气管哮喘，慢性支气管炎。

| **用法用量** | 内服煎汤，30 ～ 60 g。

| **附　　注** | 《中国植物志》（英文版）记载本种由榆科 Ulmaceae 修订为大麻科 Cannabaceae。

榆科 Ulmaceae 榆属 *Ulmus*

裂叶榆 *Ulmus laciniata* (Trautv.) Mayr

| 药材名 | 裂叶榆（药用部位：果实）。

| 形态特征 | 落叶乔木，高达 27 m，胸径 50 cm；树皮淡灰褐色或灰色，浅纵裂，裂片较短，常翘起，表面常呈薄片状剥落。一年生枝幼时被毛，后变无毛或近无毛，二年生枝淡褐灰色、淡灰褐色或淡红褐色，小枝无木栓翅；冬芽卵圆形或椭圆形，内部芽鳞毛较明显。叶倒卵形、倒三角状、倒三角状椭圆形或倒卵状长圆形，长 7 ~ 18 cm，宽 4 ~ 14 cm，先端通常 3 ~ 7 裂，裂片三角形，渐尖或尾状，不裂之叶先端具长或短的尾状尖头，基部明显偏斜，楔形、微圆形、半心形或耳状，较长的一边常覆盖叶柄，与柄近等长，其下端常接触枝条，边缘具较深的重锯齿，叶面密生硬毛，粗糙，叶背被柔毛，沿叶脉较密，脉腋常有簇生毛，侧脉每边 10 ~ 17；叶柄极短，长

裂叶榆

2 ~ 5 mm，密被短毛或下面的毛较少。花于去年生枝上排成簇状聚伞花序。翅果椭圆形或长圆状椭圆形，长 1.5 ~ 2 cm，宽 1 ~ 1.4 cm，除先端凹缺柱头面被毛外，余无毛；果核部分位于翅果的中部或稍向下，宿存花被无毛，钟状，常 5 浅裂，裂片边缘有毛；果柄常较花被短，无毛。花果期 4 ~ 5 月。

| **生境分布** | 生于山坡、谷地、溪边林中。分布于宁夏金凤等。

| **资源情况** | 野生资源较少。

| **功能主治** | 民间用于杀虫。

榆科 Ulmaceae 榆属 *Ulmus*

榆树 *Ulmus pumila* L.

榆树

|药材名|

榆白皮（药用部位：根皮、树皮。别名：榆皮、榆树皮）、榆叶（药用部位：叶。别名：榆木叶）、榆荚仁（药用部位：果实、种子。别名：榆实、榆钱）、榆枝（药用部位：枝）、榆花（药用部位：花）。

|形态特征|

乔木，可高达 15 m；树皮深灰褐色，纵裂。叶倒卵形、椭圆形至椭圆状披针形，长 2 ~ 7 cm，宽 1.5 ~ 2.5 cm，先端锐尖或渐尖，基部圆形或楔形，边缘具单锯齿，两面无毛或背面幼时被短柔毛；叶柄长 2 ~ 8 mm，有毛；托叶长约 1 cm，披针形。花簇生于前一年生或当年生枝的叶腋，有短梗；花被片 4 ~ 5；雄蕊 4 ~ 5；子房扁平，花柱 2。翅果近圆形或倒卵形，长 1 ~ 1.5 cm，无毛，先端具凹缺；种子位于翅果的中上部，接近凹缺。花期 4 月，果期 5 月。

|生境分布|

栽培种。宁夏原州、西吉、海原、利通、沙坡头、青铜峡、盐池、兴庆、灵武、金凤、大武口、惠农、平罗等有栽培。

| 资源情况 | 栽培资源较丰富。

| 采收加工 | 榆白皮：春、秋季采剥根皮，春季或 8 ~ 9 月间割下老枝条，立即剥取内皮，晒干。

榆叶：春、夏季采集，晒干。

榆荚仁：4 ~ 6 月果实成熟时采收，除去果翅，晒干。

榆枝：夏、秋季采收，鲜用或晒干。

榆花：3 ~ 4 月采摘，鲜用或晒干。

| 药材性状 | 榆白皮：本品呈板片状或浅槽状，长短不一，厚 3 ~ 7 mm。外表面浅黄白色或灰白色，较平坦，皮孔横生，嫩皮较明显，有不规则的纵向浅裂纹，偶有残存的灰褐色粗皮；内表面黄棕色，具细密的纵棱纹。质柔韧，纤维性。气微，味稍淡，有黏性。

榆叶：本品常破碎，完整叶片呈倒卵状、椭圆状卵形或椭圆状披针形，长 1 ~ 5 cm，宽 0.5 ~ 2 cm，上表面暗绿色，下表面浅褐色，先端锐尖或渐尖，基部圆形或楔形，边缘多具单锯齿。叶脉斜行向上射出，明显，在下表面凸起，脉腋有白色簇生毛。气微，味淡。

榆荚仁：本品翅果呈类圆形或倒卵形，直径 1.2 ~ 1.5 cm；先端有缺口，基部有

短柄，柄长约 2 mm；果翅类圆形而薄，表面光滑，可见放射状脉纹。种子长椭圆形或卵圆形，长 1 ~ 1.5 cm，直径约 5 mm，位于翅果上部或近上部，与缺口的底缘密接。

榆枝：本品呈圆柱形，直径 0.1 ~ 1 cm；外表淡黄色，有较多椭圆形皮孔。质地柔软，较易折断，断面淡黄色。气微，味淡。鲜品呈圆柱形，直径 0.4 ~ 2 cm；外表淡黄绿色，有毛，可见棕黄色椭圆形皮孔。质韧，不易折断，断面淡黄白色。

榆花：本品略呈类球形或不规则团状，直径 5 ~ 8 mm，有短梗，暗紫色。花被钟形，4 ~ 5 裂；雄蕊 4 ~ 5，伸出花被或脱落，花药紫色；雌蕊 1，子房扁平，花柱 2。体轻，质柔韧。气微，味淡。

| 功能主治 | 榆白皮：甘，微寒。归肺、脾、膀胱经。利水通淋，祛痰，解毒消肿。用于水肿，小便不利，五淋肿满，带下，喘胀不眠，内外出血，难产胎死不下，痈肿，瘰疬，白秃疮，疥癣。

榆叶：甘，平。利小便，消水肿。用于石淋。

榆荚仁：甘、微辛，平。健脾安神，清热利水，消肿杀虫。用于失眠，食欲不振，带下，小便不利，水肿，小儿疳热羸瘦，烫火伤，疮癣。

榆枝：甘，平。利尿通淋。用于气淋。

榆花：甘，平。清热定惊，利尿疗疮。用于小儿惊痫，小便不利，头疮。

| 用法用量 | 榆白皮：内服煎汤，9 ~ 15 g；或研末。外用适量，煎汤洗；或捣敷；或研末

调敷。

榆叶：内服煎汤，1.5 ～ 9 g。外用适量，煎汤熏洗。

榆荚仁：内服煎汤，10 ～ 15 g。外用适量，研末调敷。

榆枝：内服煎汤，9 ～ 15 g。

榆花：内服煎汤，5 ～ 9 g。外用适量，研末调敷。

大麻科 Cannabaceae 大麻属 *Cannabis*

大麻 *Cannabis sativa* L.

| 药 材 名 | 火麻仁（药用部位：果实。别名：麻仁、大麻仁、火麻子）。

| 形态特征 | 一年生草本，高 1 ~ 3 m，具特殊气味。茎直立，灰绿色，多分枝，表面具纵沟，密生短柔毛，基部稍木质化。叶互生或下部的叶对生；叶柄长 4 ~ 13 cm，被糙毛；叶片掌状全裂，裂片 3 ~ 9，披针形，长 7 ~ 15 cm，先端渐尖，基部狭楔形，边缘具粗锯齿，上面深绿色，被短毛，下面灰白色，密被长毛。花单性，雌雄异株；雄花序圆锥形，长而疏散，顶生或腋生，花被片 5，黄绿色，卵形，雄蕊 5；雌花序球形或穗状，丛生于叶腋，每雌花外面有 1 卵形苞片，花被片 1，膜质，形小，绿色，紧包子房，子房球形，柱头 2。瘦果扁卵形，外面包被黄褐色苞片，两面凸，质硬，灰色，表面光润，有细网纹，种子 1。花期 8 ~ 9 月，果期 9 ~ 10 月。

大麻

| 生境分布 | 栽培种。宁夏泾源、隆德、海原、彭阳、原州、盐池、兴庆、金凤等有栽培。

| 资源情况 | 栽培资源较丰富。

| 采收加工 | 秋季果实成熟时采收，除去杂质，晒干。

| 药材性状 | 本品呈卵圆形，长 4 ～ 5.5 mm，直径 2.5 ～ 4 mm。表面灰绿色或灰黄色，有微细的白色或棕色网纹，两边有棱，先端略尖，基部有 1 圆形果柄痕。果皮薄而脆，易破碎。种皮绿色，子叶 2，乳白色，富油性。气微，味淡。

| 功能主治 | 甘，平。归脾、胃、大肠经。润肠通便。用于血虚津亏，肠燥便秘。

| 用法用量 | 内服煎汤，10 ～ 15 g。

大麻科 Cannabaceae 葎草属 *Humulus*

啤酒花 *Humulus lupulus* L.

|药 材 名| 啤酒花（药用部位：未成熟果穗。别名：忽布、香蛇麻）。

|形态特征| 多年生缠绕藤本，长超过 10 m。茎、枝和叶密生细毛并具倒生刺。叶对生，有柄，柄短于叶片；叶片纸质，卵形，不裂或 3 ~ 5 深裂，裂片先端尖或急尖，基部心形，边缘具粗锯齿，表面粗糙，密生短刺毛，背面脉上有粗毛，疏生腺点。花单性，雌雄异株；雄花黄绿色，排成圆锥花序，花被片 5，雄蕊 5，与花被片等长；雌花序为近圆形穗状，苞片卵状披针形，内面基部具黄色透明腺体，每苞腋内生 2 雌花。果穗长椭圆形；瘦果 1 或 2，扁球形，外面被黄色腺点，被增大的宿存苞片包围。花期 5 ~ 6 月，果期 6 ~ 9 月。

|生境分布| 栽培种。宁夏金凤、兴庆、西夏、永宁、贺兰、灵武、青铜峡、同心、

啤酒花

泾源、原州等有栽培。

| 资源情况 | 栽培资源较丰富。

| 采收加工 | 秋季果穗呈绿色略带黄色时采摘，晒干或烘干。

| 药材性状 | 本品呈压扁的球体，淡黄白色，膜质苞片覆瓦状排列，椭圆形或卵形，长 0.5 ～ 1.2 cm，宽 0.3 ～ 0.8 cm；质轻，较脆，易折断，多呈半透明状，对光视之可见棕黄色腺点。苞片腋部有细小的 2 雌花或扁平的 1 ～ 2 瘦果。气微芳香，味微甘、苦。

| 功能主治 | 苦，微凉；有小毒。归心、胃、膀胱经。清热，利水，健胃，安神，化痰止咳。用于食少腹胀，失眠多梦，心悸易惊，淋证，水肿，咳嗽，瘰疬，癔证，肺结核，伤口感染。

| 用法用量 | 内服煎汤，1.5 ～ 4.5 g。外用提取酒花素制成软膏或油剂涂敷。

大麻科 Cannabaceae 葎草属 *Humulus*

葎草 *Humulus scandens* (Lour.) Merr.

| 药 材 名 | 葎草（药用部位：全草。别名：拉拉秧、葛葎蔓、来莓草）。

| 形态特征 | 一年生草本。茎蔓生，茎、枝、叶柄均具倒生刺。叶对生；叶片掌状 5 ~ 7 深裂，裂片卵形或卵状长椭圆形，先端锐尖，边缘具粗锯齿，叶片基部心形，表面粗糙，疏生刚毛及白色腺点，背面沿脉及边缘具刚毛，有黄色腺点；叶柄长。花单性，雌雄异株；雄花序圆锥状，腋生或顶生，花小，苞片卵状披针形，先端尖，花被片 5，披针形，黄绿色，背面有疏毛及腺点，边缘具细纤毛，雄蕊 5，与花被片近等长；雌花和苞片集成近球形的穗状花序，叶腋生，苞片卵状披针形，褐红色，具黄褐色腺点。花期 7 ~ 8 月，果期 9 ~ 10 月。

| 生境分布 | 生于山坡、路旁、田边及村庄附近。分布于宁夏泾源等。

葎草

| 资源情况 | 野生资源较少。

| 采收加工 | 夏、秋季植株生长茂盛时采收，除去杂质，扎把，晒干或切段晒干。

| 药材性状 | 本品为缠绕草本，长达数米，密布灰白色的短刺和刚毛。茎扁圆形，直径 2 ~ 4 mm；表面浅绿色或暗褐色，有数条纵棱；质脆，易折断，断面中空。叶对生，皱缩卷曲或破碎，完整者展平后为掌状 5 裂，稀 3 或 7 裂，裂片卵状长椭圆形，绿色至深绿色；叶柄长超过 10 cm。果穗生于枝端，内含扁平的卵圆形瘦果，表面淡黄色。无臭，味淡。

| 功能主治 | 甘、苦，寒。归肺、肾、大肠经。清热解毒，利水消肿，软坚散结。用于疟疾，泄泻，痢疾，肺痈，痨瘵，热淋，石淋，水肿，小便不利，湿疹，皮肤瘙痒，瘰疬，痔疮，疮痈，蛇虫咬伤。

| 用法用量 | 内服煎汤，9 ~ 30 g。外用适量，捣敷。

桑科 Moraceae 榕属 *Ficus*

无花果 *Ficus carica* L.

| 药 材 名 | 无花果（药用部位：果实。别名：映日果、文仙果、树地瓜）。

| 形态特征 | 落叶灌木，高 3 ~ 10 m，多分枝；树皮灰褐色，皮孔明显。小枝直立，粗壮。叶互生，厚纸质，广卵圆形，长、宽近相等，均为 10 ~ 20 cm，3 ~ 5 裂，小裂片卵形，边缘具不规则钝齿，表面粗糙，背面密生细小钟乳体及灰色短柔毛，基部浅心形，基生侧脉 3 ~ 5 条，侧脉 5 ~ 7 对；叶柄长 2 ~ 5 cm，粗壮；托叶卵状披针形，长约 1 cm，红色。雌雄异株，隐头花序；雄花和瘿花生长于同一榕果内壁，雄花生于内壁口部，花被片 4 ~ 5，雄蕊 3，瘿花花柱侧生，短；雌花花被与雄花同，花柱侧生，柱头 2 裂，线形。榕果单生于叶腋，大而梨形，直径 3 ~ 5 cm，顶部下陷，成熟时紫红色或黄色，基生苞片 3，卵形；瘦果双凸透镜状。花果期 5 ~ 7 月。

无花果

| **生境分布** | 栽培种。宁夏兴庆、西夏等有栽培。

| **资源情况** | 栽培资源较少。

| **采收加工** | 7 ~ 10 月果实呈绿色时，分批采摘，或拾取落地的未成熟果实，用开水烫后，晒干或烘干。

| **药材性状** | 本品干燥的花序托呈倒圆锥形或类球形，长约 2 cm，直径 1.5 ~ 2.5 cm，表面淡黄棕色、暗棕色至青黑色，有波状弯曲的纵棱线；先端稍平截，中央有圆形突起，基部渐狭，带有果柄及残存的苞片。质坚硬，横切面黄白色，内壁着生众多细小瘦果，有时壁的上部可见枯萎的雄花。瘦果卵形或三棱状卵形，长 1 ~ 2 mm，淡黄色，外面有宿存包被。气微，味甜、略酸。以干燥、色青黑或暗棕、无霉蛀者为佳。

| **功能主治** | 甘，平。健脾益胃，润肺止咳，解毒消肿。用于食欲不振，脘腹胀痛，痔疮便秘，咽喉肿痛，热痢，咳嗽痰多。

| **用法用量** | 内服煎汤，20 ~ 50 g。外用适量，煎汤洗；或研末调敷；或吹喉。

| **附　　注** | （1）脾胃虚寒者慎服。

（2）《中华本草》记载无花果为桑科植物无花果的果实；《中华人民共和国卫生部药品标准·中药材》（第一册）将本种成熟或近成熟内藏花和瘦果的花絮托作为药用部位。

桑科 Moraceae 桑属 *Morus*

桑 *Morus alba* L.

| 药 材 名 | 桑白皮（药用部位：根皮。别名：桑根白皮）、桑枝（药用部位：嫩枝）、桑椹（药用部位：果序。别名：桑椹子）、桑叶（药用部位：叶。别名：冬桑叶、霜桑叶）。

| 形态特征 | 落叶乔木，高 3 ~ 7 m 或更高；树皮浅灰褐色，纵裂。幼枝灰黄色，被绒毛。单叶互生；叶柄长 1.5 ~ 3.5 cm，微有毛；托叶披针形，早落；叶片卵形或长卵形，长 5 ~ 15 cm，宽 5 ~ 13 cm，先端具长尾尖，基部圆形或微心形，边缘具粗钝锯齿，或幼树上的叶各种分裂，表面无毛，背面沿叶脉及脉腋有疏毛。雄花序长 1 ~ 2 cm，花被片长卵形，先端尖，表面密生细毛；雌花序长 0.8 ~ 1.5 cm，花被片阔倒卵形，无毛，无花柱，柱头 2 裂。聚花果长 1 ~ 2.5 cm，白色或褐紫色。花期 5 月，果期 6 ~ 7 月。

桑

| 生境分布 | 栽培种。宁夏平罗、西夏、贺兰、盐池、灵武、同心、海原等有栽培。

| 资源情况 | 栽培资源较丰富。

| 采收加工 | 桑白皮：秋末叶落时至翌年春季发芽前采挖根部，刮去黄棕色粗皮，纵向剖开，剥取根皮，晒干。

桑枝：春末夏初采收，除去叶，晒干或趁鲜切片晒干。

桑椹：夏末秋初采集，晒干或略蒸后再晒干。

桑叶：初霜后采收，除去杂质，晒干。

| 药材性状 | 桑白皮：本品呈扭曲的卷筒状、槽状或板片状，长短宽窄不一，厚 1 ~ 4 mm。外表面黄白色或淡黄色，较平坦，有的残留橙黄色或棕黄色鳞片状粗皮；内表面黄白色或灰黄色，有细纵纹。体轻，质韧，纤维性强，难折断，易纵向撕裂，撕裂时有粉尘飞扬。气微，味微甘。

桑枝：本品呈长圆柱形，少有分枝，长短不一，直径 0.5 ~ 1.5 cm。表面灰黄色或黄褐色，有多数黄褐色点状皮孔及细纵纹，并有灰白色、略呈半圆形的叶痕和黄棕色的腋芽。质坚韧，不易折断，断面纤维性。切片厚 0.2 ~ 0.5 cm，皮部较薄，木部黄白色，射线放射状，髓部白色或黄白色。气微，味淡。

桑椹：本品为聚花果，由多数小瘦果集合而成，呈长圆形，长 1 ~ 2 cm，直径 5 ~ 8 mm，黄棕色至暗紫色，有短柄。小瘦果卵圆形，稍扁，长约 2 mm，宽

约 1 mm，外包花被 4 片，肉质。气微，味微酸而甜。

桑叶：本品多皱缩、破碎。完整者有柄，叶片展平后呈卵形或宽卵形，长 8 ~ 15 cm，宽 7 ~ 13 cm。先端渐尖，基部截形、圆形或心形，边缘有锯齿或钝锯齿，有的不规则分裂。上表面黄绿色或浅黄棕色，有的具小疣状突起；下表面颜色稍浅，叶脉凸起，小脉网状，脉上被疏毛，脉基具簇毛。质脆。气微，味淡、微苦、涩。

| 功能主治 | 桑白皮：甘，寒。归肺经。泻肺平喘，利水消肿。用于肺热喘咳，水肿胀满尿少，面目肌肤浮肿。

桑枝：微苦，平。归肝经。祛风湿，利关节。用于风湿痹病，肩臂、关节酸痛麻木。

桑椹：甘、酸，寒。归肝、肾经。补血滋阴，生津润燥。用于眩晕耳鸣，心悸失眠，须发早白，津伤口渴，内热消渴，血虚便秘。

桑叶：甘、苦，寒。归肺、肝经。疏散风热，清肺润燥，清肝明目。用于风热感冒，肺热燥咳，头晕头痛，目赤昏花。

| 用法用量 | 桑白皮：内服煎汤，6 ~ 12 g。

桑枝：内服煎汤，9 ~ 15 g。

桑椹：内服煎汤，10 ~ 15 g。

桑叶：内服煎汤，5 ~ 10 g。

荨麻科 Urticaceae 艾麻属 *Laportea*

珠芽艾麻 *Laportea bulbifera* (Sieb. et Zucc.) Wedd.

珠芽艾麻

药材名

野绿麻根（药用部位：根）、野绿麻（药用部位：全草）。

形态特征

多年生草本。主根下端簇集多数纺锤状、肥厚的根。茎直立，高 40 ~ 80 cm，平滑或具短毛及少数螫毛。叶互生；叶片狭卵形或卵形，长 7 ~ 13 cm，宽 3 ~ 7 cm，先端渐尖，基部宽楔形或圆形，边缘具钝锯齿、圆齿或牙齿，两面均疏生短伏毛和螫毛，常以脉上较密；叶柄长 2 ~ 6 cm，无毛或具短柔毛及螫毛。通常由叶腋生出 1 ~ 4 珠芽。雌雄同株；雄花序圆锥状，生于上部叶叶腋，无总梗，呈水平状展开，长 2 ~ 4 cm，雄花花被片 4 ~ 5，白色，雄蕊与花被片同数对生，退化子房杯状；雌花序近顶生，长达 15 cm，具总梗，花序轴及总花梗密生短毛及螫毛，雌花具短梗，小花梗扁平，稍具翼，花被片 4，内侧的 2 于花后增大，长至 2 mm。瘦果歪卵形，扁平，长 2.5 ~ 3 mm，淡黄色，宿存花柱细长，侧生，由基部下弯。花期 7 ~ 8 月，果期 8 ~ 9 月。

| **生境分布** | 生于林缘草甸。分布于宁夏泾源等。

| **资源情况** | 野生资源较少。

| **采收加工** | 野绿麻根：秋季采挖，除去茎、叶及泥土，洗净，晒干。
野绿麻：夏、秋季采收，洗净，鲜用或晒干。

| **药材性状** | 野绿麻根：本品略呈纺锤形或细长圆锥状，数条至 10 余条聚集成簇状，多弯曲，有时稍扭曲，长 2 ~ 10 cm，直径 2 ~ 6 mm，簇生根先端有红褐色残留茎基，下部长，具小分枝。表面棕褐色或灰棕色，具纵皱纹。质硬而脆，易折断，断面淡红褐色，显纤维性及粉性；形成层环不甚明显。气微，味苦、涩，嚼之有黏滑感。
野绿麻：本品根呈纺锤状，数条丛生；表面红褐色；质脆，易折断，断面淡红色。茎呈长条状，类圆形或不规则形，不分枝或少分枝，具 5 纵棱，直径 2 ~ 5 cm；表面黄白色至黄棕色；质轻，易折断，断面黄白色至浅棕色。全株有稀疏短柔毛和刺毛。气微香，味淡。

| **功能主治** | 野绿麻根：辛，温。祛风除湿，利水消肿，活血止痛。用于风湿关节疼痛，跌打损伤，腰痛，坐骨神经痛，肾炎，体虚浮肿，荨麻疹，呃逆，咳嗽气喘，风湿性心脏病。
野绿麻：健脾消积。用于小儿疳积。

| **用法用量** | 野绿麻根：内服煎汤，9 ~ 15 g，鲜品 30 g；或浸酒。外用适量，煎汤洗。
野绿麻：内服煎汤，9 ~ 15 g。

荨麻科 Urticaceae 艾麻属 *Laportea*

艾麻 *Laportea cuspidate* (Wedd.) Friis

艾麻

|药材名|

红线麻（药用部位：根。别名：头麻、苛麻）。

|形态特征|

多年生草本。根数条丛生，纺锤状，肥厚。茎直立，不分枝或分枝，在上部呈“之”字形，具5纵棱，疏生刺毛和短柔毛。单叶互生；叶近膜质至纸质，卵形、椭圆形或近圆形，长7～22 cm，宽3.5～17 cm，先端长尾状，长达7 cm，基部心形或圆形，边缘具粗锯齿，两面疏生刺毛和短柔毛，有时近光滑；叶柄长3～14 cm；托叶卵状三角形，长3～4 mm，先端2裂，后脱落。花序雌雄同株；雄花序圆锥状，生于雌花序下部的叶腋，长8～17 cm，雄花花被片5，疏生微毛，雄蕊5；雌花序长穗状，生于茎梢叶腋，果时长15～25 cm，雌花花被片4，不等大，侧生2紧包被着子房，长圆状卵形，外面有微毛。瘦果卵形，歪斜，双凸透镜状，长近2 mm，宿存花柱向下弯曲。花期6～7月，果期8～9月。

| **生境分布** | 生于山谷林下或水沟旁湿地。分布于宁夏泾源等。

| **资源情况** | 野生资源较少。

| **采收加工** | 夏、秋季采挖，除去茎叶及须根，洗净，鲜用或晒干。

| **药材性状** | 本品呈块状纺锤形或圆锥形，长 5 ~ 10 cm，直径 0.5 ~ 1.5 cm。表面红褐色，具皱纹。质硬，断面灰白色，稍显肉质。气微，味淡、微酸。

| **功能主治** | 辛、苦，寒；有小毒。祛风除湿，通经活络，消肿，解毒。用于腰腿疼痛，风痹麻木，水肿，淋巴结结核，蛇咬伤。

| **用法用量** | 内服煎汤，6 ~ 12 g；或浸酒。外用适量，鲜品捣敷；或煎汤洗。

荨麻科 Urticaceae 墙草属 *Parietaria*

墙草 *Parietaria micrantha* Ledeb.

| 药 材 名 | 墙草（药用部位：根、叶）。

| 形态特征 | 一年生铺散草本，长 10 ~ 40 cm。茎上升平卧或直立，肉质，纤细，多分枝，被短柔毛。叶互生，膜质，卵形或卵状心形，长 0.5 ~ 3 cm，宽 0.4 ~ 2.2 cm，先端锐尖或钝尖，基部圆形或浅心形，上面疏生短糙伏毛，下面疏生柔毛，钟乳体点状，基生脉 3；叶柄纤细，长 0.4 ~ 2 cm，被短柔毛。花杂性，具短梗或近簇生状；两性花具梗，长约 0.6 mm，花被 4 深裂，褐绿色，外面有毛，膜质，裂片长圆状卵形，雄蕊 4，与花被对生；雌花花被片合生成钟状，4 浅裂，浅褐色。果实坚果状，卵形，长 1 ~ 1.3 mm，黑色，极光滑，有光泽。花期 6 ~ 7 月，果期 8 ~ 10 月。

| 生境分布 | 生于山沟岩石隙中。分布于宁夏贺兰山（惠农、平罗、西夏、贺兰、

墙草

永宁）等。

| 资源情况 | 野生资源较少。

| 采收加工 | 全年均可采收，多鲜用。

| 功能主治 | 淡，平。拔脓消肿。用于足底深部脓肿，痈疽，疔疖，多发性脓肿。

| 用法用量 | 内服煎汤，15 ~ 30 g。外用适量，鲜品捣敷。

荨麻科 Urticaceae 冷水花属 *Pilea*

透茎冷水花 *Pilea pumila* (L.) A. Gray

透茎冷水花

| 药材名 |

透茎冷水花（药用部位：全草。别名：美豆、直苎麻、肥肉草）。

| 形态特征 |

一年生草本。茎肉质，直立，高 5 ~ 50 cm，无毛，分枝或不分枝。叶对生；叶柄长 0.5 ~ 4.5 cm，相对的叶柄不等长；托叶小，早落；叶片菱状卵形或宽卵形，长 1 ~ 9 cm，宽 0.6 ~ 5 cm，先端渐尖，基部常宽楔形，基部全缘，基部以上边缘有牙状锯齿，两面疏生透明硬毛，钟乳体条形，基出脉 3。花雌雄同株并常同序；雄花常生长于花序的下部，花序蝎尾状，雄花花被片 2，近船形，外面近先端处有短角突起，雄蕊 2，与花被对生；雌花花被片 3，条形，雌蕊 1。瘦果三角状卵形，光滑，常有褐色或深棕色斑点。花期 6 ~ 8 月，果期 8 ~ 10 月。

| 生境分布 |

生于山谷林下或沟边阴湿处。分布于宁夏泾源等。

| 资源情况 |

野生资源较少。

| 采收加工 | 夏、秋季采收，洗净，鲜用或晒干。

| 功能主治 | 甘，寒。利尿，解热，止血，安胎。用于胎动不安，先兆流产，糖尿病，急性肾炎，尿道炎，子宫脱垂。

| 用法用量 | 内服煎汤，15 ~ 30 g。外用适量，捣敷。

| 附　　注 | 《全国中草药汇编》记载："叶为止血剂，治创伤出血，瘀血。根、叶并治急性肾炎，尿道炎，出血，子宫脱垂，子宫内膜炎，赤白带下。"《宁夏中药志》记载："叶用于创伤出血，瘀血。根用于急性肾炎，尿道炎，子宫脱垂。"

荨麻科 Urticaceae 荨麻属 *Urtica*

麻叶荨麻 *Urtica cannabina* L.

|药材名| 蝎子草（药用部位：全草。别名：焮麻、火麻）。

|形态特征| 多年生草本，高达 1 m。根茎匍匐。茎直立，具纵棱，被螫毛，节上尤多。单叶对生；叶柄长 4 ~ 5 cm，被螫毛；叶片长 7 ~ 12 cm，宽 6 ~ 10 cm，掌状全裂或深裂，裂片羽状深裂，小裂片边缘具缺刻状粗锯齿，表面绿色，无毛，背面浅绿色，脉上有螫毛；托叶卵状披针形，先端尖。花单性，雌雄同株或异株；腋生穗状圆锥花序长达 12 cm，被螫毛，雄花序多分枝，花小，直径约 2 mm，花被片 4，雄蕊与花被片同数且对生；雌花花被片 4，花后增大，较瘦果长。瘦果卵形，光滑，稍扁。花期 6 ~ 7 月，果期 8 ~ 9 月。

|生境分布| 生于干旱山坡、路旁及村庄附近。分布于宁夏沙坡头、同心、泾源、

麻叶荨麻

原州、海原、西吉、西夏等。

| 资源情况 | 野生资源较少。

| 采收加工 | 夏、秋季采收，晒干。

| 功能主治 | 苦、辛，温；有毒。祛风湿，活血，止痉，解毒。用于产后抽风，小儿惊风，风湿痹痛，毒蛇咬伤，荨麻疹。

| 用法用量 | 内服煎汤，3 ~ 9 g。外用适量，鲜品捣敷；或绞汁涂。

荨麻科 Urticaceae 荨麻属 *Urtica*

宽叶荨麻 *Urtica laetevirens* Maxim.

宽叶荨麻

| 药 材 名 |

荨麻（药用部位：全草）。

| 形态特征 |

多年生草本，高达 1 m。茎纤细，有稀疏刺毛和糙毛。叶近膜质，卵形或披针形，长 4 ~ 10 cm，先端短渐尖，基部圆形或宽楔形，具牙齿，两面疏生刺毛和糙毛，基出脉 3，侧出的 1 对伸达叶上部齿尖，侧脉 2 ~ 3 对；叶柄长 1.5 ~ 7 cm；托叶每节 4，离生或有时上部稍合生，披针形或长圆形，长 3 ~ 8 mm。雌雄同株，稀异株；雄花序近穗状，生于上部叶叶腋，长达 8 cm；雄花花被片在近中部合生；雌花序近穗状，生下部叶叶腋，稀簇生状，小团伞花簇稀疏着生于花序轴。瘦果卵圆形，长达 1 mm，先端稍钝，灰褐色，稍有疣点，宿存花被片在基部合生，疏生微糙毛，内面 2 椭圆状卵形，与果实近等大，外面 2 窄卵形或倒卵形，伸达内面花被片的中下部。花期 6 ~ 8 月，果期 8 ~ 9 月。

| 生境分布 |

生于山坡林下或林缘阴湿处。分布于宁夏泾源等。

| 资源情况 | 野生资源较少。

| 采收加工 | 夏、秋季采收，晒干。

| 药材性状 | 本品被切成短段，长短不等。茎长 1.4 ～ 3.8 cm，直径 1.5 ～ 4 mm，绿色至红紫色，有钝棱，疏生螯毛和短柔毛，节上有对生叶。叶绿色，皱缩易碎。花序穗状，皱缩，数个腋生，具短总梗。瘦果密集，宽卵形，稍扁，长约 1.5 mm。体轻，质柔。气微，味淡、微辛。

| 功能主治 | 苦、辛，温；有毒。祛风湿，活血，止痉，解毒。用于产后抽风，小儿惊风，风湿痹痛，毒蛇咬伤，荨麻疹。

| 用法用量 | 内服煎汤，3 ～ 9 g。外用适量，鲜品捣敷；或绞汁涂。

檀香科 Santalaceae 百蕊草属 *Thesium*

长叶百蕊草 *Thesium longifolium* Turcz.

| 药 材 名 | 长叶百蕊草（药用部位：全草。别名：急折百蕊草）。

| 形态特征 | 多年生草本，高约 50 cm 。茎簇生，有明显的纵沟。叶无柄，线形，长 4 ~ 4.5 cm，宽 2.5 mm，两端渐尖，有 3 脉。总状花序腋生或顶生；花黄白色，钟状，长 4 ~ 5 mm；花梗长 0.6 ~ 2 cm，有细条纹；苞片 1，线形，长 1 cm；小苞片 2，狭披针形，长约 4.5 mm，边缘均粗糙；花被 5 裂，裂片狭披针形，先端锐尖，内弯；雄蕊 5，插生于裂片基部，内藏；花柱内藏，子房柄长 0.5 mm。坚果近球形或椭圆状，黄绿色，长 3.5 ~ 4 mm，表面偶有分叉的纵脉（棱），宿存花被比果实短。花果期 6 ~ 7 月。

| 生境分布 | 生于砂壤草甸。分布于宁夏隆德、泾源、海原、同心、原州及六盘山、南华山等。

长叶百蕊草

| 资源情况 | 野生资源较少。

| 采收加工 | 夏、秋季采收，洗净，晒干。

| 功能主治 | 甘、微苦，凉。归心、脾、肺经。解表清热，祛风止痉。用于感冒，中暑，小儿肺炎，惊风。

| 用法用量 | 内服煎汤，6 ~ 12 g。

檀香科 Santalaceae 百蕊草属 *Thesium*

急折百蕊草 *Thesium refractum* C. A. Mey.

| 药 材 名 | 绿珊瑚（药用部位：全草。别名：九龙草、九仙草、珍珠草）。

| 形态特征 | 多年生草本。根茎直，颇粗壮。茎有明显的纵沟。叶线形，长 3 ~ 5 cm，宽 2 ~ 2.5 mm，先端常钝，基部收狭不下延，无柄，两面粗糙，通常单脉。总状花序腋生或顶生；花白色，长 5 ~ 6 mm；总花梗呈"之"字形曲折；花梗长 5 ~ 7 mm，细长，有棱，花后外倾并渐反折；苞片 1，长 6 ~ 8 mm，叶状，开展；小苞片 2；花被筒状或阔漏斗状，上部 5 裂，裂片线状披针形；雄蕊 5，内藏；子房柄很短，花柱圆柱状，不外伸。坚果椭圆状或卵形，长 3 mm，直径 2 ~ 2.5 mm，表面有 5 ~ 10 不很明显的纵脉（或棱），纵棱偶分叉；宿存花被长 1.5 cm；果柄长达 1 cm，果实成熟时反折。花期 7 月，果期 9 月。

急折百蕊草

| 生境分布 | 生于山坡草地、平坦草原、林缘或草甸上，常见于多沙地区，寄生于其他植物的根上。分布于宁夏隆德、同心等。

| 资源情况 | 野生资源较少。

| 采收加工 | 夏、秋季采收，晒干。

| 功能主治 | 甘、微苦，凉。

| 用法用量 | 内服煎汤，6 ~ 12 g。

檀香科 Santalaceae 桑寄生属 *Loranthus*

北桑寄生 *Loranthus tanakae* Franch. et Sav.

| 药 材 名 | 北桑寄生（药用部位：枝叶）。

| 形态特征 | 半寄生落叶小灌木。茎圆柱形，有蜡质层，常二歧分枝，无毛。叶对生，倒卵形、椭圆形或矩圆状披针形，长 1.5 ~ 3.5 cm，宽 8 ~ 20 mm，纸质，无毛，具短柄。穗状花序顶生，长 2.5 ~ 3.5 cm，具 5 ~ 8 对疏生的小花；花单性，雌雄同株，黄绿色，基部具 1 很小的苞片；花萼筒状，极短，先端截形；花瓣 6，离生，长 1 ~ 1.5 mm；雄花具 6 雄蕊，花药球形，2 室，雌花具 6 不育雄蕊；子房 1 室。浆果黄色。花期 5 ~ 6 月，果期 9 ~ 10 月。

| 生境分布 | 生于山地阔叶林中，寄生于栎属、榆属、李属、桦木属等植物上。分布于宁夏泾源等。

| 资源情况 | 野生资源较少。

北桑寄生

| 采收加工 | 冬季至翌年春季采割，除去粗根，切段，干燥或蒸后干燥。

| 功能主治 | 补肝肾，强筋骨，祛风湿，安胎。用于风湿痹痛，腰膝酸软，筋骨无力，胎动不安，早期流产，高血压。

| 用法用量 | 内服煎汤，9 ~ 12 g。

桑寄生科 Loranthaceae 槲寄生属 *Viscum*

槲寄生 *Viscum coloratum* (Kom.) Nakai

|药材名| 槲寄生（药用部位：茎叶。别名：北寄生、寄生、冬青）。

|形态特征| 灌木。茎、枝均圆柱状，二歧或三歧、稀多歧分枝，节稍膨大；小枝节间长 5 ~ 10 cm，直径 3 ~ 5 mm。叶对生，稀 3 轮生，长椭圆形或椭圆状披针形，长 3 ~ 7 cm，先端圆或圆钝，基部渐窄，基出脉 3 ~ 5，叶柄短。雌雄异株；花序顶生或腋生于茎叉分枝处。雄花序聚伞状；花序梗长达 5 mm 或几无；总苞舟形，常具 3 花，中央花具 2 苞片或无。雄花花蕾时卵球形；萼片卵形；花药椭圆形。雌花序聚伞式穗状，花序梗长 2 ~ 3 mm 或几无，具 3 ~ 5 花，顶生花具 2 苞片或无，交互对生的花各具 1 苞片；苞片宽三角形。雌花花蕾时长卵球形；花托卵球形；萼片 4，三角形；柱头乳头状。果实球形，直径 6 ~ 8 mm，具宿存花柱，成熟时淡黄色或橙红色，

槲寄生

果皮平滑。花期 4 ~ 5 月，果期 9 ~ 11 月。

| **生境分布** | 寄生于桦树、杨树、柳树、榆树等多种阔叶树上。分布于宁夏泾源、原州等。

| **资源情况** | 野生资源稀少。

| **采收加工** | 全年均可采收，但以冬季采收者为佳，晒干。

| **药材性状** | 本品茎枝呈圆柱形，二至三叉分枝，长约 30 cm，直径 0.3 ~ 1 cm；表面黄绿色、金黄色或黄棕色，有纵皱纹；节膨大，节上有分枝或枝痕；体轻，质脆，易折断，断面不平坦，皮部黄色，木部色较浅，射线放射状，髓常偏向一边。叶对生于枝梢，易脱落，无柄；叶片呈长椭圆状披针形，长 2 ~ 7 cm，宽 0.5 ~ 1.5 cm；先端钝圆，基部楔形，全缘；表面黄绿色，有细皱纹，主脉五出，中间 3 脉明显；革质。气微，味微苦，嚼之有黏性。以枝嫩、色黄绿、叶多者为佳。

| **功能主治** | 苦，平。归肝、肾经。祛风湿，补肝肾，强筋骨，安胎。用于风湿痹痛，腰膝酸软，筋骨无力，妊娠漏血，胎动不安，头晕目眩。

| **用法用量** | 内服煎汤，9 ~ 15 g。

马兜铃科 Loranthaceae 细辛属 *Asarum*

单叶细辛 *Asarum himalaicum* Hook. f. et Thomson ex Klotzsch.

药 材 名 水细辛（药用部位：全草。别名：毛细辛、石南七细辛、南坪细辛）。

形态特征 多年生草本。根茎细长，直径 1 ~ 2 mm，节间长 2 ~ 3 cm，有多数纤维根。叶互生，疏离，叶片心形或圆心形，长 4 ~ 8 cm，宽 6.5 ~ 11 cm，先端渐尖或短渐尖，基部心形，两侧裂片长 2 ~ 4 cm，宽 2.5 ~ 5 cm，先端圆形，两面散生柔毛，叶背和叶缘的毛较长；叶柄长 10 ~ 25 cm，有毛；芽苞叶卵圆形，长 5 ~ 10 mm，宽约 5 mm。花深紫红色；花梗细长，长 3 ~ 7 cm，有毛，毛渐脱落；花被在子房以上有短管，裂片长圆卵形，长、宽均约 7 mm，上部外折，外折部分三角形，深紫色；雄蕊与花柱等长或稍长，花丝比花药长约 2 倍，药隔伸出，短锥形；子房半下位，具 6 棱，花柱合生，先端辐射状 6 裂，柱头顶生。果实近球状，直径约 1.2 cm。花期 4 ~ 6 月。

单叶细辛

| 生境分布 | 生于溪边林下阴湿地。分布于宁夏泾源等。

| 资源情况 | 野生资源较丰富。

| 采收加工 | 夏、秋季连根采挖，洗净，阴干。

| 药材性状 | 本品根茎呈黄棕色，节上有多数细长根。叶片心形或圆形，两面散生柔毛；叶柄有毛。气芳香，味辛辣，嚼之略有麻舌感。

| 功能主治 | 辛，温。归肺、心、小肠、肾、胃经。发散风寒，温肺化饮，理气止痛。用于风寒头痛，齿痛，风湿痹痛，痰饮喘咳，脘腹气滞胀痛。

| 用法用量 | 内服煎汤，1 ～ 3 g；或研末。

| 附　　注 | （1）《中国植物志》记载本种的全草在西南地区和陕西作细辛入药。

（2）本种耐寒怕高温，畏强光。

蓼科 Polygonaceae 荞麦属 *Fagopyrum*

荞麦 *Fagopyrum esculentum* Moench

荞麦

药材名

荞麦（药用部位：种子、茎、叶。别名：甜荞、荞子、三角麦）。

形态特征

一年生草本。茎直立，分枝，红色，光滑或在茎节处和小枝上具乳头状突起。下部茎生叶具长柄，叶片三角形或近箭形，有时近五角形，长 2.5 ~ 5 cm，宽 2 ~ 4 cm，先端渐尖，下部裂片圆形或渐尖，基部微凹，近心形，两面沿叶脉和叶缘具乳头状突起，具 7 基生叶脉；上部茎生叶稍小，无柄；托叶鞘三角形，膜质，长约 5 mm，无毛。总状花序腋生和顶生；花梗细，中部或中部以上具关节，基部具小形苞片；花被裂片卵形或椭圆形，长约 3 mm，粉红色或白色；雄蕊与花被裂片近等长，花药淡红色；花盘具腺状突起；花柱 3，柱头头状。小坚果卵状三棱形，具 3 锐角棱，先端渐尖，基部稍钝，长 6 ~ 7 mm，棕褐色，有光泽。花果期 7 ~ 9 月。

生境分布

栽培种，有时逸为野生，生于荒地、路边。分布于宁夏泾源、隆德、海原、同心、永宁、

西夏、沙坡头、盐池等。

| 资源情况 | 栽培资源丰富。

| 采收加工 | 秋季采收，晒干；或随采随用。

| 功能主治 | 甘、微酸，寒。归脾、胃、大肠经。健脾消积，下气宽肠，解毒敛疮。用于肠胃积滞，泄泻，痢疾，绞肠痧，白浊，带下，自汗，盗汗，疱疹，丹毒，痈疽，发背，瘰疬，烫火伤。

| 用法用量 | 内服煎汤，6 ~ 15 g。外用适量，水或醋调敷。

| 附　　注 | 本种始载于《备急千金要方》，其后各本草均有记载，《本草纲目》称本种为甜荞。

蓼科 Polygonaceae 荞麦属 *Fagopyrum*

苦荞麦 *Fagopyrum tataricum* (L.) Gaertn.

| 药 材 名 | 苦荞麦（药用部位：根。别名：苦荞头、荞叶七、野兰荞）。

| 形态特征 | 一年生草本。茎直立，分枝，有时不分枝，具细沟纹，绿色或微带紫色，无毛，小枝具乳头状突起。下部茎生叶具长柄，叶片宽三角形或近戟形，长 2.5 ~ 7 cm，宽 2.5 ~ 8.5 cm，先端渐尖，基部微心形，裂片稍外展，先端尖头，全缘或微波状，两面沿叶脉具乳头状毛；上部茎生叶稍小，具短柄；托叶鞘三角形，革质，长 0.5 ~ 1 cm，无毛。总状花序腋生和顶生，细长，花簇疏松；花被白色或淡粉红色，裂片椭圆形，长 1.5 ~ 2 mm，被稀疏柔毛，宿存。小坚果圆锥状卵形，长 5 ~ 7 mm，灰棕色，具 3 棱，上端角棱、锐利，下端平钝或波状。花果期 6 ~ 9 月。

| 生境分布 | 生于田边、路旁、山坡、河谷、林缘，亦有栽培。分布于宁夏泾源、

苦荞麦

西吉、隆德、海原、原州等。

| 资源情况 | 野生资源较少。

| 采收加工 | 采挖后，除去杂质，洗净泥土，稍浸，润透，切片，干燥。

| 功能主治 | 甘、苦，平；有小毒。归脾、肾经。健胃，除湿解毒，消肿止痛。用于消化不良，胃痛，痢疾，小儿疳积，跌打损伤，腰腿疼痛，疮痈肿毒，狂犬咬伤。

| 用法用量 | 内服煎汤，9 ~ 30 g。外用适量，捣敷。

蓼科 Polygonaceae 何首乌属 *Fallopia*

木藤蓼 *Fallopia aubertii* (L. Henry) Holub

木藤蓼

| 药材名 |

木藤蓼（药用部位：块根。别名：缠绕蓼、酱头）。

| 形态特征 |

半灌木。茎缠绕，长 1 ~ 4 m，灰褐色，无毛。叶簇生，稀互生，叶片长卵形或卵形，长 2.5 ~ 5 cm，宽 1.5 ~ 3 cm，近革质，先端急尖，基部近心形，两面均无毛；叶柄长 1.5 ~ 2.5 cm；托叶鞘膜质，偏斜，褐色，易破裂。花序圆锥状，少分枝，稀疏，腋生或顶生，花序梗具小突起；苞片膜质，先端急尖，每苞内具 3 ~ 6 花；花梗细，长 3 ~ 4 mm，下部具关节；花被 5 深裂，淡绿色或白色，花被片外面 3 较大，背部具翅，果时增大，基部下延；花被果时呈倒卵形，长 6 ~ 7 mm，宽 4 ~ 5 mm；雄蕊 8，比花被短，花丝中下部较宽，基部具柔毛；花柱 3，极短，柱头头状。瘦果卵形，具 3 棱，黑褐色，密被小颗粒，微有光泽，包于宿存花被内。花期 7 ~ 8 月，果期 8 ~ 9 月。

| 生境分布 |

生于山坡草地、山谷灌丛中，亦有栽培。分布于宁夏贺兰、彭阳、原州、同心、兴庆、

金凤等。

| 资源情况 | 野生资源较少。

| 采收加工 | 秋季采挖，洗净，晒干。

| 功能主治 | 苦、涩，凉。归心、肝、胃、大肠经。清热解毒，调经止血，行气消积。用于痢疾，胃痛，消化不良，崩漏，月经不调，疔疮初起，外伤出血。

| 用法用量 | 内服煎汤，6 ~ 9 g。外用适量，鲜品捣敷。

蓼科 Polygonaceae 何首乌属 *Fallopia*

蔓首乌 *Fallopia convolvulus* (Linnaeus) A. Löve

| 药 材 名 | 卷茎蓼（药用部位：全草。别名：蔓首乌、烙铁头）。

| 形态特征 | 一年生草本。茎缠绕，长 1 ~ 1.5 m，具纵棱，自基部分枝，具小突起。叶卵形或心形，长 2 ~ 6 cm，宽 1.5 ~ 4 cm，先端渐尖，基部心形，两面无毛，下面沿叶脉具小突起，全缘，边缘具小突起；叶柄长 1.5 ~ 5 cm，沿棱具小突起；托叶鞘膜质，长 3 ~ 4 mm，偏斜，无缘毛。花序总状，腋生或顶生，花稀疏，下部间断，有时呈花簇，生于叶腋；苞片长卵形，先端尖，每苞具 2 ~ 4 花；花梗细弱，比苞片长，中上部具关节；花被 5 深裂，淡绿色，边缘白色，花被片长椭圆形，外面 3 背部具龙骨状突起或狭翅，被小突起；果时稍增大，雄蕊 8，比花被短；花柱 3，极短，柱头头状。瘦果椭圆形，具 3 棱，长 3 ~ 3.5 mm，黑色，密被小颗粒，无光泽，包于宿存花

蔓首乌

被内。花期 5 ~ 8 月，果期 6 ~ 9 月。

| 生境分布 | 生于山坡草地、山谷灌丛、沟边湿地。分布于宁夏泾源、隆德、贺兰、平罗、金凤、大武口、惠农、原州等。

| 资源情况 | 野生资源丰富。

| 采收加工 | 夏、秋季采收，洗净，晒干。

| 功能主治 | 辛，温。健脾消食。用于消化不良，腹泻。

| 用法用量 | 内服煎汤，6 ~ 12 g。

蓼科 Polygonaceae 萹蓄属 *Polygonum*

两栖蓼 *Polygonum amphibium* L.

药材名 两栖蓼（药用部位：全草。别名：小黄药、水荭、天蓼）。

形态特征 多年生草本。根茎横走。生于水中者，茎漂浮，无毛，节部生不定根。叶长圆形或椭圆形，浮于水面，长 5 ~ 12 cm，宽 2.5 ~ 4 cm，先端钝或微尖，基部近心形，两面无毛，有光泽；叶柄长 0.5 ~ 3 cm。生于陆地者，茎直立，不分枝或自基部分枝。叶披针形或长圆状披针形，长 6 ~ 14 cm，宽 1.5 ~ 2 cm，先端急尖，基部近圆形，两面被短硬伏毛，全缘，具缘毛；叶柄 3 ~ 5 mm，疏生长硬毛，先端截形，具短缘毛。总状花序呈穗状，顶生或腋生；苞片宽漏斗状；花被 5 深裂，淡红色或白色，花被片长椭圆形；雄蕊通常 5，花柱 2，伸出花被外。瘦果近圆形，双凸镜状，黑色，有光泽。花期 7 ~ 8 月，果期 8 ~ 9 月。

两栖蓼

| 生境分布 | 生于湖泊边缘的浅水中、沟边或田边湿地。分布于宁夏沙坡头、中宁、青铜峡、利通、永宁、兴庆、贺兰、平罗等。

| 资源情况 | 野生资源丰富。

| 采收加工 | 夏、秋季采收，洗净，晒干。

| 药材性状 | 本品横走茎枝呈长圆柱形而微扁，节部略膨大，并生多数黑色细须状不定根；表面褐色至棕褐色，有细密纵走肋线，无毛。叶多卷曲，展平后，水生叶呈长圆形或长圆状披针形，长 5 ~ 12 cm，宽 2.5 ~ 4 cm，先端急尖或钝，基部心形或圆形，无毛；陆生叶或伸出水面叶呈长圆状披针形，长 4 ~ 8 cm，宽 1 ~ 1.5 cm，先端渐尖，两面被短伏毛；托叶鞘筒状，先端截形；叶柄由托叶鞘中部以上伸出。花序穗状；花被褐色，雄蕊 5，花柱 2。气微，味微涩。

| 功能主治 | 苦，平。归心、脾经。清热利湿，解毒。用于脚浮肿，痢疾，尿血，潮热，多汗，疔疮，无名肿毒。

| 用法用量 | 内服煎汤，9 ~ 15 g。外用适量，鲜品捣敷。

蓼科 Polygonaceae 萹蓄属 *Polygonum*

萹蓄 *Polygonum aviculare* L.

| 药 材 名 | 萹蓄（药用部位：全草。别名：铁绣绣、鸭儿草、立茎）。

| 形态特征 | 一年生草本。茎平卧、上升或直立，高 10 ~ 40 cm，自基部多分枝，具纵棱。叶椭圆形、狭椭圆形或披针形，长 1 ~ 4 cm，宽 3 ~ 12 mm，先端钝圆或急尖，基部楔形，全缘，两面无毛，下面侧脉明显；叶柄短或近无柄，基部具关节；托叶鞘膜质，下部褐色，上部白色，撕裂脉明显。花单生或数朵簇生于叶腋，遍布植株；苞片薄膜质；花梗细，顶部具关节；花被 5 深裂，花被片椭圆形，长 2 ~ 2.5 mm，绿色，边缘白色或淡红色；雄蕊 8，花丝基部扩展；花柱 3，柱头头状。瘦果卵形，具 3 棱，长 2.5 ~ 3 mm，黑褐色，密被由小点组成的细条纹，无光泽，与宿存花被近等长或稍超过。花期 5 ~ 7 月，果期 6 ~ 8 月。

萹蓄

| **生境分布** | 生于田边路上、沟边湿地。宁夏各地均有分布。

| **资源情况** | 野生资源丰富。

| **采收加工** | 夏、秋季采收，除去杂质及泥土，晒干，或切段后晒干。

| **药材性状** | 本品茎呈圆柱形而略扁，细弱，有分枝，长 15 ~ 40 cm，直径 1.5 ~ 3 mm；表面灰绿色或棕红色，有细纵沟纹，节部稍膨大，有浅棕色膜质托叶鞘，质硬，易折断，断面髓部类白色。叶互生，近无柄或具短柄，叶片多脱落或皱缩、破碎，完整者呈披针形或长椭圆形，全缘，无毛。无臭，味微苦。

| **功能主治** | 苦，微寒。归膀胱经。利尿通淋，杀虫，止痒。用于热淋，小便短赤，淋沥涩痛，皮肤湿疹，阴痒带下。

| **用法用量** | 内服煎汤，9 ~ 15 g。外用适量，煎汤洗。

| **附　　注** | 小萹蓄为蓼科植物见习蓼 *Polygonum plebeium* R. Br. 的干燥全草。其性味、归经、功能主治与本种相同。历代本草文献亦将两者混称混用。

拳参 *Polygonum bistorta* L.

| 药 材 名 | 拳参（药用部位：根茎。别名：山虾子、倒根草、紫参）。

| 形态特征 | 多年生草本。根茎肥厚，直径 1 ~ 3 cm，弯曲，黑褐色。茎直立，高 50 ~ 90 cm，不分枝，无毛，通常 2 ~ 3 自根茎发出。基生叶宽披针形或狭卵形，纸质，长 4 ~ 18 cm，宽 2 ~ 5 cm，先端渐尖或急尖，基部截形或近心形，沿叶柄下延成翅，两面无毛或下面被短柔毛，边缘外卷，微呈波状，叶柄长 10 ~ 20 cm；茎生叶披针形或线形，无柄；托叶筒状，膜质，下部绿色，上部褐色，先端偏斜，开裂至中部，无缘毛。总状花序呈穗状，顶生，长 4 ~ 9 cm，直径 0.8 ~ 1.2 cm，紧密；苞片卵形，先端渐尖，膜质，淡褐色，中脉明显，每苞片内含 3 ~ 4 花；花梗细弱，开展，长 5 ~ 7 mm，比苞片长；花被 5 深裂，白色或淡红色，花被片椭圆形，长 2 ~ 3 mm；雄

拳参

蕊 8，花柱 3，柱头头状。瘦果椭圆形，两端尖，褐色，有光泽，长约 3.5 mm，稍长于宿存的花被。花期 6 ~ 7 月，果期 8 ~ 9 月。

| 生境分布 | 生于山坡草地、林缘、山顶草甸。分布于宁夏隆德、海原等。

| 资源情况 | 野生资源丰富。

| 采收加工 | 春初发芽时或秋季茎叶将枯萎时采挖，除去泥沙，晒干，除去须根。

| 药材性状 | 本品呈扁长条形或扁圆柱形，弯曲，有的对卷弯曲，两端略尖，或一端渐细，长 6 ~ 13 cm，直径 1 ~ 2.5 cm。表面紫褐色或紫黑色，粗糙，一面隆起，一面稍平坦或略具凹槽，全体密具粗环纹，有残留须根或须根痕。质硬，断面浅棕红色或棕红色，维管束呈黄白色点状，排列成环。气微，味苦、涩。

| 功能主治 | 苦、涩，微寒。归肺、肝、大肠经。清热解毒，消肿，止血。用于赤痢，热泻，肺热咳嗽，痈肿，瘰疬，口舌生疮，吐血，衄血，痔疮出血，毒蛇咬伤。

| 用法用量 | 内服煎汤，4.5 ~ 9 g。外用适量。

| 附　　注 | 本种喜凉爽气候，耐寒又耐旱。

蓼科 Polygonaceae 萹蓄属 *Polygonum*

水蓼 *Polygonum hydropiper* L.

| 药 材 名 |

辣蓼（药用部位：全草。别名：辣蓼草、辣蓼子）。

| 形态特征 |

一年生草本。茎直立，多分枝，无毛，节部膨大。叶披针形或椭圆状披针形，长 4 ~ 8 cm，宽 0.5 ~ 2.5 cm，先端渐尖，基部楔形，全缘，边缘具缘毛，两面无毛，被褐色小点，有时沿中脉具短硬伏毛，叶腋具闭花受精花；叶柄长 4 ~ 8 mm；托叶鞘筒状，膜质，褐色，长 1 ~ 1.5 cm，疏生短硬伏毛，先端截形，具短缘毛，通常托叶鞘内藏有花簇。总状花序呈穗状，顶生或腋生，长 3 ~ 8 cm，通常下垂，花稀疏，下部间断；苞片漏斗状，长 2 ~ 3 mm，绿色，边缘膜质，疏生短缘毛，每苞内具 3 ~ 5 花；花梗比苞片长；花被 5 深裂，稀 4 裂，绿色，上部白色或淡红色，被黄褐色透明腺点，花被片椭圆形；雄蕊 6，稀 8，比花被短；花柱 2 ~ 3，柱头头状。瘦果卵形，双凸镜状或具 3 棱，密被小点，黑褐色，无光泽，包于宿存花被内。花期 5 ~ 9 月，果期 6 ~ 10 月。

水蓼

| 生境分布 | 生于山坡草地、山顶草甸。分布于宁夏平罗、永宁、中宁、惠农、沙坡头等。

| 资源情况 | 野生资源丰富。

| 采收加工 | 夏季采收，洗净，晒干，或切段后晒干。

| 药材性状 | 本品根具多数黄褐色须根。茎圆柱形，紫褐色或淡绿褐色，具细纵纹，茎节稍膨大，具紫褐色膜质托叶鞘；质较硬，易折断，断面黄白色，中空。叶绿色，多皱缩卷曲，展平后呈披针形，两面有透明腺点，质脆易碎，常脱落。无臭，味辛辣。

功能主治	辛，温。归胃、大肠经。活血调经，健脾利湿，解毒消肿。用于月经不调，小儿疳积，痢疾，肠炎，疟疾，跌打肿痛，蛇虫咬伤。
用法用量	内服煎汤，15 ~ 20 g。外用适量，鲜品捣敷；或煎汤洗。
附　　注	（1）《全国中草药汇编》记载，辣蓼基原植物为蓼科蓼属植物辣蓼 ***Polygonum flaccidum*** Meissn. 及水蓼 ***Polygonum hydropiper*** L.，以全草或根、叶入药。 （2）水蓼（辣蓼）之名始载于《唐本草》，该书云："叶似蓼，茎赤，味辛，生于湿水旁。"又载："生于浅水泽中，故名水蓼。"蓼属植物品种较多，其形态相似，古今品种均较复杂，现今强调的"不辣不用，有辣可用"的提法与古籍所言的"味辛"是一致的。《中国植物志》记载本种有"辛辣味"，而同属其他植物微辣或没有辛辣味。

蓼科 Polygonaceae 萹蓄属 *Polygonum*

酸模叶蓼 *Polygonum lapathifolium* L.

| 药 材 名 | 蓼草（药用部位：地上部分。别名：大马蓼、鸡大腿）。

| 形态特征 | 一年生草本。茎直立，具分枝，无毛，节部膨大。叶披针形或宽披针形，长 5 ~ 15 cm，宽 1 ~ 3 cm，先端渐尖或急尖，基部楔形，上面绿色，常有 1 大的黑褐色新月形斑点，两面沿中脉被短硬伏毛，全缘，边缘具粗缘毛；叶柄短，具短硬伏毛；托叶鞘筒状，长 1.5 ~ 3 cm，膜质，淡褐色，无毛，具多数脉，先端截形，无缘毛，稀具短缘毛。总状花序呈穗状，顶生或腋生，近直立，花紧密，通常由数个花穗再组成圆锥状，花序梗被腺体；苞片漏斗状，边缘具稀疏短缘毛；花被淡红色或白色，4（~ 5）深裂，花被片椭圆形，外面两面较大，脉粗壮，先端分叉，外弯；雄蕊通常 6。瘦果宽卵形，双凹镜状，长 2 ~ 3 mm，黑褐色，有光泽，包于宿存花被内。花期

酸模叶蓼

6 ~ 8 月，果期 7 ~ 9 月。

| **生境分布** | 生于田边、路旁、水边、荒地或沟边湿地。分布于宁夏灵武、平罗、泾源、彭阳、中宁、兴庆、金凤、大武口、惠农、原州、沙坡头、利通等。

| **资源情况** | 野生资源丰富。

| **采收加工** | 夏季割取地上部分，鲜用；或在夏、秋季间采收，晒干。

| **功能主治** | 辛、苦，凉。归脾、大肠经。清热解毒，利湿止痒。用于泄泻，痢疾，湿疹，瘰疬。

| **用法用量** | 内服煎汤，15 ~ 30 g。外用适量，煎汤洗；或捣敷。

| **附　　注** | （1）《中华本草》记载，本种的全草作鱼蓼药用。

（2）《宁夏中药志》记载，宁夏有人用鲜蓼草、鲜苍耳、鲜青蒿煮汤，与面粉、麦麸等混合，经发酵制成六神曲。其中蓼草的基原主要为本种和水蓼。

（3）《宁夏中药资源》记载本种药用果实、茎叶、全草。果实，利尿；茎叶，捣汁外敷，用于疮肿或蛇咬伤；全草，神曲原料之一。

蓼科 Polygonaceae 萹蓄属 *Polygonum*

绵毛酸模叶蓼 *Polygonum lapathifolium* L. var. *salicifolium* Sibth.

绵毛酸模叶蓼

| 药 材 名 |

绵毛酸模叶蓼（药用部位：全草）。

| 形态特征 |

一年生草本。茎直立，具分枝，无毛，节部膨大。叶披针形或宽披针形，长 5 ~ 15 cm，宽 1 ~ 3 cm，先端渐尖或急尖，基部楔形，上面绿色，常有 1 大的黑褐色新月形斑点，叶下面密生白色绵毛，两面沿中脉被短硬伏毛，全缘，边缘具粗缘毛；叶柄短，具短硬伏毛；托叶鞘筒状，长 1.5 ~ 3 cm，膜质，淡褐色，无毛，具多数脉，先端截形，无缘毛，稀具短缘毛。总状花序呈穗状，顶生或腋生，近直立，花紧密，通常由数个花穗再组成圆锥状，花序梗被腺体；苞片漏斗状，边缘具稀疏短缘毛；花被淡红色或白色，4（~ 5）深裂，花被片椭圆形，外面两面较大，脉粗壮，先端分叉，外弯；雄蕊通常 6。瘦果宽卵形，双凹镜状，长 2 ~ 3 mm，黑褐色，有光泽，包于宿存花被内。花期 6 ~ 8 月，果期 7 ~ 9 月。

| 生境分布 |

生于田边、路旁、水边、荒地或沟边湿地。分布于宁夏泾源等。

| 资源情况 | 野生资源丰富。

| 采收加工 | 夏、秋季间采收，晾干。

| 功能主治 | 辛，温。解毒，健脾，化湿，活血，截疟。用于疮疡肿痛，暑湿腹泻，肠炎痢疾，小儿疳积，跌打伤痛，疟疾。

| 用法用量 | 内服煎汤，10 ~ 20 g。

蓼科 Polygonaceae 萹蓄属 *Polygonum*

尼泊尔蓼 *Polygonum nepalense* Meisn.

|药材名| 尼泊尔蓼（药用部位：全草。别名：头花蓼）。

|形态特征| 一年生草本。茎外倾或斜上，自基部多分枝，无毛或在节部疏生腺毛。茎下部叶卵形或三角状卵形，长 3 ~ 5 cm，宽 2 ~ 4 cm，先端急尖，基部宽楔形，沿叶柄下延成翅，两面无毛或疏被刺毛，疏生黄色透明腺点；茎上部叶较小；叶柄长 1 ~ 3 cm，或近无柄，抱茎；托叶鞘筒状，长 5 ~ 10 mm，膜质，淡褐色，先端斜截形，无缘毛，基部具刺毛。花序头状，顶生或腋生，基部常具 1 叶状总苞片，花序梗细长，上部具腺毛；苞片卵状椭圆形，通常无毛，边缘膜质，每苞内具 1 花；花梗比苞片短；花被通常 4 裂，淡紫红色或白色，花被片长圆形，长 2 ~ 3 mm，先端圆钝；雄蕊 5 ~ 6，与花被近等长，花药暗紫色；花柱 2，下部合生，柱头头状。瘦果宽卵形，双凸

尼泊尔蓼

镜状，长 2 ~ 2.5 mm，黑色，密生洼点，无光泽，包于宿存花被内。花期 5 ~ 8 月，果期 7 ~ 10 月。

| 生境分布 | 生于山坡草地、山谷路旁。分布于宁夏六盘山（泾源、隆德）及贺兰山（永宁、大武口、贺兰、西夏）等，泾源、隆德其他区域也有分布。

| 资源情况 | 野生资源丰富。

| 采收加工 | 全年均可采收，晒干或鲜用。

| 功能主治 | 酸、涩，平。收敛固肠。用于赤白痢，大便溏泻。

| 用法用量 | 内服煎汤，9 ~ 12 g。

蓼科 Polygonaceae 萹蓄属 *Polygonum*

红蓼 *Polygonum orientale* L.

红蓼

药材名

水红花子（药用部位：果实。别名：荭草、东方蓼、水红花）、荭草（药用部位：地上部分。别名：九节龙、追风草）。

形态特征

一年生草本。茎直立，粗壮，高 1 ~ 2 m，上部多分枝，密被开展的长柔毛。叶宽卵形、宽椭圆形或卵状披针形，长 10 ~ 20 cm，宽 5 ~ 12 cm，先端渐尖，基部圆形或近心形，微下延，全缘，密生缘毛，两面密生短柔毛，叶脉上密生长柔毛；叶柄长 2 ~ 10 cm，具开展的长柔毛；托叶鞘筒状，膜质，长 1 ~ 2 cm，被长柔毛，具长缘毛，通常沿先端具草质、绿色的翅。总状花序呈穗状，顶生或腋生，长 3 ~ 7 cm，花紧密，微下垂，通常数个再组成圆锥状；苞片宽漏斗状，长 3 ~ 5 mm，草质，绿色，被短柔毛，边缘具长缘毛，每苞内具 3 ~ 5 花；花梗比苞片长；花被 5 深裂，淡红色或白色；花被片椭圆形，长 3 ~ 4 mm；雄蕊 7，比花被长；花盘明显；花柱 2，中下部合生，比花被长，柱头头状。瘦果近圆形，双凹镜状，直径 3 ~ 3.5 mm，黑褐色，有光泽，包于宿存花被内。花期 6 ~ 9 月，果期 8 ~ 10 月。

| 生境分布 | 生于沟边湿地、村边路旁。宁夏少有栽培。

| 资源情况 | 野生资源较少。

| 采收加工 | 水红花子：秋季果实成熟时，割下果穗，晒干，打下果实，除去杂质。

荭草：夏、秋季割取地上部分，或将打下果实后剩下的地上部分收集起来，晒干。

| 药材性状 | 水红花子：本品呈扁圆形，直径 2 ~ 3 mm，厚 1 ~ 1.5 mm。表面棕黑色，有的红棕色，有光泽，两面微凹，中部略有纵向隆起。先端有凸起的柱基，基部有浅棕色略凸起的果柄痕，有的有膜质花被残留。质硬，气微，味淡。以粒大、饱满充实、色红黑、纯净者为佳。

| 功能主治 | 水红花子：咸，微寒。归肝、胃经。散血消癥，消积止痛。用于癥瘕痞块，瘿瘤肿痛，食积不消，胃脘胀痛。

荭草：辛，凉；有毒。归心、胃、大肠经。解毒杀虫，祛风利湿，理气和中。

| 用法用量 | 水红花子：内服煎汤，15 ~ 30 g。外用适量，熬膏敷。

荭草：内服煎汤，3 ~ 6 g。外用适量，捣烂或研末敷。

| 附　　注 | 《宁夏中药志》记载，同属植物酸模叶蓼 *Polygonum lapathifolium* L. 的果实在一些地区也作水红花子药用。酸模叶蓼与本种的主要区别在于，植株不足 1 m；茎无毛，或叶柄有短刺毛；叶片披针形或广披针形，下面主脉和边缘有粗硬毛；花被常 4 深裂；雄蕊 6。酸模叶蓼均为野生。两者药材性状的主要区别在于，酸模叶蓼的果实呈扁卵圆形，直径 1 ~ 2 mm，厚不及 1 mm，表面红棕色。

蓼科 Polygonaceae 萹蓄属 *Polygonum*

西伯利亚蓼 *Polygonum sibiricum* Laxm.

| 药 材 名 | 西伯利亚蓼（药用部位：根茎。别名：剪刀股、野茶）。

| 形态特征 | 多年生草本。根茎细长。茎外倾或近直立，自基部分枝，无毛。叶片长椭圆形或披针形，无毛，长 5 ~ 13 cm，宽 0.5 ~ 1.5 cm，先端急尖或钝，基部戟形或楔形，全缘；叶柄长 8 ~ 15 mm；托叶鞘筒状，膜质，上部偏斜，开裂，无毛，易破裂。花序圆锥状，顶生，花排列稀疏，通常间断；苞片漏斗状，无毛，通常每 1 苞片内具 4 ~ 6 花；花梗短，中上部具关节；花被 5 深裂，黄绿色，花被片长圆形，长约 3 mm；雄蕊 7 ~ 8，稍短于花被，花丝基部较宽，花柱 3，较短，柱头头状。瘦果卵形，具 3 棱，黑色，有光泽，包于宿存的花被内或凸出。花果期 6 ~ 9 月。

| 生境分布 | 生于路边、湖边、河滩、山谷湿地、沙质盐碱地。分布于宁夏青铜峡、

西伯利亚蓼

灵武、贺兰、平罗、隆德、海原、彭阳、西吉、同心、盐池、兴庆、西夏、大武口、原州等。

| 资源情况 | 野生资源丰富。

| 采收加工 | 秋季采挖，除去泥土及杂质，洗净，晾干。

| 药材性状 | 本品细长，淡红色至淡黄色，皱缩，弯曲。气微，味酸。

| 功能主治 | 微辛、苦，微寒。归肝、大肠经。疏风清热，利水消肿。用于目赤肿痛，皮肤湿痒，水肿，腹水。

| 用法用量 | 内服研末，3 g。外用适量，煎汤洗。

| 附　　注 | 《藏药志》记载本种可作藏药，名为曲玛孜。目前关于曲玛孜基原品种的记载较多，主要涉及蓼科植物大黄和西伯利亚蓼。《藏药标准》在“曲玛孜”项下收载了蓼科植物小大黄 *Rheum pumilum* Maxim. 和西伯利亚蓼 *Polygonum sibiricum* Laxm.。曲玛孜具有泻黄水、消水肿之功效，临床主要用于“水病”。

蓼科 Polygonaceae 萹蓄属 *Polygonum*

支柱蓼 *Polygonum suffultum* Maxim.

| 药 材 名 | 支柱蓼（药用部位：根茎。别名：红三七、荞叶七）。

| 形态特征 | 多年生草本。根茎粗壮，通常呈念珠状，黑褐色。茎直立或斜上，细弱，上部分枝或不分枝，通常数条自根茎发出。基生叶卵形或长卵形，长 5 ~ 12 cm，宽 3 ~ 6 cm，先端渐尖或急尖，基部心形，全缘，疏生短缘毛，两面无毛或疏生短柔毛，叶柄长 4 ~ 15 cm；茎生叶卵形，较小，具短柄，最上部的叶无柄，抱茎；托叶鞘膜质，筒状，褐色，长 2 ~ 4 cm，先端偏斜，开裂，无缘毛。总状花序呈穗状，紧密，顶生或腋生，长 1 ~ 2 cm；苞片膜质，长卵形，先端渐尖，长约 3 mm，每苞内具 2 ~ 4 花；花梗细弱，长 2 ~ 2.5 mm，比苞片短；花被 5 深裂，白色或淡红色，花被片倒卵形或椭圆形，长 3 ~ 3.5 mm；雄蕊 8，比花被长；花柱 3，基部合生，柱头头状。

支柱蓼

瘦果宽椭圆形，具 3 锐棱，长 3.5 ~ 4 mm，黄褐色，有光泽，稍长于宿存花被。花期 6 ~ 7 月，果期 7 ~ 10 月。

| 生境分布 | 生于山坡路旁、林下湿地及沟边。分布于宁夏泾源、原州、隆德、西吉、海原、彭阳等。

| 资源情况 | 野生资源丰富。

| 采收加工 | 秋季采挖，洗净泥土，除去须根，晒干，或切片后晒干。

| 药材性状 | 本品呈类圆柱形，长 2 ~ 7 cm，直径 0.5 ~ 1.5 cm。表面紫褐色或黑褐色，具节，节处缢缩，节间隆起，呈连珠结节状，有未除净的须根及点状须根痕，有的先端具棕色纤维状叶柄残基。质硬，易折断，断面淡红棕色，近边缘有白色小点（维管束）断续排列成环。气微，味苦、涩。

| 功能主治 | 苦、涩，凉。归心、大肠经。清热解毒，散瘀止血，止痛生肌，止痢。用于咽喉肿痛，痢疾，泄泻，便血，崩漏，跌扑损伤，痈疖肿毒。

| 用法用量 | 内服煎汤，9 ~ 15 g。外用适量，研末调敷。

| 附　　注 | （1）《宁夏中药志》记载，本种在宁夏南部山区有较久的药用历史，曾以红三七、荞叶七为名被少量收购和应用。《宁夏中药材标准》（1993 年版）以支柱蓼为正名，红三七、荞叶七为别名收载本种。

（2）除本种外，同属植物中华抱茎蓼（*Polygonum amplexicaule* D. Don. var. *sinense* Forb. et Hemsl.）的根茎也作药材支柱蓼药用，二者在形态特征、药材性状等方面比较近似。

蓼科 Polygonaceae 萹蓄属 *Polygonum*

珠芽蓼 *Polygonum viviparum* L.

| 药 材 名 | 红三七（药用部位：根茎。别名：草河车、山谷子、珠芽蓼）。

| 形态特征 | 多年生草本。根茎粗壮，弯曲，黑褐色，直径 1 ~ 2 cm。茎直立，高 15 ~ 60 cm，不分枝，通常 2 ~ 4 自根茎发出。基生叶长圆形或卵状披针形，长 3 ~ 10 cm，宽 0.5 ~ 3 cm，先端尖或渐尖，基部圆形、近心形或楔形，两面无毛，边缘脉端增厚，外卷，具长叶柄；茎生叶较小，披针形，近无柄；托叶鞘筒状，膜质，下部绿色，上部褐色，偏斜，开裂，无缘毛。总状花序呈穗状，顶生，紧密，下部生珠芽；苞片卵形，膜质，每苞内具 1 ~ 2 花；花梗细弱；花被 5 深裂，白色或淡红色，花被片椭圆形，长 2 ~ 3 mm；雄蕊 8，花丝不等长；花柱 3，下部合生，柱头头状。瘦果卵形，具 3 棱，深褐色，有光泽，长约 2 mm，包于宿存花被内。花期 5 ~ 7 月，果期

珠芽蓼

7 ~ 9 月。

| 生境分布 | 生于山坡林下、高山或亚高山草甸。分布于宁夏六盘山（泾源、隆德）、罗山（同心）、贺兰山（平罗、大武口、贺兰、西夏）等。

| 资源情况 | 野生资源丰富。

| 采收加工 | 秋季挖取根茎，除去茎及残叶、须根和泥土，拣除腐朽变黑色者，晒干。

| 药材性状 | 本品呈扁圆柱形而弯曲，常对折卷起呈弯虾形，长 2 ~ 5 cm，直径 5 ~ 12 mm，表面黑褐色，粗糙，一面较隆起，一面具凹槽或稍平，有层状粗环纹及未除净的须根或残留的白色根痕，有的先端具褐色纤维状的叶柄残基。质坚硬，折断面平坦，粉紫红色或红棕色，有白色小点（维管束）断续排列成环。气微，味微苦。

| 功能主治 | 苦、涩，凉。归心、大肠经。清热解毒，散瘀止血，止痛生肌，止痢。用于咽喉肿痛，痢疾，泄泻，便血，崩漏，跌打损伤，痈疖肿毒。

| 用法用量 | 内服煎汤，6 ~ 15 g。外用适量，研末调敷。

| 附　　注 | （1）红三七是宁夏六盘山地区著名的民间草药，在此地区作红三七药用的还有支柱蓼 *Polygonum suffultum* Maxim. 。两种植物和药材性状的区别，见下列检索表。

两种植物检索表：

1. 叶矩圆状披针形或披针形，穗状花序长 3 ~ 6 cm，顶生，中下部具珠芽
……………………………………………………珠芽蓼 *Polygonum viviparum* L.

1. 叶卵形或长卵形，穗状花序长约 1 cm，顶生或侧生………………………………
……………………………………………………支柱蓼 *Polygonum suffultum* Maxim.

两种药材检索表：

1. 根茎弯曲或对折弯曲，背面隆起，腹面具凹槽或略平，具环纹…………珠芽蓼

1. 根茎圆柱形，具节或略呈串珠状………………………………………………支柱蓼

（2）本种药材在宁夏有长期的使用历史。《现代实用本草》、《中国民族药志》（第一卷）、《宁夏中药材标准》（1993 年版、2018 年版）、《宁夏中药志》（第 2 版）均以红三七为名收载本种。《全国中草药汇编》《中药大辞典》以珠芽蓼为名收载本种。

蓼科 Polygonaceae 翼蓼属 *Pteroxygonum*

翼蓼 *Pteroxygonum giraldii* Dammer. et Diels

| 药 材 名 | 翼蓼（药用部位：块根。别名：红药子）。

| 形态特征 | 多年生草本。块根粗壮，近圆形，横断面暗红色。茎攀缘，圆柱形，中空，具细纵棱，无毛或被疏柔毛，长可达 3 m。叶 2 ~ 4 簇生，叶片三角状卵形或三角形，先端渐尖，基部宽心形或戟形，具 5 ~ 7 基出脉，上面无毛，下面沿叶脉疏生短柔毛，边缘具短缘毛；叶柄长 3 ~ 7 cm，无毛，通常基部卷曲；托叶鞘膜质，宽卵形，先端急尖，基部被短柔毛，长 4 ~ 6 mm。花序总状，腋生，直立，长 2 ~ 5 cm，花序梗粗壮，果时长可达 10 cm；苞片狭卵状披针形，淡绿色，长 4 ~ 6 mm，通常每苞内具 3 花；花梗无毛，中下部具关节，长 5 ~ 8 mm；花被 5 深裂，白色，花被片椭圆形，长 3.5 ~ 4 mm；雄蕊 8，与花被近等长；花柱 3，中下部合生，柱头

翼蓼

头状。瘦果卵形，黑色，具 3 锐棱，沿棱具黄褐色膜质翅，基部具 3 黑色角状附属物；果柄粗壮，长可达 2.5 cm，具 3 下延的狭翅。花期 6 ~ 8 月，果期 7 ~ 9 月。

| 生境分布 | 生于山坡石缝、山谷灌丛中。分布于宁夏彭阳、原州、隆德等。

| 资源情况 | 野生资源较少。

| 采收加工 | 秋季采挖，除去茎叶和须根，洗净，切厚片，晒干。

| 药材性状 | 本品略呈圆柱状或类圆形，长 10 cm 左右，直径 7 cm 左右，或更大、更小些。表面棕红色至棕色，光滑或皱缩，可见凸起的茎基或支根痕；有的已切成块片，剖面可见纵横走向的维管束及纤维。质坚硬，难折断。气微，味苦。

| 功能主治 | 苦、涩、微甘，凉。归心、大肠经。凉血止血，清热解毒，除湿，止痛。用于泄泻，痢疾，便血，崩漏，腰腿痛，烫火伤，疮疖，狂犬咬伤。

| 用法用量 | 内服煎汤，6 ~ 9 g。外用适量，捣敷，或研末调敷。

| 附　　注 | 《宁夏中药志》记载，宁夏南部山区群众曾误将翼蓼的块根当何首乌药用，现已纠正。

蓼科 Polygonaceae 大黄属 *Rheum*

河套大黄 *Rheum hotaoense* C. Y. Cheng et Kao

| 药 材 名 | 河套大黄（药用部位：根及根茎。别名：土大黄）。

| 形态特征 | 多年生高大草本。根茎及根粗大，棕黄色；茎挺直，节间长，下部直径 1 ~ 2 cm，光滑无毛，近节处粗糙。基生叶大，叶片卵状心形或宽卵形，上半部之两侧常内凹，长 25 ~ 40 cm，宽 23 ~ 28 cm，先端钝急尖，基部呈心形，边缘具弱皱波；叶柄呈半圆柱状，长 17 ~ 25 cm，无毛或粗糙；茎生叶较小，叶片卵形或卵状三角形；叶柄亦较短；托叶鞘包茎，长 5 ~ 8 cm，外侧稍粗糙。大型圆锥花序，具 2 次以上分枝，轴及枝均光滑，仅于近节处具乳突状毛；花较大，花梗细长，长 4 ~ 5 mm，关节位于中部之下；花被片 6，近等大或外轮 3 略小，椭圆形，长 2 ~ 2.5 mm，具细弱稀疏网脉，背面中部浅绿色，边缘白色；雄蕊 9，与花被近等长；子房宽椭圆形，花柱 3，

河套大黄

短而平伸，柱头头状。果实圆形或近圆形，直径 7.5 ~ 8.5 mm，先端略凹，稀近截形，基部圆形或略心形，翅宽 2 ~ 2.5 mm，纵脉在翅的中间。种子宽卵形。花期 5 ~ 7 月，果期 7 ~ 9 月。

| 生境分布 | 生于山坡石缝、山谷灌丛中。分布于宁夏灵武、盐池、固原、隆德、泾源等。

| 资源情况 | 野生资源丰富。

| 采收加工 | 秋季采挖，洗净，切片，晒干。

| 药材性状 | 本品呈类圆柱形或类圆锥形，较粗大者纵切成条状或块片状，长 5 ~ 14 cm，直径 2 ~ 6 cm。除皮者表面土黄色，残留外皮呈黄棕色或棕褐色。断面黄红色，横切面的射线纹理明显，无星点。

| 功能主治 | 苦，寒。归胃、大肠经。消食化滞，通腑泻热。用于食积不化，脘腹胀满，腹痛泄泻不爽，热结便秘。

| 用法用量 | 内服煎汤，3 ~ 9 g。外用适量。

| 附　　注 | 《宁夏中药志》记载，河套大黄 *Rheum hotaoense* C. Y. Cheng et Kao 及六盘山鸡爪大黄 *Rheum tanguticum* Mamix. ex Regel var. *liupanshanense* C. Y. Cheng et Kao 两者常与正品大黄混淆或在民间称大黄供药用。其中河套大黄 *Rheum hotaoense* C. Y. Cheng et Kao 以根及根茎在部分地区作兽药用。

蓼科 Polygonaceae 大黄属 *Rheum*

鸡爪大黄 *Rheum tanguticum* Maxim. ex Regel

| 药 材 名 | 大黄（药用部位：根及根茎。别名：唐古特大黄）。

| 形态特征 | 多年生高大草本。根及根茎粗壮，黄色。茎粗，中空，具细棱线，光滑无毛或在上部的节处具粗糙短毛。茎生叶大型，叶片近圆形或近宽卵形，长 30 ~ 60 cm，先端窄长急尖，基部略呈心形，通常掌状 5 深裂，最基部 1 对裂片简单，中间 3 裂片多为 3 回羽状深裂，小裂片窄长披针形，基出脉 5，叶上面具乳突或粗糙，下面具密短毛；叶柄近圆柱状，与叶片近等长，被粗糙短毛；茎生叶较小，叶柄亦较短，裂片多更狭窄；托叶鞘大型，以后多破裂，外面具粗糙短毛。大型圆锥花序，分枝较紧聚，花小，紫红色，稀淡红色；花梗丝状，长 2 ~ 3 mm，关节位于下部；花被片近椭圆形，内轮较大，长约 1.5 mm；雄蕊多为 9，不外露；花盘薄并与花丝基部联合成极浅盘状；

鸡爪大黄

子房宽卵形，花柱较短，平伸，柱头头状。果实矩圆状卵形到矩圆形，先端圆形或平截，基部略心形，翅宽 2 ~ 2.5 mm，纵脉近翅的边缘。种子卵形，黑褐色。花期 6 月，果期 7 ~ 8 月。

| 生境分布 | 生于高山沟谷中。分布于宁夏泾源、隆德、原州、西吉等。

| 资源情况 | 野生资源较丰富。

| 采收加工 | 秋末茎叶枯萎或翌年春发芽前采挖，除去细根，刮去外皮，切瓣或段，绳穿成串干燥或直接干燥。

| 药材性状 | 本品呈类圆柱形、圆锥形、卵圆形或不规则块状，长 3 ~ 17 cm，直径 3 ~ 10 cm。除尽外皮者表面黄棕色至红棕色，有的可见类白色网状纹理及星点（异型维管束）散在，残留的外皮棕褐色，多具绳孔及粗皱纹。质坚实，有的中心稍松软，断面淡红棕色或黄棕色，显颗粒性；根茎髓部宽广，有星点环列或散在；根木部发达，具放射状纹理，形成层环明显，无星点。气清香，味苦而微涩，嚼之黏牙，有沙粒感。

| 功能主治 | 泻下攻积，清热泻火，凉血解毒，逐瘀通经，利湿退黄。用于实热积滞便秘，血热吐衄，目赤咽肿，痈肿疔疮，肠痈腹痛，瘀血经闭，产后瘀阻，跌打损伤，湿热痢疾，黄疸尿赤，淋证，水肿；外用于烫火伤。

| 用法用量 | 内服煎汤，3 ~ 30 g，用于泻下不宜久煎。外用适量，研末调敷。

| 附　　注 | （1）鸡爪大黄列入《世界自然保护联盟濒危物种红色名录》（IUCN）中，保护级别为易危（VU）。

（2）《宁夏中药志》记载，大黄来源于蓼科植物掌叶大黄 *Rheum palmatum* L.、鸡爪大黄 *Rheum tanguticum* Maxim. ex Regel（*Rheum palmatum* L. var. *tanguticum* Maxim. ex Regel），以根及根茎入药。

（3）4 种大黄属植物的检索表：

1. 叶掌状中裂至深裂。
   2. 叶浅裂至中裂，裂片呈窄三角形……………掌叶大黄 *Rheum palmatum* L.
   2. 叶深裂，裂片又常羽裂，最终裂片呈窄三角形至窄披针形。
      3. 植株高大，高 1.5 ~ 2 m，茎光滑无毛或在上部的节处具粗糙短毛，茎髓腔较大………………………鸡爪大黄 *Rheum tanguticum* Maxim. ex Regel

3. 植株较矮小，高 0.6 ~ 1.2 m，茎密被短柔毛，茎髓腔较小，花序分枝较简单……………………………………………………六盘山鸡爪大黄

Rheum tanguticum Maxim. ex Regel var. *liupanshanense* C. Y. Cheng et Kao

1. 叶缘波状不裂……………………河套大黄 *Rheum hotaoense* C. Y. Cheng et Kao

蓼科 Polygonaceae 大黄属 *Rheum*

六盘山鸡爪大黄 *Rheum tanguticum* Maxim. ex Regel var. *liupanshanense* C. Y. Cheng et Kao

六盘山鸡爪大黄

| 药 材 名 |

六盘山鸡爪大黄（药用部位：根及根茎。别名：野大黄）。

| 形态特征 |

多年生草本。植株较矮。块根粗壮，近圆形，直径可达 15 cm，横断面暗红色。茎攀缘，细而坚实，直径 6 ~ 8 mm，髓腔细小，较平滑，无明显棱线，被短毛亦小。叶 2 ~ 4 簇生，叶片三角状卵形或三角形，先端渐尖，基部宽心形或戟形；叶柄长 3 ~ 7 cm，无毛，通常基部卷曲；托叶鞘膜质，宽卵形，先端急尖，基部被短柔毛，长 4 ~ 6 mm。花序总状，腋生，直立，长 2 ~ 5 cm，花序梗粗壮，果时长可达 10 cm，花序通常只 1 次分枝，或仅最下部分枝有短小分枝；苞片狭卵状披针形，淡绿色，长 4 ~ 6 mm，通常每苞内具 3 花；花梗无毛，中下部具关节，长 5 ~ 8 mm；花被 5 深裂，白色，花被片椭圆形，长 3.5 ~ 4 mm；雄蕊 8，与花被近等长；花柱 3，中下部合生，柱头头状。瘦果卵形，黑色，具 3 锐棱，沿棱具黄褐色膜质翅，基部具 3 黑色角状附属物；果柄粗壮，长可达 2.5 cm，具 3 下延的狭翅。花期 6 ~ 8 月，果期 7 ~ 9 月。

| 生境分布 | 生于山坡石缝、山谷灌丛中。分布于宁夏六盘山（泾源、隆德、原州）等。

| 资源情况 | 野生资源较少。

| 采收加工 | 9 ~ 10 月茎叶枯萎时或 4 ~ 5 月茎叶未生出前采挖，除去泥土，切除茎及细根，刮去粗皮，切厚片或纵切成瓣，根部常横切成适当长度的节，阴干、晒干或烘干。

| 药材性状 | 本品呈圆锥形或圆柱形，一般长 10 ~ 15 cm，直径 4 ~ 8 cm，常横切厚片，未除皮者表面黄棕色或黄褐色，断面暗黄绿色，根茎髓部可见星点。

| 功能主治 | 苦，寒。归脾、胃、大肠、肝、心包经。泻热通肠，凉血解毒，逐瘀通经。用于实热便秘，积滞腹痛，泻痢不爽，湿热黄疸，血热吐衄，目赤咽肿，肠痈腹痛，痈肿疔疮，瘀血经闭，跌扑损伤；外用于烫火伤，上消化道出血。

| 用法用量 | 内服煎汤，3 ~ 30 g，用于泻下不宜久煎。外用适量，研末调敷。

蓼科 Polygonaceae 大黄属 *Rheum*

波叶大黄 *Rheum rhabarbarum* L.

波叶大黄

|药材名|

山大黄（药用部位：根及根茎。别名：唐大黄）。

|形态特征|

多年生高大草本。茎粗壮，中空，光滑无毛，只近节部稍具糙毛。基生叶大，叶片三角状卵形或近卵形，先端钝尖或钝急尖，常扭向一侧，基部心形，边缘具强皱波，基出脉 5 ~ 7，于叶下面凸起，叶上面深绿色，光滑无毛或在叶脉处具稀疏短毛，下面浅绿色，被毛；叶柄粗壮，宽扁半圆柱状，通常短于叶片，被有短毛；上部叶较小，多三角形或卵状三角形。大型圆锥花序，花白绿色，5 ~ 8 簇生；花梗长 2.5 ~ 4 mm，关节位于下部；花被片不开展，外轮 3 稍小而窄，内轮 3 稍大，椭圆形，长近 2 mm；雄蕊与花被等长；子房略呈菱状椭圆形，花柱较短，向外反曲，柱头膨大，较平坦。果实三角状卵形到近卵形，先端钝，基部心形，翅较窄，纵脉位于翅的中间部分。种子卵形，棕褐色，稍具光泽。花期 6 月，果期 7 月以后。

|生境分布|

生于山坡石缝、山谷灌丛中。分布于宁夏隆

德、中宁等。

| 资源情况 | 野生资源较丰富。

| 采收加工 | 春、秋季采挖，切片，晒干。

| 功能主治 | 苦，寒。归胃、大肠经。泻热，通便，破积，行瘀。用于热结便秘，湿热黄疸，痈肿疔毒，跌打瘀痛，口疮糜烂，烫火伤。

| 用法用量 | 内服煎汤，3 ~ 9 g；或研末。外用适量，研末撒或调敷。

| 附　　注 | 《中国民族药志要》记载波叶大黄可作藏药，其茎用于培根病和赤巴病引起的热性病，泻痢，大便秘结，胸腹胀满，气喘；其茎、叶用于培根病。

蓼科 Polygonaceae 酸模属 *Rumex*

酸模 *Rumex acetosa* L.

| 药 材 名 | 酸模（药用部位：全草或根。别名：酸溜溜、莫菜、酸木通）、酸模叶（药用部位：茎叶）。

| 形态特征 | 多年生草本。根为须根。茎直立，高 40 ~ 100 cm，具深沟槽，通常不分枝。基生叶和茎下部叶箭形，先端急尖或圆钝，基部裂片急尖，全缘或微波状；叶柄长 2 ~ 10 cm；茎上部叶较小，具短叶柄或无柄；托叶鞘膜质，易破裂。花序狭圆锥状，顶生，分枝稀疏；花单性，雌雄异株；花梗中部具关节；花被片 6，成 2 轮，雄花内花被片椭圆形，长约 3 mm，外花被片较小，雄蕊 6；雌花内花被片果时增大，近圆形，直径 3.5 ~ 4 mm，全缘，基部心形，网脉明显，基部具极小的小瘤，外花被片椭圆形，反折，瘦果椭圆形，具 3 锐棱，两端尖，长约 2 mm，黑褐色，有光泽。花期 5 ~ 7 月，果期 6 ~ 8 月。

酸模

| 生境分布 | 生于山坡、林缘、沟边、路旁。分布于宁夏六盘山（隆德、泾源）、罗山（同心）等。

| 资源情况 | 野生资源较少。

| 采收加工 | 酸模：夏、秋季采挖全草或根，洗净，晒干。

酸模叶：夏季采收，洗净，鲜用或晒干。

| 药材性状 | 酸模：本品根茎粗短，先端有残留的茎基，常数根相聚簇生；根稍肥厚，长 3.5 ~ 7 cm，直径 1 ~ 6 mm，表面棕紫色或棕色，有细纵皱纹。质脆，易折断，断面棕黄色，粗糙，纤维性。气微，味微苦、涩。

酸模叶：本品多皱缩。完整者展平后基生叶有长柄，长可达 15 cm 左右；茎生叶有柄或抱茎；叶片卵状长圆形，长 5 ~ 15 cm，宽 2 ~ 5 cm，先端钝或微尖，基部箭形或近戟形，全缘或微呈波状，叶表面不甚光滑，枯绿色；托叶鞘膜质，斜截形。气微，味苦、酸、涩。

| 功能主治 | 酸模：全草，酸、苦，寒。归肝、膀胱经。清热，凉血，解毒，通便，利水，杀虫。用于吐血，便血，痢疾，便秘，热淋，血淋，目赤，小便不利，小儿高热，疥癣，恶疮，汗斑。根，酸、微苦，寒。凉血止血，泻热通便，利尿，杀虫。用于吐血，便血，月经过多，热痢，目赤，便秘，小便不通，淋浊，恶疮，疥癣，湿疹。

酸模叶：酸、微苦，寒。泻热通秘，利尿，凉血止血，解毒。用于便秘，小便不利，内痔出血，疮疡，丹毒，疥癣，湿疹，烫伤。

| 用法用量 | 酸模：全草，内服煎汤，9 ~ 15 g。外用适量，鲜品捣汁，或干品用醋磨汁涂。根，内服煎汤，9 ~ 15 g；或捣汁。外用适量，捣敷。

酸模叶：内服煎汤，15 ~ 30 g。外用适量，捣敷；或研末调涂。

| 附　　注 | （1）《认药白晶鉴》《蒙药学》记载，本种的根及根茎可作蒙药，具有泻下、杀虫、消肿、愈伤的功效。

（2）《中国藏药》《中华藏本草》记载，本种的根及根茎可作藏药，用于乳蛾，白喉，腹水，功能失调性子宫出血，肺结核，咳嗽，肝炎；外用于外伤出血，疮疖肿毒，湿疹，腮腺炎，神经性皮炎，疥疮。

（3）《朝药图志》记载，本种可作朝药，其全草用于白癜风，化脓性指头炎，褥疮。

（4）《宁夏中药志》记载酸模 *Rumex acetosa* L. 的全草作酸模药用，《中华本草》记载本种的根也作酸模药用。

蓼科 Polygonaceae 酸模属 *Rumex*

水生酸模 *Rumex aquaticus* L.

| 药材名 | 水生酸模（药用部位：根）。

| 形态特征 | 多年生草本。高 60 ~ 150 cm。茎直立，具沟纹，上部分枝。基生叶和茎下部叶卵形或长圆状卵形，长 15 ~ 25 cm，宽 10 ~ 13 cm，先端圆钝或微凹，基部心形，边缘波状或皱波状，两面无毛或背面沿脉具稀疏乳头状突起；叶柄长达 20 cm；上部茎生叶心状卵形或披针形；托叶鞘膜质。花两性；圆锥花序，多分枝，不具叶或下部具叶；花多轮生成簇，花梗细，基部具关节；花被片 6，排成 2 轮，外轮花被片长圆形，内轮花被片先端钝。小坚果椭圆状三棱形，褐色。花期 7 月，果期 8 ~ 9 月。

| 生境分布 | 生于山谷水边、沟边湿地。分布于宁夏贺兰、永宁、隆德、泾源、西吉、西夏等。

水生酸模

| **资源情况** | 野生资源丰富。

| **采收加工** | 夏、秋季间采挖，晾干。

| **功能主治** | 酸。归肝、膀胱经。清热，凉血，解毒，通便，利水。用于消化不良，急性肝炎，妇女血崩等。

蓼科 Polygonaceae 酸模属 *Rumex*

皱叶酸模 *Rumex crispus* L.

皱叶酸模

药材名

土大黄（药用部位：根。别名：牛西西、羊蹄、牛舌头）。

形态特征

多年生草本。根粗壮，黄褐色。茎直立，高 50 ~ 120 cm，不分枝或上部分枝，具浅沟槽。基生叶披针形或狭披针形，长 10 ~ 25 cm，宽 2 ~ 5 cm，先端急尖，基部楔形，边缘皱波状；茎生叶较小，狭披针形；叶柄长 3 ~ 10 cm；托叶鞘膜质，易破裂。花序狭圆锥状，花序分枝近直立或上升；花两性；淡绿色；花梗细，中下部具关节，关节果时稍膨大；花被片 6，外花被片椭圆形，长约 1 mm，内花被片果时增大，宽卵形，长 4 ~ 5 mm，网脉明显，先端稍钝，基部近截形，近全缘，全部具小瘤，稀 1 具小瘤，小瘤卵形，长 1.5 ~ 2 mm。瘦果卵形，先端急尖，具 3 锐棱，暗褐色，有光泽。花期 5 ~ 6 月，果期 6 ~ 7 月。

生境分布

生于河滩、路旁、沟边湿地。宁夏各地均有分布。

| 资源情况 | 野生资源丰富。

| 采收加工 | 春、秋季采挖，除去茎叶，洗净，晒干，或切片后晒干。

| 药材性状 | 本品呈圆锥形，长 8 ~ 15 cm，直径 3 ~ 5 cm。根头有茎基和棕黑色基生叶的残留物，呈鳞片状和纤维状，其下有密集环纹。下部有分枝，表面棕灰色，具纵沟纹及须根痕。质坚硬，难折断，折断面黄灰色。气微，味苦。

| 功能主治 | 苦、酸，寒。归心、肺、大肠、小肠经。清热解毒，止血，通便，杀虫。用于吐血，鼻衄，便血，崩漏，大便燥结，痈疮肿毒，疥癣，烫火伤。

| 用法用量 | 内服煎汤，9 ~ 15 g。外用适量，捣汁涂；或研末调敷。

| 附　　注 | （1）《宁夏中药志》记载，土大黄为酸模属植物皱叶酸模 *Rumex crispus* L. 和巴天酸模 *Rumex patientia* L. 的根。两种植物形态相似，其主要区别见检索表：

1. 增大的内轮被片全部有瘤状突起；果被片宽不超过 4 mm；基生叶和下部茎生叶披针形或长圆状披针形，基部楔形………皱叶酸模 *Rumex crispu* L.
1. 增大的内轮被片仅 1 具瘤状突起；果被片宽 5 mm 以上；基生叶和下部茎生叶长椭圆形，基部圆形或浅心形……………………巴天酸模 *Rumex patientia* L.

（2）《认药白晶鉴》《蒙药学》记载，皱叶酸模的根及根茎可作蒙药，具有泻下、杀虫、消肿、愈伤的功效。

蓼科 Polygonaceae 酸模属 *Rumex*

齿果酸模 *Rumex dentatus* L.

| 药 材 名 | 齿果酸模（药用部位：根、叶）。

| 形态特征 | 一年生草本。茎直立，高 30 ~ 70 cm，自基部分枝，枝斜上，具浅沟槽。茎下部叶长圆形或长椭圆形，先端圆钝或急尖，基部圆形或近心形，边缘浅波状，茎生叶较小；叶柄长 1.5 ~ 5 cm。花序总状，顶生和腋生，具叶，由数个再组成圆锥花序，长达 35 cm，多花，轮状排列，花轮间断；花梗中下部具关节；外花被片椭圆形，长约 2 mm；内花被片果时增大，三角状卵形，长 3.5 ~ 4 mm，宽 2 ~ 2.5 mm，先端急尖，基部近圆形，网纹明显，全部具小瘤，小瘤长 1.5 ~ 2 mm，边缘每侧具 2 ~ 4 刺状齿，齿长 1.5 ~ 2 mm，瘦果卵形，具 3 锐棱，长 2 ~ 2.5 mm，两端尖，黄褐色，有光泽。花期 5 ~ 6 月，果期 6 ~ 7 月。

齿果酸模

| 生境分布 | 生于沟边湿地、路旁。分布于宁夏兴庆、大武口等。

| 资源情况 | 野生资源较少。

| 采收加工 | 4 ~ 5 月采叶，夏、秋季采挖根，鲜用或晒干。

| 功能主治 | 苦，寒。清热解毒，杀虫止痒。用于乳痈，疮疡肿毒，疥癣。

| 用法用量 | 内服煎汤，3 ~ 10 g。外用适量，捣敷。

蓼科 Polygonaceae 酸模属 *Rumex*

巴天酸模 *Rumex patientia* L.

巴天酸模

| 药材名 |

土大黄（药用部位：根。别名：牛舌头、牛西西、羊蹄）。

| 形态特征 |

多年生草本。根肥厚，直径可达 3 cm；茎直立，粗壮，高 90 ~ 150 cm，上部分枝，具深沟槽。基生叶长圆形或长圆状披针形，先端急尖，基部圆形或近心形，边缘波状；叶柄粗壮，长 5 ~ 15 cm；茎上部叶披针形，较小，具短叶柄或近无柄；托叶鞘筒状，膜质，长 2 ~ 4 cm，易破裂。花序圆锥状，大型；花两性；花梗细弱，中下部具关节；关节果时稍膨大，外花被片长圆形，长约 1.5 mm，内花被片果时增大，宽心形，长 6 ~ 7 mm，先端圆钝，基部深心形，近全缘，具网脉，全部或一部分具小瘤；小瘤长卵形，通常不能全部发育。瘦果卵形，具 3 锐棱，先端渐尖，褐色，有光泽，长 2.5 ~ 3 mm。花期 5 ~ 6 月，果期 6 ~ 7 月。

| 生境分布 |

生于沟边湿地、水边。分布于宁夏六盘山（隆德、原州）、贺兰山（贺兰、平罗、大武口、惠农）、南华山（海原）等，西吉、彭阳、

泾源及隆德其他区域也有分布。

| 资源情况 | 野生资源较少。

| 采收加工 | 春、秋季采挖，除去茎叶，洗净，晒干，或切片后晒干。

| 功能主治 | 苦、酸，寒。归心、肺、大肠、小肠经。清热解毒，止血，通便，杀虫。用于吐血，鼻衄，便血，崩漏，大便燥结，痈疮肿毒，疥癣，烫火伤。

| 用法用量 | 内服煎汤，9 ~ 15 g。外用适量，捣汁涂；或研末调敷。

| 附　　注 | 《中国藏药》《中华藏本草》记载，本种的根及根茎可作藏药。